최상위권 유형별

문제기본서 하이 하이

Hi High

수학 Ⅱ

수학의 최고 실력

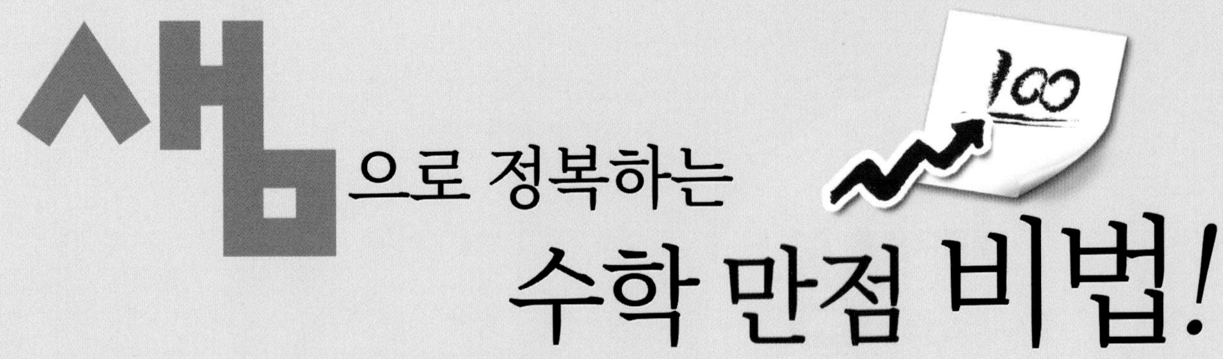

수학의 샘으로 기본기를 충실히!

수학 기본서 '수학의 샘'은 자세한 개념 설명으로 수학의 원리를 쉽게 이해할 수 있는 교재입니다. 최고의 기본서 수학의 샘으로 수학의 기본기를 충실히 다질 수 있습니다.

Hi Math로 학교 시험에 대한 자신감을!

충분한 기본 문제, 학교 시험에 자주 출제되는 문제를 수록하여 구성한 교재입니다.
유형별 문제기본서 '아샘 Hi Math'로 학교 시험에 대한 자신감을 가질 수 있습니다.

Hi High로 최고난도 문제에 대한 자신감을!

중간 난이도 수준의 문제부터 심화 문제까지 충분히 수록하여 구성한 교재입니다.
출제빈도가 높은 최상위권 유형을 충분히 연습하여 학교 시험 100점을 자신하게 됩니다.

● **대표저자**: 이창주(前 한영고, EBS·강남구청 강사, 7차 개정 교과서 집필위원), 이명구(한영고, 수학의 샘, 수학의 뿌리-3점짜리 시리즈, 전국 모의고사 집필위원)
● **편집 및 연구**: 박상원, 윤원석, 전신영, 강은홍, 장혜진, 정흥래
● **일러스트 출처**: 1쪽_좌, 2쪽, 3쪽_상, 4쪽_상, 본문_좌측 상단, 본문_우측 상단 **designed by freepik.com**

수능 레전드인 이유

짱 7년 평균 적중률 85.3%

EBS 연계율 50%

짱 유형 시리즈

(수학 I, 수학 II, 확률과 통계, 미적분, 기하)

짱 확장판 시리즈

(수학 I, 수학 II, 확률과 통계)

짱 파이널 실전모의고사

(수학 영역)

짱 쉬운 유형 반복학습을 위한 '짱 확장판'

짱 쉬운 유형

짱 확장판

짱 확장판 추천 대상

1. 수능 4등급 이하의 학생
2. 점수의 기복이 있는 학생
3. 짱 쉬운 유형을 완벽히 풀지 못하는 학생

Hi High

수학 Ⅱ

"아름다운 샘 Hi High는?"

Hi High의 특징

개념기본서 「수학의 샘」, 문제기본서 「Hi Math」와 연계된 교재

개념기본서 「수학의 샘」, 문제기본서 「Hi Math」에서 공부한 개념과 문제들로 쌓은 실력으로 보다 수준 높은 문제 연습을 할 수 있는 교재입니다. 단원의 구성과 순서가 동일하여 「수학의 샘」, 「Hi Math」와 연계하여 공부할 수 있습니다.

최고 수준의 수학 실력에 도달할 수 있는 문제기본서

난이도 있는 문제들을 풀면서 수학 실력을 향상시키기를 원하는 학생을 위한 교재입니다. 학교 시험에 잘 나오는 문제들을 시작으로 하여 깊이 있는 유형 문제 연습을 거쳐 최고 수준의 심화 문제 연습도 가능합니다.

변별력 있는 문제들을 충분히 연습할 수 있는 문제기본서

이 교재의 구성은 [쌤이 꼭 내는 기본 문제] – [유형 문제] – [1등급 문제] – [최고난도 문제]입니다. 특히, [1등급 문제], [최고난도 문제] 코너에서는 높은 수학적 사고력을 요하는 문제들을 충분히 연습할 수 있습니다.

내신 1등급, 모의고사 1등급을 책임지는 문제기본서

학교 시험 및 모의고사 등에 출제되는 고난도 문제 유형들을 분석하고 분류하여 수록하였습니다. 상위권 변별력 문제를 충분히 실어 깊이 있는 내신 고득점 및 모의고사 문제까지 완벽하게 대비할 수 있도록 하였습니다.

수학적 사고력을 높여 수학 성적 1등급을 목표로 하는 상위권 학생들을 위하여
응용 · 심화 문제들을 다양하게 연습할 수 있는 문제
내신 · 모의고사 1등급을 완벽 대비할 수 있는 문제
들을 엄선하여 어떤 시험에서도 자신감을 가질 수 있도록 만든 문제기본서입니다.

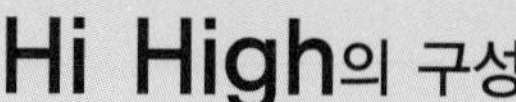

Hi High의 구성

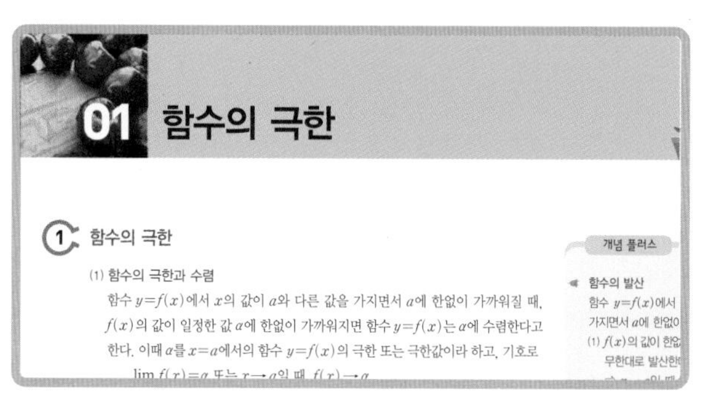

● 개념 정리

각 단원의 중요 개념, 공식을 한눈에 볼 수 있도록 정리하였습니다. 알아두면 유용한 공식이나 개념, 문제 풀이에 직접적으로 도움이 될 만한 문제 해결 팁 등을 개념플러스에서 추가하여 제시하였습니다.

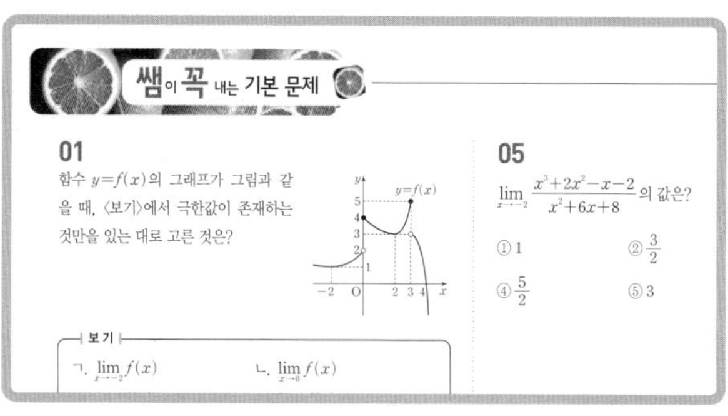

● 쌤이 꼭 내는 기본 문제

각 단원에서 출제 빈도가 높아 꼭 풀고 가야 하는 기본 유형의 문제들을 선별하였습니다. 선생님이 강조하여 가르치는 대표 문제들을 풀고 갈 수 있습니다.

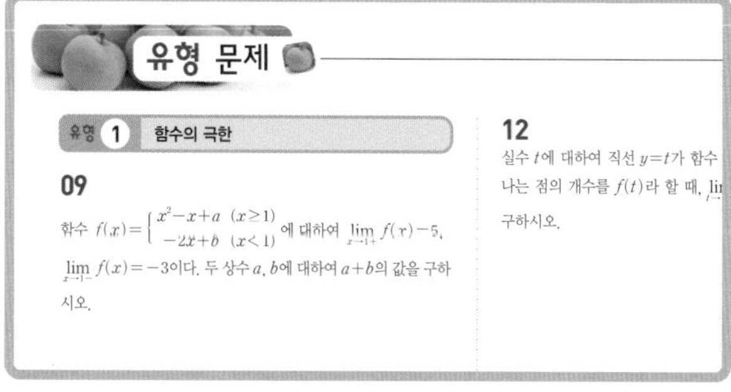

● 유형 문제

수학적 사고력을 향상시킬 수 있도록 문제 유형을 통합적으로 제시하고 보다 깊이 있는 문제 연습을 할 수 있습니다. 꼭 풀어 보고 기억해 두어야 할 문제에는 '중요' 표시를 하였습니다.

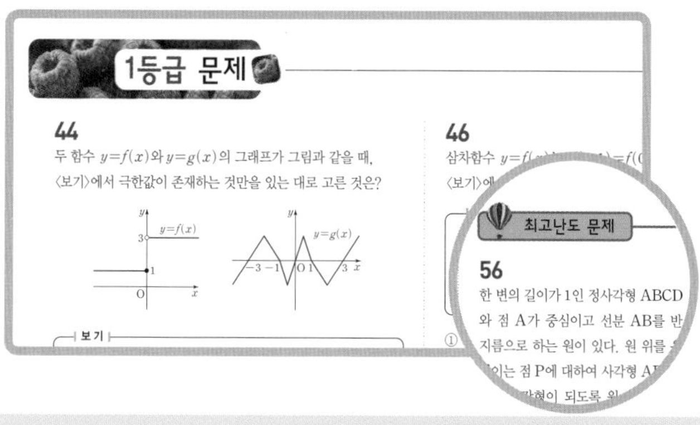

● 1등급 문제

시험에서 1등급을 결정지을 수 있는 변별력 있는 문제들을 선별하여 수록하였습니다. 수학적 사고력과 응용력을 높일 수 있는 문제들을 다양하게 연습할 수 있도록 하였습니다. 특히, '최고난도 문제'도 풀어 볼 수 있도록 하였습니다.

차례

• [ ]은 기본 + 유형 + 1등급의 문항 수입니다.

01 함수의 극한

제 목		문항 번호	문항 수	확인
쌤이 꼭 내는 기본 문제		01~08	8	
유형 문제	❶ 함수의 극한	09~14	6	
	❷ 합성함수의 극한	15~17	3	
	❸ 절댓값, 가우스 기호를 포함한 함수의 극한	18~20	3	
	❹ 함수의 극한에 대한 성질	21~23	3	
	❺ 극한값의 계산	24~29	6	
	❻ 미정계수의 결정	30~32	3	
	❼ 다항함수의 결정	33~35	3	
	❽ 함수의 극한의 대소 관계	36~38	3	
	❾ 함수의 극한의 활용	39~43	5	
1등급 문제		44~57	14	

01 함수의 극한

1 함수의 극한

(1) 함수의 극한과 수렴

함수 $y=f(x)$에서 x의 값이 a와 다른 값을 가지면서 a에 한없이 가까워질 때, $f(x)$의 값이 일정한 값 α에 한없이 가까워지면 함수 $y=f(x)$는 α에 수렴한다고 한다. 이때 α를 $x=a$에서의 함수 $y=f(x)$의 극한 또는 극한값이라 하고, 기호로

$\lim_{x\to a} f(x)=\alpha$ 또는 $x\to a$일 때 $f(x)\to\alpha$

와 같이 나타낸다.

(2) 좌극한과 우극한

① $\lim_{x\to a-} f(x)=\alpha$일 때, α를 $x=a$에서의 함수 $y=f(x)$의 좌극한이라고 한다.

② $\lim_{x\to a+} f(x)=\beta$일 때, β를 $x=a$에서의 함수 $y=f(x)$의 우극한이라고 한다.

개념 플러스

- 함수의 발산

함수 $y=f(x)$에서 x의 값이 a와 다른 값을 가지면서 a에 한없이 가까워질 때,

(1) $f(x)$의 값이 한없이 커지면 $y=f(x)$는 양의 무한대로 발산한다고 한다.

⇨ $x\to a$일 때 $f(x)\to\infty$ 또는 $\lim_{x\to a} f(x)=\infty$

(2) $f(x)$의 값이 음수이고 그 절댓값이 한없이 커지면 $y=f(x)$는 음의 무한대로 발산한다고 한다.

⇨ $x\to a$일 때 $f(x)\to-\infty$ 또는 $\lim_{x\to a} f(x)=-\infty$

2 합성함수의 극한

두 함수 $y=f(x)$, $y=g(x)$에 대하여

$\lim_{x\to a+} g(f(x))$의 값을 구할 때는 $f(x)=t$로 놓은 후

(1) $x\to a+$일 때 $t\to b+$이면 $\lim_{x\to a+} g(f(x))=\lim_{t\to b+} g(t)$

(2) $x\to a+$일 때 $t\to b-$이면 $\lim_{x\to a+} g(f(x))=\lim_{t\to b-} g(t)$

(3) $x\to a+$일 때 $t=b$이면 $\lim_{x\to a+} g(f(x))=g(b)$

- $[x]$가 x보다 크지 않은 최대의 정수일 때, 정수 n에 대하여 $n\le x<n+1$이면 $\lim_{x\to n+}[x]=n$, $\lim_{x\to n-}[x]=n-1$

3 함수의 극한에 대한 성질

$\lim_{x\to a} f(x)=\alpha$, $\lim_{x\to a} g(x)=\beta$ (α, β는 실수)일 때

(1) $\lim_{x\to a}\{cf(x)\}=c\lim_{x\to a} f(x)=c\alpha$ (단, c는 상수이다.)

(2) $\lim_{x\to a}\{f(x)\pm g(x)\}=\lim_{x\to a} f(x)\pm\lim_{x\to a} g(x)=\alpha\pm\beta$ (복부호 동순)

(3) $\lim_{x\to a}\{f(x)g(x)\}=\lim_{x\to a} f(x)\lim_{x\to a} g(x)=\alpha\beta$

(4) $\lim_{x\to a}\frac{f(x)}{g(x)}=\frac{\lim_{x\to a} f(x)}{\lim_{x\to a} g(x)}=\frac{\alpha}{\beta}$ (단, $\beta\ne0$)

4 함수의 극한의 대소 관계

두 함수 $y=f(x)$, $y=g(x)$에서 $\lim_{x\to a} f(x)=\alpha$, $\lim_{x\to a} g(x)=\beta$ (α, β는 실수)일 때, a에 가까운 모든 x의 값에 대하여

(1) $f(x)\le g(x)$이면 ➡ $\alpha\le\beta$

(2) 함수 $y=h(x)$에 대하여 $f(x)\le h(x)\le g(x)$이고 $\alpha=\beta$이면 ➡ $\lim_{x\to a} h(x)=\alpha$

- 수렴하는 분수함수의 극한

두 다항함수 $y=f(x)$, $y=g(x)$에 대하여

(1) $\lim_{x\to a}\frac{f(x)}{g(x)}=\alpha$ (α는 실수)이고, $\lim_{x\to a} g(x)=0$이면 ⇨ $\lim_{x\to a} f(x)=0$

(2) $\lim_{x\to a}\frac{f(x)}{g(x)}=\alpha$ ($\alpha\ne0$인 실수)이고, $\lim_{x\to a} f(x)=0$이면 ⇨ $\lim_{x\to a} g(x)=0$

(3) $\lim_{x\to\infty}\frac{f(x)}{g(x)}=\alpha$ ($\alpha\ne0$인 실수)이면

⇨ ($f(x)$의 차수)=($g(x)$의 차수)이고

$\alpha=\frac{(f(x)\text{의 최고차항의 계수})}{(g(x)\text{의 최고차항의 계수})}$

01

함수 $y=f(x)$의 그래프가 그림과 같을 때, 〈보기〉에서 극한값이 존재하는 것만을 있는 대로 고른 것은?

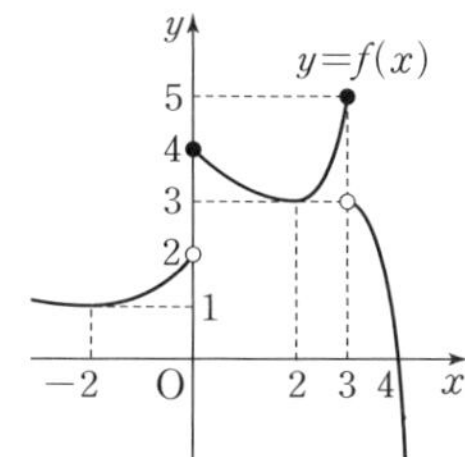

보기

ㄱ. $\lim_{x \to -2} f(x)$ ㄴ. $\lim_{x \to 0} f(x)$

ㄷ. $\lim_{x \to 2} f(x)$ ㄹ. $\lim_{x \to 3} f(x)$

① ㄱ ② ㄱ, ㄷ ③ ㄴ, ㄷ
④ ㄱ, ㄷ, ㄹ ⑤ ㄱ, ㄴ, ㄷ, ㄹ

02

함수 $y=f(x)$의 그래프가 그림과 같고, $\lim_{x \to 1+} f(x)=a$, $\lim_{x \to 1-} f(x)=b$일 때, $a-b$의 값을 구하시오.

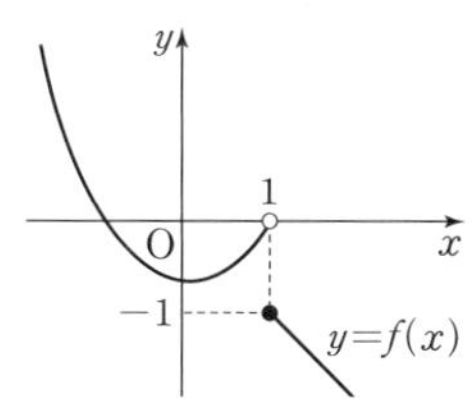

03

함수 $f(x)=\begin{cases} x^2-a & (x \geq 1) \\ 3x^2-x+5 & (x<1) \end{cases}$에 대하여

$\lim_{x \to 1} f(x)$의 값이 존재할 때, 상수 a의 값을 구하시오.

04

두 함수 $y=f(x)$, $y=g(x)$에 대하여 $\lim_{x \to 0} f(x)=a$, $\lim_{x \to 0} g(x)=b$이고 $\lim_{x \to 0} \{f(x)+g(x)\}=7$, $\lim_{x \to 0} f(x)g(x)=12$일 때, $\lim_{x \to 0} \frac{3f(x)+1}{2g(x)-3}$의 값을 구하시오.

(단, $a<b$)

05

$\lim_{x \to -2} \frac{x^3+2x^2-x-2}{x^2+6x+8}$의 값은?

① 1 ② $\frac{3}{2}$ ③ 2
④ $\frac{5}{2}$ ⑤ 3

06

$\lim_{x \to 1} \frac{x-1}{x^2+ax+b}=\frac{1}{5}$이 성립할 때, 두 상수 a, b에 대하여 ab의 값을 구하시오.

07

삼차함수 $y=f(x)$에 대하여

$$\lim_{x \to -1} \frac{f(x)}{x^2-1}=16,\ \lim_{x \to 1} \frac{f(x)}{x^2-1}=4$$

가 성립할 때, $\lim_{x \to 0} \frac{f(x)}{x^2-1}$의 값을 구하시오.

08

함수 $y=f(x)$가 임의의 양의 실수 x에 대하여

$$\frac{5x-2}{x+1}<f(x)<\frac{10x^2+3x-2}{2x^2-7x+7}$$

일 때, $\lim_{x \to \infty} f(x)$의 값을 구하시오.

유형 문제

유형 1 함수의 극한

09

함수 $f(x)=\begin{cases} x^2-x+a & (x\geq 1) \\ -2x+b & (x<1) \end{cases}$에 대하여 $\lim_{x\to 1+} f(x)=5$, $\lim_{x\to 1-} f(x)=-3$이다. 두 상수 a, b에 대하여 $a+b$의 값을 구하시오.

중요 **10**

함수 $y=f(x)$의 그래프가 그림과 같을 때, $\lim_{x\to -1-} f(x)+f(0)+\lim_{x\to 0+} f(x)$의 값을 구하시오.

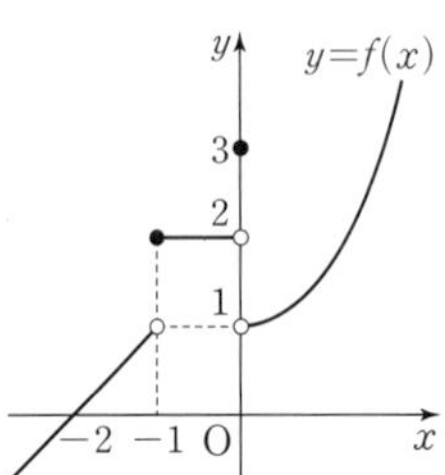

11

정의역이 $\{x\,|\,-2\leq x\leq 2\}$인 함수 $y=f(x)$의 그래프가 닫힌구간 $[0,\ 2]$에서 그림과 같고, 정의역에 속하는 모든 실수 x에 대하여 $f(-x)=-f(x)$이다. $\lim_{x\to -1+} f(x)+\lim_{x\to 2-} f(x)$의 값은?

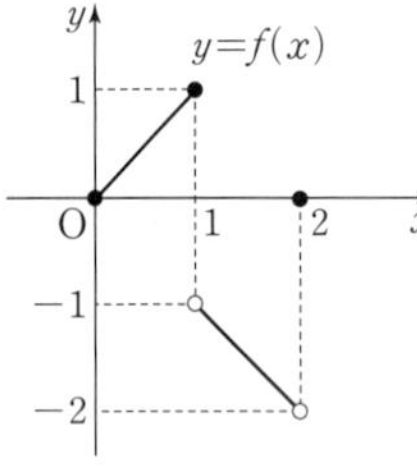

① -3　② -1　③ 0
④ 1　⑤ 3

12

실수 t에 대하여 직선 $y=t$가 함수 $y=|x^2-1|$의 그래프와 만나는 점의 개수를 $f(t)$라 할 때, $\lim_{t\to 1+} f(t)+\lim_{t\to 1-} f(t)$의 값을 구하시오.

중요 **13**

함수 $f(x)=\begin{cases} x^2+ax & (|x|\geq 1) \\ 2x+b & (|x|<1) \end{cases}$에 대하여 극한값 $\lim_{x\to -1} f(x)$와 $\lim_{x\to 1} f(x)$가 존재하도록 두 상수 a, b의 값을 정할 때, $f\left(\frac{1}{4}\right)$의 값을 구하시오.

14

두 함수 $y=f(x)$, $y=g(x)$의 그래프가 그림과 같을 때, 〈보기〉에서 옳은 것만을 있는 대로 고른 것은?

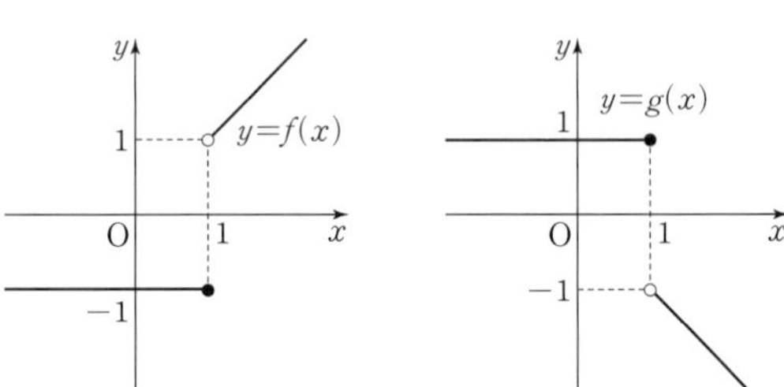

보기

ㄱ. $\lim_{x\to 1}\{f(x)+g(x)\}=0$
ㄴ. $\lim_{x\to 1}\{g(x)\}^2=1$
ㄷ. $\lim_{x\to 1}\{f(x)g(x)\}=1$

① ㄱ　② ㄷ　③ ㄱ, ㄴ
④ ㄴ, ㄷ　⑤ ㄱ, ㄴ, ㄷ

유형 2 합성함수의 극한

15

두 함수 $y=f(x)$, $y=g(x)$의 그래프가 각각 그림과 같을 때, $\lim_{x\to1} g(f(x))$의 값을 구하시오.

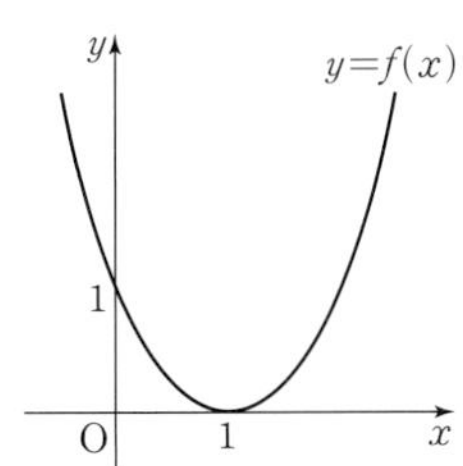

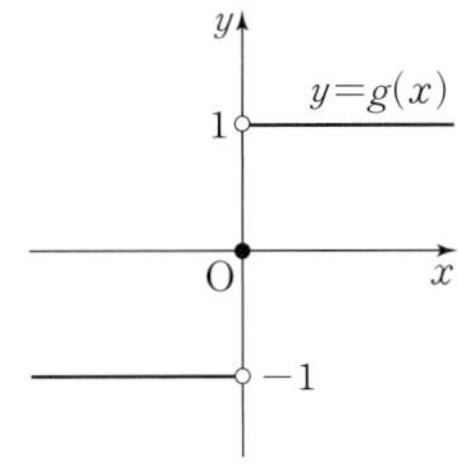

16

두 함수 $y=f(x)$, $y=g(x)$의 그래프가 각각 그림과 같을 때,

$$\lim_{x\to0-} g(f(x))+\lim_{x\to0+} g(f(x))+\lim_{x\to0+} f(g(x))$$

의 값을 구하시오.

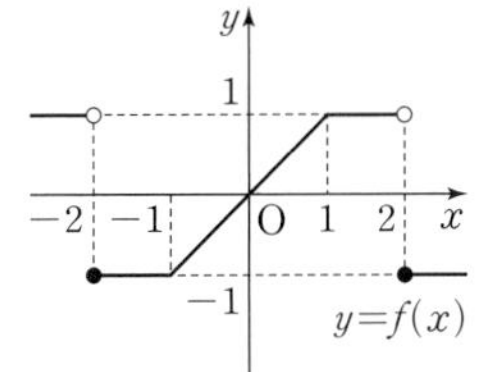

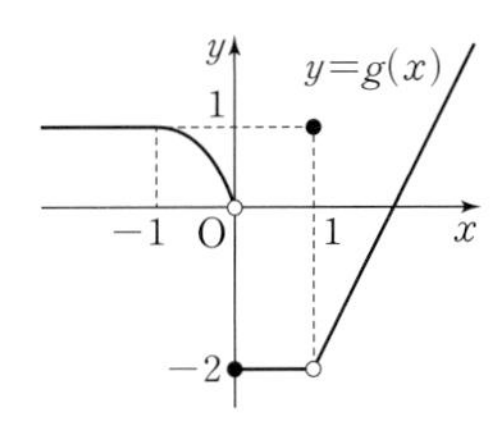

중요

17

함수 $y=f(x)$의 그래프가 그림과 같을 때, $\lim_{x\to1+} f(x)f(1-x)$의 값은?

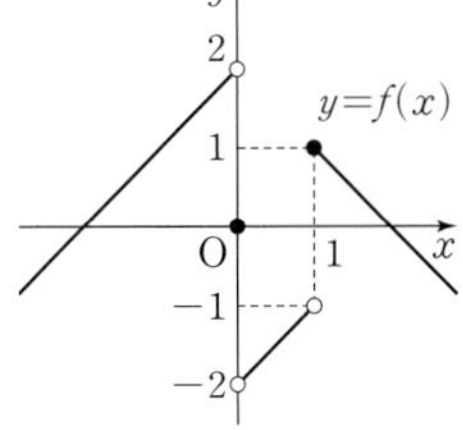

① -2　② -1　③ 0　④ 1　⑤ 2

유형 3 절댓값, 가우스 기호를 포함한 함수의 극한

18

다음 극한값 중에서 가장 큰 것은?

(단, $[x]$는 x보다 크지 않은 최대의 정수이다.)

① $\lim_{x\to0+} \frac{|x|}{1+|x|}$　② $\lim_{x\to0-} \frac{|x|}{1+|x|}$

③ $\lim_{x\to0+} \frac{x}{|x|}$　④ $\lim_{x\to0-} \frac{x}{|x|}$

⑤ $\lim_{x\to0+} [x]$

중요

19

$\lim_{x\to-1+} \frac{x^2+x}{|x^2-1|}=a$, $\lim_{x\to3-} \frac{[x]^2+x}{[x]}=b$라 할 때, 두 상수 a, b에 대하여 ab의 값을 구하시오.

(단, $[x]$는 x보다 크지 않은 최대의 정수이다.)

20

$\lim_{x\to\infty} \frac{[\sqrt{2x^2+x}\,]-\sqrt{x}}{x}$의 값은?

(단, $[x]$는 x보다 크지 않은 최대의 정수이다.)

① 1　② $\sqrt{2}$　③ 2　④ $2\sqrt{2}$　⑤ 4

유형 4 함수의 극한에 대한 성질

21

두 함수 $y=f(x)$, $y=g(x)$에 대하여

$$\lim_{x\to a}\frac{f(x)}{x-a}=5,\ \lim_{x\to a}\frac{g(x)}{x-a}=2$$

일 때, $\lim_{x\to a}\frac{3f(x)-g(x)}{f(x)+2g(x)}$의 값은?

① $\frac{5}{9}$ ② $\frac{7}{9}$ ③ 1

④ $\frac{11}{9}$ ⑤ $\frac{13}{9}$

중요 **22**

두 함수 $y=f(x)$, $y=g(x)$에 대하여

$$\lim_{x\to 2}f(x)=\infty,\ \lim_{x\to 2}\frac{3f(x)-g(x)}{f(x)}=0$$

일 때, $\lim_{x\to 2}\frac{f(x)+2g(x)}{f(x)-g(x)}$의 값을 구하시오.

23

두 다항함수 $y=f(x)$, $y=g(x)$에 대하여

$$\lim_{x\to -1}\frac{f(x)}{x+1}=3,\ \lim_{x\to 0}\frac{g(x-1)}{x}=2$$

가 성립할 때, $\lim_{x\to -1}\frac{g(x)}{4f(x)}$의 값을 구하시오.

유형 5 극한값의 계산

중요 **24**

$\lim_{x\to 2}\frac{\sqrt{x^2-3}-1}{x-2}$의 값은?

① 1 ② 2 ③ 3

④ 4 ⑤ 5

25

$\lim_{x\to\infty}(\sqrt{x^2+3x}-\sqrt{x^2-3x})$의 값을 구하시오.

26

$\lim_{x\to\infty}x^2\left(1-\frac{x}{\sqrt{x^2+2}}\right)$의 값을 구하시오.

27

다항함수 $y=f(x)$에 대하여 $\lim_{x \to 0} \frac{f(x)}{x}=3$일 때, $\lim_{x \to 2} \frac{f(x-2)}{x^2-4}$의 값은?

① $\frac{1}{4}$ ② $\frac{1}{2}$ ③ $\frac{3}{4}$
④ 1 ⑤ $\frac{5}{4}$

28

$\lim_{x \to -\infty} \frac{\sqrt{x^2+4x}}{x-5}$의 값을 구하시오.

29

함수 $y=f(x)$가 $f(x)=x^2-3x$일 때, $\lim_{x \to -\infty} \{\sqrt{f(x)}-\sqrt{f(-x)}\}$의 값을 구하시오.

유형 6 미정계수의 결정

30

$\lim_{x \to 1} \frac{x^2+ax-b}{x^3-1}=3$을 만족시키는 두 상수 a, b에 대하여 $a+b$의 값은?

① 9 ② 11 ③ 13
④ 15 ⑤ 17

31

$\lim_{x \to 3} \frac{a\sqrt{x-2}-1}{x-3}=b$를 만족시키는 두 상수 a, b에 대하여 $a+b$의 값을 구하시오.

32

$\lim_{x \to -\infty} (\sqrt{1+x^2}+ax)=b$를 만족시키는 두 상수 a, b에 대하여 $a+b$의 값을 구하시오.

유형 7 다항함수의 결정

33

다항함수 $y=f(x)$가 $\lim_{x\to\infty}\frac{f(x)}{3x^2-x+2}=1$, $\lim_{x\to2}\frac{f(x)-2}{x-2}=3$

을 만족시킬 때, $f(-1)$의 값을 구하시오.

중요 **34**

다항함수 $y=f(x)$가 다음 조건을 만족시킬 때, $f(1)$의 값을 구하시오.

(가) $\lim_{x\to\infty}\frac{f(x)-3x^3}{x^2}=2$	(나) $\lim_{x\to0}\frac{f(x)}{x}=2$

35

$\lim_{x\to1}\frac{f(x)}{x-1}=-1$, $\lim_{x\to2}\frac{f(x)}{x-2}=5$를 만족시키는 다항함수 $y=f(x)$ 중에서 차수가 가장 낮은 것을 $y=g(x)$라 할 때, $g(3)$의 값은?

① 14 ② 16 ③ 18
④ 20 ⑤ 22

유형 8 함수의 극한의 대소 관계

36

함수 $y=f(x)$가 임의의 양의 실수 x에 대하여

$$\frac{x}{3x^2+2x+1}<f(x)<\frac{x}{3x^2-2x+1}$$

를 만족시킬 때, $\lim_{x\to\infty}xf(x)$의 값은?

① $\frac{1}{3}$ ② $\frac{1}{2}$ ③ $\frac{2}{3}$
④ 1 ⑤ $\frac{4}{3}$

중요 **37**

함수 $y=f(x)$가 모든 양수 x에 대하여

$4x+1<f(x)<4x+3$

을 만족시킬 때, $\lim_{x\to\infty}\frac{\{f(x)\}^2}{x^2+1}$의 값을 구하시오.

38

이차함수 $f(x)=2x^2-4x+5$의 그래프를 y축의 방향으로 a만큼 평행이동한 이차함수 $y=g(x)$의 그래프에 대하여 두 함수 $y=f(x)$와 $y=g(x)$의 그래프 사이에 함수 $y=h(x)$의 그래프가 존재할 때, $\lim_{x\to\infty}\frac{h(x)}{x^2}$의 값을 구하시오. (단, $a>0$)

유형 9 함수의 극한의 활용

39

그림과 같이 직선 $y=2x+1$ 위에 점 $\mathrm{P}(t,\ 2t+1)$이 있다. 점 P를 지나고 직선 $y=2x+1$에 수직인 직선이 x축과 만나는 점을 Q라 할 때, $\lim_{t \to \infty} \frac{\overline{\mathrm{PQ}}^2}{\overline{\mathrm{OP}}^2}$의 값을 구하시오. (단, O는 원점이다.)

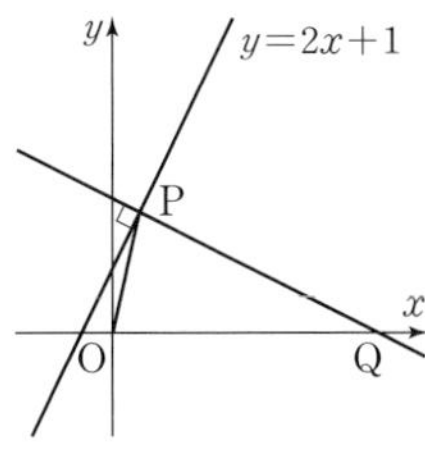

40

중요

곡선 $y=\sqrt{2x}$ 위의 점 $\mathrm{A}(a,\ b)$에서 x축에 내린 수선의 발을 B라 하자. 원점 O가 중심이고 점 A를 지나는 원과 원점 O가 중심이고 점 B를 지나는 원의 반지름의 길이의 차를 $f(a)$라 할 때, $\lim_{a \to \infty} f(a)$의 값을 구하시오. (단, $a \neq 0$)

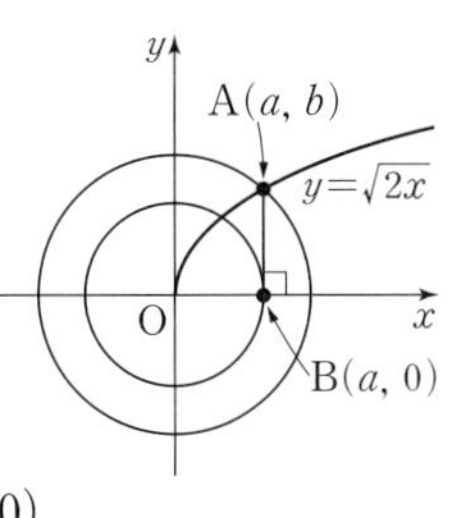

41

그림과 같이 곡선 $y=\sqrt{2x-2}$ 위를 움직이는 점 P에서 x축에 내린 수선 또는 수선의 연장선 위에 점 $\mathrm{A}(3,\ 2)$에서 내린 수선의 발을 Q라 하자. 점 P가 점 A에 한없이 가까워질 때, $\frac{\overline{\mathrm{PQ}}}{\overline{\mathrm{AQ}}}$의 극한값을 구하시오.

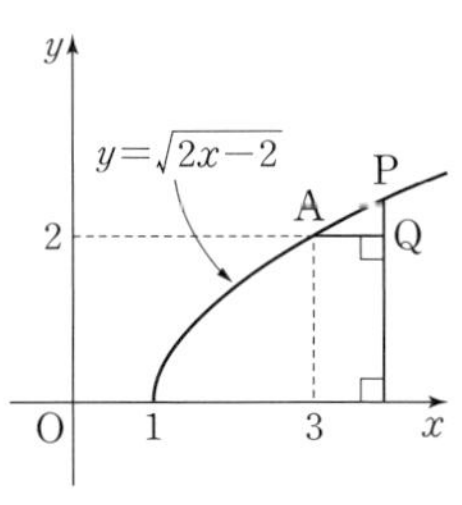

42

중요

그림과 같이 곡선 $y=x^2$ 위의 한 점 $\mathrm{P}(a,\ a^2)$과 원점 O를 연결하는 선분의 수직이등분선이 y축과 만나는 점을 Q라 할 때, 점 P가 곡선을 따라 원점 O에 한없이 가까워지면 점 Q는 어느 점에 한없이 가까워지는가?

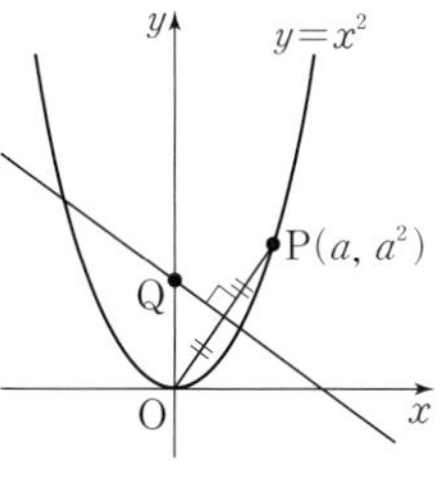

① $\left(0,\ \frac{1}{4}\right)$ ② $\left(0,\ \frac{1}{2}\right)$ ③ $(0,\ 1)$
④ $\left(0,\ \frac{3}{2}\right)$ ⑤ $(0,\ 2)$

43

그림과 같이 두 점 $\mathrm{A}(a,\ 0)$, $\mathrm{B}(0,\ 3)$에 대하여 삼각형 OAB에 내접하는 원 C가 있다. 원 C의 반지름의 길이를 r라 할 때, $\lim_{a \to 0+} \frac{r}{a}$의 값은?

(단, O는 원점이다.)

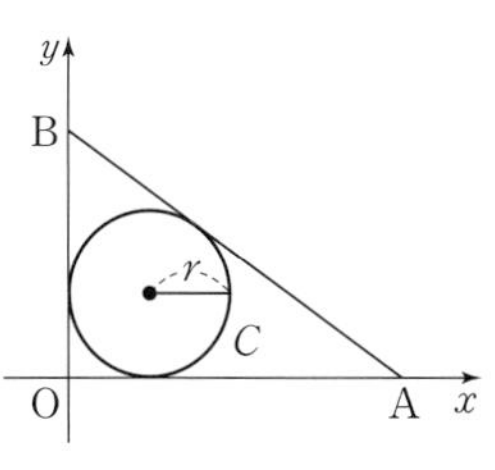

① $\frac{1}{6}$ ② $\frac{1}{5}$ ③ $\frac{1}{4}$
④ $\frac{1}{3}$ ⑤ $\frac{1}{2}$

44

두 함수 $y=f(x)$와 $y=g(x)$의 그래프가 그림과 같을 때, 〈보기〉에서 극한값이 존재하는 것만을 있는 대로 고른 것은?

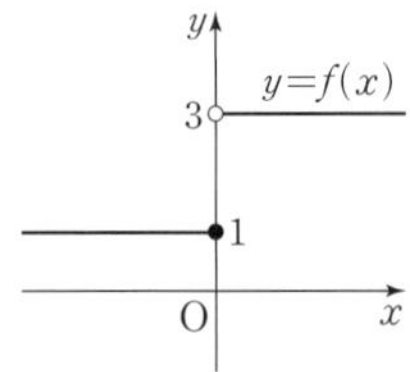

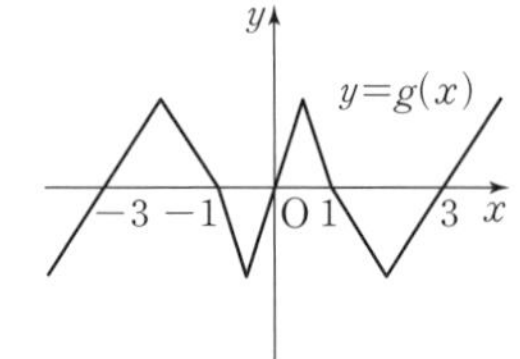

보기

ㄱ. $\lim_{x \to 0} f(g(x))$　　ㄴ. $\lim_{x \to 0} g(f(x))$

ㄷ. $\lim_{x \to 3} f(g(x))$　　ㄹ. $\lim_{x \to 3} g(f(x))$

① ㄱ, ㄴ　② ㄱ, ㄷ　③ ㄴ, ㄹ
④ ㄷ, ㄹ　⑤ ㄱ, ㄴ, ㄷ, ㄹ

45

실수 전체의 집합에서 정의된 함수 $y=f(x)$의 그래프가 그림과 같다.

$\lim_{t \to \infty} f\left(\frac{t-1}{t+1}\right)+\lim_{t \to -\infty} f\left(\frac{4t-1}{t+1}\right)$의 값을 구하시오.

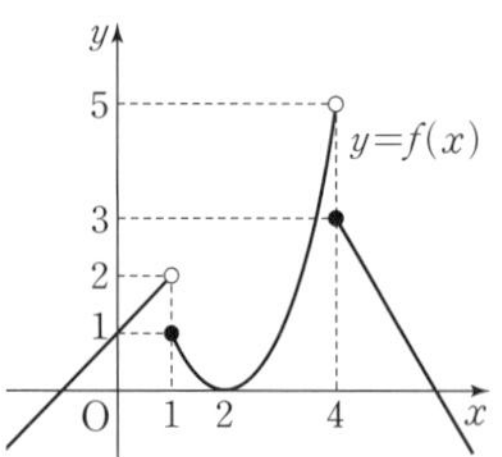

46

삼차함수 $y=f(x)$는 $f(-1)=f(0)=f(2)=2$를 만족시킨다. 〈보기〉에서 극한값이 존재하는 것만을 있는 대로 고른 것은?

보기

ㄱ. $\lim_{x \to 2} \frac{x-2}{f(x)-2}$　　ㄴ. $\lim_{x \to 2} \frac{f(x)-2}{f(x-2)}$

ㄷ. $\lim_{x \to 2} \frac{f(x-2)}{x-2}$

① ㄱ　② ㄷ　③ ㄱ, ㄴ
④ ㄴ, ㄷ　⑤ ㄱ, ㄴ, ㄷ

47

다항함수 $y=f(x)$에 대하여

$$\lim_{x \to 0} \frac{f(x)}{x}=\lim_{x \to 2} \frac{f(x)}{x-2}=8$$

일 때, $\lim_{x \to 2} \frac{f(f(x))}{x^2-4}$의 값을 구하시오.

48

$\lim_{x \to k} \frac{[3x]}{[x]^2+2x}=\alpha$일 때, 두 정수 k, α에 대하여 $k+\alpha$의 값은?

(단, $[x]$는 x보다 크지 않은 최대의 정수이다.)

① 0　② 1　③ 2
④ 3　⑤ 4

49

함수 $y=f(x)$의 그래프가 그림과 같을 때, 〈보기〉에서 옳은 것만을 있는 대로 고른 것은?

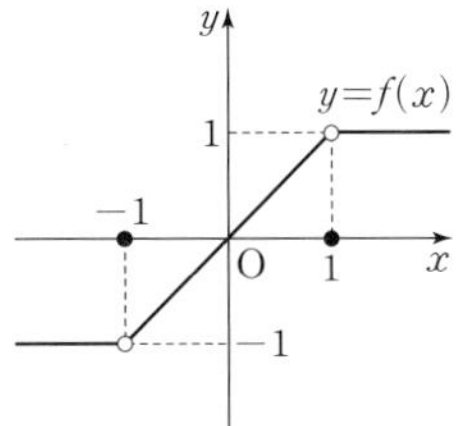

보기

ㄱ. $\lim_{x \to -1} \{f(x)f(-x)\}=-1$

ㄴ. $\lim_{x \to -1} \{f(|x|)+f(-x)\}=2$

ㄷ. $\lim_{x \to 1} f(f(x))=1$

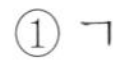

① ㄱ ② ㄴ ③ ㄱ, ㄴ
④ ㄱ, ㄷ ⑤ ㄴ, ㄷ

50

실수에서 정의된 함수 $y=f(x)$가 $\lim_{x \to 0} (x+1)f(x)=1$을 만족시킬 때, $\lim_{x \to 0} \{f(x)g(x)\}$의 값이 존재하는 함수 $y=g(x)$를 〈보기〉에서 있는 대로 고른 것은?

(단, $[x]$는 x보다 크지 않은 최대의 정수이다.)

보기

ㄱ. $g(x)=x+2$ ㄴ. $g(x)=\frac{1}{x}$ ㄷ. $g(x)=[x]$

① ㄱ ② ㄴ ③ ㄱ, ㄷ
④ ㄴ, ㄷ ⑤ ㄱ, ㄴ, ㄷ

51

다항함수 $y=g(x)$에 대하여 극한값 $\lim_{x \to 1} \frac{g(x)-2x}{x-1}$가 존재한다. 다항함수 $y=f(x)$가 $f(x)+x-1=(x-1)g(x)$를 만족시킬 때, $\lim_{x \to 1} \frac{f(x)g(x)}{x^2-1}$의 값을 구하시오.

52

서로 다른 두 실수 α, β에 대하여 $\alpha+\beta=2$일 때,
$\lim_{x \to \infty} \frac{\sqrt{x+\alpha^2}-\sqrt{x+\beta^2}}{\sqrt{3x+\alpha}-\sqrt{3x+\beta}}$의 값을 구하시오.

53

두 함수 $y=f(x)$, $y=g(x)$에 대하여

$$\lim_{x \to 2} \frac{f(x)-1}{x-2}=4,\ \lim_{x \to 2} \frac{g(x)-3}{x-2}=2$$

가 성립할 때, 함수 $y=h(x)$는 모든 실수 x에 대하여

$$(x-1)g(x) \le h(x) \le (x+1)f(x)$$

를 만족시킨다. $\lim_{x \to 2} h(x)$의 값을 구하시오.

54

그림과 같이 함수 $y=ax^2$ $(a>0)$의 그래프 위의 두 점 A, B와 직선 $y=a$ 위의 두 점 C, D에 대하여 사각형 ABCD가 정사각형일 때, 정사각형 ABCD의 넓이 $S(a)$에 대하여 $\lim_{a\to\infty} S(a)$의 값을 구하시오.

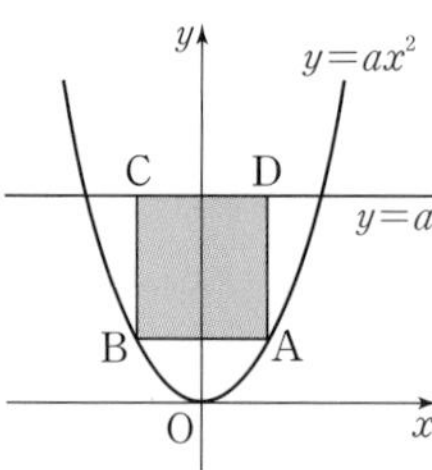

55

그림과 같이 곡선 $y=\sqrt{x}$ 위의 점 $\mathrm{P}(t, \sqrt{t})$ $(t>1)$를 지나고 y축에 평행한 직선이 곡선 $y=\frac{1}{x}$과 만나는 점을 Q라 하자. 또 두 곡선 $y=\sqrt{x}$, $y=\frac{1}{x}$의 교점 S를 지나면서 y축에 평행한 직선이 점 Q를 지나면서 x축에 평행한 직선과 만나는 점을 R라 하자. 삼각형 PSQ의 넓이를 $f(t)$, 삼각형 SRQ의 넓이를 $g(t)$라 할 때, $\lim_{t\to 1} \frac{f(t)}{g(t)}$의 값은?

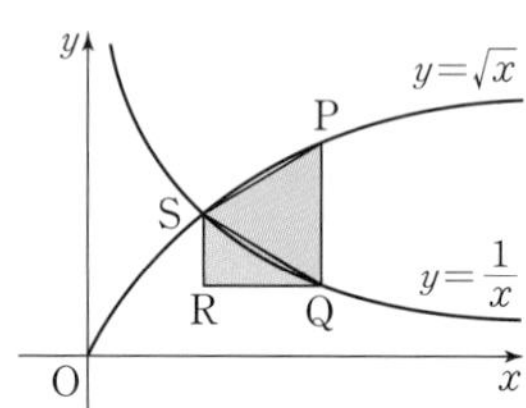

① $\frac{3}{2}$ ② 2 ③ $\frac{5}{2}$

④ 3 ⑤ $\frac{7}{2}$

최고난도 문제

56

한 변의 길이가 1인 정사각형 ABCD와 점 A가 중심이고 선분 AB를 반지름으로 하는 원이 있다. 원 위를 움직이는 점 P에 대하여 사각형 APQR가 정사각형이 되도록 원 위에 점 R와 원의 외부에 점 Q를 잡는다.

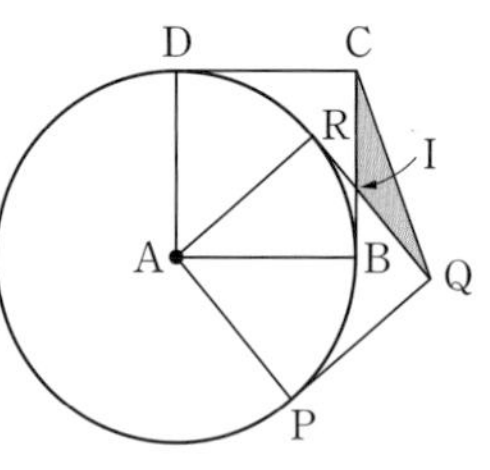

그림과 같이 선분 BC와 선분 QR가 만나도록 할 때, 선분 BC와 선분 QR의 교점을 I라 하자. 삼각형 IQC의 둘레의 길이를 L, 넓이를 S라 할 때, 점 P가 점 B에 한없이 가까워지면 $\frac{L^2}{S}$의 값이 $a+b\sqrt{2}$에 한없이 가까워진다. a^2+b^2의 값을 구하시오. (단, a, b는 유리수이다.)

57

최고차항의 계수가 1인 두 삼차함수 $y=f(x)$, $y=g(x)$가 다음 조건을 만족시킬 때, $g(5)$의 값을 구하시오.

> (가) $g(1)=0$
> (나) $\lim_{x\to n} \frac{f(x)}{g(x)}=(n-1)(n-2)$ (단, $n=1, 2, 3, 4$)

02 함수의 연속

제 목		문항 번호	문항 수	확인
쌤이 꼭 내는 기본 문제		01~08	8	
유형 문제	❶ 함수의 연속	09~11	3	
	❷ 구간별로 정의된 함수의 연속	12~14	3	
	❸ $f(x)=f(x+k)$ 꼴의 함수의 연속	15~17	3	
	❹ 함수의 연속과 미정계수	18~20	3	
	❺ $(x-a)f(x)$ 꼴의 함수의 연속	21~23	3	
	❻ 가우스 기호를 포함한 함수의 연속	24~26	3	
	❼ 새롭게 정의된 함수의 연속	27~32	6	
	❽ 합성함수의 연속	33~35	3	
	❾ 최대 · 최소 정리	36~38	3	
	❿ 사잇값의 정리	39~44	6	
1등급 문제		45~60	16	

02 함수의 연속

1 함수의 연속

함수 $y=f(x)$가 실수 a에 대하여 다음 세 조건

(i) $x=a$에서 정의되어 있고

(ii) $\lim_{x \to a} f(x)$가 존재하며

(iii) $\lim_{x \to a} f(x)=f(a)$

를 만족시킬 때, 함수 $y=f(x)$는 $x=a$에서 연속이라고 한다.

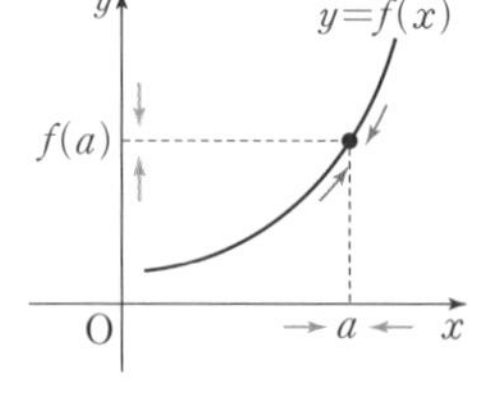

참고 함수 $y=f(x)$가 $x=a$에서 연속이 아닐 때, 이 함수는 $x=a$에서 불연속이라고 한다.

2 구간에서의 연속

(1) 함수 $y=f(x)$가

(i) 열린구간 (a, b)에서 연속이고

(ii) $\lim_{x \to a+} f(x)=f(a)$, $\lim_{x \to b-} f(x)=f(b)$

일 때, $y=f(x)$는 닫힌구간 $[a, b]$에서 연속이라고 한다.

(2) 함수 $y=f(x)$가 어떤 구간에 속하는 모든 점에서 연속일 때, 함수 $y=f(x)$는 이 구간에서 연속 또는 이 구간에서 연속함수라고 한다.

3 연속함수의 성질

두 함수 $y=f(x)$, $y=g(x)$가 모두 $x=a$에서 연속이면 다음 함수도 $x=a$에서 연속이다.

(1) $y=cf(x)$ (단, c는 상수이다.)

(2) $y=f(x)\pm g(x)$

(3) $y=f(x)g(x)$

(4) $y=\dfrac{f(x)}{g(x)}$ (단, $g(a)\neq 0$)

4 최대 · 최소 정리

함수 $y=f(x)$가 닫힌구간 $[a, b]$에서 연속이면 $y=f(x)$는 이 구간에서 반드시 최댓값과 최솟값을 갖는다.

5 사잇값의 정리

함수 $y=f(x)$가 닫힌구간 $[a, b]$에서 연속이고 $f(a)\neq f(b)$일 때, $f(a)$와 $f(b)$ 사이에 있는 임의의 실수 k에 대하여

$f(c)=k$

를 만족시키는 c가 열린구간 (a, b)에 적어도 하나 존재한다.

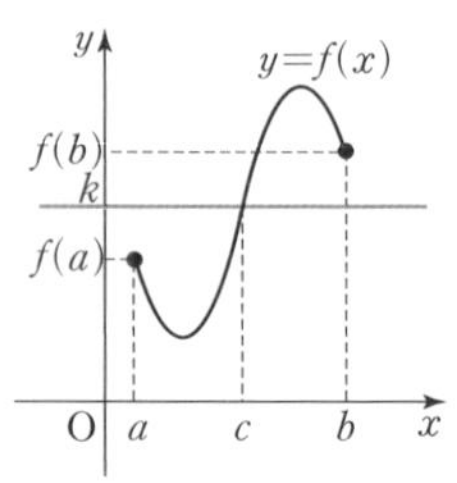

개념 플러스

직관으로 알아보는 함수의 연속성

(1) 다항함수 $y=f(x)$

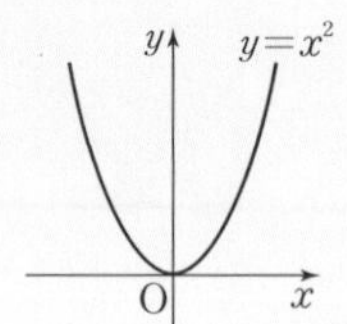

⇨ $(-\infty, \infty)$에서 연속

(2) 분수함수 $y=\dfrac{g(x)}{f(x)}$

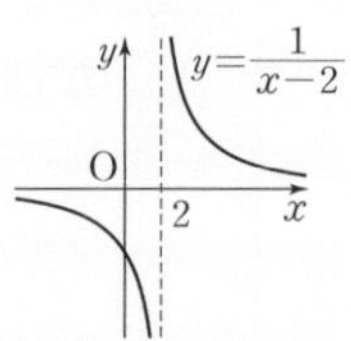

⇨ $f(x)=0$인 x에서 불연속

(3) 무리함수 $y=\sqrt{f(x)}$

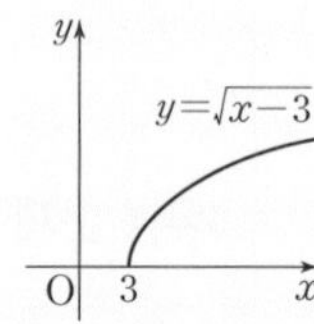

⇨ $f(x)\geq 0$인 모든 x에서 연속

(4) 가우스 기호를 포함한 함수 $f(x)=[x]$

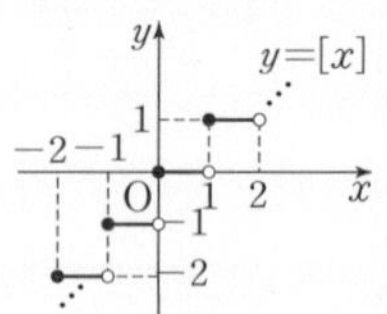

⇨ $x=n$ (n은 정수)에서 불연속

사잇값의 정리와 방정식의 실근

함수 $y=f(x)$가 닫힌구간 $[a, b]$에서 연속이고 $f(a)f(b)<0$이면 $f(c)=0$인 c가 열린구간 (a, b)에 적어도 하나 존재한다. 즉, 방정식 $f(x)=0$은 열린구간 (a, b)에서 적어도 하나의 실근을 갖는다.

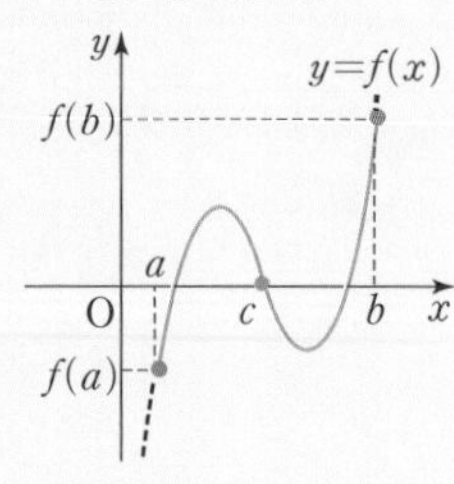

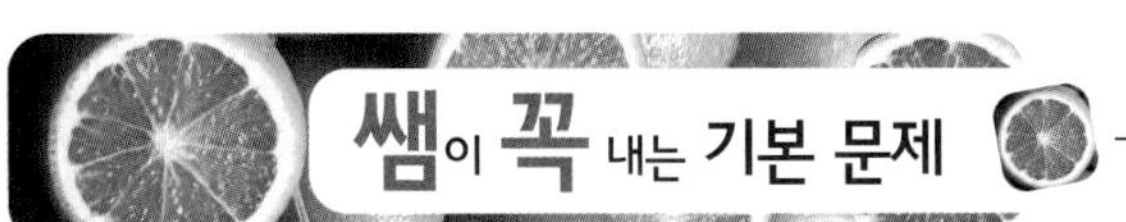

01

〈보기〉의 함수 중에서 $x=0$에서 연속인 것만을 있는 대로 고른 것은? (단, $[x]$는 x보다 크지 않은 최대의 정수이다.)

보기

ㄱ. $f(x)=\frac{1}{x}$

ㄴ. $f(x)=|x|$

ㄷ. $f(x)=\sqrt{x-2}$

ㄹ. $f(x)=\begin{cases} \frac{x^2-2x}{x} & (x\neq 0) \\ -2 & (x=0) \end{cases}$

① ㄱ, ㄴ ② ㄱ, ㄹ ③ ㄴ, ㄷ
④ ㄴ, ㄹ ⑤ ㄷ, ㄹ

02

함수 $f(x)=\begin{cases} 2x+10 & (x<1) \\ x+a & (x\geq 1) \end{cases}$가 실수 전체의 집합에서 연속이 되도록 하는 상수 a의 값을 구하시오.

03

함수 $f(x)=\begin{cases} \frac{x^2+x-12}{x-3} & (x\neq 3) \\ a & (x=3) \end{cases}$가 모든 실수 x에서 연속이 되도록 하는 상수 a의 값을 구하시오.

04

실수 전체의 집합에서 연속인 함수 $y=f(x)$가 닫힌구간 $[0, 3]$에서

$$f(x)=\begin{cases} -6x & (0\leq x<1) \\ a(x-1)^2-2b & (1\leq x\leq 3) \end{cases}$$

이고 모든 실수 x에 대하여 $f(x+3)=f(x)$를 만족시킬 때, $f(98)$의 값을 구하시오. (단, a, b는 상수이다.)

05

모든 실수 x에서 연속인 함수 $y=f(x)$가 $(x-2)f(x)=x^2-2x+a$를 만족시킬 때, $f(2)$의 값을 구하시오. (단, a는 상수이다.)

06

두 함수 $f(x)=\begin{cases} x-2 & (x<2) \\ -x+4 & (x\geq 2) \end{cases}$, $g(x)=x+k$에 대하여 함수 $y=f(x)g(x)$가 $x=2$에서 연속이 되도록 하는 상수 k의 값을 구하시오.

07

$-2\leq x\leq 2$에서 정의된 함수 $y=f(x)$의 그래프가 그림과 같을 때, 〈보기〉에서 옳은 것만을 있는 대로 고르시오.

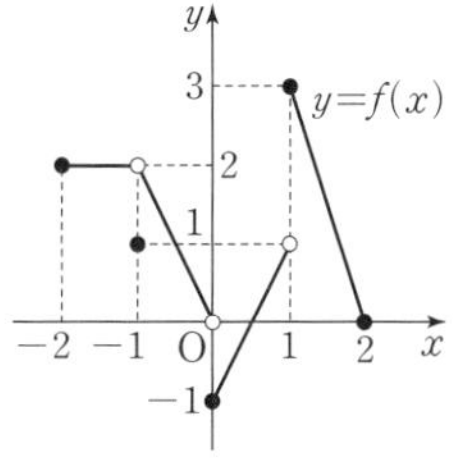

보기

ㄱ. 닫힌구간 $[-2, 2]$에서 불연속인 x의 값은 3개이다.
ㄴ. 닫힌구간 $[-2, 2]$에서 극한값이 존재하지 않는 x의 값은 3개이다.
ㄷ. 닫힌구간 $[-2, 2]$에서 최댓값과 최솟값이 존재한다.

08

방정식 $x^3-x^2+4x-2=0$이 오직 하나의 실근을 가질 때, 다음 중 이 방정식의 실근이 존재하는 구간은?

① $(-1, 0)$ ② $(0, 1)$ ③ $(1, 2)$
④ $(2, 3)$ ⑤ $(3, 4)$

유형 1 함수의 연속

09

〈보기〉의 함수 중에서 $x=0$에서 연속인 것만을 있는 대로 고른 것은?

보기

ㄱ. $f(x)=x|x|$　　ㄴ. $g(x)=x-|x|$

ㄷ. $h(x)=\begin{cases} \dfrac{x^2}{|x|} & (x\neq 0) \\ 1 & (x=0) \end{cases}$

① ㄱ　② ㄷ　③ ㄱ, ㄴ
④ ㄴ, ㄷ　⑤ ㄱ, ㄴ, ㄷ

10

함수 $y=f(x)$ $(0\le x\le 6)$의 그래프가 그림과 같다. 함수 $y=f(x)$의 극한값이 존재하지 않는 x의 개수를 m, 극한값이 존재하지만 함숫값과 다른 x의 개수를 n이라 할 때, $m+n$의 값을 구하시오.

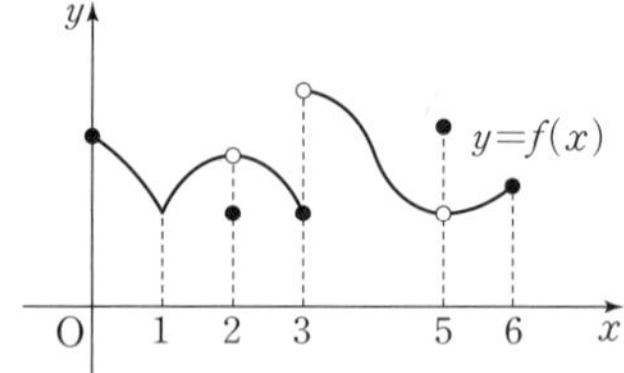

중요 **11**

그림은 함수 $y=f(x)$의 그래프이다. 다음 조건을 만족시키는 두 실수 a, b에 대하여 $a-b$의 값을 구하시오. (단, $-2\le a\le 7$)

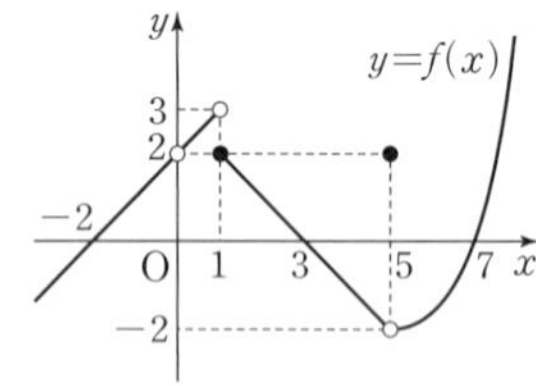

(가) $\lim_{x\to a+} f(x)=\lim_{x\to a-} f(x)$
(나) 함수 $y=f(x)$는 $x=a$에서 불연속이다.
(다) $f(a)=b$

유형 2 구간별로 정의된 함수의 연속

12

함수 $f(x)=\begin{cases} 4x^2-a & (x<1) \\ x^3+a & (x\ge 1) \end{cases}$가 실수 전체의 집합에서 연속일 때, 상수 a의 값은?

① $\dfrac{3}{2}$　② 2　③ $\dfrac{5}{2}$
④ 3　⑤ $\dfrac{7}{2}$

중요 **13**

함수 $f(x)=\begin{cases} x^2+ax-3 & (1<x<2) \\ 2x+b & (x\le 1 \text{ 또는 } x\ge 2) \end{cases}$가 모든 실수 x에서 연속일 때, 두 상수 a, b에 대하여 $a+b$의 값을 구하시오.

14

함수 $f(x)=\begin{cases} x^2-2x & (|x|>1) \\ -x^2+ax+b & (|x|\le 1) \end{cases}$가 모든 실수 x에서 연속이 되도록 하는 두 상수 a, b에 대하여 ab의 값을 구하시오.

유형 3 $f(x)=f(x+k)$ 꼴의 함수의 연속

15

실수 전체의 집합에서 연속인 함수 $y=f(x)$가 닫힌구간 $[-1, 3]$에서

$$f(x)=\begin{cases} x^2+bx+8 & (-1\le x<1) \\ -x+a & (1\le x\le 3) \end{cases}$$

이고 모든 실수 x에 대하여 $f(x+4)=f(x)$를 만족시킬 때, 두 상수 a, b에 대하여 $f(a)+f(b)$의 값을 구하시오.

중요 **16**

실수 전체의 집합에서 연속인 함수 $y=f(x)$가 다음 조건을 만족시킬 때, $f(10)$의 값을 구하시오. (단, a, b는 상수이다.)

> (가) 닫힌구간 $[0, 4]$에서 $f(x)=\begin{cases} 3x & (0\le x<1) \\ x^2+ax+b & (1\le x\le 4) \end{cases}$
> (나) 모든 실수 x에 대하여 $f(x-2)=f(x+2)$

17

함수 $y=f(x)$가 반닫힌 구간 $[-3, 3)$에서

$$f(x)=\begin{cases} -2 & (-3\le x<0) \\ 0 & (x=0) \\ 2 & (0<x<3) \end{cases}$$

로 정의되고, 모든 실수 x에 대하여 $f(x+4)=f(x-2)$를 만족시킨다. 열린구간 $(-12, 12)$에서 함수 $y=f(x)$가 불연속인 x의 개수는?

① 4 ② 5 ③ 6
④ 7 ⑤ 8

유형 4 함수의 연속과 미정계수

18

함수 $f(x)=\begin{cases} \dfrac{x^2+ax+b}{x+2} & (x\ne -2) \\ 0 & (x=-2) \end{cases}$ 이 $x=-2$에서 연속일 때, 두 상수 a, b에 대하여 $a+b$의 값은?

① 4 ② 6 ③ 8
④ 10 ⑤ 12

중요 **19**

함수 $f(x)=\begin{cases} \dfrac{2\sqrt{x+a}-b}{x} & (x\ne 0) \\ \dfrac{1}{2} & (x=0) \end{cases}$ 이 모든 실수 x에서 연속이 되도록 하는 두 상수 a, b에 대하여 $a+b$의 값을 구하시오.

20

다항함수 $y=f(x)$에 대하여 함수 $y=g(x)$를

$$g(x)=\begin{cases} \dfrac{f(x)-x^2}{x-1} & (x\ne 1) \\ k & (x=1) \end{cases}$$

로 정의하자. 함수 $y=g(x)$가 모든 실수 x에서 연속이고 $\lim_{x\to\infty} g(x)=2$일 때, $k+f(3)$의 값을 구하시오.

(단, k는 상수이다.)

유형 5 $(x-a)f(x)$ 꼴의 함수의 연속

21

열린구간 $(-1, 1)$에서 연속인 함수 $y=f(x)$가

$$(\sqrt{1+x}-\sqrt{1-x})f(x)=2x^2+4x$$

를 만족시킬 때, $f(0)$의 값은?

① 1 ② 2 ③ 3 ④ 4 ⑤ 5

22 중요

모든 실수 x에서 연속인 함수 $y=f(x)$가

$$(x-1)f(x)=ax^2+bx,\ f(1)=4$$

를 만족시킬 때, 두 상수 a, b에 대하여 $a-b$의 값을 구하시오.

23

모든 실수 x에서 연속인 함수 $y=f(x)$가 다음 조건을 만족시킨다.

> (가) $(x-2)f(x)=x^3+ax-b$
> (나) 함수 $y=f(x)$의 최솟값은 2이다.

두 상수 a, b에 대하여 $a+b$의 값을 구하시오.

유형 6 가우스 기호를 포함한 함수의 연속

24

$0<x<1$에서 함수 $y=[5x]$가 불연속이 되는 모든 x의 값의 합은? (단, $[x]$는 x보다 크지 않은 최대의 정수이다.)

① 2 ② $\frac{5}{2}$ ③ 3 ④ $\frac{7}{2}$ ⑤ 4

25

함수 $f(x)=[x]^2+(ax+2)[x]$가 $x=-1$에서 연속일 때, 상수 a의 값을 구하시오.

(단, $[x]$는 x보다 크지 않은 최대의 정수이다.)

26

열린구간 $(1, 4)$에서 정의된 함수 $f(x)=[x^2-2x+6]$이 불연속이 되는 x의 개수를 구하시오.

(단, $[x]$는 x보다 크지 않은 최대의 정수이다.)

유형 7 새롭게 정의된 함수의 연속

27

두 함수 $f(x)=\frac{1}{x}$, $g(x)=x^2+1$에 대하여 다음 중 실수 전체의 집합에서 연속인 함수는?

① $y=f(g(x))$ ② $y=g(f(x))$ ③ $y=f(x)g(x)$
④ $y=\frac{f(x)}{g(x)}$ ⑤ $y=f(x)+g(x)$

28

함수 $f(x)=x^2-x+3$, $g(x)=ax+1$에 대하여 함수 $y=\frac{1}{f(x)+g(x)}$이 모든 실수 x에서 연속이 되도록 하는 상수 a의 값의 범위는?

① $-4<a<3$ ② $-3<a<6$ ③ $-3<a<5$
④ $3<a<6$ ⑤ $4<a<6$

중요 **29**

두 함수

$$f(x)=\begin{cases} x-1 & (x<0) \\ x^3+1 & (x\geq 0) \end{cases},\ g(x)=\begin{cases} x^2+3 & (x<0) \\ x+k & (x\geq 0) \end{cases}$$

에 대하여 함수 $y=f(x)+g(x)$가 $x=0$에서 연속이 되도록 하는 상수 k의 값을 구하시오.

30

함수 $y=f(x)$의 그래프가 그림과 같을 때, 닫힌구간 $[0, 3]$에서 함수 $y=(x-a)f(x)$가 연속이 되도록 하는 상수 a의 값을 구하시오.

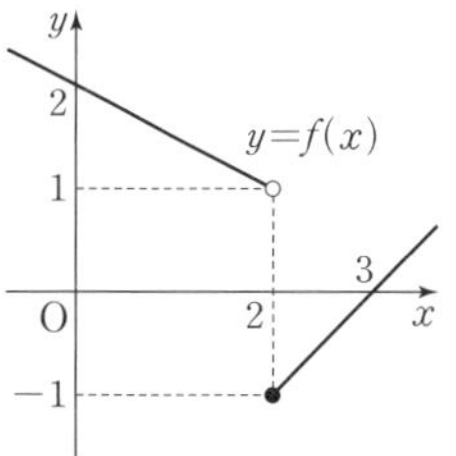

중요 **31**

두 함수

$$f(x)=\begin{cases} -x^2+a & (x\leq 2) \\ x^2-4 & (x>2) \end{cases},\ g(x)=\begin{cases} x-4 & (x\leq 2) \\ \frac{1}{x-2} & (x>2) \end{cases}$$

에 대하여 함수 $y=f(x)g(x)$가 $x=2$에서 연속이 되도록 하는 상수 a의 값은?

① 1 ② 2 ③ 3
④ 4 ⑤ 5

32

함수 $f(x)=\begin{cases} x+2 & (x\leq 0) \\ -x+a & (x>0) \end{cases}$가 $x=0$에서 불연속이고 함수 $y=f(x)f(x-1)$은 $x=1$에서 연속일 때, $f(3)$의 값을 구하시오. (단, a는 상수이다.)

유형 8 합성함수의 연속

중요

33

두 함수 $y=f(x)$, $y=g(x)$가

$$f(x)=\begin{cases} x+3 & (x\le 0) \\ 2-x & (x>0) \end{cases},\ g(x)=3x^2-ax-4$$

이고 함수 $y=g(f(x))$가 모든 실수 x에서 연속이 되도록 하는 상수 a의 값을 구하시오.

34

함수 $y=f(x)$의 그래프는 그림과 같고, 함수 $y=g(x)$의 그래프가 〈보기〉와 같다. 함수 $y=g(f(x))$의 그래프가 닫힌 구간 $[-2, 2]$에서 연속이 되는 것을 있는 대로 고르시오.

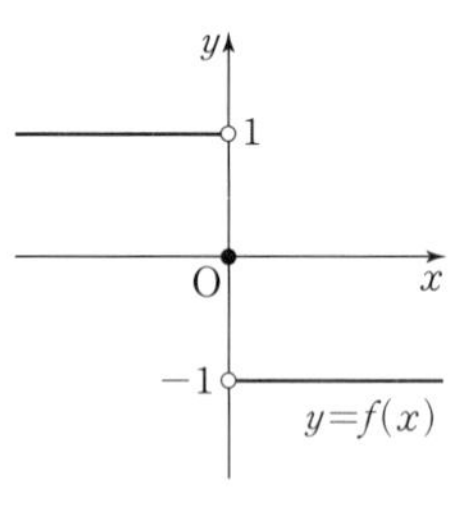

보기

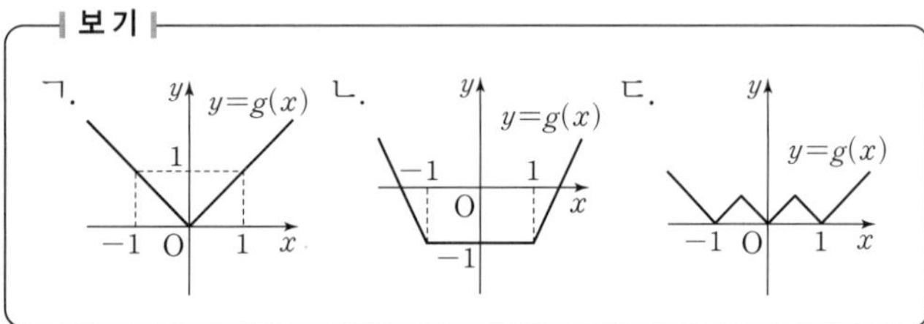

35

두 함수 $y=f(x)$, $y=g(x)$의 그래프가 그림과 같다.

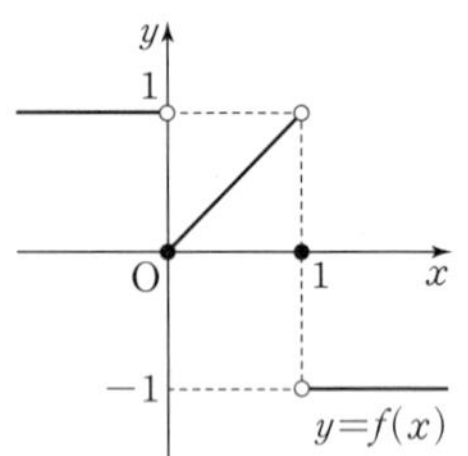

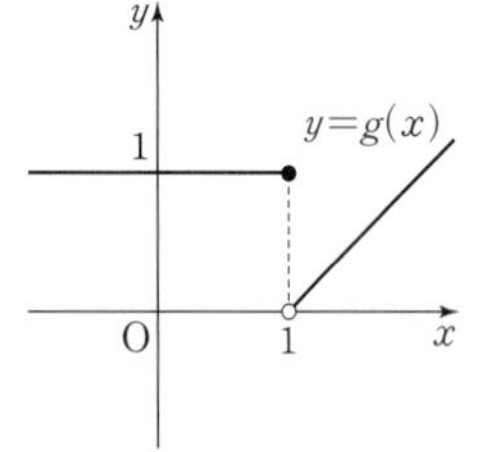

〈보기〉에서 옳은 것만을 있는 대로 고르시오.

보기

ㄱ. 함수 $y=f(g(x))$는 $x=0$에서 연속이다.
ㄴ. 함수 $y=g(f(x))$는 $x=1$에서 연속이다.
ㄷ. 함수 $y=f(g(x))$는 $x=1$에서 연속이다.

유형 9 최대 · 최소 정리

36

두 함수 $f(x)=x-2$, $g(x)=\dfrac{1}{x+1}$에 대하여 〈보기〉의 함수 중 닫힌구간 $[0, 4]$에서 최댓값과 최솟값을 모두 갖는 것만을 있는 대로 고른 것은?

보기

ㄱ. $y=f(g(x))$ ㄴ. $y=g(f(x))$ ㄷ. $y=f(x)+g(x)$

① ㄱ ② ㄱ, ㄴ ③ ㄱ, ㄷ
④ ㄴ, ㄷ ⑤ ㄱ, ㄴ, ㄷ

중요

37

모든 실수 x에서 연속인 함수 $y=f(x)$가

$$(x+1)f(x)=x^3+ax+b,\ f(-1)=2$$

를 만족시킨다. 닫힌구간 $[-1, 1]$에서 함수 $y=f(x)$의 최댓값을 M, 최솟값을 m이라 할 때, $M+m$의 값을 구하시오.

(단, a, b는 상수이다.)

38

닫힌구간 $[-1, 4]$에서 정의된 함수 $y=f(x)$의 그래프가 그림과 같을 때, 〈보기〉에서 옳은 것만을 있는 대로 고르시오.

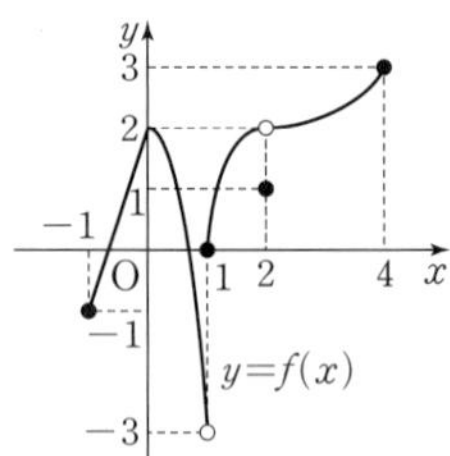

보기

ㄱ. $\lim\limits_{x\to 1} f(x)$의 값이 존재한다.
ㄴ. 닫힌구간 $[-1, 4]$에서 함수 $y=f(x)$의 최댓값과 최솟값이 모두 존재한다.
ㄷ. $-1<a<1$인 실수 a에 대하여 $\lim\limits_{x\to a} f(x)$의 값이 존재한다.

유형 10 사잇값의 정리

39

방정식 $x^3-3x+a=0$이 열린구간 $(-1,\ 1)$에서 적어도 하나의 실근을 갖도록 하는 실수 a의 값의 범위가 $\alpha<a<\beta$일 때, $\alpha+\beta$의 값을 구하시오.

40

방정식 $\sqrt{x}-1=\dfrac{3}{x}$이 오직 하나의 실근을 갖는다. 다음 중 이 방정식의 실근이 존재하는 구간은?

① $(1,\ 2)$ ② $(2,\ 3)$ ③ $(3,\ 4)$
④ $(4,\ 5)$ ⑤ $(5,\ 6)$

41

실수 전체의 집합에서 연속인 함수 $y=f(x)$가 $f(0)=1$, $f(1)=2$를 만족시킬 때, 다음 〈보기〉의 방정식 중 열린구간 $(0,\ 1)$에서 항상 적어도 하나의 실근을 갖는 것만을 있는 대로 고르시오.

보기

ㄱ. $f(x)-3x=0$
ㄴ. $2f(x)+x=0$
ㄷ. $2f(x)-x=0$

42

실수 전체의 집합에서 연속인 함수 $y=f(x)$에 대하여 $\{f(0)-f(-1)\}\{f(2)-f(1)\}<0$이 성립할 때, 다음 중 방정식 $f(x)=f(x+1)$이 항상 적어도 하나의 실근을 갖는 구간은?

① $(-2,\ 0)$ ② $(-1,\ 1)$ ③ $(0,\ 2)$
④ $(1,\ 3)$ ⑤ $(2,\ 4)$

43

다항함수 $y=f(x)$가 다음 조건을 만족시킬 때, 방정식 $f(x)=0$은 열린구간 $(-1,\ 2)$에서 적어도 몇 개의 실근을 갖는지 구하시오.

(가) $\displaystyle\lim_{x\to-1}\frac{f(x)}{x+1}=\frac{1}{3}$ (나) $\displaystyle\lim_{x\to2}\frac{f(x)}{x-2}=\frac{1}{2}$

44

준수가 10 km를 달리면서 2 km 구간마다 걸린 시간을 측정한 결과가 다음 표와 같았다.

구간	출발점 ~2 km	2 km ~4 km	4 km ~6 km	6 km ~8 km	8 km ~10 km
걸린 시간	5분 50초	7분 20초	8분 30초	9분 5초	10분 20초

준수가 출발점으로부터 a km 떨어진 지점에서부터 $(a+2)$ km 지점까지 달리는 데 걸린 시간이 정확하게 8분이 되는 a의 값이 오직 하나일 때, 상수 a의 값의 범위는?

① $0<a<2$ ② $2<a<4$ ③ $4<a<6$
④ $6<a<8$ ⑤ $8<a<10$

45

함수 $f(x)=\begin{cases} \dfrac{x^2+ax+b}{x-4} & (x\neq4) \\ -2x+c & (x=4) \end{cases}$ 이고, 모든 실수 x에서 연속이다. $\lim\limits_{x\to\infty}\{f(x)-x\}=5$일 때, $-20(a+b+c)$의 값을 구하시오. (단, a, b, c는 상수이다.)

46

실수 전체의 집합에서 정의된 두 함수 $y=f(x)$, $y=g(x)$가 다음 조건을 만족시킨다.

> (가) $x<0$일 때, $f(x)+g(x)=x^2+4$
> (나) $x>0$일 때, $f(x)-g(x)=x^2+2x+8$

함수 $y=f(x)$가 $x=0$에서 연속이고 $\lim\limits_{x\to0-}g(x)-\lim\limits_{x\to0+}g(x)=6$일 때, $f(0)$의 값을 구하시오.

47

함수 $f(x)=[x]^2-3[x]+4$가 $x=n$에서 연속일 때, 자연수 n의 값은? (단, $[x]$는 x보다 크지 않은 최대의 정수이다.)

① 1　② 2　③ 3　④ 4　⑤ 5

48

세 함수 $y=f(x)$, $y=g(x)$, $y=h(x)$의 그래프가 그림과 같다.

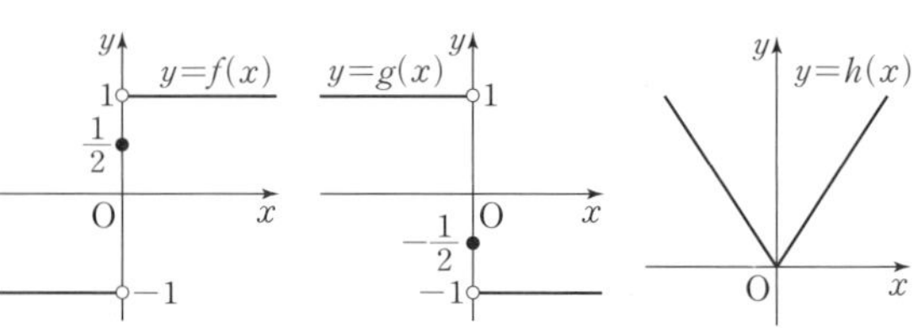

〈보기〉의 함수 중에서 모든 실수 x에 대하여 연속인 것만을 있는 대로 고른 것은?

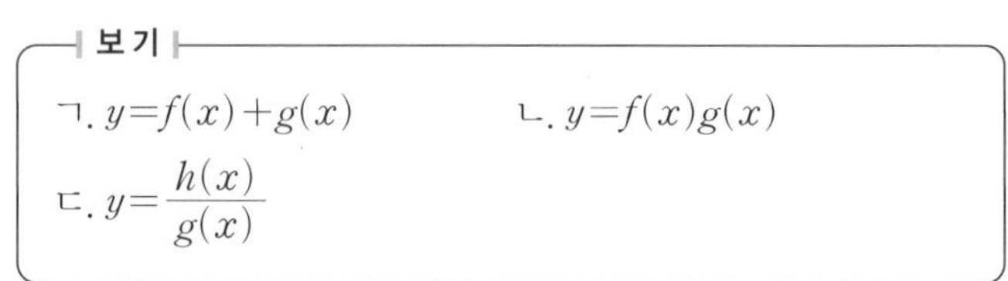

보기

ㄱ. $y=f(x)+g(x)$　ㄴ. $y=f(x)g(x)$

ㄷ. $y=\dfrac{h(x)}{g(x)}$

① ㄱ　② ㄴ　③ ㄱ, ㄷ　④ ㄴ, ㄷ　⑤ ㄱ, ㄴ, ㄷ

49

두 함수 $y=f(x)$, $y=g(x)$의 그래프가 그림과 같을 때, 〈보기〉의 함수 중 $x=-1$에서 연속인 것만을 있는 대로 고른 것은?

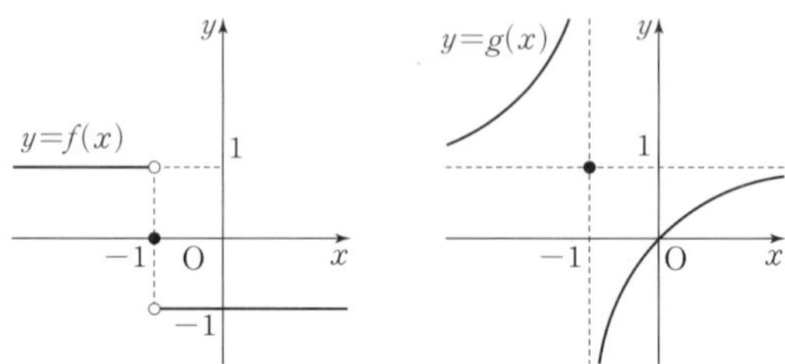

보기

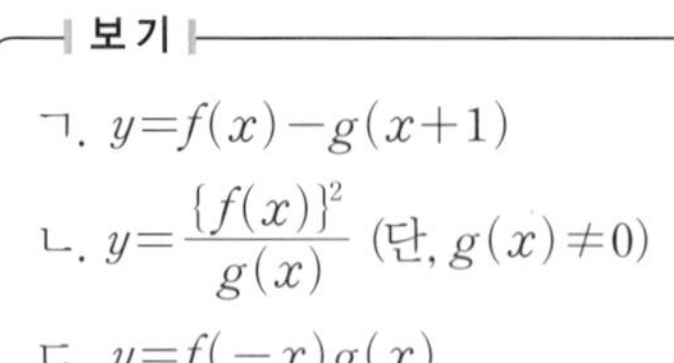

ㄱ. $y=f(x)-g(x+1)$

ㄴ. $y=\dfrac{\{f(x)\}^2}{g(x)}$ (단, $g(x)\neq0$)

ㄷ. $y=f(-x)g(x)$

① ㄱ　② ㄴ　③ ㄷ　④ ㄱ, ㄷ　⑤ ㄴ, ㄷ

50

이차 이상의 다항식 $g(x)$에 대하여 함수 $y=f(x)$를

$$f(x)=\begin{cases} \dfrac{g(x)-x^2}{x-1} & (x\neq 1) \\ 8 & (x=1) \end{cases}$$

로 정의하자. 함수 $y=f(x)$가 $x=1$에서 연속일 때, 다항식 $g(x)$를 $(x-1)^2$으로 나눈 나머지는?

① $8x-7$　② $8x+9$　③ $9x-8$
④ $10x-9$　⑤ $10x+9$

51

두 함수

$$f(x)=\begin{cases} x+3 & (x\leq a) \\ x^2-x & (x>a) \end{cases},\ g(x)=x-(2a+7)$$

에 대하여 함수 $y=f(x)g(x)$가 실수 전체의 집합에서 연속이 되도록 하는 모든 실수 a의 값의 곱을 구하시오.

52

함수 $f(x)=\begin{cases} x+1 & (x\leq 0) \\ -\dfrac{1}{2}x+7 & (x>0) \end{cases}$에 대하여

함수 $y=f(x)f(x-a)$가 $x=a$에서 연속이 되도록 하는 모든 실수 a의 값의 합을 구하시오.

53

실수 t에 대하여 직선 $y=t$가 곡선 $y=|x^2-2x|$와 만나는 점의 개수를 $f(t)$라 하자. 최고차항의 계수가 1인 이차함수 $y=g(t)$에 대하여 함수 $y=f(t)g(t)$가 모든 실수 t에 대하여 연속일 때, $f(3)+g(3)$의 값을 구하시오.

54

실수 a에 대하여 집합

$\{x\,|\,ax^2+2(a-2)x-(a-2)=0,\ x\text{는 실수}\}$의 원소의 개수를 $f(a)$라 할 때, 〈보기〉에서 옳은 것만을 있는 대로 고른 것은?

보기

ㄱ. $\lim_{a\to 0} f(a)=f(0)$

ㄴ. $\lim_{a\to c+} f(a)\neq \lim_{a\to c-} f(a)$인 실수 c는 2개이다.

ㄷ. 함수 $y=f(a)$가 불연속인 a의 값은 3개이다.

① ㄴ　② ㄷ　③ ㄱ, ㄴ
④ ㄴ, ㄷ　⑤ ㄱ, ㄴ, ㄷ

55

실수 전체의 집합에서 정의된 함수 $y=f(x)$의 그래프가 그림과 같다.

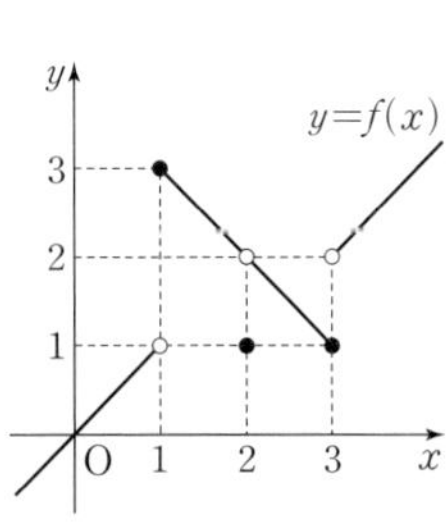

함수 $y=f(x)$가 $x=1,\ x=2,\ x=3$에서만 불연속일 때, 이차함수 $g(x)=x^2-4x+k$에 대하여 함수 $y=(f\circ g)(x)$가 $x=2$에서 불연속이 되도록 하는 모든 실수 k의 합을 구하시오.

56

두 함수

$$f(x)=\begin{cases} x-2 & (x>1) \\ -x & (|x|\le 1) \\ x+2 & (x<-1) \end{cases},\ g(x)=\begin{cases} |x| & (0<|x|\le 1) \\ -1 & (x=0) \\ 0 & (|x|>1) \end{cases}$$

의 그래프가 그림과 같다.

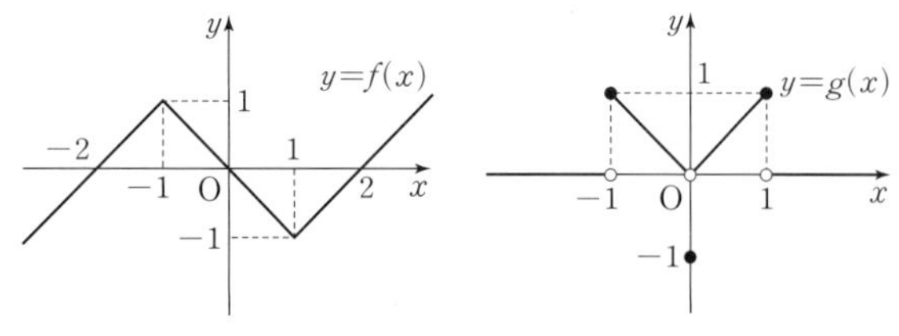

모든 실수 x에 대하여 함수 $y=(g\circ f)(x)$가 불연속이 되는 x의 개수를 구하시오.

57

두 함수 $y=f(x)$, $y=g(x)$에 대하여 〈보기〉에서 옳은 것만을 있는 대로 고른 것은? (단, 함수 $y=g(x)$의 치역은 함수 $y=f(x)$의 정의역에 포함된다.)

보기

ㄱ. 함수 $y=f(x)$가 $x=a$에서 연속이면 함수 $y=|f(x)|$도 $x=a$에서 연속이다.

ㄴ. 함수 $y=f(g(x))$가 $x=a$에서 연속이면 함수 $y=g(x)$도 $x=a$에서 연속이다.

ㄷ. 함수 $y=\{f(x)\}^2$이 $x=a$에서 연속이면 함수 $y=f(x)$도 $x=a$에서 연속이다.

① ㄱ ② ㄴ ③ ㄱ, ㄴ
④ ㄱ, ㄷ ⑤ ㄱ, ㄴ, ㄷ

58

다항함수 $y=f(x)$가 $\lim_{x\to 1}\frac{f(x)}{x-1}=1$, $\lim_{x\to 2}\frac{f(x)}{x-2}=1$을 만족시킬 때, 방정식 $f(x)=0$은 $1\le x\le 2$에서 적어도 n개의 서로 다른 실근을 갖는다. n의 값을 구하시오.

최고난도 문제

59

함수 $f(x)=\begin{cases} x+2 & (x<-1) \\ 0 & (x=-1) \\ x^2 & (-1<x<1) \\ x-2 & (x\ge 1) \end{cases}$에 대하여

〈보기〉에서 옳은 것만을 있는 대로 고른 것은?

보기

ㄱ. $\lim_{x\to 1+}\{f(x)+f(-x)\}=0$

ㄴ. 함수 $y=f(x)-|f(x)|$가 불연속인 x의 값은 1개이다.

ㄷ. 함수 $y=f(x)f(x-a)$가 실수 전체의 집합에서 연속이 되는 상수 a는 없다.

① ㄱ ② ㄱ, ㄴ ③ ㄱ, ㄷ
④ ㄴ, ㄷ ⑤ ㄱ, ㄴ, ㄷ

60

세 정수 a, b, c에 대하여 이차함수 $f(x)=a(x-b)^2+c$라 하고, 함수 $y=f(x)$에 대하여 함수 $y=g(x)$를

$$g(x)=\begin{cases} f(x) & (x\ge 0) \\ f(-x) & (x<0) \end{cases}$$

라 하자. 실수 t에 대하여 직선 $y=t$가 곡선 $y=g(x)$와 만나는 서로 다른 점의 개수를 $h(t)$라 할 때, 함수 $y=h(t)$가 다음 조건을 만족시킨다.

(가) $h(2)<h(-1)<h(0)$
(나) 함수 $y=(t^2-t)h(t)$는 모든 실수 t에서 연속이다.

$80f\left(\frac{1}{2}\right)$의 값을 구하시오.

03 미분계수

제 목		문항 번호	문항 수	확인
쌤이 꼭 내는 기본 문제		01~08	8	
유형 문제	❶ 평균변화율과 미분계수	09~11	3	
	❷ 미분계수의 정의를 이용한 극한값의 계산	12~17	6	
	❸ 치환하여 미분계수 구하기	18~20	3	
	❹ 관계식이 주어질 때 미분계수 구하기	21~23	3	
	❺ 미분계수의 기하학적 의미	24~25	2	
	❻ 미분가능할 조건	26~28	3	
	❼ 미분가능성과 연속성	29~31	3	
1등급 문제		32~46	15	

03 미분계수

1 평균변화율

함수 $y=f(x)$에서 x의 값이 a에서 b까지 변할 때

(1) 평균변화율은

$$\frac{\Delta y}{\Delta x}=\frac{f(b)-f(a)}{b-a}=\frac{f(a+\Delta x)-f(a)}{\Delta x}$$

(2) 평균변화율은 곡선 $y=f(x)$ 위의 두 점 $\mathrm{P}(a,\ f(a))$, $\mathrm{Q}(b,\ f(b))$를 지나는 직선의 기울기이다.

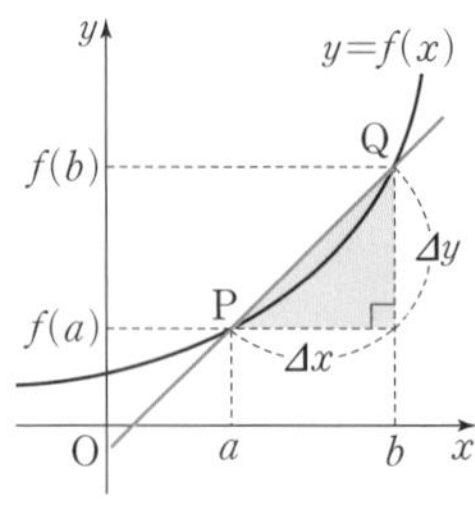

개념 플러스

- 일차함수의 평균변화율은 일차항의 계수와 같다.

2 미분계수

(1) 함수 $y=f(x)$의 $x=a$에서의 미분계수 $f'(a)$는

$$f'(a)=\lim_{\Delta x \to 0}\frac{f(a+\Delta x)-f(a)}{\Delta x}$$

$$=\lim_{x \to a}\frac{f(x)-f(a)}{x-a}$$

참고 $f'(a)$를 Δx 대신에 h를 써서 나타내기도 한다.

$$\Rightarrow f'(a)=\lim_{h \to 0}\frac{f(a+h)-f(a)}{h}$$

(2) 미분계수의 기하학적 의미

함수 $y=f(x)$의 $x=a$에서의 미분계수 $f'(a)$가 존재할 때, 미분계수 $f'(a)$는 곡선 $y=f(x)$ 위의 점 $(a,\ f(a))$에서의 접선의 기울기와 같다.

- (미분계수)=(순간변화율)=(접선의 기울기)
- 함수 $y=f(x)$가 $x=a$에서 미분가능하면

$$\lim_{h \to 0}\frac{f(a+h)-f(a-h)}{2h}$$

$$=\frac{1}{2}\lim_{h \to 0}\frac{f(a+h)-f(a)-\{f(a-h)-f(a)\}}{h}$$

$$=\frac{1}{2}\{f'(a)+f'(a)\}=f'(a)$$

가 성립한다. 하지만 함수 $y=f(x)$에 대하여

$$\lim_{h \to 0}\frac{f(a+h)-f(a-h)}{2h}=\alpha$$

라 해서 항상 $f'(a)=\alpha$인 것은 아니다.

예 함수 $f(x)=|x|$에서

$$\lim_{h \to 0}\frac{f(h)-f(-h)}{2h}$$

$$=\lim_{h \to 0}\frac{|h|-|-h|}{2h}=0$$

이지만 $f'(0)$의 값은 존재하지 않는다.

3 미분가능성과 연속성

(1) 함수 $y=f(x)$의 $x=a$에서의 미분계수 $f'(a)$가 존재할 때, 함수 $y=f(x)$는 $x=a$에서 미분가능하다고 한다.

(2) 함수 $y=f(x)$가 $x=a$에서 미분가능하면 함수 $y=f(x)$는 $x=a$에서 연속이다.

그러나 그 역은 성립하지 않는다.

참고 ① 함수 $y=f(x)$가 $x=a$에서 연속이라고 해서 반드시 $x=a$에서 미분가능한 것은 아니다.

② 함수 $y=f(x)$가 $x=a$에서 불연속이면 함수 $y=f(x)$는 $x=a$에서 미분가능하지 않다.

- 미분가능성과 연속성

함수 $y=f(x)$에 대하여

(1) $\lim_{x \to a} f(x)=f(a)$ ⇨ $x=a$에서 연속

(2) $\lim_{x \to a}\frac{f(x)-f(a)}{x-a}$가 존재 ⇨ $x=a$에서 미분가능

- 함수 $y=f(x)$가 $x=a$에서 미분가능하지 않은 경우

(i) $x=a$에서 불연속인 경우

(ii) $x=a$에서 그래프가 꺾인 경우

01

함수 $f(x)=x^3+x$에 대하여 x의 값이 0에서 2까지 변할 때의 평균변화율과 $x=a$에서의 순간변화율이 같을 때, 상수 a의 값은? (단, $0<a<2$)

① $\frac{\sqrt{5}}{5}$ ② $\frac{\sqrt{3}}{3}$ ③ $\frac{2\sqrt{5}}{5}$
④ $\frac{2\sqrt{3}}{3}$ ⑤ $\sqrt{3}$

02

다항함수 $y=f(x)$에 대하여 $f'(1)=2$일 때,

$\lim_{h\to0}\frac{f\left(1-\frac{3}{2}h\right)-f(1)}{h}$의 값을 구하시오.

03

다항함수 $y=f(x)$에 대하여 $f'(3)=2$일 때,

$\lim_{h\to0}\frac{f(3+h)-f(3-h)}{3h}$의 값을 구하시오.

04

다항함수 $y=f(x)$에 대하여 $f'(3)=-3$일 때,

$\lim_{x\to3}\frac{f(x)-f(3)}{x^2-9}$의 값은?

① -3 ② -1 ③ $-\frac{1}{2}$
④ $\frac{1}{2}$ ⑤ 1

05

곡선 $y=f(x)$ 위의 점 $\mathrm{P}(a, 4)$에서의 접선의 방정식이 $y=3x+b$일 때, $\lim_{n\to\infty}n\left\{f\left(a+\frac{3}{n}\right)-f(a)\right\}$의 값을 구하시오.

06

함수 $y=f(x)$의 그래프가 그림과 같을 때, 〈보기〉에서 옳은 것만을 있는 대로 고르시오.

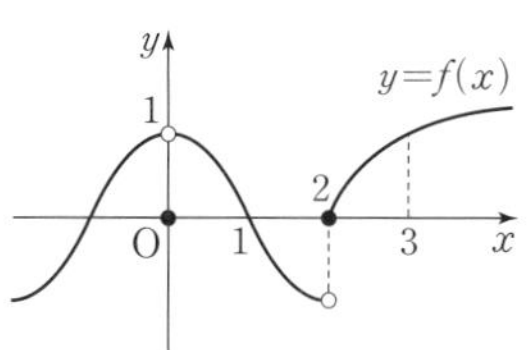

보기

ㄱ. $f(1)f'(2)=0$

ㄴ. $\lim_{x\to3}\frac{f(x)-f(3)}{x-3}>0$

ㄷ. $\lim_{h\to0}\frac{f(1+h)}{h}<0$

07

함수 $f(x)=\begin{cases}x^2+ax+1 & (x\ge1)\\ 2x^2+a & (x<1)\end{cases}$가 모든 실수 x에 대하여 미분가능하도록 하는 상수 a의 값을 구하시오.

08

다음 함수 중에서 $x=0$에서 연속이지만 미분가능하지 <u>않은</u> 것은?

① $f(x)=x^2+3$ ② $f(x)=\frac{1}{x}$ ③ $f(x)=\sqrt{x^2}$
④ $f(x)=|x|^2$ ⑤ $f(x)=x^2|x|$

유형 문제

유형 1 평균변화율과 미분계수

09

함수 $f(x)=x^3+2x-3$에 대하여 x의 값이 1에서 a까지 변할 때의 평균변화율이 9일 때, 상수 a의 값을 구하시오. (단, $a>1$)

중요 **10**

함수 $f(x)=x^3-ax^2$에 대하여 x의 값이 -1에서 1까지 변할 때의 평균변화율과 $x=k$에서의 미분계수가 서로 같다. 이를 만족시키는 모든 k의 값의 합이 4일 때, 상수 a의 값을 구하시오.

11

그림은 $f(x)=x^2$의 그래프이다. 두 점 $A(a, a^2)$, $B(b, b^2)$에 대하여 직선 AB의 기울기가 3이고, 직선 AB와 평행하고 함수 $y=f(x)$의 그래프에 접하는 직선의 접점의 x좌표가 c일 때, <보기>에서 옳은 것만을 있는 대로 고른 것은?

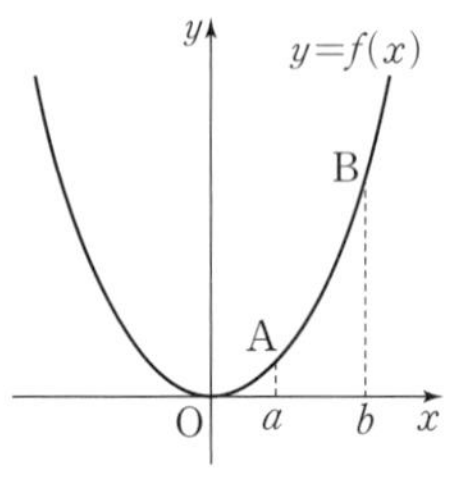

보기

ㄱ. $f'(c)=3$　　ㄴ. $a+b=3$　　ㄷ. $c=\dfrac{a+b}{2}$

① ㄴ　② ㄷ　③ ㄱ, ㄴ
④ ㄱ, ㄷ　⑤ ㄱ, ㄴ, ㄷ

유형 2 미분계수의 정의를 이용한 극한값의 계산

12

다항함수 $y=f(x)$에 대하여 $f'(-2)=-1$일 때,

$\lim_{h\to0}\dfrac{f(-2+3h)-f(-2)}{2h}$의 값은?

① $-\dfrac{3}{2}$　② $-\dfrac{1}{2}$　③ $\dfrac{1}{2}$
④ $\dfrac{3}{2}$　⑤ $\dfrac{5}{2}$

중요 **13**

다항함수 $y=f(x)$가 임의의 실수 x에 대하여 $f(-x)=-f(x)$를 만족시키고

$$\lim_{h\to0}\frac{f(4-3h)-f(4+4h)}{h}=-21$$

일 때, $f'(-4)$의 값을 구하시오.

14

다항함수 $y=f(x)$에 대하여 $f'(2)=2$일 때,

$\lim_{x\to2}\dfrac{x^2-4}{f(x)-f(2)}$의 값을 구하시오.

15

다항함수 $y=f(x)$의 그래프는 y축에 대하여 대칭이고, $f'(2)=-3$, $f'(4)=6$일 때, $\lim_{x\to-2}\frac{f(x^2)-f(4)}{f(x)-f(-2)}$의 값은?

① -8 ② -4 ③ 4
④ 8 ⑤ 12

16

미분가능한 함수 $y=f(x)$가 $\lim_{x\to2}\frac{f(x)}{x-2}=3$을 만족시킬 때, $\lim_{x\to2}\frac{\{f(x)\}^2-2f(x)}{2-x}$의 값을 구하시오.

17

다항함수 $y=f(x)$에 대하여 $\lim_{x\to a}\frac{x^2f(a)-a^2f(x)}{x-a}$의 값을 $f(a)$, $f'(a)$를 이용하여 나타내면?

① $f(a)-a^2f'(a)$ ② $f'(a)-a^2f(a)$
③ $2af(a)-a^2f'(a)$ ④ $2af(a)+a^2f'(a)$
⑤ $2af'(a)-a^2f(a)$

유형 3 치환하여 미분계수 구하기

18

미분가능한 함수 $y=f(x)$에 대하여 $f'(1)=5$일 때, $\lim_{n\to\infty}5n\left\{f\left(\frac{n+2}{n}\right)-f\left(\frac{n+1}{n}\right)\right\}$의 값을 구하시오.

19

다항함수 $y=f(x)$에 대하여 $\lim_{x\to2}\frac{f(x+2)-10}{x^2-4}=3$일 때, $f(4)+f'(4)$의 값을 구하시오.

20

다항함수 $y=f(x)$에 대하여 $\lim_{x\to1}\frac{f(2x^2-5x+4)-f(1)}{x-1}$의 값을 $f'(1)$을 이용하여 나타내면?

① $-2f'(1)$ ② $-f'(1)$ ③ $f'(1)$
④ $2f'(1)$ ⑤ $4f'(1)$

유형 4 관계식이 주어질 때 미분계수 구하기

21

미분가능한 함수 f가 모든 실수 x, y에 대하여

$$f(x+y)=f(x)+f(y)-xy$$

를 만족시키고 $f'(0)=3$일 때, $f'(1)$의 값은?

① -1　② 0　③ 1　④ 2　⑤ 3

중요 **22**

미분가능한 함수 f가 모든 실수 x, y에 대하여

$$f(x-y)=f(x)-f(y)$$

를 만족시키고 $f'(1)=-1$일 때, $f'(0)$의 값을 구하시오.

23

미분가능한 함수 f가 모든 실수 x, y에 대하여

$$f(x+y)=f(x)+f(y)+xy(x+y)-2$$

를 만족시키고 $f'(2)=6$일 때, $f'(5)$의 값을 구하시오.

유형 5 미분계수의 기하학적 의미

24

다항함수 $y=f(x)$의 그래프가 그림과 같을 때, 다음 중 옳은 것은?

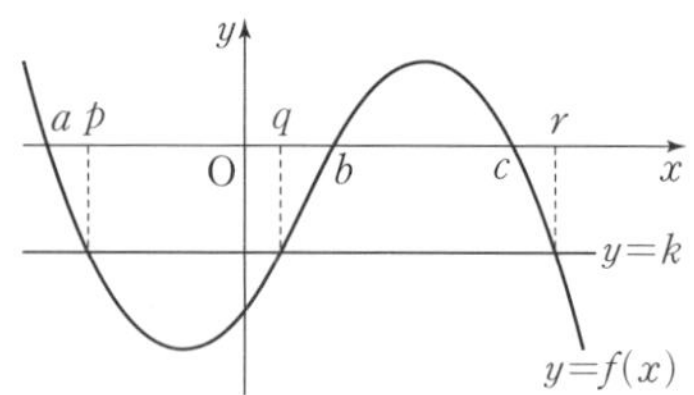

① $f'(a)>f'(b)$　② $f'(q)<f'(r)$

③ $\dfrac{f(r)-f(p)}{r-p}>f'(q)$　④ $\dfrac{f(c)-f(p)}{c-p}<f'(p)$

⑤ $\dfrac{f(r)-f(b)}{r-b}>f'(r)$

25

그림은 두 함수 $y=f(x)$, $y=x$의 그래프이다. $0<a<b$일 때, 〈보기〉에서 옳은 것만을 있는 대로 고른 것은?

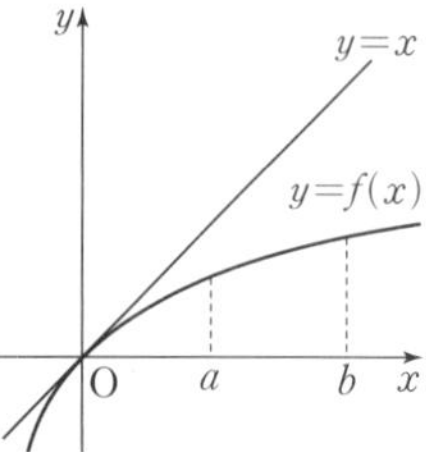

ㄱ. $bf(a)-af(b)<0$

ㄴ. $f(b)-f(a)>b-a$

ㄷ. $f'(a)>f'(b)$

① ㄱ　② ㄴ　③ ㄷ　④ ㄱ, ㄴ　⑤ ㄴ, ㄷ

유형 6 미분가능할 조건

26

함수 $f(x)=\begin{cases} ax^2-2 & (x\ge2) \\ 4x+b & (x<2) \end{cases}$ 가 $x=2$에서 미분가능할 때, 두 상수 a, b에 대하여 $a+b$의 값을 구하시오.

27

중요

함수 $f(x)=\begin{cases} 2x^3+ax^2+bx & (x\ge1) \\ 3x^2+1 & (x<1) \end{cases}$ 이 모든 실수 x에서 미분가능할 때, 두 상수 a, b에 대하여 ab의 값은?

① -8　② -4　③ 0
④ 4　⑤ 8

28

함수 $f(x)=|x-2|(x+a)$가 $x=2$에서 미분가능하도록 하는 상수 a의 값을 구하시오.

유형 7 미분가능성과 연속성

29

$0<x<4$에서 정의된 함수 $y=f(x)$의 그래프가 그림과 같을 때, 〈보기〉에서 옳은 것만을 있는 대로 고르시오.

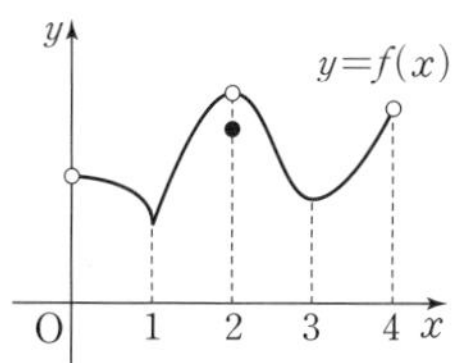

보기

ㄱ. $\lim_{x\to2}f(x)$의 값이 존재한다.
ㄴ. $f'(x)=0$인 x의 값은 2개이다.
ㄷ. 미분가능하지 않은 x의 값은 2개이다.

30

중요

〈보기〉의 함수 중에서 $x=1$에서 미분가능하지 않은 것만을 있는 대로 고른 것은?

보기

ㄱ. $f(x)=|x^2-1|$　ㄴ. $f(x)=(x-1)|x-1|$
ㄷ. $f(x)=\dfrac{x^2-1}{|x-1|}$

① ㄱ　② ㄴ　③ ㄷ
④ ㄱ, ㄷ　⑤ ㄴ, ㄷ

31

〈보기〉의 함수 중에서 $x=0$에서 연속이지만 미분가능하지 않은 것만을 있는 대로 고르시오.

(단, $[x]$는 x보다 크지 않은 최대의 정수이다.)

보기

ㄱ. $y=x[x]$　ㄴ. $y=x-[x]$
ㄷ. $y=x+|x|$

32

자연수 n에 대하여 닫힌구간 $[n, n+1]$에서 함수 $y=\sqrt{x}$의 평균 변화율을 a_n이라 할 때, $\sum_{n=1}^{99} a_n$의 값은?

① 7　　② 8　　③ 9
④ 10　　⑤ 11

33

다항함수 $y=f(x)$가 임의의 실수 x에 대하여 $f(3x)=3f(x)$를 만족시키고 $f'(1)=a$일 때, $f'(3)$의 값은?

① $\frac{a}{9}$　　② $\frac{a}{3}$　　③ a
④ $3a$　　⑤ $9a$

34

그림은 함수 $y=f(x)$의 그래프와 이 그래프 위의 $x=1$인 점에서의 접선을 나타낸 것이다. $\lim_{x \to 1} \frac{x^3 f(1)-f(x^3)}{x-1}$의 값을 구하시오.

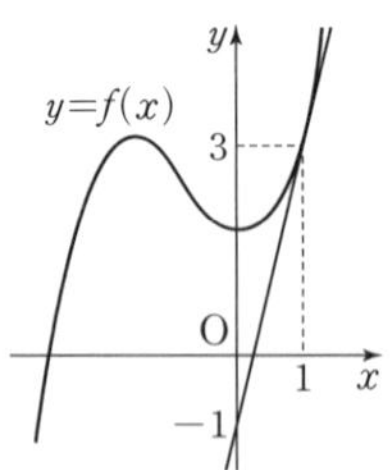

35

미분가능한 함수 $y=f(x)$가

$$\lim_{x \to 2} \frac{f(x)}{x-2}=3,\ \lim_{x \to 0} \frac{f(x)}{x}=2$$

를 만족시킬 때, $\lim_{x \to 2} \frac{f(f(x))}{x-2}$의 값은?

① 0　　② 1　　③ 2
④ 3　　⑤ 6

36

다항함수 $y=f(x)$에 대하여 $f'(1)=3$이고,

$\lim_{h \to 0} \frac{\sum_{k=1}^{n} f(1+kh)-nf(1)}{h}=273$일 때, 자연수 n의 값을 구하시오.

37

미분가능한 함수 $y=f(x)$가

$f(1)=3,\ \lim_{x \to 1} \frac{f(x)-3x^2}{x-1}=10$을 만족시킬 때,

$\lim_{h \to \infty} h\left\{\sum_{k=1}^{10} f\left(1+\frac{k}{h}\right)-10f(1)\right\}$의 값을 구하시오.

38

실수 전체의 집합을 R, 양의 실수 전체의 집합을 P라 할 때, 미분가능한 함수 $f: R \longrightarrow P$가 임의의 실수 x, y에 대하여

$f(x+y)=2f(x)f(y)$

를 만족시킨다. $f'(0)=3$일 때, $\dfrac{f'(-3)}{f(-3)}$의 값을 구하시오.

39

다음 그림은 미분가능한 함수 $y=f(x)$의 그래프이다.

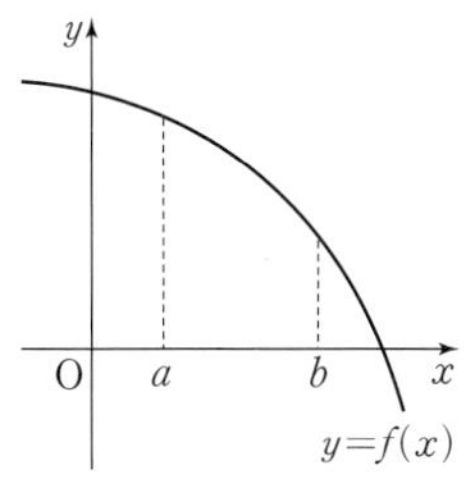

〈보기〉에서 옳은 것만을 있는 대로 고른 것은? (단, $0<a<b$)

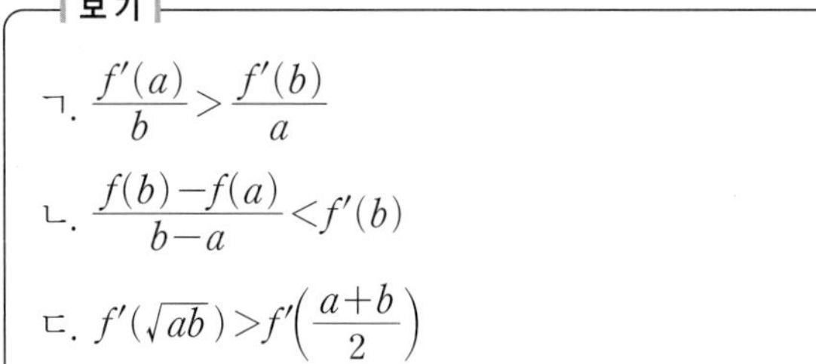

보기

ㄱ. $\dfrac{f'(a)}{b}>\dfrac{f'(b)}{a}$

ㄴ. $\dfrac{f(b)-f(a)}{b-a}<f'(b)$

ㄷ. $f'(\sqrt{ab})>f'\left(\dfrac{a+b}{2}\right)$

① ㄴ ② ㄷ ③ ㄱ, ㄴ
④ ㄱ, ㄷ ⑤ ㄱ, ㄴ, ㄷ

40

이차함수 $y=f(x)$의 그래프가 직선 $x=5$에 대하여 대칭이고 $a+b=10$일 때, $\displaystyle\sum_{k=1}^{10}\{f'(a-k)+f'(b+k)+f'(k)\}=30$이다. $f'(1)$의 값을 구하시오.

41

함수 $f(x)=[2x](x^2+ax+b)$가 $x=1$에서 미분가능할 때, $f(2)$의 값을 구하시오.
(단, a, b는 상수이고, $[x]$는 x보다 크지 않은 최대의 정수이다.)

42

$0<x<8$에서 함수 $y=f(x)$의 그래프가 그림과 같이 직선으로만 이루어져 있고, $f(4)$의 값은 존재하지 않는다. 두 집합

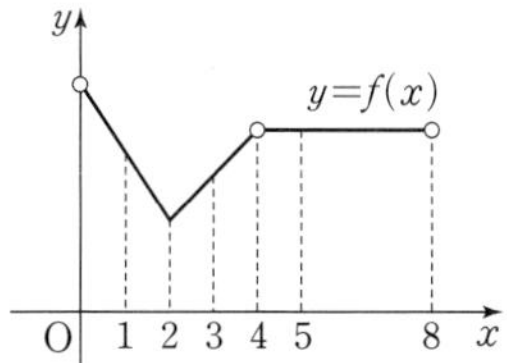

$$A=\left\{a \,\middle|\, \lim_{x\to a} f(x)=f(a)\right\},$$

$$B=\left\{a \,\middle|\, \lim_{x\to a+}\frac{f(x)-f(a)}{x-a}=\lim_{x\to a-}\frac{f(x)-f(a)}{x-a}\right\}$$

에 대하여 $A\cap B^C$의 모든 원소의 합을 구하시오.

43

함수 $f(x)=\begin{cases} 1-x & (x<0) \\ x^2-1 & (0\le x<1) \\ \frac{2}{3}(x^3-1) & (x\ge 1) \end{cases}$ 에 대하여

〈보기〉에서 옳은 것만을 있는 대로 고른 것은?

보기

ㄱ. 함수 $y=f(x)$는 $x=1$에서 미분가능하다.

ㄴ. 함수 $y=|f(x)|$는 $x=0$에서 미분가능하다.

ㄷ. 함수 $y=x^kf(x)$가 $x=0$에서 미분가능하도록 하는 자연수 k의 최솟값은 2이다.

① ㄱ ② ㄴ ③ ㄱ, ㄷ

④ ㄴ, ㄷ ⑤ ㄱ, ㄴ, ㄷ

44

함수 $y=f(x)$의 그래프가 그림과 같을 때, 〈보기〉의 함수 중에서 $x=0$에서 미분가능한 것만을 있는 대로 고른 것은?

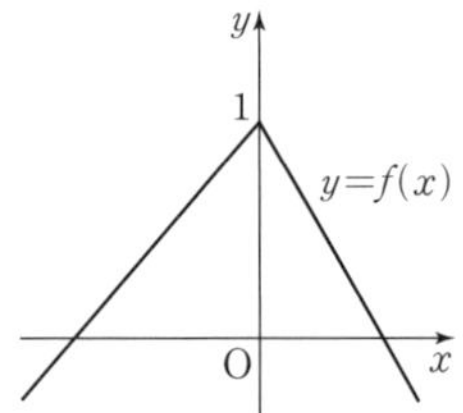

보기

ㄱ. $y=x+f(x)$

ㄴ. $y=xf(x)$

ㄷ. $y=\dfrac{1}{1+xf(x)}$

① ㄱ ② ㄴ ③ ㄱ, ㄷ

④ ㄴ, ㄷ ⑤ ㄱ, ㄴ, ㄷ

최고난도 문제

45

다음 그림을 나타내는 함수 $y=f(x)$는

$$f(x)=\begin{cases} x^2-2x & (x\le 0) \\ ax^3+bx^2+cx+d & (0<x<2) \\ x-2 & (x\ge 2) \end{cases}$$

이고, 함수 $y=f(x)$가 모든 실수 x에 대하여 미분가능할 때, $f(1)$의 값을 구하시오. (단, a, b, c, d는 상수이다.)

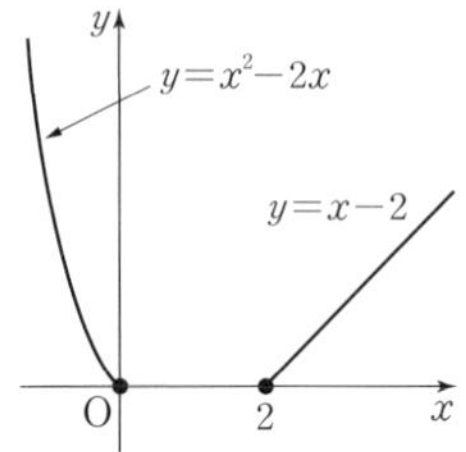

46

삼차함수 $f(x)=x^3-x^2-9x+1$에 대하여 함수 $y=g(x)$를

$$g(x)=\begin{cases} f(x) & (x\ge k) \\ f(2k-x) & (x<k) \end{cases}$$

라 하자. 함수 $y=g(x)$가 실수 전체의 집합에서 미분가능하도록 하는 모든 실수 k의 값의 합을 $\frac{q}{p}$라 할 때, p^2+q^2의 값을 구하시오. (단, p, q는 서로소인 자연수이다.)

04 도함수

제 목		문항 번호	문항 수	확인
쌤이 꼭 내는 기본 문제		01 ~ 08	8	
유형 문제	❶ 미분법의 공식	09 ~ 11	3	
	❷ 미분계수를 이용한 극한값의 계산	12 ~ 17	6	
	❸ 치환을 이용한 극한값 구하기	18 ~ 20	3	
	❹ 관계식이 주어진 함수의 도함수	21 ~ 23	3	
	❺ 함수의 미분가능성	24 ~ 26	3	
	❻ 미분의 항등식에의 활용	27 ~ 29	3	
	❼ 미분법의 활용 – 다항식의 나눗셈	30 ~ 32	3	
1등급 문제		33 ~ 47	15	

04 도함수

1 도함수

(1) 미분가능한 함수 $y=f(x)$의 정의역에 속하는 각각의 원소 x에 그 미분계수 $f'(x)$를 대응시켜 만든 새로운 함수 $f' : x \longrightarrow f'(x)$를 함수 $y=f(x)$의 도함수라 하며 기호로

$$f'(x),\ y',\ \frac{dy}{dx},\ \frac{d}{dx}f(x)$$

와 같이 나타낸다.

(2) $f'(x)=\lim_{\Delta x \to 0}\frac{\Delta y}{\Delta x}=\lim_{\Delta x \to 0}\frac{f(x+\Delta x)-f(x)}{\Delta x}$

$=\lim_{h \to 0}\frac{f(x+h)-f(x)}{h}$

(3) 도함수 $y=f'(x)$는 함수 $y=f(x)$의 그래프 위의 임의의 점 $(x, f(x))$에서의 접선의 기울기를 뜻한다.

개념 플러스

평균변화율, 미분계수, 도함수의 비교

미분가능한 함수 $y=f(x)$에 대하여

(1) 평균변화율

① $\frac{\Delta y}{\Delta x}$ ← 상수

② 두 점 $\mathrm{P}(a, f(a))$, $\mathrm{Q}(b, f(b))$를 이은 직선의 기울기

(2) 미분계수

① $\lim_{\Delta x \to 0}\frac{\Delta y}{\Delta x}=\lim_{\Delta x \to 0}\frac{f(a+\Delta x)-f(a)}{\Delta x}$ ← 상수

② 점 $\mathrm{P}(a, f(a))$에서의 접선의 기울기

(3) 도함수

① $f'(x)=\lim_{\Delta x \to 0}\frac{f(x+\Delta x)-f(x)}{\Delta x}$ ← 함수

② 점 $(x, f(x))$에서의 접선의 기울기를 나타낸 그래프

2 미분법의 공식

두 함수 f, g가 미분가능할 때,

(1) 함수 $y=x^n$ (n은 자연수)의 도함수 ➡ $y'=nx^{n-1}$

(2) 함수 $y=c$ (c는 상수)의 도함수 ➡ $y'=0$

(3) $y=cf(x)$ ➡ $y'=cf'(x)$ (단, c는 상수이다.)

(4) $y=f(x)+g(x)$ ➡ $y'=f'(x)+g'(x)$

(5) $y=f(x)-g(x)$ ➡ $y'=f'(x)-g'(x)$

참고 세 함수 f, g, h가 미분가능할 때,

$y=f(x)\pm g(x)\pm h(x)$

➡ $y'=f'(x)\pm g'(x)\pm h'(x)$ (복부호 동순)

미분법의 공식의 증명

(1) $f(x)=x^n$ 의 도함수

$$\begin{aligned}f'(x)&=\lim_{h \to 0}\frac{f(x+h)-f(x)}{h}\\&=\lim_{h \to 0}\frac{(x+h)^n-x^n}{h}\\&=\lim_{h \to 0}\frac{1}{h}\{(x+h)-x\}\{(x+h)^{n-1}\\&\qquad+(x+h)^{n-2}x+\cdots+x^{n-1}\}\\&=\lim_{h \to 0}\{(x+h)^{n-1}+(x+h)^{n-2}x\\&\qquad+\cdots+x^{n-1}\}\\&=\underbrace{x^{n-1}+x^{n-1}+\cdots+x^{n-1}}_{n\text{개}}=nx^{n-1}\end{aligned}$$

(2) $f(x)=c$의 도함수

$$\begin{aligned}f'(x)&=\lim_{h \to 0}\frac{f(x+h)-f(x)}{h}\\&=\lim_{h \to 0}\frac{c-c}{h}=0\end{aligned}$$

3 곱의 미분법

세 함수 f, g, h가 미분가능할 때,

(1) $y=f(x)g(x)$ ➡ $y'=f'(x)g(x)+f(x)g'(x)$

(2) $y=f(x)g(x)h(x)$

➡ $y'=f'(x)g(x)h(x)+f(x)g'(x)h(x)+f(x)g(x)h'(x)$

참고 함수 f가 미분가능할 때,

$y=\{f(x)\}^n$ (n은 자연수) ➡ $y'=n\{f(x)\}^{n-1}f'(x)$

$y=(ax+b)^n$ (n은 자연수)의 도함수

⇨ $y'=an(ax+b)^{n-1}$

미분과 나머지정리의 관계

(1) 이차 이상의 다항식 $f(x)$가 $(x-a)^2$으로 나누어떨어질 조건

⇨ $f(a)=0$, $f'(a)=0$

(2) 이차 이상의 다항식 $f(x)$를 $(x-a)^2$으로 나눌 때의 나머지

⇨ $f'(a)(x-a)+f(a)$

01

함수 $f(x)=x^4-2x^2+ax+3$에 대하여 $f'(1)=5$일 때, 상수 a의 값은?

① 2 ② 3 ③ 4
④ 5 ⑤ 6

02

함수 $f(x)=(x^3+1)(x^4+x^2+x)$에 대하여 $f'(1)$의 값을 구하시오.

03

함수 $f(x)=x^3+2x^2-1$에 대하여
$\lim_{h\to0}\frac{f(1+2h)-f(1-2h)}{h}$의 값을 구하시오.

04

함수 $f(x)=3x^2-5x+1$에 대하여 $\lim_{x\to2}\frac{f(x)-3}{x-2}$의 값을 구하시오.

05

함수 $f(x)=x^3+ax+b$가 $\lim_{x\to1}\frac{f(x)}{x-1}=4$를 만족시킬 때, 두 상수 a, b에 대하여 ab의 값을 구하시오.

06

함수 $f(x)=2x-1$에 대하여 $\lim_{x\to2}\frac{2f(x)-xf(2)}{x-2}$의 값은?

① 1 ② 2 ③ 3
④ 4 ⑤ 5

07

$\lim_{x\to1}\frac{x^n+x^2+x-3}{x-1}=7$을 만족시키는 자연수 n의 값을 구하시오.

08

함수 $f(x)=\begin{cases}2x^2+1 & (x<1)\\ x^3+ax^2+bx & (x\ge1)\end{cases}$가 모든 실수 x에서 미분가능할 때, 두 상수 a, b에 대하여 ab의 값을 구하시오.

유형 1 미분법의 공식

09

함수 $f(x)=x^3+ax+b$에 대하여 $f(1)=1$, $f'(1)=-3$일 때, 두 상수 a, b에 대하여 ab의 값은?

① -36 ② -18 ③ -6
④ 6 ⑤ 18

중요 **10**

곡선 $y=x^3+ax^2+b$ 위의 점 $(1, 4)$에서의 접선의 기울기가 6일 때, 두 상수 a, b에 대하여 $a+2b$의 값을 구하시오.

11

두 다항함수 $y=f(x)$, $y=g(x)$가 $f(x)=(x^2+1)g(x)$를 만족시킨다. $f'(1)=10$, $g(1)=2$일 때, $g'(1)$의 값을 구하시오.

유형 2 미분계수를 이용한 극한값의 계산

12

함수 $f(x)=x^2+ax+5$에 대하여 $f'(1)=5$일 때, $\lim_{x\to 2}\frac{f(x)-f(2)}{x^2-4}$의 값은? (단, a는 상수이다.)

① $\frac{5}{4}$ ② $\frac{7}{4}$ ③ $\frac{9}{4}$
④ $\frac{11}{4}$ ⑤ $\frac{13}{4}$

13

함수 $f(x)=ax^2+bx$가 다음 조건을 만족시킬 때, 두 상수 a, b에 대하여 a^2+b^2의 값을 구하시오.

(가) $\lim_{x\to 1}\frac{f(x^2)-f(1)}{x-1}=6$
(나) $\lim_{x\to 2}\frac{x-2}{f(x)-f(2)}=1$

중요 **14**

다항함수 $y=f(x)$가 $\lim_{h\to 0}\frac{f(1+2h)-3}{h}=6$을 만족시킬 때, 함수 $y=(x^2+2x)f(x)$의 $x=1$에서의 미분계수를 구하시오.

15

함수 $f(x)=x^2+3x+7$에 대하여

$\lim_{n\to\infty} n\left\{f\left(a+\frac{1}{n}\right)-f(a)\right\}=13$일 때, 상수 a의 값은?

① 2　② 3　③ 4　④ 5　⑤ 6

16

곡선 $y=f(x)$ 위의 점 $(1, 3)$에서의 접선의 기울기가 5일 때,

$\lim_{x\to 1}\frac{x^3f(1)-f(x^3)}{x-1}$의 값을 구하시오.

17

다항함수 $y=f(x)$에 대하여 $f(2)=3$, $f'(2)=1$일 때,

$\lim_{x\to 2}\frac{(x^2+3)f(x)-7f(2)}{x-2}$의 값을 구하시오.

유형 3　치환을 이용한 극한값 구하기

18

$\lim_{x\to 1}\frac{x^9-5x^3+10x-6}{x-1}$의 값은?

① 2　② 3　③ 4　④ 5　⑤ 6

중요

19

$\lim_{x\to 1}\frac{x^n-kx+2}{x-1}=14$를 만족시키는 두 양의 정수 n, k에 대하여 $n+k$의 값을 구하시오.

20

$a_n=\lim_{x\to 1}\frac{x^n+x-2}{x-1}$일 때, $\sum_{k=1}^{11}\frac{12}{ka_k}$의 값을 구하시오.

(단, n은 자연수이다.)

유형 4 관계식이 주어진 함수의 도함수

21

미분가능한 함수 f가 모든 실수 x, y에 대하여

$$f(x+y)=f(x)+f(y)+xy-1$$

을 만족시키고 $f'(0)=3$일 때, $f'(x)$를 구하시오.

22

미분가능한 함수 f가 모든 실수 x, y에 대하여

$$f(x+y)=f(x)+f(y)+3xy-1$$

을 만족시키고 $f'(3)=7$일 때, $f'(10)$의 값을 구하시오.

23

미분가능한 함수 f가 모든 실수 x, y에 대하여

$$f(x+y)=f(x)+f(y)-4xy,\ f'(0)=1$$

을 만족시킬 때, 〈보기〉에서 옳은 것만을 있는 대로 고른 것은?

보기

ㄱ. $f(0)=0$

ㄴ. $f'(x)=-4x+1$

ㄷ. 모든 실수 a에 대하여 $f(a)=\lim_{x \to a} f(x)$

① ㄱ　② ㄴ　③ ㄱ, ㄴ

④ ㄴ, ㄷ　⑤ ㄱ, ㄴ, ㄷ

유형 5 함수의 미분가능성

24

함수 $f(x)=\begin{cases} -x^3+a & (x<1) \\ x^2+bx+2 & (x\ge 1) \end{cases}$가 모든 실수 x에 대하여 미분가능할 때, $f(-2)$의 값은? (단, a, b는 상수이다.)

① -9　② -7　③ 5

④ 7　⑤ 9

25

함수 $y=f(x)$가 모든 실수 x에서 미분가능하고, $f(x+3)=f(x)$를 만족시킨다.

$0\le x<3$에서 $f(x)=2x^3+3ax^2+bx$일 때, 두 상수 a, b에 대하여 $a+b$의 값을 구하시오.

26

두 함수 $f(x)=|x-2|+2$, $g(x)=ax^2+1$에 대하여 함수 $y=f(x)g(x)$가 실수 전체의 집합에서 미분가능할 때, 상수 a의 값을 구하시오.

유형 6 미분의 항등식에의 활용

27

다항함수 $y=f(x)$가 모든 실수 x에 대하여

$$f(x)=f'(x)+x^2-2x+3$$

을 만족시킬 때, $f(0)-2f(1)$의 값을 구하시오.

28

최고차항의 계수가 양수인 다항함수 $y=f(x)$가 모든 실수 x에 대하여

$$f(x)f'(x)=9x+12$$

를 만족시킬 때, $f(2)f(3)$의 값은?

① 120 ② 125 ③ 130 ④ 135 ⑤ 140

29

다항함수 $y=f(x)$가 모든 실수 x에 대하여

$$(2x^2-x-4)f'(x)+2f(x)=2f(x)f'(x)-4$$

를 만족시킬 때, $f(x)$를 구하시오.

유형 7 미분법의 활용 – 다항식의 나눗셈

30

다항식 $x^{12}-x+1$을 $(x-1)^2$으로 나누었을 때의 나머지는?

① $11x-10$ ② $11(x+1)$ ③ $10(x-1)$ ④ $10x-9$ ⑤ $10(x+1)$

중요

31

다항식 ax^3+bx^2-4가 $(x+1)^2$을 인수로 가질 때, 두 상수 a, b에 대하여 $a+b$의 값을 구하시오.

32

다항식 $x^{10}-x+3$을 $(x+1)(x-1)^2$으로 나누었을 때의 나머지를 $R(x)$라 할 때, $R(2)$의 값을 구하시오.

33

다항함수 $y=f(x)$에 대하여 $f(1)=4$, $f'(1)=3$이다.
함수 $y=g(x)$가 $g(x)=\sum_{k=1}^{10} x^k f(x)$일 때, $g'(1)$의 값을 구하시오.

34

그림은 미분가능한 함수 $y=f(x)$의 그래프이다. 함수 $y=g(x)$를 $g(x)=(x^2+1)f(x)$라 할 때, 다음 중 항상 옳은 것은?

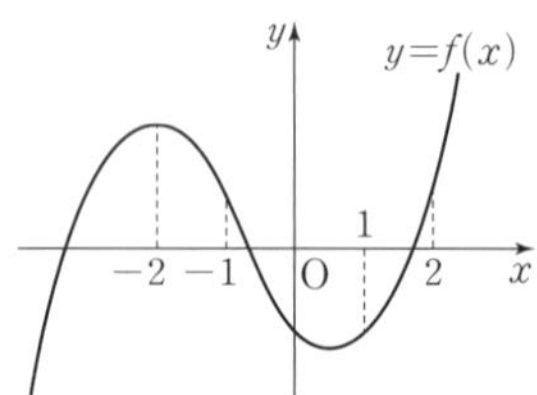

① $g'(-2)>0$ ② $g'(-1)>0$ ③ $g'(0)>0$
④ $g'(1)>0$ ⑤ $g'(2)>0$

35

그림과 같이 곡선 $y=x^2+ax+b$가 직선 $y=k$와 두 점 A, B에서 만난다. $\overline{\mathrm{AB}}=3$일 때, 점 A에서 이 곡선에 그은 접선의 기울기를 구하시오.

(단, a, b, k는 상수이다.)

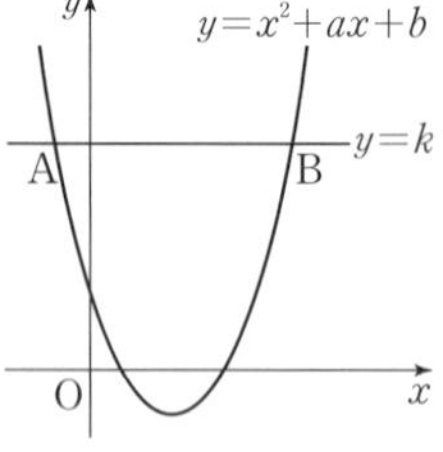

36

함수 $f(x)=x^2+5ax+b$에 대하여 $\lim_{x\to 2}\frac{f(x+1)-8}{x^2-4}=6$일 때, $f(2)$의 값은? (단, a, b는 상수이다.)

① -15 ② -5 ③ 0
④ 5 ⑤ 15

37

함수 $f(x)=(2x-1)(3x^2+1)$에 대하여
$\lim_{x\to 1}\frac{f(3x^2-x-1)-f(1)}{x-1}$의 값을 구하시오.

38

두 다항함수 $y=f(x)$, $y=g(x)$가 다음 조건을 만족시킬 때, $g'(0)$의 값을 구하시오.

(가) $f(0)=1$, $f'(0)=-6$, $g(0)=4$
(나) $\lim_{x\to 0}\frac{f(x)g(x)-4}{x}=0$

39

다항함수 f는 모든 실수 x, y에 대하여

$$f(x+y)=f(x)+f(y)+2xy-1$$

을 만족시킨다. $\lim_{x\to1}\frac{f(x)-f'(x)}{x^2-1}=14$일 때, $f'(0)$의 값을 구하시오.

40

실수 전체의 집합에서 정의된 함수 $y=f(x)$가 $x=a$에서 미분가능하기 위한 필요충분조건인 것만을 〈보기〉에서 있는 대로 고른 것은?

보기

ㄱ. $\lim_{h\to0}\frac{f(a+h^2)-f(a)}{h^2}$의 값이 존재한다.

ㄴ. $\lim_{h\to0}\frac{f(a+h^3)-f(a)}{h^3}$의 값이 존재한다.

ㄷ. $\lim_{h\to0}\frac{f(a+h)-f(a-h)}{2h}$의 값이 존재한다.

① ㄱ ② ㄴ ③ ㄷ
④ ㄱ, ㄷ ⑤ ㄴ, ㄷ

41

최고차항의 계수가 1이 아닌 다항함수 $y=f(x)$가 다음 조건을 만족시킬 때, $f'(1)$의 값을 구하시오.

(가) $\lim_{x\to\infty}\frac{\{f(x)\}^2-f(x^2)}{x^3f(x)}=4$

(나) $\lim_{x\to0}\frac{f'(x)}{x}=4$

42

다항함수 $y=f(x)$가 다음 조건을 만족시킬 때, $f(3)$의 값을 구하시오.

(가) $f(1)=8$

(나) 모든 실수 x에 대하여 $(f\circ f)(x)=f(x)f'(x)+4$

43

다음 조건을 만족시키는 모든 사차함수 $y=f(x)$의 그래프가 항상 지나는 점들의 y좌표의 합을 구하시오.

(가) 함수 $y=f(x)$의 최고차항의 계수는 1이다.

(나) 곡선 $y=f(x)$가 점 $(2, f(2))$에서 직선 $y=2$에 접한다.

(다) $f'(0)=0$

44

두 다항함수 $y=f_1(x)$, $y=f_2(x)$가 다음 조건을 만족시킬 때, 상수 k의 값은?

(가) $f_1(0)=0$, $f_2(0)=0$

(나) $f_i'(0)=\lim_{x\to 0}\frac{f_i(x)+2kx}{f_i(x)+kx}$ $(i=1, 2)$

(다) 두 함수 $y=f_1(x)$, $y=f_2(x)$의 그래프의 원점에서의 접선이 서로 직교한다.

① $\frac{1}{2}$　② $\frac{1}{4}$　③ 0

④ $-\frac{1}{4}$　⑤ -2

45

자연수 n에 대하여 다항식 $x^n(x^2+ax+b)$를 $(x-3)^2$으로 나누었을 때의 나머지가 $3^n(x-3)$이라고 한다. 두 상수 a, b에 대하여 ab의 값을 구하시오.

최고난도 문제

46

좌표평면 위에 그림과 같이 색칠한 부분을 내부로 하는 도형이 있다. 이 도형과 네 점 $(0, 0)$, $(t, 0)$, (t, t), $(0, t)$를 꼭짓점으로 하는 정사각형이 겹치는 부분의 넓이를 $f(t)$라 하자.

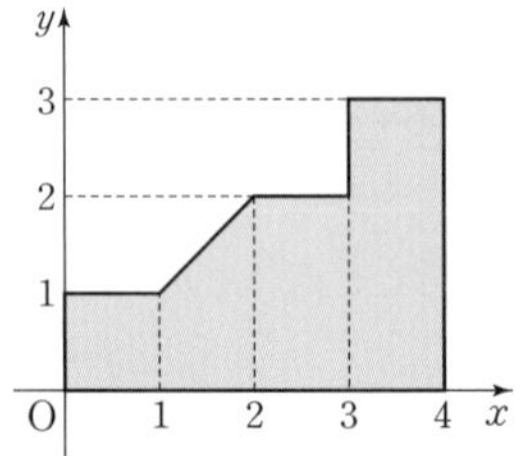

열린구간 $(0, 4)$에서 함수 $y=f(t)$가 미분가능하지 않은 모든 t의 값의 합을 구하시오.

47

두 다항함수 $y=f(x)$, $y=g(x)$가 모든 실수 x, y에 대하여

$$x\{f(x+y)-f(x-y)\}=4y\{f(x)+g(y)\}$$

를 만족시킨다. $f(1)=4$, $g(0)=1$일 때, $f'(2)$의 값을 구하시오.

05 접선의 방정식과 평균값 정리

제 목		문항 번호	문항 수	확인
쌤이 꼭 내는 기본 문제		01～08	8	
유형 문제	❶ 곡선 위의 점(접점)을 알 때 접선의 방정식	09～11	3	
	❷ 기울기가 주어진 접선의 방정식	12～14	3	
	❸ 곡선 밖의 한 점에서 그은 접선의 방정식	15～17	3	
	❹ 곡선과 직선이 접할 때 미정계수의 결정	18～20	3	
	❺ 두 곡선의 공통접선	21～23	3	
	❻ 접선의 방정식의 활용	24～26	3	
	❼ 롤의 정리	27～29	3	
	❽ 평균값 정리	30～32	3	
1등급 문제		33～47	15	

05 접선의 방정식과 평균값 정리

1 접선의 기울기와 미분계수의 관계

함수 $y=f(x)$가 $x=a$에서 미분가능할 때,
곡선 $y=f(x)$ 위의 점 $\mathrm{P}(a,\ f(a))$에서의 접선의 기울기는 $x=a$에서의 미분계수 $f'(a)$와 같다.

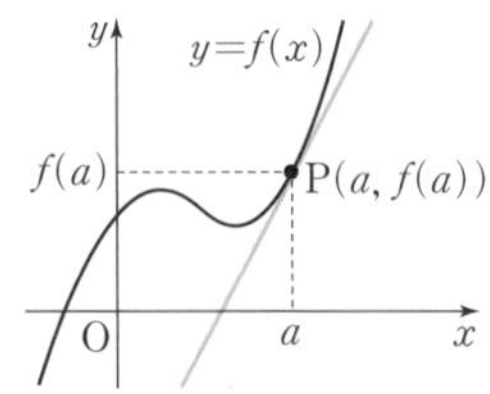

개념 플러스

- 곡선 $y=f(x)$ 위의 점 $(a, f(a))$에서의 접선이 x축의 양의 방향과 이루는 각의 크기를 θ라 하면
⇨ $f'(a)=\tan\theta$

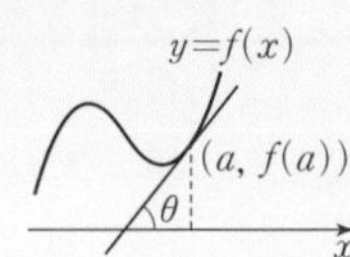

2 접선의 방정식 구하기

(1) 접점의 좌표가 주어진 접선의 방정식

곡선 $y=f(x)$ 위의 점 $(a,\ f(a))$에서의 접선의 방정식은

$$y-f(a)=f'(a)(x-a)$$

(2) 기울기가 주어진 접선의 방정식

곡선 $y=f(x)$에 접하고 기울기가 m인 접선의 방정식은

① 접점의 좌표를 $(a,\ f(a))$로 놓는다.

② $f'(a)=m$임을 이용하여 접점의 좌표를 구한다.

③ $y-f(a)=m(x-a)$를 이용하여 접선의 방정식을 구한다.

(3) 곡선 밖의 한 점에서 곡선에 그은 접선의 방정식

곡선 $y=f(x)$ 밖의 한 점 (x_1, y_1)에서 곡선에 그은 접선의 방정식은

① 접점의 좌표를 $(a,\ f(a))$로 놓는다.

② $y-f(a)=f'(a)(x-a)$에 점 (x_1, y_1)의 좌표를 대입하여 a의 값을 구한다.

③ a의 값을 $y-f(a)=f'(a)(x-a)$에 대입하여 접선의 방정식을 구한다.

- 접선과 수직인 직선의 방정식
곡선 $y=f(x)$ 위의 점 $(a, f(a))$에서의 접선에 수직인 직선의 방정식은
$y-f(a)=-\dfrac{1}{f'(a)}(x-a)$ (단, $f'(a)\neq 0$)

- x축에 평행한 접선의 기울기
⇨ $f'(x)=0$

- 두 곡선의 공통접선
두 곡선 $y=f(x)$, $y=g(x)$가 점 (a, b)에서 공통접선을 가지면
(i) $f(a)=g(a)=b$
(ii) $f'(a)=g'(a)$

3 롤의 정리

함수 $y=f(x)$가 닫힌구간 $[a, b]$에서 연속이고 열린구간 (a, b)에서 미분가능할 때, $f(a)=f(b)$이면

$$f'(c)=0$$

인 c가 열린구간 (a, b)에 적어도 하나 존재한다.

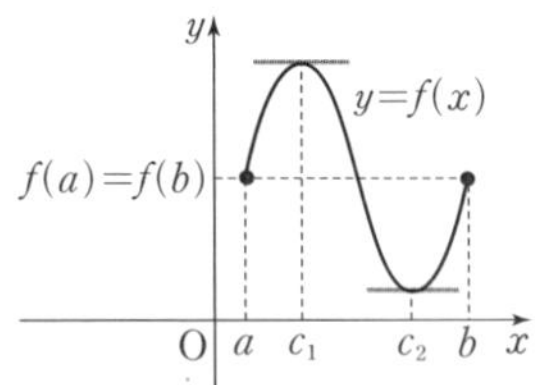

- 롤의 정리는 함수 $y=f(x)$가 미분가능하고 $f(a)=f(b)$이면 열린구간 (a, b)에서 x축과 평행한 접선이 적어도 하나 존재함을 의미한다.

4 평균값 정리

함수 $y=f(x)$가 닫힌구간 $[a, b]$에서 연속이고 열린구간 (a, b)에서 미분가능하면

$$\frac{f(b)-f(a)}{b-a}=f'(c)$$

인 c가 열린구간 (a, b)에 적어도 하나 존재한다.
즉, 평균값 정리에서 $f(a)=f(b)$인 경우가 롤의 정리이다.

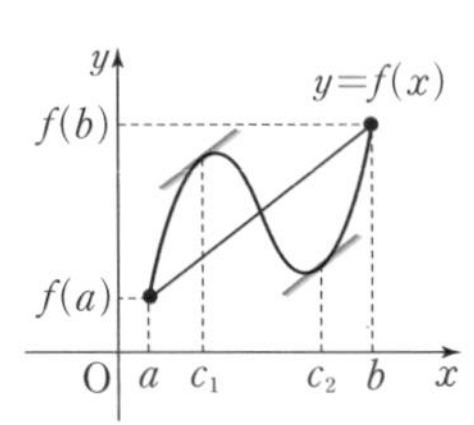

- 평균값 정리는 함수 $y=f(x)$가 미분가능하면 그래프 위의 두 점 $(a, f(a))$, $(b, f(b))$를 잇는 직선과 평행한 접선이 열린구간 (a, b)에 적어도 하나 존재함을 의미한다.

- 롤의 정리와 평균값 정리는 함수 $y=f(x)$가 열린구간 (a, b)에서 미분가능하지 않으면 성립하지 않는다.

01

함수 $f(x)=3x^2+4x+5$의 그래프 위의 점 (a, b)에서의 접선의 기울기가 -2일 때, 두 상수 a, b에 대하여 $a+b$의 값은?

① 1 ② 2 ③ 3 ④ 4 ⑤ 5

02

곡선 $y=2x^3-3x+10$ 위의 $x=1$인 점에서의 접선의 x절편과 y절편의 합을 구하시오.

03

곡선 $y=x^3-3x^2+4$에 접하는 두 직선의 방정식이 $y=9x+a$, $y=9x+b$일 때, 두 상수 a, b에 대하여 $a+b$의 값을 구하시오.

04

점 $(2, 0)$에서 곡선 $y=x^2-3$에 그은 두 접선의 기울기의 곱은?

① 8 ② 10 ③ 12 ④ 16 ⑤ 20

05

곡선 $y=x^3-3x^2-6x+a$와 직선 $y=-9x+3$이 접할 때, 상수 a의 값은?

① 1 ② 2 ③ 3 ④ 4 ⑤ 5

06

두 곡선 $y=-x^3+2$, $y=x^2+ax+b$가 점 $(1, 1)$에서 공통접선을 가질 때, 두 상수 a, b에 대하여 a^2+b^2의 값을 구하시오.

07

그림과 같이 곡선 $y=3x^2-1$ 위의 점 $(1, 2)$에서의 접선과 직선 $y=2$ 및 y축으로 둘러싸인 삼각형의 넓이는?

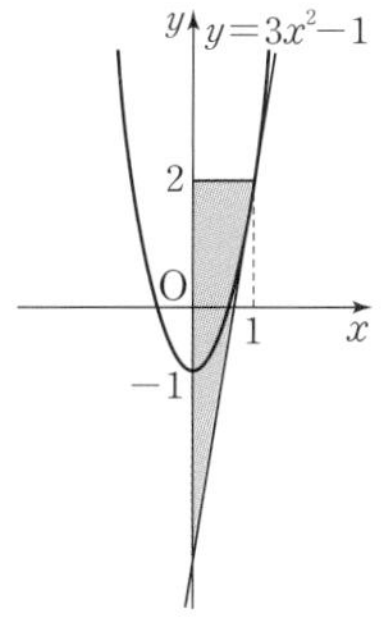

① 2 ② $\frac{5}{2}$ ③ 3 ④ $\frac{7}{2}$ ⑤ 4

08

함수 $f(x)=x^2+ax-2$에 대하여 닫힌구간 $[0, 2]$에서 롤의 정리를 만족시키는 실수 c의 값이 1이고, 닫힌구간 $[0, 4]$에서 평균값 정리를 만족시키는 실수 b가 존재할 때, $a+b$의 값을 구하시오. (단, a는 상수이다.)

유형 문제

유형 1 곡선 위의 점(접점)을 알 때 접선의 방정식

09

곡선 $y=x^3+2$ 위의 점 $\mathrm{P}(a, -6)$에서의 접선의 방정식을 $y=mx+n$이라 할 때, $a+m+n$의 값을 구하시오.

(단, m, n은 상수이다.)

중요 **10**

자연수 n에 대하여 곡선 $y=x^3+nx^2+x$ 위의 점 $(1, n+2)$에서의 접선의 y절편을 a_n이라 할 때, $\sum_{n=1}^{10} a_n$의 값을 구하시오.

11

두 다항함수 $y=f(x)$, $y=g(x)$가

$$\lim_{x\to 1}\frac{f(x)-2}{x-1}=1,\ \lim_{x\to 1}\frac{g(x)+1}{x-1}=2$$

를 만족시킨다. 곡선 $y=f(x)g(x)$ 위의 $x=1$인 점에서의 접선의 방정식을 $y=mx+n$이라 할 때, mn의 값은?

(단, m, n은 상수이다.)

① -15　② -12　③ -4
④ 2　⑤ 3

유형 2 기울기가 주어진 접선의 방정식

12

곡선 $y=-x^2+1$의 접선 중에서 곡선 위의 두 점 $\mathrm{A}(1, 0)$, $\mathrm{B}(2, -3)$을 지나는 직선과 기울기가 같은 접선의 방정식은?

① $3x+y-9=0$　② $9x+3y-13=0$
③ $12x+4y+9=0$　④ $12x+4y-13=0$
⑤ $12x-4y+13=0$

중요 **13**

곡선 $y=\frac{1}{3}x^3+\frac{11}{3}\ (x>0)$ 위를 움직이는 점 P와 직선 $x-y-10=0$ 사이의 거리를 최소가 되게 하는 곡선 위의 점 P의 좌표를 (a, b)라 할 때, $a+b$의 값을 구하시오.

14

곡선 $y=(x-1)^3$ 위의 점 $(2, 1)$에서의 접선과 이 접선에 평행한 또 다른 접선 사이의 거리는?

① $\frac{\sqrt{10}}{5}$　② $\frac{2\sqrt{10}}{5}$　③ $\frac{3\sqrt{10}}{5}$
④ $\frac{4\sqrt{10}}{5}$　⑤ $\sqrt{10}$

유형 3 곡선 밖의 한 점에서 그은 접선의 방정식

15

점 $(1, 3)$에서 곡선 $y=x^3-2x$에 그은 접선의 x절편을 a, y절편을 b라 할 때, ab의 값을 구하시오.

중요

16

점 $\mathrm{A}(2, -3)$에서 곡선 $y=x^3-3x^2+2$에 두 개의 접선을 그을 때, 두 접점 사이의 거리는?

① $\frac{11}{8}$ ② $\frac{13}{8}$ ③ $\frac{15}{8}$
④ $\frac{17}{8}$ ⑤ $\frac{19}{8}$

17

점 $(-1, k)$에서 곡선 $y=x^3-2x-1$에 서로 다른 세 개의 접선을 그을 때, 세 접점의 x좌표는 등차수열을 이룬다고 한다. k의 값을 구하시오.

유형 4 곡선과 직선이 접할 때 미정계수의 결정

18

곡선 $y=x^2-x-5$와 직선 $y=x-a$가 $x=k$인 점에서 접할 때, ak의 값은? (단, a는 상수이다.)

① 2 ② 4 ③ 6
④ 8 ⑤ 10

19

곡선 $f(x)=x^3+ax+3$이 점 $(-1, b)$에서 직선 $y=4x+c$와 접할 때, abc의 값을 구하시오. (단, a, c는 상수이다.)

중요

20

곡선 $y=x^3+ax^2+ax+2$와 직선 $y=x+2$가 접하도록 하는 모든 상수 a의 값의 합을 구하시오.

유형 5 두 곡선의 공통접선

21

두 곡선 $f(x)=x^3+ax$, $g(x)=bx^2-a$가 $x=1$인 점에서 서로 접할 때, 두 상수 a, b에 대하여 $a+b$의 값을 구하시오.

22

두 곡선 $y=-x^3-ax+3$, $y=x^2+2$가 한 점에서 접할 때, 상수 a의 값은?

① -1　　② 0　　③ 1　　④ 2　　⑤ 3

중요
23

두 곡선 $f(x)=x^3-2$, $g(x)=x^3+2$에 공통으로 접하는 직선의 방정식을 $y=h(x)$라 할 때, $h(4)$의 값을 구하시오.

유형 6 접선의 방정식의 활용

중요
24

곡선 $y=x^3$ 위의 점 $P(a, a^3)$에서의 접선과 y축이 만나는 점을 Q, x축에 내린 수선의 발을 R라 할 때, 삼각형 OQP와 삼각형 PQR의 넓이는 각각 S_1, S_2이다. $\frac{S_2}{S_1}$의 값을 구하시오.

(단, $a>0$)

25

그림과 같이 정사각형 ABCD의 두 꼭짓점 A, C는 y축 위에 있고, 두 꼭짓점 B, D는 x축 위에 있다. 변 AB와 변 CD가 각각 삼차함수 $y=x^3-5x$의 그래프에 접할 때, 정사각형 ABCD의 둘레의 길이를 구하시오.

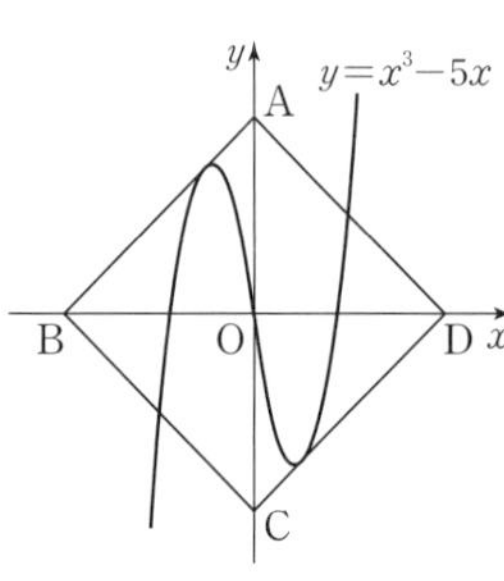

26

그림과 같이 점 $A(1, -1)$에서 곡선 $y=x^2+2x+5$에 그은 두 접선의 접점을 각각 B, C라 할 때, 삼각형 ABC의 넓이를 구하시오.

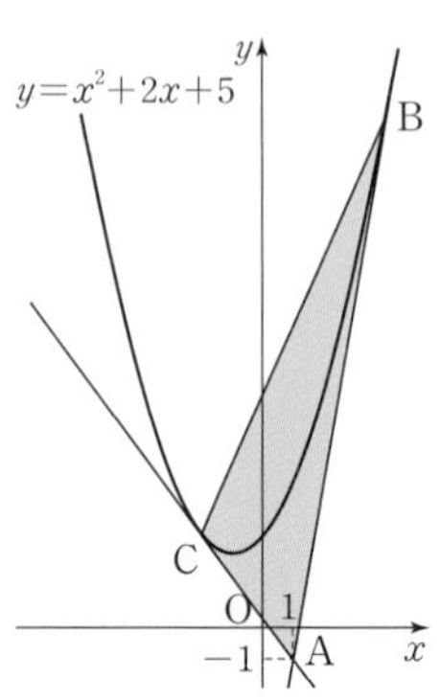

유형 7 롤의 정리

27

함수 $f(x)=x^3-5x^2+8x-4$에 대하여 닫힌구간 $[1, 2]$에서 롤의 정리를 만족시키는 실수 c의 값은?

① $\frac{1}{3}$ ② $\frac{2}{3}$ ③ 1
④ $\frac{4}{3}$ ⑤ $\frac{5}{3}$

28

함수 $f(x)=-x^2+ax-7$에 대하여 닫힌구간 $[2, 6]$에서 롤의 정리를 만족시키는 실수 c의 값이 4일 때, 상수 a의 값을 구하시오.

29

〈보기〉의 함수 중에서 닫힌구간 $[0, 3]$에서 롤의 정리가 성립하는 것만을 있는 대로 고른 것은?

보기

ㄱ. $f(x)=x^2(x-3)$ ㄴ. $f(x)=|x-2|$

ㄷ. $f(x)=\frac{|x+2|}{x+2}$

① ㄱ ② ㄴ ③ ㄱ, ㄷ
④ ㄴ, ㄷ ⑤ ㄱ, ㄴ, ㄷ

유형 8 평균값 정리

30

함수 $f(x)=x^2-3x$에 대하여 닫힌구간 $[1, 4]$에서 평균값 정리를 만족시키는 실수 c의 값을 구하시오.

31

닫힌구간 $[a, b]$에서 연속이고 열린구간 (a, b)에서 미분가능한 함수 $y=f(x)$의 그래프가 그림과 같을 때,

$$f(b)=f(a)+(b-a)f'(c)$$

를 만족시키는 실수 c의 개수를 구하시오. (단, $a<c<b$)

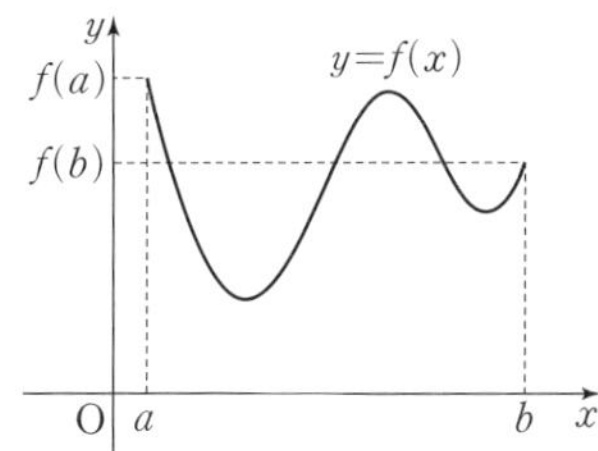

32

실수 전체의 집합에서 미분가능한 함수 $y=f(x)$에 대하여 $f(0)=2$, $f(3)=2$이다. 함수 $g(x)=(x^2+1)f(x)$라 할 때, 닫힌구간 $[0, 3]$에서 평균값 정리를 만족시키는 실수 c의 값에 대하여 $g'(c)$의 값을 구하시오.

1등급 문제

33

곡선 $f(x)=-x^3+3x^2-4$ 위의 임의의 점에서 그은 접선 중에서 그 기울기의 최댓값을 M, 이때의 접점의 좌표를 (p, q)라 하자. pqM의 값은?

① -12 ② -6 ③ -3
④ 3 ⑤ 6

34

곡선 $y=x^3-3x$ 위의 원점 $O(0, 0)$에서의 접선을 l이라 하자. 이 곡선 위의 한 점 P가 다음 조건을 만족시킬 때, 점 P의 x좌표는?

> (가) 점 P의 x좌표는 양수이다.
> (나) 점 P에서의 접선 l'은 직선 l과 직교한다.

① $\frac{\sqrt{7}}{3}$ ② $\frac{\sqrt{10}}{3}$ ③ $\frac{\sqrt{11}}{3}$
④ $\frac{\sqrt{13}}{3}$ ⑤ $\frac{\sqrt{14}}{3}$

35

곡선 $y=x^3+ax^2-2ax+3$은 실수 a의 값에 관계없이 항상 일정한 두 점을 지난다. 이 두 점에서의 접선이 서로 수직이 되도록 하는 모든 실수 a의 값의 합을 구하시오.

36

두 다항함수 $y=f(x)$, $y=g(x)$가 다음 조건을 만족시킨다.

> (가) $g(x)=x^3f(x)-7$
> (나) $\lim_{x\to 2}\frac{f(x)-g(x)}{x-2}=2$

곡선 $y=g(x)$ 위의 점 $(2, g(2))$에서의 접선의 방정식이 $y=ax+b$일 때, 두 상수 a, b에 대하여 a^2+b^2의 값을 구하시오.

37

함수 $f(x)=x^3+2$와 그 역함수 $y=g(x)$에 대하여 곡선 $y=g(x)$ 위의 점 $(3, g(3))$에서의 접선의 방정식은?

① $y=\frac{1}{3}x$ ② $y=\frac{1}{2}x$ ③ $y=x$
④ $y=2x$ ⑤ $y=3x$

38

함수 $f(x)=x^3+3x^2+2x$의 그래프 위의 두 점 P, Q에서 그은 두 접선이 서로 평행할 때, 두 점 P, Q의 중점의 좌표는?

① $(-1, -1)$ ② $(-1, 0)$ ③ $(0, -1)$
④ $(1, -1)$ ⑤ $(1, 0)$

39

곡선 $y=x^3-3x^2+2x$에 기울기가 m인 접선을 두 개 그었을 때, 두 접점을 P, Q라 하자. 〈보기〉에서 옳은 것만을 있는 대로 고른 것은? (단, P, Q는 서로 다른 점이다.)

보기

ㄱ. 두 점 P, Q의 x좌표의 합은 2이다.

ㄴ. $m>-1$

ㄷ. 두 접선 사이의 거리와 $\overline{PQ}$가 같아지는 실수 m이 존재한다.

① ㄱ ② ㄷ ③ ㄱ, ㄴ
④ ㄴ, ㄷ ⑤ ㄱ, ㄴ, ㄷ

40

곡선 $y=x^3$ 위의 점 A(a, a^3)에서의 접선이 y축과 만나는 점을 B라 하고, 점 A를 지나며 이 점에서의 접선에 수직인 직선이 y축과 만나는 점을 C라 하자. 삼각형 ABC의 넓이를 S라 할 때, $\lim_{a \to 0} S$의 값을 구하시오.

41

닫힌구간 $[0, 3]$에서 정의된 함수 $f(x)=ax(x-3)^2\ \left(a>\frac{1}{2}\right)$에 대하여 곡선 $y=f(x)$와 직선 $y=x$의 교점 중에서 원점 O가 아닌 점을 A라 하자. 점 P가 원점으로부터 점 A까지 곡선 $y=f(x)$ 위를 움직일 때, 삼각형 OAP의 넓이가 최대가 되는 점 P의 x좌표가 $\frac{3}{4}$이다. 상수 a의 값을 구하시오.

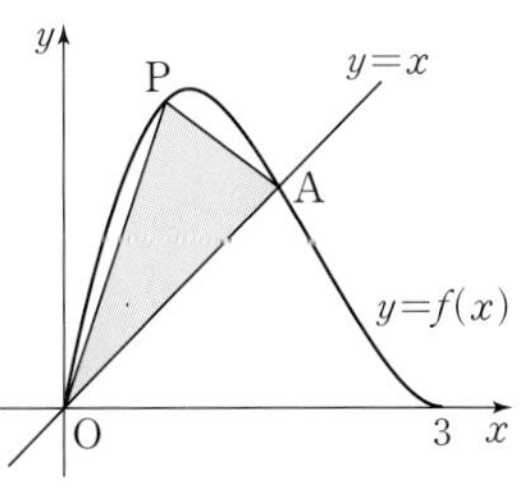

42

곡선 $y=\frac{1}{2}x^2$과 서로 다른 두 점에서 접하고, 중심 C의 좌표가 $(0, 3)$인 원의 넓이는?

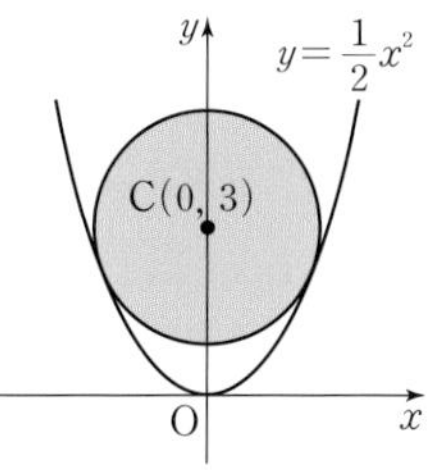

① π ② 2π
③ 3π ④ 4π
⑤ 5π

43

그림과 같이 곡선 $y=ax^3$이 원 $(x-b)^2+(y-1)^2=1\ (b>0)$과 점 P에서 접한다. 원의 중심 C에서 x축에 내린 수선의 발을 H라 할 때, $\angle PCH=120°$가 되도록 하는 두 상수 a, b에 대하여 $81ab$의 값을 구하시오.

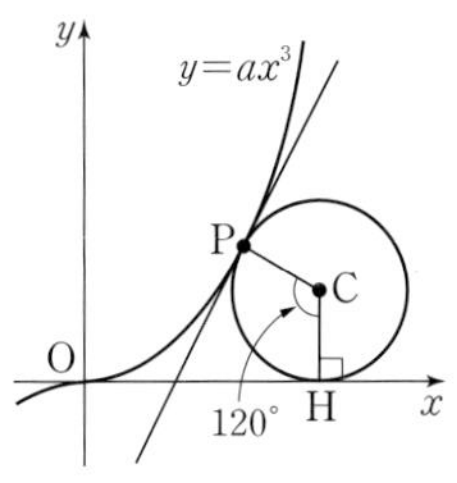

44

〈보기〉의 함수 중에서 $f(1)-f(-1)=2f'(c)$를 만족시키는 실수 c가 열린구간 $(-1,\ 1)$에 존재하는 것만을 있는 대로 고른 것은?

보기

ㄱ. $f(x)=|x|-3$

ㄴ. $f(x)=\begin{cases} -3x-1 & (x<-1) \\ 2 & (-1\le x<1) \\ 3x-1 & (x\ge 1) \end{cases}$

ㄷ. $f(x)=-x^2+4$

① ㄱ　　② ㄴ　　③ ㄷ

④ ㄱ, ㄴ　　⑤ ㄴ, ㄷ

45

실수 전체의 집합에서 미분가능한 함수 $y=f(x)$에 대하여 $\lim_{x\to\infty} f'(x)=7$일 때, $\lim_{h\to 0+}\left\{f\left(\frac{1+h}{h}\right)-f\left(\frac{1-h}{h}\right)\right\}$의 값을 구하시오.

최고난도 문제

46

곡선 $y=x^4-8x^2+x$ 위의 서로 다른 두 점에서 접하는 직선의 방정식이 $y=ax+b$일 때, 두 상수 $a,\ b$에 대하여 $a-b$의 값을 구하시오.

47

좌표평면에서 삼차함수 $f(x)=x^3+ax^2+bx$와 실수 t에 대하여 곡선 $y=f(x)$ 위의 점 $(t,\ f(t))$에서의 접선이 y축과 만나는 점을 P라 할 때, 원점에서 점 P까지의 거리를 $g(t)$라 하자. 함수 $y=f(x)$와 함수 $y=g(t)$는 다음 조건을 만족시킨다.

(가) $f(1)=2$

(나) 함수 $y=g(t)$는 실수 전체의 집합에서 미분가능하다.

$f(3)$의 값을 구하시오. (단, $a,\ b$는 상수이다.)

06 증가·감소와 극대·극소

제 목		문항 번호	문항 수	확인
쌤이 꼭 내는 기본 문제		01 ~ 08	8	
유형 문제	❶ 함수의 증가와 감소	09 ~ 14	6	
	❷ 함수의 극대와 극소	15 ~ 20	6	
	❸ 함수가 극값을 가질 조건	21 ~ 26	6	
	❹ 함수 $y=f(x)$의 그래프의 추론	27 ~ 32	6	
	❺ 함수의 최댓값과 최솟값	33 ~ 38	6	
	❻ 최대·최소의 활용	39 ~ 41	3	
1등급 문제		42 ~ 57	16	

06 증가·감소와 극대·극소

1 함수의 증가와 감소

함수 $y=f(x)$가 어떤 구간에 속하는 임의의 두 실수 x_1, x_2에 대하여

(1) $x_1<x_2$일 때, $f(x_1)<f(x_2)$이면 $y=f(x)$는 이 구간에서 증가한다고 한다.

(2) $x_1<x_2$일 때, $f(x_1)>f(x_2)$이면 $y=f(x)$는 이 구간에서 감소한다고 한다.

2 함수의 증가와 감소의 판정

함수 $y=f(x)$가 어떤 구간에서 미분가능하고, 이 구간의 모든 x에 대하여

(1) $f'(x)>0$이면 $y=f(x)$는 이 구간에서 증가한다.

(2) $f'(x)<0$이면 $y=f(x)$는 이 구간에서 감소한다.

참고 위의 역은 성립하지 않는다. 함수 $f(x)=x^3$은 구간 $(-\infty, \infty)$에서 증가하지만 $f'(x)=3x^2$에서 $f'(0)=0$이다.

3 함수의 극대와 극소

함수 $y=f(x)$가 $x=a$를 포함하는 어떤 열린구간에 속하는 모든 x에 대하여

(1) $f(x)\le f(a)$ ➡ $x=a$에서 극대, $f(a)$는 극댓값

(2) $f(x)\ge f(a)$ ➡ $x=a$에서 극소, $f(a)$는 극솟값

이때 극댓값과 극솟값을 통틀어 극값이라고 한다.

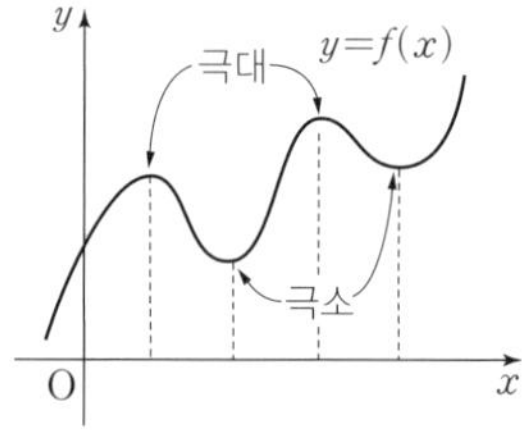

참고 극댓값이 극솟값보다 작은 경우도 있다.

4 함수의 극대와 극소의 판정

미분가능한 함수 $y=f(x)$에 대하여 $f'(a)=0$이고, $x=a$의 좌우에서 $f'(x)$의 부호가

(1) 양 ➡ 음 으로 바뀌면 $y=f(x)$는 $x=a$에서 극대이다.

(2) 음 ➡ 양 으로 바뀌면 $y=f(x)$는 $x=a$에서 극소이다.

5 함수의 최대와 최소

함수 $y=f(x)$가 닫힌구간 $[a, b]$에서 연속일 때, 최댓값과 최솟값은 다음과 같이 구한다.

① 주어진 구간에서 함수 $y=f(x)$의 극댓값과 극솟값을 모두 구한다.

② 주어진 구간의 양 끝의 함숫값 $f(a)$, $f(b)$를 구한다.

③ 극댓값, 극솟값, $f(a)$, $f(b)$의 크기를 비교하여 가장 큰 값이 최댓값이고, 가장 작은 값이 최솟값이다.

개념 플러스

- 함수 $y=f(x)$가 어떤 구간에서 미분가능하고, 이 구간에서
  ① $y=f(x)$가 증가하면 ⇨ $f'(x)\ge 0$
  ② $y=f(x)$가 감소하면 ⇨ $f'(x)\le 0$

- 극값의 존재와 미분가능
  함수 $y=f(x)$가 $x=a$에서 극값을 갖더라도 $f'(a)$가 존재하지 않을 수 있다. 즉, 함수 $y=f(x)$가 미분가능하지 않을 때에도 $x=a$에서 극값을 가질 수 있다.
  예 함수 $f(x)=|x|$는 $x=0$에서 극소이지만 $f'(0)$은 존재하지 않는다.

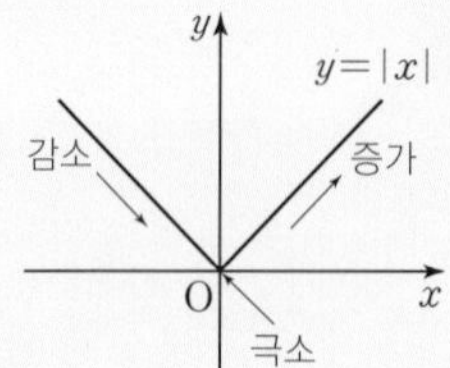

- 미분가능한 함수 $y=f(x)$가
  ① $x=\alpha$에서 극값 β를 가지면
  ⇨ $f'(\alpha)=0$, $f(\alpha)=\beta$
  ② $x=\alpha$에서 x축에 접하면
  ⇨ $f'(\alpha)=0$, $f(\alpha)=0$

- $f'(a)=0$이어도 $x=a$의 좌우에서 $f'(x)$의 부호가 바뀌지 않으면 $f(a)$의 값은 극값이 아니다.

- 최대·최소 정리
  함수 $y=f(x)$가 닫힌구간 $[a, b]$에서 연속이면 $y=f(x)$는 이 구간에서 반드시 최댓값과 최솟값을 갖는다.

01

함수 $f(x)=x^3-6x^2+9x-1$이 감소하는 구간이 $[\alpha, \beta]$일 때, $\alpha^2+\beta^2$의 값은?

① 8　② 10　③ 12　④ 14　⑤ 16

02

함수 $f(x)=\frac{1}{3}x^3+ax^2+4x+5$가 실수 전체의 집합에서 증가하도록 하는 정수 a의 개수를 구하시오.

03

함수 $f(x)=2x^3-9x^2+12x+2$의 극댓값을 M, 극솟값을 m이라 할 때, $M+m$의 값을 구하시오.

04

함수 $f(x)=x^3+ax^2+bx+1$이 $x=1$, $x=3$에서 극값을 가질 때, 함수 $y=f(x)$의 극댓값을 구하시오. (단, a, b는 상수이다.)

05

함수 $f(x)=x^3+6kx^2+24x+32$가 극댓값과 극솟값을 모두 갖도록 하는 실수 k의 값의 범위는?

① $-2\le k\le 2$　② $-\sqrt{2}\le k\le\sqrt{2}$　③ $-\sqrt{2}<k<\sqrt{2}$　④ $k<-\sqrt{2}$ 또는 $k>\sqrt{2}$　⑤ $k<-2$ 또는 $k>2$

06

함수 $y=f(x)$의 도함수 $y=f'(x)$의 그래프가 그림과 같을 때, 다음 중 옳은 것은?

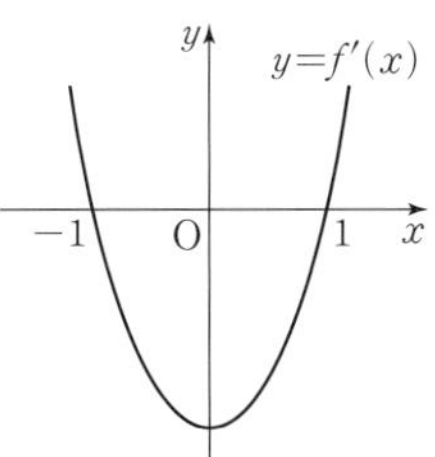

① 함수 $y=f(x)$는 $x=0$에서 극솟값을 갖는다.
② 함수 $y=f(x)$는 $x=0$에서 극댓값을 갖는다.
③ 함수 $y=f(x)$는 $-1<x<1$에서 증가한다.
④ 함수 $y=f(x)$는 $x=-1$에서 극댓값, $x=1$에서 극솟값을 갖는다.
⑤ 함수 $y=f(x)$는 $x=-1$에서 극솟값, $x=1$에서 극댓값을 갖는다.

07

구간 $[-1, 1]$에서 함수 $f(x)=x^3-6x^2-1$의 최댓값을 M, 최솟값을 m이라 할 때, Mm의 값을 구하시오.

08

함수 $f(x)=x^3+ax^2+bx+c$가 $f'(-1)=-3$, $f'(1)=9$이고 구간 $[0, 2]$에서 최댓값이 24일 때, 세 상수 a, b, c에 대하여 $a+b+c$의 값을 구하시오.

유형 문제

유형 1 함수의 증가와 감소

09

함수 $f(x)=-\frac{1}{3}x^3+\frac{1}{2}ax^2-bx-2$가 증가하는 구간이 $[3, 4]$일 때, 두 상수 a, b에 대하여 ab의 값은?

① 80　② 84　③ 88　④ 92　⑤ 96

10 중요

실수 전체의 집합에서 정의된 함수 $f(x)=2x^3+x^2+kx+1$이 임의의 두 실수 x_1, x_2에 대하여 $x_1 \neq x_2$이면 $f(x_1) \neq f(x_2)$를 만족시킬 때, 정수 k의 최솟값을 구하시오.

11

실수 전체의 집합 R에서 R로의 함수

$$f(x)=-\frac{2}{3}x^3+ax^2-(a+4)x+1$$

의 역함수가 존재하도록 하는 실수 a의 값의 범위가 $\alpha \le a \le \beta$일 때, $\alpha+\beta$의 값을 구하시오.

12

함수 $f(x)=x^3+6x^2+15|x-2a|+3$이 실수 전체의 집합에서 증가하도록 하는 실수 a의 최댓값을 구하시오.

13 중요

함수 $f(x)=x^3-ax^2+(a-5)x+1$이 구간 $[0, 1]$에 속하는 임의의 두 실수 x_1, x_2에 대하여 $x_1 < x_2$이면 $f(x_1) > f(x_2)$가 성립할 때, 실수 a의 값의 범위는?

① $-3 \le a \le 4$　② $-2 \le a \le 5$　③ $-1 \le a \le 6$　④ $0 \le a \le 7$　⑤ $1 \le a \le 8$

14

삼차함수 $f(x)=-x^3+kx^2-2$가 $1 \le x \le 2$에서 증가하고, $x \ge 3$에서 감소할 때, 실수 k의 값의 범위는?

① $k \le \frac{3}{2}$　② $\frac{3}{2} \le k \le 3$　③ $3 \le k \le \frac{9}{2}$　④ $k \ge 3$　⑤ $k \ge \frac{9}{2}$

유형 2 함수의 극대와 극소

15

함수 $f(x)=2x^3-9x^2+12x+a$의 극댓값이 7일 때, 상수 a의 값은?

① 1 ② 2 ③ 3
④ 4 ⑤ 5

중요
16

함수 $f(x)=2x^3+ax^2-12x+b$가 $x=1$에서 극솟값 0을 가질 때, 함수 $y=f(x)$의 극댓값을 구하시오. (단, a, b는 상수이다.)

17

그림은 함수 $y=f(x)$의 도함수 $y=f'(x)$의 그래프를 나타낸 것이다. 함수 $f(x)=x^3+ax^2+bx+c$의 극솟값이 7일 때, 극댓값을 구하시오. (단, a, b, c는 상수이다.)

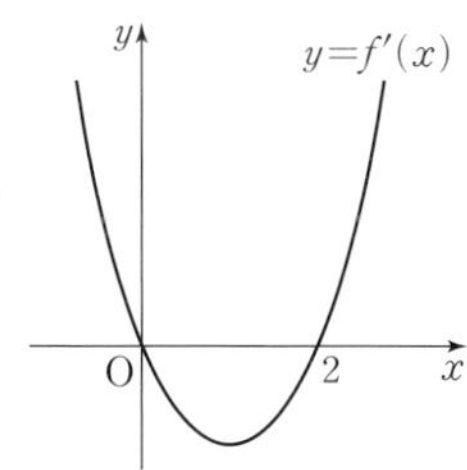

18

삼차함수 $f(x)=x^3+ax^2+bx+c$는 $x=1$에서 극댓값, $x=3$에서 극솟값을 갖고 극댓값이 극솟값의 3배가 될 때, $a^2+b^2+c^2$의 값을 구하시오. (단, a, b, c는 상수이다.)

19

삼차함수 $y=f(x)$가 $x=1$에서 극솟값 -4를 가지고 $x=-1$에서 직선 $y=-12x$에 접한다. $f(3)$의 값을 구하시오.

중요
20

삼차함수 $y=f(x)$가 다음 조건을 만족시킬 때, 함수 $y=f(x)$의 극댓값은?

(가) $\lim_{x \to 0} \frac{f(x)}{x}=-6$
(나) 함수 $y=f(x)$는 $x=1$에서 극솟값 $-\frac{7}{2}$을 갖는다.

① 8 ② 10 ③ 12
④ 14 ⑤ 16

유형 3 함수가 극값을 가질 조건

21

삼차함수 $f(x)=x^3-ax^2+2ax+2$가 극값을 갖도록 a의 값을 정할 때, 자연수 a의 최솟값은?

① 6 ② 7 ③ 8 ④ 9 ⑤ 10

중요
22

삼차함수 $f(x)=x^3+3ax^2-3ax-2$가 극값을 갖지 않도록 하는 정수 a의 개수를 구하시오.

23

함수 $f(x)=ax^3-2ax^2-5x+3$이 $x>1$에서 극댓값을 갖고, $x<1$에서 극솟값을 갖도록 하는 정수 a의 최댓값을 구하시오.

24

삼차함수 $f(x)=x^3-3x^2+ax-2$가 $0<x<2$에서 극댓값과 극솟값을 모두 갖도록 하는 실수 a의 값의 범위는?

① $a<3$ ② $0<a<3$ ③ $0\le a\le 3$ ④ $a<0$ 또는 $a>3$ ⑤ $a\ge 3$

중요
25

사차함수 $f(x)=x^4-4x^3+2ax^2+1$이 극댓값을 갖도록 하는 자연수 a의 개수를 구하시오.

26

사차함수 $f(x)=3x^4+ax^3+6x^2$이 극값을 하나만 가질 때, 실수 a의 최댓값과 최솟값의 합을 구하시오.

유형 4 함수 $y=f(x)$의 그래프의 추론

27

함수 $f(x)=ax^3+bx^2+cx+d$의 그래프가 그림과 같을 때, 〈보기〉에서 옳은 것만을 있는 대로 고른 것은?

(단, a, b, c, d는 상수이다.)

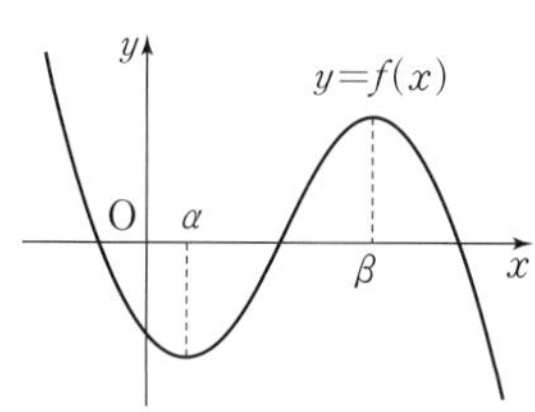

보기

ㄱ. $ab>0$ ㄴ. $cd>0$ ㄷ. $b^2-3ac>0$

① ㄱ ② ㄴ ③ ㄱ, ㄴ
④ ㄴ, ㄷ ⑤ ㄱ, ㄴ, ㄷ

28

중요

삼차함수 $y=f(x)$의 도함수 $y=f'(x)$의 그래프가 그림과 같을 때, 〈보기〉에서 옳은 것만을 있는 대로 고른 것은? (단, $f(0)=0$)

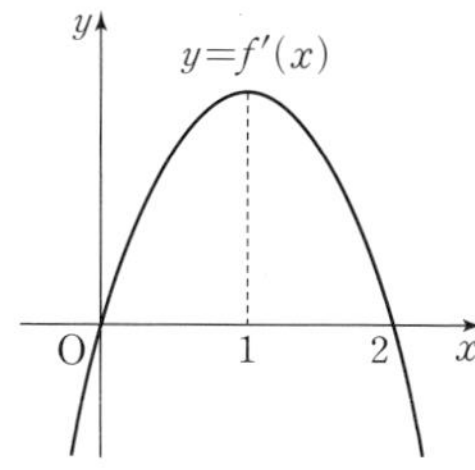

보기

ㄱ. 함수 $y=f(x)$의 극솟값은 0이다.
ㄴ. 함수 $y=f(x)$는 $x=1$에서 극댓값을 갖는다.
ㄷ. 함수 $y=f(x)$의 그래프는 $x=0$에서 x축에 접한다.

① ㄱ ② ㄷ ③ ㄱ, ㄴ
④ ㄱ, ㄷ ⑤ ㄱ, ㄴ, ㄷ

29

함수 $y=f(x)$의 도함수 $y=f'(x)$의 그래프가 그림과 같을 때, 〈보기〉에서 옳은 것만을 있는 대로 고른 것은?

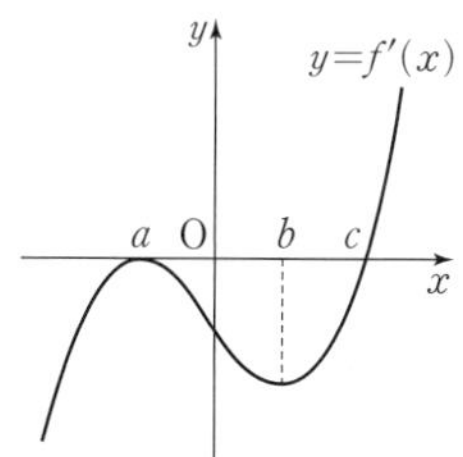

보기

ㄱ. $x=a$에서 함수 $y=f(x)$는 극대이다.
ㄴ. $x=b$에서 함수 $y=f(x)$는 극소이다.
ㄷ. $x=c$에서 함수 $y=f(x)$는 극소이다.

① ㄱ ② ㄷ ③ ㄱ, ㄴ
④ ㄱ, ㄷ ⑤ ㄴ, ㄷ

30

다항함수 $y=f(x)$의 도함수 $y=f'(x)$의 그래프가 그림과 같을 때, 〈보기〉에서 옳은 것만을 있는 대로 고른 것은?

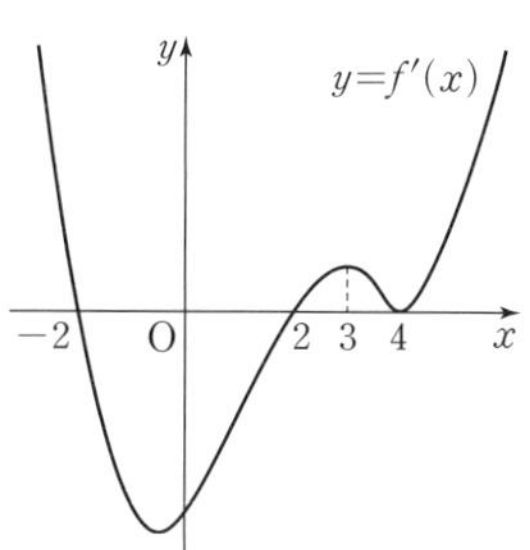

보기

ㄱ. 함수 $y=f(x)$는 $x=2$에서 극소이다.
ㄴ. 함수 $y=f(x)$는 $x=3$에서 극대이다.
ㄷ. 함수 $y=f(x)$는 구간 $(-2, 2)$에서 감소한다.
ㄹ. 함수 $y=f(x)$의 그래프는 $x=4$에서 x축에 접한다.

① ㄱ, ㄴ ② ㄱ, ㄷ ③ ㄱ, ㄹ
④ ㄴ, ㄷ ⑤ ㄷ, ㄹ

31

두 함수 $y=f(x)$, $y=g(x)$의 도함수의 그래프가 그림과 같을 때, 함수 $y=f(x)-g(x)$가 극댓값을 갖는 x의 값은?

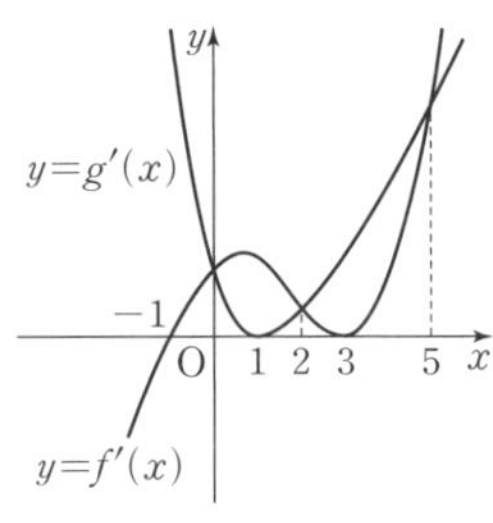

① -1　② 1　③ 2　④ 3　⑤ 5

32

실수 전체에서 연속인 함수 $y=f(x)$에 대하여 도함수 $y=f'(x)$의 그래프가 그림과 같다. 함수 $y=f(x)$의 극댓값의 개수를 p, 극솟값의 개수를 q라 할 때, p^2+q^2의 값을 구하시오.

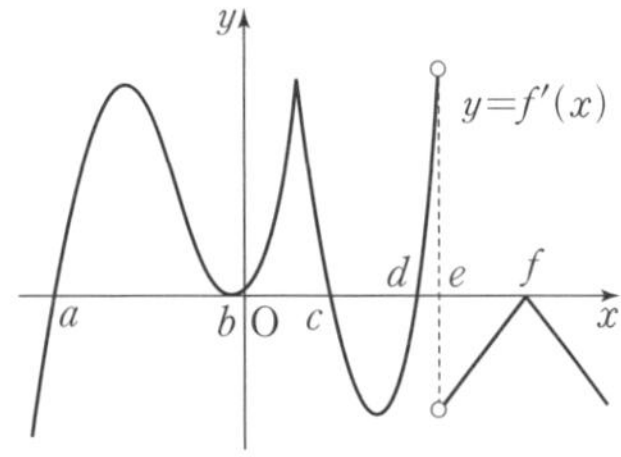

유형 5 함수의 최댓값과 최솟값

33

중요

$0\le x\le a$에서 함수 $f(x)=2x^3-6x+4$의 최댓값이 8, 최솟값이 m이라 할 때, $a+m$의 값을 구하시오.

34

구간 $[0, 4]$에서 함수 $y=x^4-4x^3-2x^2+12x-3$의 최댓값과 최솟값의 합은?

① -2　② -1　③ 0　④ 1　⑤ 2

35

삼차함수 $y=f(x)$의 도함수 $y=f'(x)$의 그래프가 그림과 같을 때, 구간 $[-1, 2]$에서 함수 $y=f(x)$의 최댓값은?

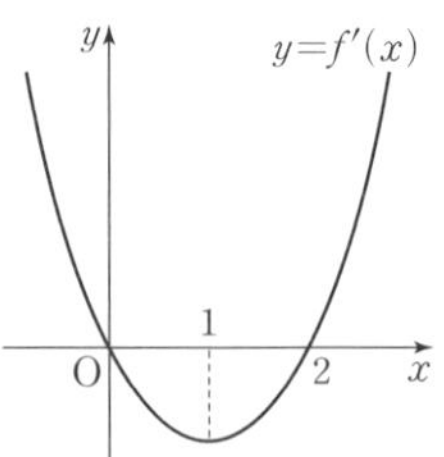

① $f(-1)$　② $f(0)$　③ $f(1)$　④ $f(2)$　⑤ 없다.

중요
36

구간 $[0, 3]$에서 함수 $f(x)=ax^3-3ax^2+b$의 최댓값은 2이고, 최솟값이 -2일 때, 두 상수 a, b에 대하여 $a+b$의 값은? (단, $a>0$)

① 1 ② 2 ③ 3
④ 4 ⑤ 5

중요
37

$-2\leq x\leq 0$에서 함수 $y=\left(\frac{1}{2}x+3\right)^3-3\left(\frac{1}{2}x+3\right)^2+3$의 최댓값을 M, 최솟값을 m이라 할 때, $M-m$의 값을 구하시오.

함수 $f(x)=x^3-3x^2+4\ (-1\leq x\leq 3)$에 대하여 함수 $y=(f\circ f)(x)$의 최댓값을 구하시오.

유형 6 최대·최소의 활용

39

좌표평면 위에 두 점 $\mathrm{P}(4, 0)$, $\mathrm{Q}(6, 0)$이 있다. 점 A가 곡선 $y=x^2+1$ 위를 움직일 때, $\overline{\mathrm{AP}}^2+\overline{\mathrm{AQ}}^2$의 최솟값은?

① 40 ② 42 ③ 44
④ 46 ⑤ 48

중요
40

그림과 같이 곡선 $y=-x^2+4$와 x축으로 둘러싸인 부분에 내접하고 한 변이 x축 위에 놓여 있는 사다리꼴 ABCD가 있다. 사다리꼴 ABCD의 넓이가 최대일 때, 사다리꼴 ABCD의 높이를 구하시오.

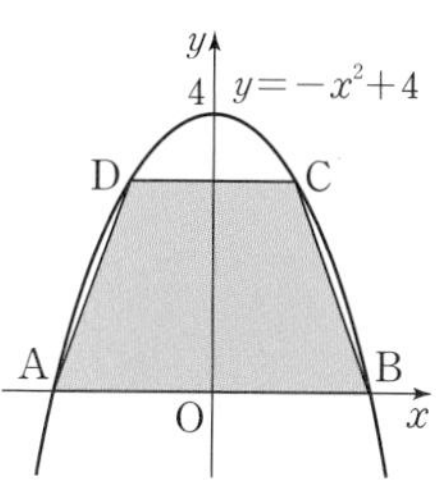

41

밑면의 반지름의 길이가 3이고 높이가 6인 원뿔에 그림과 같이 내접하는 원뿔의 부피의 최댓값을 구하시오.

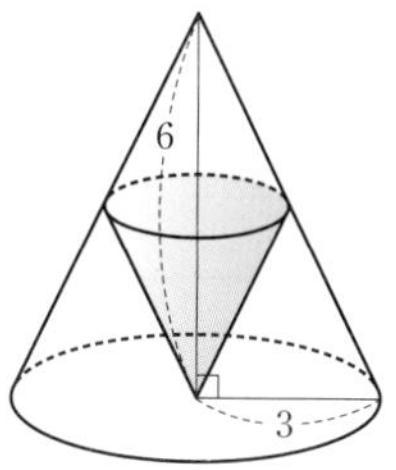

42

함수 $y=f(x)$의 도함수 $y=f'(x)$가

$$f'(x)=\begin{cases} x^2-2x-3 & (x\le 3) \\ -x^2+8x-15 & (x>3) \end{cases}$$

일 때, 구간 $[k, k+1]$에서 함수 $y=f(x)$가 증가하기 위한 k의 최댓값은?

① -1　② 0　③ 2　④ 4　⑤ 6

43

함수 $f(x)=x^3-(a+2)x^2+ax$에 대하여 곡선 $y=f(x)$ 위의 점 $(t, f(t))$에서의 접선의 y절편을 $g(t)$라 하자.
함수 $y=g(t)$가 구간 $[0, 7]$에서 증가할 때, 실수 a의 최솟값을 구하시오.

44

최고차항의 계수가 1인 삼차함수 $y=f(x)$에 대하여 $f(0)=12$, $f(2)=f'(2)=0$이 성립한다. 함수 $y=f(x)$의 극댓값을 k라 할 때, $27k$의 값을 구하시오.

45

함수 $f(x)=x^4-2a^2x^2$의 그래프에서 극대인 점 한 개와 극소인 점 두 개를 이어서 만든 삼각형이 직각삼각형일 때, 이 삼각형의 넓이를 구하시오. (단, $a>0$)

46

원점을 지나는 최고차항의 계수가 1인 사차함수 $y=f(x)$가 $f(4-x)=f(x)$를 만족시키고 $x=3$에서 극솟값을 가질 때, 함수 $y=f(x)$의 극댓값은?

① -10　② -9　③ -8　④ -7　⑤ -6

47

최고차항의 계수가 1인 사차함수 $y=f(x)$에 대하여
함수 $g(x)=|f(x)|$가 다음 조건을 만족시킬 때, $g(2)$의 값을 구하시오.

> (가) 함수 $y=g(x)$는 $x=1$에서 미분가능하고 $g(1)=g'(1)$이다.
> (나) 함수 $y=g(x)$는 $x=-1$, $x=0$, $x=1$에서 극솟값을 갖는다.

48

실수 t에 대하여 직선 $x=t$가 두 함수

$$y=x^4-4x^3+10x-30,\ y=2x+2$$

의 그래프와 만나는 점을 각각 A, B라 할 때, 두 점 A, B 사이의 거리를 $f(t)$라 하자.

$$\lim_{h\to0+}\frac{f(t+h)-f(t)}{h}\times\lim_{h\to0-}\frac{f(t+h)-f(t)}{h}\le0$$

을 만족시키는 모든 실수 t의 값의 합을 구하시오.

49

함수 $f(x)=x^4-6x^2-8x+13$에 대하여

함수 $g(x)=|f(x)-k|$라 하자. 함수 $y=g(x)$가 오직 한 점에서만 미분가능하지 않도록 하는 k의 값을 a라 하고, 미분가능하지 않는 점의 x좌표를 b라 할 때, $a+b$의 값을 구하시오.

50

함수 $f(x)=x^3+3(a-1)x^2-3(a-3)x+5$가 $x\le0$에서 극값을 갖지 않도록 하는 정수 a의 최댓값은?

① 1 ② 2 ③ 3 ④ 4 ⑤ 5

51

실수 전체의 집합에서 함수 $y=f(x)$가 미분가능하고 도함수 $y=f'(x)$가 연속이다. x축과 만나는 x좌표가 b, c, d뿐인 함수 $g(x)=\dfrac{f'(x)}{x}$의 그래프가 그림과 같을 때, 〈보기〉에서 옳은 것만을 있는 대로 고른 것은?

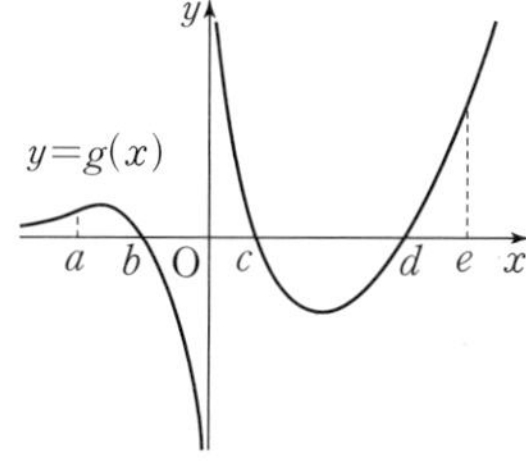

보기

ㄱ. 함수 $y=f(x)$는 구간 $(b,\ 0)$에서 증가한다.
ㄴ. 함수 $y=f(x)$는 $x=b$에서 극솟값을 갖는다.
ㄷ. 함수 $y=f(x)$는 구간 $[a,\ e]$에서 4개의 극값을 갖는다.

① ㄱ ② ㄷ ③ ㄱ, ㄴ ④ ㄴ, ㄷ ⑤ ㄱ, ㄴ, ㄷ

52

삼차함수 $y=f(x)$의 도함수 $y=f'(x)$의 그래프가 그림과 같을 때, 〈보기〉에서 옳은 것만을 있는 대로 고른 것은?

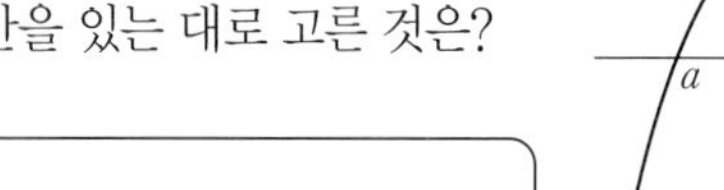

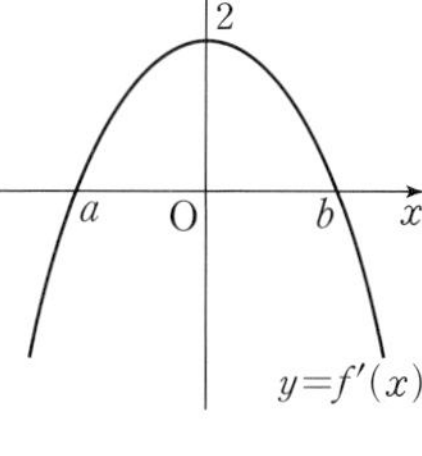

보기

ㄱ. $f(a)f(b)=0$이면 방정식 $f(x)=0$은 중근을 갖는다.
ㄴ. 함수 $y=f(x)-x$는 구간 $(0,\ b)$에서 극댓값을 갖는다.
ㄷ. 함수 $y=f(x)-2x$는 구간 $[a,\ b]$에서 $x=a$일 때 최댓값을 갖는다.

① ㄱ ② ㄱ, ㄴ ③ ㄱ, ㄷ ④ ㄴ, ㄷ ⑤ ㄱ, ㄴ, ㄷ

53

삼차함수 $y=f(x)$의 도함수의 그래프와 이차함수 $y=g(x)$의 도함수의 그래프가 그림과 같다.
함수 $h(x)=f(x)-g(x)$라 하자.
$f(0)=g(0)$일 때, 〈보기〉에서 옳은 것만을 있는 대로 고르시오.

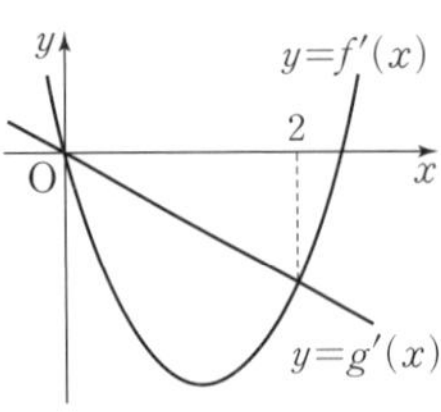

보기

ㄱ. $0<x<2$에서 함수 $y=h(x)$는 감소한다.
ㄴ. 함수 $y=h(x)$는 $x=2$에서 극솟값을 갖는다.
ㄷ. 방정식 $h(x)=0$은 서로 다른 세 실근을 갖는다.

54

$-3\le x\le 0$에서 함수 $f(x)=-\dfrac{1}{2}ax^4+3ax^2-4ax+b$의 최댓값이 27, 최솟값이 0일 때, 두 상수 a, b에 대하여 ab의 값을 구하시오. (단, $a>0$)

55

그림과 같이 곡선 $y=x^2$ 위의 점 $\mathrm{P}(a, a^2)$ $(1\le a<3)$을 지나고 기울기가 1인 직선이 이 곡선과 만나는 점 중 P가 아닌 점을 Q라 하자. 점 $\mathrm{A}(0, 6)$에 대하여 삼각형 AQP의 넓이가 최대가 되도록 하는 a의 값이 $a=\dfrac{3+q\sqrt{3}}{p}$일 때, 두 상수 p, q에 대하여 $p+q$의 값을 구하시오.

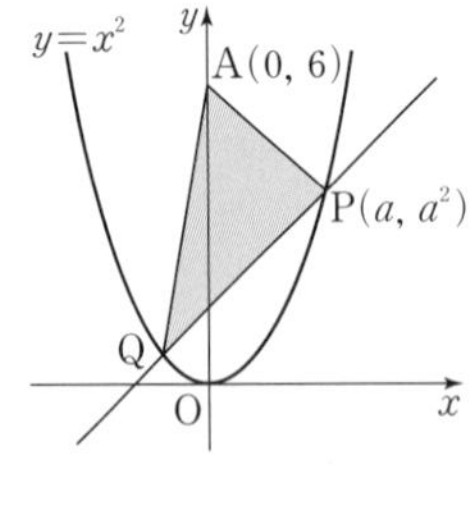

최고난도 문제

56

자연수 n에 대하여 최고차항의 계수가 1이고 다음 조건을 만족시키는 삼차함수 $y=f(x)$의 극댓값을 a_n이라 하자.

(가) $f(n)=0$
(나) 모든 실수 x에 대하여 $(x+n)f(x)\ge 0$이다.

a_n이 자연수가 되도록 하는 n의 최솟값을 구하시오.

57

함수 $f(x)=-3x^4+4(a-1)x^3+6ax^2$과 실수 t에 대하여 $x\le t$에서의 함수 $y=f(x)$의 최댓값을 $g(t)$라 하자.
함수 $y=g(t)$가 실수 전체의 집합에서 미분가능하도록 하는 실수 a의 최댓값을 구하시오. (단, $a>0$)

07 도함수의 활용

제 목		문항 번호	문항 수	확인
쌤이 꼭 내는 기본 문제		01~08	8	
유형 문제	❶ 방정식의 실근의 개수	09~14	6	
	❷ 도함수의 그래프와 실근의 개수	15~17	3	
	❸ 절댓값 기호가 있는 방정식의 실근의 개수	18~20	3	
	❹ 방정식의 실근의 부호	21~23	3	
	❺ 부등식의 증명	24~26	3	
	❻ 부등식이 항상 성립할 조건	27~32	6	
	❼ 속도와 가속도	33~38	6	
	❽ 속도·위치의 그래프의 이해	39~41	3	
	❾ 시각에 대한 길이, 넓이, 부피의 변화율 [교육과정 外]	42~44	3	
1등급 문제		45~60	16	

07 도함수의 활용

1 방정식의 실근의 개수

(1) 방정식 $f(x)=0$의 서로 다른 실근의 개수
$\Longleftrightarrow$ 함수 $y=f(x)$의 그래프와 x축의 교점의 개수

(2) 방정식 $f(x)=g(x)$의 서로 다른 실근의 개수
$\Longleftrightarrow$ 두 함수 $y=f(x)$, $y=g(x)$의 그래프의 교점의 개수

개념 플러스

- 방정식 $f(x)=0$의 실근은 함수 $y=f(x)$의 그래프와 x축의 교점의 x좌표와 같다.
- 방정식 $f(x)=g(x)$의 실근은 두 함수 $y=f(x)$, $y=g(x)$의 그래프의 교점의 x좌표와 같다.

2 삼차방정식의 근의 판별

삼차함수 $f(x)=ax^3+bx^2+cx+d$가 극값을 가질 때,
삼차방정식 $ax^3+bx^2+cx+d=0$의 근은

(1) (극댓값)$\times$(극솟값)$<0 \Longleftrightarrow$ 서로 다른 세 실근

(2) (극댓값)$\times$(극솟값)$=0 \Longleftrightarrow$ 한 실근과 중근 (서로 다른 두 실근)

(3) (극댓값)$\times$(극솟값)$>0 \Longleftrightarrow$ 한 실근과 두 허근

- 삼차방정식의 근의 판별

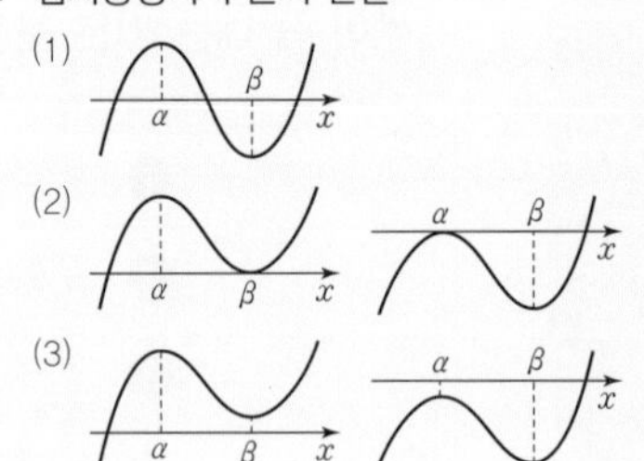

3 부등식의 증명

모든 실수 x에 대하여

(1) 부등식 $f(x)>0$의 증명 ➡ ($f(x)$의 최솟값)>0임을 보인다.

(2) 부등식 $f(x)<0$의 증명 ➡ ($f(x)$의 최댓값)<0임을 보인다.

(3) 부등식 $f(x)>g(x)$의 증명 ➡ ($f(x)-g(x)$의 최솟값)>0임을 보인다.

(4) 부등식 $f(x)<g(x)$의 증명 ➡ ($f(x)-g(x)$의 최댓값)<0임을 보인다.

- $x>a$인 범위에서 부등식 $f(x)>0$의 증명
  [방법 1] $x>a$인 범위에서 ($f(x)$의 최솟값)>0임을 보인다.
  [방법 2] $x>a$인 범위에서 함수 $y=f(x)$가 증가하고 $f(a)\geq 0$임을 보인다.

4 직선 운동에서의 속도

수직선 위를 움직이는 점 P의 시각 t에서의 위치 x가 $x=f(t)$일 때,
시각 t에서의 속도 v는

$$v=\frac{dx}{dt}=f'(t)=\lim_{\Delta t\to 0}\frac{f(t+\Delta t)-f(t)}{\Delta t}$$

참고 속도의 절댓값 $|v|$를 속력이라고 한다.

- 속도 $v=f'(t)$의 부호
  ⇨ 운동 방향을 나타낸다.
  (i) 양의 방향으로 움직인다. ⇨ $v>0$
  (ii) 음의 방향으로 움직인다. ⇨ $v<0$
  (iii) 운동 방향이 바뀌거나 정지한다. ⇨ $v=0$

5 직선 운동에서의 가속도

수직선 위를 움직이는 점 P의 시각 t에서의 속도 v가 $v=v(t)$일 때,
시각 t에서의 가속도 a는

$$a=\frac{dv}{dt}=v'(t)$$

- 위치 $\xrightarrow{\text{미분}}$ 속도 $\xrightarrow{\text{미분}}$ 가속도

정답 및 해설 054쪽

01

삼차방정식 $2x^3-3x^2-12x+a=0$이 서로 다른 세 실근을 갖도록 하는 실수 a의 값의 범위는?

① $a<-7$ ② $-7<a<20$ ③ $-7\leq a\leq 7$
④ $0\leq a\leq 20$ ⑤ $a>20$

02

두 곡선 $y=x^3-4x^2+2x$, $y=2x^2-7x+a$가 서로 다른 두 점에서 만날 때, 양수 a의 값을 구하시오.

03

그림은 삼차함수 $y=f(x)$의 도함수 $y=f'(x)$의 그래프이다. 함수 $y=f(x)$의 극댓값이 6, 극솟값이 2일 때, 방정식 $f(x)=3$의 서로 다른 실근의 개수를 구하시오.

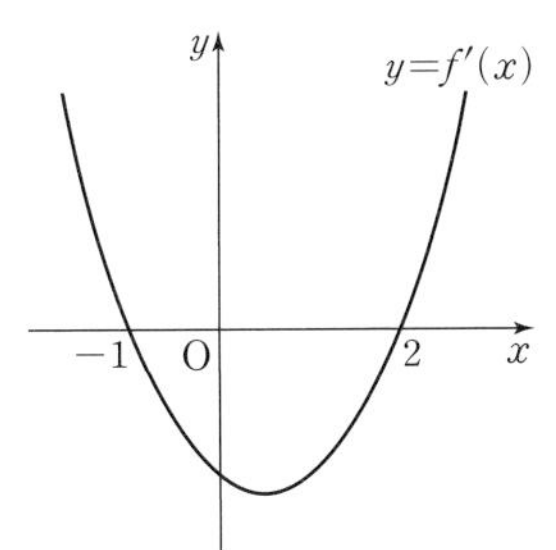

04

삼차방정식 $x^3-12x+8+k=0$이 서로 다른 두 개의 음의 실근과 한 개의 양의 실근을 갖도록 하는 실수 k의 값의 범위는 $\alpha<k<\beta$이다. $\alpha\beta$의 값을 구하시오.

05

모든 실수 x에 대하여 부등식 $x^4-4x^3+a+3>0$이 성립하도록 하는 실수 a의 값의 범위는?

① $-3<a<6$ ② $6<a<12$ ③ $12<a<24$
④ $a>12$ ⑤ $a>24$

06

$x<-1$일 때, 부등식 $2x^3+3x^2+k<0$이 성립하도록 하는 실수 k의 최댓값을 구하시오.

07

원점을 출발하여 수직선 위를 움직이는 점 P의 시각 t에서의 위치 x가 $x=3t^3-9t^2$일 때, 점 P의 운동 방향이 바뀌는 순간의 가속도는?

① 15 ② 16 ③ 17
④ 18 ⑤ 19

08

지면에서 30 m/s의 속도로 똑바로 위로 던진 공의 t초 후의 높이를 $h(t)$ m라 할 때, $h(t)=30t-5t^2$인 관계가 성립한다. 공이 도달한 최고 높이를 구하시오.

유형 문제

유형 1 방정식의 실근의 개수

09

삼차방정식 $2x^3-6x^2+a+6=0$이 중근과 다른 한 실근을 가질 때, 모든 실수 a의 값의 합은?

① -10 ② -8 ③ -6
④ -4 ⑤ -2

중요
10

함수 $y=2x^3-3x^2-12x-10$의 그래프를 y축의 방향으로 a만큼 평행이동하였더니 함수 $y=g(x)$의 그래프가 되었다. 방정식 $g(x)=0$이 서로 다른 두 실근을 갖도록 하는 모든 실수 a의 값의 합을 구하시오.

11

사차방정식 $3x^4-4x^3-8x^2=4x^2-a$가 서로 다른 세 실근을 가질 때, 실수 a의 값을 구하시오.

(단, 중근은 하나의 근으로 세기로 한다.)

12

곡선 $y=2x^3-3x^2$과 직선 $y=12x+k$가 오직 한 점에서 만나기 위한 자연수 k의 최솟값을 구하시오.

중요
13

두 곡선 $y=x^4-4x+a$, $y=-x^2+2x-a$가 오직 한 점에서 만날 때, 상수 a의 값을 구하시오.

14

점 $\mathrm{A}(0,\ a)$에서 곡선 $y=x^3+x^2$에 서로 다른 세 개의 접선을 그을 수 있도록 하는 실수 a의 값의 범위는?

① $a<-\frac{1}{27}$ ② $-\frac{1}{9}<a<-\frac{1}{27}$
③ $-\frac{1}{27}<a<0$ ④ $0<a<\frac{1}{27}$
⑤ $\frac{1}{27}<a<\frac{1}{9}$

유형 2 도함수의 그래프와 실근의 개수

15

그림은 다항함수 $y=f(x)$의 도함수 $y=f'(x)$의 그래프이다.
$f(a)=-5$, $f(b)=4$, $f(c)=1$일 때, 방정식 $f(x)+3=0$의 서로 다른 실근의 개수를 구하시오.

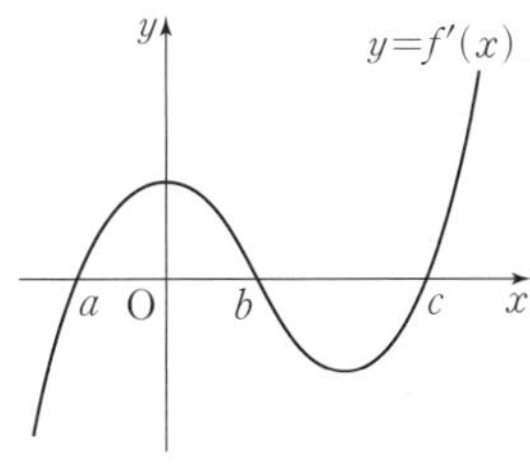

16

함수 $f(x)=x^3+ax^2+bx+c$에 대하여 도함수 $y=f'(x)$의 그래프가 그림과 같다. 함수 $y=f(x)$의 극솟값이 1일 때, 방정식 $f(x)=k$가 서로 다른 두 실근을 갖도록 하는 1보다 큰 실수 k의 값을 구하시오. (단, a, b, c는 상수이다.)

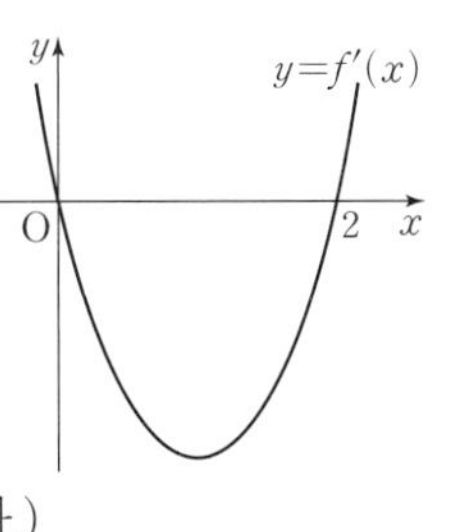

17

중요

그림은 삼차함수 $y=f(x)$의 도함수 $y=f'(x)$의 그래프이다. $f(0)=1$, $f(2)=4$일 때, 방정식 $f(x)=k$가 서로 다른 세 실근을 갖도록 하는 모든 정수 k의 값의 합을 구하시오.

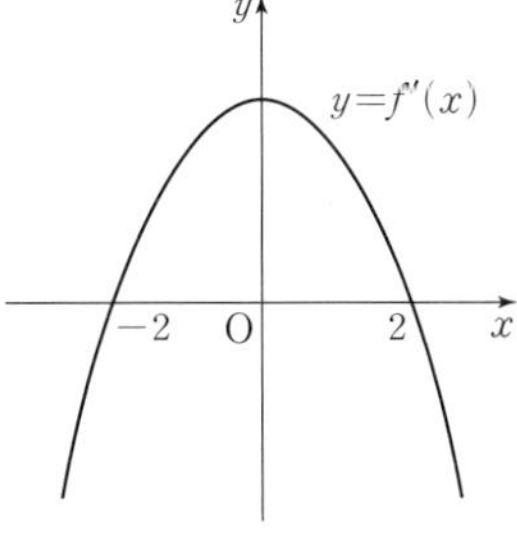

유형 3 절댓값 기호가 있는 방정식의 실근의 개수

18

삼차함수 $f(x)=x^3-3x-1$에 대하여 방정식 $|f(x)|=k$가 서로 다른 세 실근을 갖도록 하는 양수 k의 값은?

① 1　② 2　③ 3　④ 4　⑤ 5

19

삼차함수 $y=f(x)$의 도함수 $y=f'(x)$의 그래프가 그림과 같다. $f(0)=2$, $f(3)=5$일 때, 방정식 $|f(x)|=k$의 서로 다른 실근의 개수를 $p(k)$라 하자. $p(1)+p(2)+p(3)+\cdots+p(10)$의 값을 구하시오.

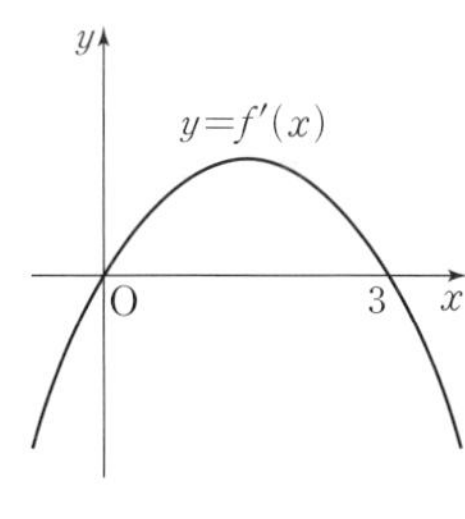

20

$f(0)=4$인 사차함수 $y=f(x)$가 모든 실수 x에 대하여 $f(-x)=f(x)$를 만족시킨다. 함수 $y=f(x)$가 $x=1$에서 극솟값 -2를 가질 때, 방정식 $|f(x)|=2$의 서로 다른 실근의 개수를 구하시오.

유형 4 방정식의 실근의 부호

21

삼차방정식 $2x^3-3x^2-12x+a=0$이 서로 다른 두 개의 양의 실근과 한 개의 음의 실근을 가질 때, 정수 a의 개수를 구하시오.

22

사차방정식 $x^4-4x^3-2x^2+12x+6-a=0$이 서로 다른 세 개의 양의 실근과 한 개의 음의 실근을 갖도록 하는 실수 a의 값의 범위는?

① $-3<a<13$ ② $0<a<6$ ③ $0<a<13$
④ $6<a<13$ ⑤ $6<a<15$

중요 **23**

두 함수 $f(x)=3x^3-x^2-3x$, $g(x)=x^3-4x^2+9x+a$에 대하여 방정식 $f(x)=g(x)$가 서로 다른 두 개의 양의 실근과 한 개의 음의 실근을 갖도록 하는 모든 정수 a의 개수를 구하시오.

유형 5 부등식의 증명

24

다음은 구간 $(2, \infty)$에서 부등식 $x^4-32x+50>0$이 성립함을 증명하는 과정이다.

증명

$f(x)=x^4-32x+50$이라 하면
$f'(x)=4(x-2)(x^2+2x+4)$
$x>2$에서 $f'(x)$ (가) 0
즉, 구간 $(2, \infty)$에서 함수 $y=f(x)$는 (나) 한다.
$f(2)=$ (다) 이므로 $x>2$에서 $f(x)>0$
$\therefore x^4-32x+50>0$
따라서 구간 $(2, \infty)$에서 부등식 $x^4-32x+50>0$이 성립한다.

위의 과정에서 (가), (나), (다)에 알맞은 것은?

	(가)	(나)	(다)
①	$>$	증가	1
②	$>$	감소	1
③	$>$	증가	2
④	$<$	감소	2
⑤	$<$	증가	2

25

모든 실수 x에 대하여 부등식 $3x^4-4x^3+1\ge0$이 성립함을 보이시오.

중요 **26**

$x\ge0$일 때, 부등식 $x^3-x^2\ge x-1$이 성립함을 보이시오.

유형 6 부등식이 항상 성립할 조건

27
모든 실수 x에 대하여 $x^4+3x^2+10x-a\geq 0$이 성립하도록 하는 실수 a의 값의 범위는?

① $a\leq -6$ ② $a>-6$ ③ $a>-1$
④ $a\geq -1$ ⑤ $a<6$

28
중요

모든 실수 x에 대하여 함수 $y=x^4+2ax^2-4ax$의 그래프가 직선 $y=4x-a^2$보다 항상 윗부분에 있도록 하는 양의 정수 a의 최솟값을 구하시오.

29
$x>a$일 때, 부등식 $x^3-3x+2>0$이 성립하도록 하는 정수 a의 최솟값을 구하시오.

30
$1<x<3$일 때, 두 함수 $f(x)=2x^3-x^2-5x$, $g(x)=2x^2+7x+k$에 대하여 부등식 $f(x)\geq g(x)$가 성립하도록 하는 실수 k의 최댓값을 구하시오.

31
$-1<x<1$에서 곡선 $y=x^3-10x$가 직선 $y=2x+k$보다 항상 위쪽에 있도록 하는 정수 k의 최댓값을 구하시오.

32
중요

$x\geq 0$일 때, 부등식 $x^3-3a^2x+2\geq 0$이 성립하도록 하는 실수 a의 값의 범위는?

① $-2\leq a\leq 0$ ② $-1\leq a\leq 1$ ③ $-1\leq a\leq 2$
④ $0\leq a\leq 2$ ⑤ $1\leq a\leq 2$

유형 7 속도와 가속도

33

원점을 출발하여 수직선 위를 움직이는 점 P의 시각 t에서의 위치 x가 $x=t^3-2t^2+t$이다. 점 P가 출발한 후 다시 원점을 지나는 순간의 속도를 m, 가속도를 n이라 할 때, 두 상수 m, n에 대하여 $m+n$의 값은?

① 1 ② 2 ③ 3
④ 4 ⑤ 5

34

직선 궤도를 달리는 기차가 제동을 건 후 정지할 때까지 t초 동안 움직인 거리를 x m라 하면 $x=24t-0.4t^2$이다. 이 기차가 목적지에 정확히 정지하려면 목적지로부터 전방 a m의 지점에서 제동을 걸어야 한다고 할 때, 상수 a의 값을 구하시오.

35 (중요)

수직선 위를 움직이는 점 P의 시각 t에서의 위치 x가 $x=t^3+at^2+bt-1$이고, $t=3$일 때 점 P는 운동 방향을 바꾸며, 그때의 위치는 -1이다. 점 P가 $t=3$ 이외의 시각에서도 운동 방향을 바꾼다고 할 때, 그때의 위치를 구하시오.

(단, a, b는 상수이다.)

36 (중요)

수직선 위를 움직이는 두 점 P, Q의 시각 t에서의 위치는 각각 $f(t)=2t^2-2t$, $g(t)=t^2-8t$이다. 두 점 P와 Q가 서로 반대 방향으로 움직이는 시각 t의 범위는?

① $\frac{1}{2}<t<4$ ② $1<t<5$ ③ $2<t<5$
④ $\frac{3}{2}<t<6$ ⑤ $2<t<8$

37

지면으로부터 35 m 높이의 지점에서 처음 속도 a m/s로 똑바로 위로 던진 물체의 t초 후의 높이를 x m라 하면 $x=35+at+bt^2$인 관계가 성립한다. 이 물체가 최고 높이에 도달할 때까지 걸린 시간이 3초이고, 그때의 높이는 80 m라고 한다. 두 상수 a, b에 대하여 $a+b$의 값을 구하시오.

38

지면에서 처음 속도 40 m/s로 똑바로 위로 던진 돌의 t초 후의 높이를 h m라 하면 $h=40t-4t^2$인 관계가 성립한다. 〈보기〉에서 옳은 것만을 있는 대로 고르시오.

보기

ㄱ. 돌을 던진 지 2초 후의 돌의 속도는 24 m/s이다.
ㄴ. 돌이 최고 높이에 도달한 시각은 돌을 던진 지 5초 후이다.
ㄷ. 돌이 지면에 떨어지는 순간의 속도는 -40 m/s이다.

유형 8 속도·위치의 그래프의 이해

39

원점을 출발하여 수직선 위를 6초 동안 움직이는 점 P의 시각 t에서의 속도 $v(t)$의 그래프가 그림과 같을 때, 〈보기〉에서 옳은 것만을 있는 대로 고르시오.

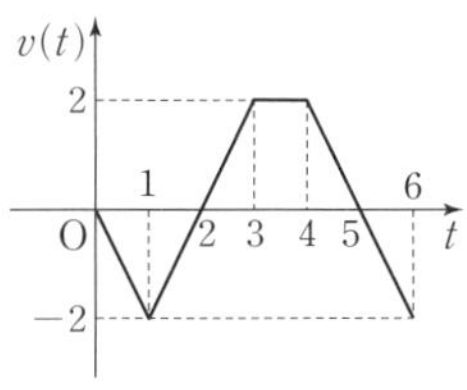

보기

ㄱ. 점 P는 출발 후 2초와 5초에서 운동 방향을 바꾼다.
ㄴ. 출발 후 2초에서 점 P의 위치는 원점이다.
ㄷ. $3<t<4$에서 가속도는 0이다.

40

원점을 출발하여 수직선 위를 8초 동안 움직이는 점 P의 t초 후의 위치 $x(t)$의 그래프가 그림과 같다. 다음 중 옳지 않은 것은?

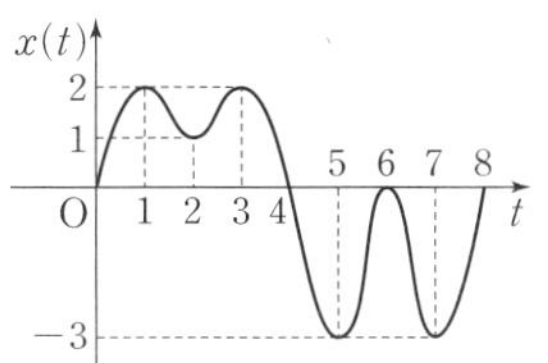

① $t=1$일 때의 속도는 0이다.
② 8초 동안 운동 방향이 6번 바뀐다.
③ 출발 후 5초 후의 위치와 7초 후의 위치는 같다.
④ 출발 후 4초까지는 수직선의 양의 방향으로 움직인다.
⑤ 출발 후 4초 후의 속력이 출발 후 2초 후의 속력보다 크다.

41

수직선 위를 움직이는 점 P의 시각 t에서의 위치 x를 $x=f(t)$라 할 때, 함수 $x=f(t)$의 그래프가 그림과 같다. 〈보기〉에서 옳은 것만을 있는 대로 고르시오. (단, $0\le t\le d$)

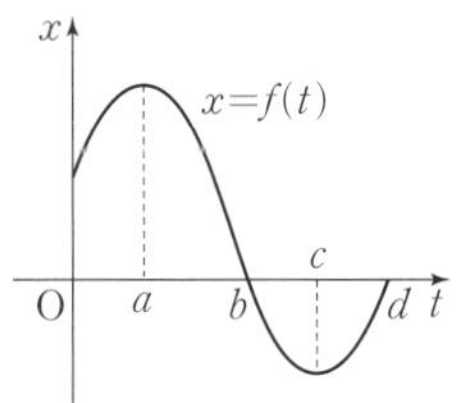

보기

ㄱ. 점 P는 움직이는 동안 방향을 두 번 바꾼다.
ㄴ. 점 P가 최초로 원점을 통과할 때의 속도는 $f'(a)$이다.
ㄷ. $0<t<a$일 때와 $c<t<d$일 때 운동 방향이 같다.

유형 9 시각에 대한 길이, 넓이, 부피의 변화율 [교육과정 外]

42

키가 2 m인 육상 선수가 야간 육상 경기에서 10 m 높이의 조명탑 바로 밑에서 출발하였다. 이 선수는 100 m를 10초에 달리는 속도로 뛰었다고 한다. 그림자의 길이의 변화율을 구하시오.

43

잔잔한 호수에 돌을 던지면 동심원 모양의 파문이 생긴다. 가장 바깥쪽 파문의 반지름의 길이가 매초 10 cm의 비율로 길어질 때, 돌을 던진 지 3초 후의 가장 바깥쪽 파문의 넓이의 변화율을 구하시오.

44

그림과 같이 높이가 200 cm이고 밑면의 반지름의 길이가 50 cm인 직원뿔 모양의 물탱크 속에 물을 가득 채웠다. 이 물탱크의 수도꼭지를 열면 매초 10 cm씩 수면의 높이가 낮아진다고 할 때, 물의 높이가 20 cm가 되는 순간 남아 있는 물의 부피의 변화율은?

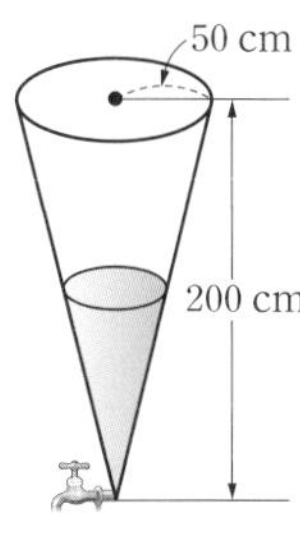

① -200π cm^3/s
② -250π cm^3/s
③ -300π cm^3/s
④ -350π cm^3/s
⑤ -400π cm^3/s

1등급 문제

45

삼차함수 $y=f(x)$에 대하여

$\lim_{x \to -1} \frac{f(x)+a}{x+1} = \lim_{x \to 3} \frac{f(x)-a+1}{x-3} = 0$이 성립할 때,

방정식 $f(x)=0$이 서로 다른 세 실근을 갖도록 하는 자연수 a의 최솟값을 구하시오.

46

사차함수 $y=f(x)$의 도함수 $y=f'(x)$의 그래프가 그림과 같다.

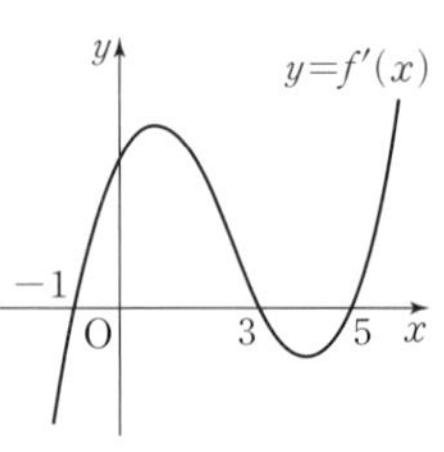

$f(-1)=-2$, $f(5)=1$, $f(0)<-1$일 때, 방정식 $f(x)=-x-1$은 음의 실근 a개, 양의 실근 b개를 가진다. $2a-b$의 값을 구하시오.

47

곡선 $y=x^3-3x^2+x-k$가 두 점 $A(0, -3)$, $B(3, 0)$을 이은 선분 AB와 서로 다른 두 점에서 만날 때, 실수 k의 값의 범위는?

① $-3 \le k < 0$ ② $-3 < k \le 3$ ③ $-2 \le k \le 2$
④ $-1 < k \le 3$ ⑤ $-1 \le k < 3$

48

좌표평면 위의 원점에서 곡선 $y=2x^3+3x^2+4x+k$에 서로 다른 두 개의 접선을 그을 수 있도록 하는 모든 실수 k의 값의 합을 구하시오.

49

최고차항의 계수가 양수인 사차함수 $y=f(x)$가 다음 조건을 만족시킬 때, 〈보기〉에서 옳은 것만을 있는 대로 고르시오.

> (가) $f'(\alpha)=f'(\beta)=f'(\gamma)=0$ $(\alpha<\beta<\gamma)$
> (나) $f(\alpha)f(\beta)f(\gamma)<0$

보기

ㄱ. 함수 $y=f(x)$는 $x=\beta$에서 극댓값을 갖는다.
ㄴ. 방정식 $f(x)=0$은 서로 다른 두 실근을 갖는다.
ㄷ. $f(\alpha)>0$이면 방정식 $f(x)=0$은 β보다 작은 실근을 갖는다.

50

세 실수 a, b, c에 대하여 사차함수 $y=f(x)$의 도함수 $y=f'(x)$가

$$f'(x)=(x-a)(x-b)(x-c)$$

일 때, 〈보기〉에서 옳은 것만을 있는 대로 고른 것은?

보기

ㄱ. $a=b=c$이면 방정식 $f(x)=0$은 실근을 갖는다.
ㄴ. $a=b\ne c$이고 $f(a)<0$이면 방정식 $f(x)=0$은 서로 다른 두 실근을 갖는다.
ㄷ. $a<b<c$이고 $f(b)<0$이면 방정식 $f(x)=0$은 서로 다른 두 실근을 갖는다.

① ㄱ ② ㄴ ③ ㄷ
④ ㄱ, ㄷ ⑤ ㄴ, ㄷ

51

사차함수 $f(x)=x^4+ax^3+bx^2-b$ $(b<0)$에 대하여 방정식 $f'(x)=0$이 서로 다른 세 실근 α, β, γ $(\alpha<\beta<\gamma)$를 가질 때, 〈보기〉에서 옳은 것만을 있는 대로 고른 것은?

(단, a, b는 상수이다.)

보기

ㄱ. $\dfrac{f(\alpha)+f(\gamma)}{2}<-b$

ㄴ. $f(\alpha)f(\gamma)>0$이면 방정식 $f(x)=0$은 서로 다른 네 실근을 갖는다.

ㄷ. $f(\alpha)>0$이고 $f(\gamma)<0$이면 방정식 $f(x)=0$은 서로 다른 두 양의 실근과 서로 다른 두 허근을 갖는다.

① ㄱ　　② ㄴ　　③ ㄱ, ㄴ
④ ㄱ, ㄷ　　⑤ ㄴ, ㄷ

52

삼차함수 $y=f(x)$의 도함수 $y=f'(x)$의 그래프는 그림과 같다. $f(0)=0$일 때, x에 대한 방정식 $f(x)=kx$가 서로 다른 세 실근을 갖도록 하는 실수 k의 값의 범위를 구하시오.

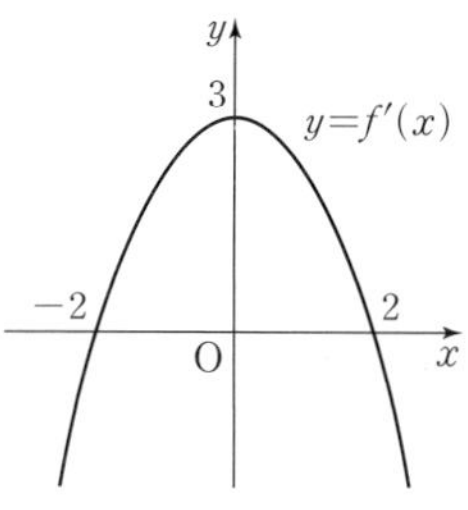

53

최고차항의 계수가 1인 삼차함수 $y=f(x)$가 모든 실수 x에 대하여 $f(-x)=-f(x)$를 만족시킨다. 방정식 $|f(x)|=2$가 서로 다른 네 개의 실근을 가질 때, $f(3)$의 값을 구하시오.

54

최고차항의 계수가 1이고 $f(0)<f(2)$인 사차함수 $y=f(x)$가 모든 실수 x에 대하여 $f(2+x)=f(2-x)$를 만족시킨다. 방정식 $f(|x|)=1$이 서로 다른 세 개의 실근을 갖도록 하는 함수 $y=f(x)$의 극댓값은?

① 11　　② 13　　③ 15
④ 17　　⑤ 19

55

$x>0$일 때, 부등식 $2x^{n+2}-n(n-7)>(n+2)x^2$이 성립하도록 하는 자연수 n의 개수를 구하시오.

56

수직선 위를 움직이는 두 점 A, B의 시각 t에서의 위치는 각각 $x_A=2t^2+7t$, $x_B=t^3-\dfrac{11}{2}t^2+19t-3$이다. 두 점 A, B가 $t=0$일 때 동시에 출발하여 처음 5초 동안 만나는 횟수를 구하시오.

57

원점을 출발하여 수직선 위를 움직이는 두 점 A, B의 시각 t에서의 위치는 각각 $f(t)=\frac{1}{3}t^3$, $g(t)=4t^2-at$ $(0\le t\le 6)$이다. 두 점은 동시에 출발하여 6초 후에 다시 만난 후 멈춘다고 한다. 두 점 A, B 사이의 거리의 최댓값이 $\frac{q}{p}$일 때, $p+q$의 값을 구하시오. (단, a는 상수, p, q는 서로소인 자연수이다.)

58

그림과 같이 아랫면과 윗면의 반지름의 길이가 각각 30 cm, 40 cm이고 높이가 60 cm인 원뿔대 모양의 빈 그릇이 있다. 이 그릇에 수면의 높이가 매초 1 cm씩 증가하도록 물을 넣을 때, 수면의 높이가 12 cm가 되는 순간의 부피의 증가율은? (단, 그릇의 두께는 고려하지 않는다.)

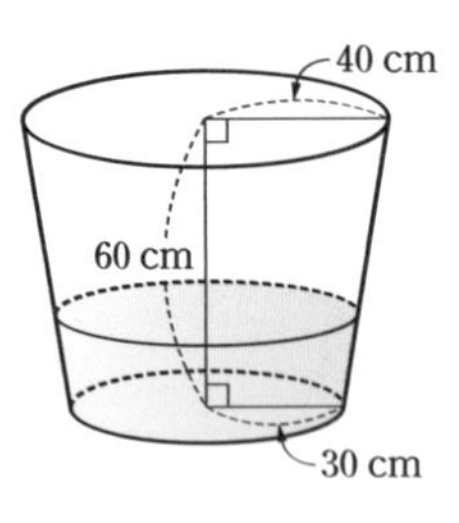

① 942π cm³/s ② 968π cm³/s
③ 1000π cm³/s ④ 1024π cm³/s
⑤ 1048π cm³/s

최고난도 문제

59

좌표평면에서 두 함수

$$f(x)=6x^3-x,\ g(x)=|x-a|$$

의 그래프가 서로 다른 두 점에서 만나도록 하는 모든 실수 a의 값의 합을 구하시오.

60

함수 $f(x)=x^3-3x^2+6x+k$의 역함수를 함수 $y=g(x)$라 하자. 방정식 $4f'(x)+12x-18=(f'\circ g)(x)$가 구간 $[0,\ 1]$에서 실근을 갖기 위한 실수 k의 최솟값을 m, 최댓값을 M이라 할 때, m^2+M^2의 값을 구하시오.

08 부정적분

제 목		문항 번호	문항 수	확인
쌤이 꼭 내는 기본 문제		01～08	8	
유형 문제	❶ 부정적분의 정의	09～14	6	
	❷ 다항함수의 부정적분	15～17	3	
	❸ 도함수가 주어진 경우의 부정적분	18～23	6	
	❹ 극값이 주어진 경우의 부정적분	24～26	3	
	❺ 함수 $y=f(x)$와 그 부정적분 $y=F(x)$ 사이의 관계	27～29	3	
	❻ 구간별로 정의된 도함수의 부정적분	30～32	3	
1등급 문제		33～48	16	

08 부정적분

1 부정적분

(1) 함수 $y=f(x)$에 대하여 $F'(x)=f(x)$가 되는 $y=F(x)+C$ (C는 상수)를 $y=f(x)$의 부정적분이라 하고, 기호로 $\int f(x)\,dx$와 같이 나타낸다.

(2) 함수 $y=f(x)$의 부정적분 중 하나를 $y=F(x)$라 하면

$\int f(x)\,dx=F(x)+C$ (단, C는 적분상수이다.)

2 적분과 미분의 관계

(1) $\frac{d}{dx}\int f(x)\,dx=f(x)$

(2) $\int\left\{\frac{d}{dx}f(x)\right\}dx=f(x)+C$ (단, C는 적분상수이다.)

3 함수 $y=x^n$의 부정적분

n이 음이 아닌 정수일 때,

$\int x^n\,dx=\frac{1}{n+1}x^{n+1}+C$ (단, C는 적분상수이다.)

4 함수의 실수배, 합, 차의 부정적분

두 다항함수 $y=f(x)$, $y=g(x)$에 대하여

(1) $\int kf(x)\,dx=k\int f(x)\,dx$ (단, k는 상수이다.)

(2) $\int\{f(x)+g(x)\}\,dx=\int f(x)\,dx+\int g(x)\,dx$

(3) $\int\{f(x)-g(x)\}\,dx=\int f(x)\,dx-\int g(x)\,dx$

5 구간별로 정의된 도함수의 부정적분

함수 $y=f(x)$가 $x=a$에서 연속이고 $f'(x)=\begin{cases} g(x) & (x\ge a) \\ h(x) & (x<a)\end{cases}$일 때,

(1) $f(x)=\begin{cases} \int g(x)dx & (x\ge a) \\ \int h(x)dx & (x<a)\end{cases}$

(2) $f(a)=\lim_{x\to a+}f(x)=\lim_{x\to a-}f(x)$

개념 플러스

- $\underset{\text{부정적분}}{F(x)+C}$ $\underset{\text{적분}}{\overset{\text{미분}}{\rightleftarrows}}$ $\underset{\text{함수}}{f(x)}$ $\xrightarrow{\text{미분}}$ $\underset{\text{도함수}}{f'(x)}$

- dx는 x에 대하여 적분한다는 뜻이므로 x 이외의 문자는 모두 상수로 취급한다.

- $a\ne0$이고, n이 자연수일 때,
  $\int(ax+b)^n\,dx$
  $=\frac{1}{a}\times\frac{1}{n+1}\times(ax+b)^{n+1}+C$
  (단, C는 적분상수)

- 두 함수 $y=f(x)$, $y=g(x)$의 부정적분을 각각 $\int f(x)\,dx=F(x)+C_1$,
  $\int g(x)\,dx=G(x)+C_2$
  (C_1, C_2는 적분상수)
  라 하면 $F'(x)=f(x)$, $G'(x)=g(x)$이다.
  미분법에 의하여
  $\{F(x)+G(x)\}'=F'(x)+G'(x)$
  $=f(x)+g(x)$
  이므로
  $\int\{f(x)+g(x)\}dx$
  $=F(x)+G(x)+C$ (C는 적분상수)
  $=F(x)+C_1+G(x)+C_2$
  $=\int f(x)dx+\int g(x)dx$

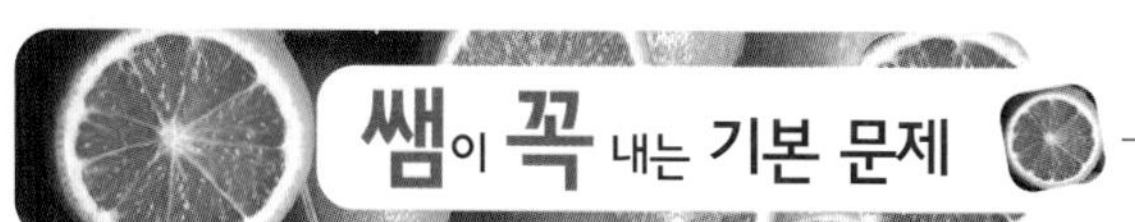

01

함수 $y=f(x)$의 부정적분 중 하나가 $y=x^3+2x^2+3$일 때, $f(1)$의 값을 구하시오.

02

함수 $F(x)=\int\left\{\frac{d}{dx}(x^3-2x)\right\}dx$에 대하여 $F(1)=1$일 때, $F(-1)$의 값을 구하시오.

03

함수 $y=f(x)$가

$$f(x)=\int(x+1)^2dx-\int(x-1)^2dx$$

이고 $f(2)=8$일 때, $f(1)$의 값을 구하시오.

04

다음 조건을 만족시키는 함수 $y=f(x)$에 대하여 $f(2)$의 값은?

> (가) $f'(x)=6x^2-4x+1$
> (나) $f(1)=2$

① 9　② 10　③ 11　④ 12　⑤ 13

05

점 $(0, 3)$을 지나는 곡선 $y=f(x)$ 위의 점 (x, y)에서의 접선의 기울기가 $4x-1$일 때, $f(1)$의 값을 구하시오.

06

함수 $y=f(x)$의 도함수가 $f'(x)=3x^2+6x-9$이고, 함수 $y=f(x)$의 극댓값이 24일 때, $y=f(x)$는 $x=a$에서 극솟값 b를 갖는다. $a+b$의 값을 구하시오.

07

$f(1)=3$, $f'(1)=2$인 미분가능한 함수 $y=f(x)$에 대하여

$$\int g(x)\,dx=x^3f(x)+C$$

가 성립할 때, $g(1)$의 값은? (단, C는 적분상수이다.)

① 11　② 12　③ 13　④ 14　⑤ 15

08

실수 전체의 집합에서 연속인 함수 $y=f(x)$의 도함수가 $f'(x)=\begin{cases}3x^2 & (x\le1)\\2x-1 & (x>1)\end{cases}$ 이고 $f(0)=3$일 때, $f(3)$의 값을 구하시오.

유형 문제

유형 1 부정적분의 정의

09

$\int f(x)\,dx=\frac{2}{3}x^3+x^2+3$을 만족시키는 함수 $y=f(x)$가 $f(x)=ax^2+bx+c$일 때, $a+b+c$의 값은?

(단, a, b, c는 상수이다.)

① 1 ② 2 ③ 3
④ 4 ⑤ 5

10

실수 전체의 집합에서 연속인 함수 $y=f(x)$에 대하여 $\int (x-3)f(x)\,dx=x^3-27x$일 때, $f(3)$의 값을 구하시오.

11 (중요)

함수 $f(x)=\int (x^3+2x^2+4)\,dx$일 때,

$\lim_{h\to 0}\frac{f(1+h)-f(1-h)}{h}$의 값을 구하시오.

12

함수 $f(x)=\log_2(x^2+7)$에 대하여

$$g(x)=\int\left\{\frac{d}{dx}\log_2(x^2+7)\right\}dx$$

이고 $g(1)=5$일 때, $g(3)$의 값은?

① 5 ② 6 ③ 7
④ 8 ⑤ 9

13

함수 $f(x)=10x^{10}+9x^9+\cdots+2x^2+x$에 대하여

$$F(x)=\int\left[\frac{d}{dx}\int\left\{\frac{d}{dx}f(x)\right\}dx\right]dx$$

이다. $F(0)=2$일 때, $F(1)$의 값을 구하시오.

14 (중요)

이차함수 $y=f(x)$가 등식

$$f'(x)+\int f(x)\,dx=x^3+x^2-6x-1$$

을 만족시킬 때, $f(2)$의 값을 구하시오.

유형 2 다항함수의 부정적분

15

부정적분 $\int \frac{t^2}{t+1}\,dt - \int \frac{1}{t+1}\,dt$를 구하면?

(단, C는 적분상수이다.)

① $\frac{1}{2}t^2+\frac{1}{2}t+C$ ② $\frac{1}{2}t^2+t+C$

③ $\frac{1}{2}t^2-\frac{1}{2}t+C$ ④ $\frac{1}{2}t^2-t+C$

⑤ $\frac{1}{2}t^2+2t+C$

16

함수 $f(x)=\int(1+2x+3x^2+\cdots+nx^{n-1})\,dx$에 대하여 $f(0)=2$일 때, $f(2)$의 값은?

① 2^n ② 2^n+1 ③ 2^{n+1}

④ $2^{n+1}+1$ ⑤ $2^{n+1}+2$

17

함수 $y=f(x)$의 도함수 $y=f'(x)$에 대하여

$$\int(2x+1)f'(x)\,dx=2x^3+\frac{1}{2}x^2-x$$

가 성립하고 $f(0)=2$일 때, $f(1)$의 값을 구하시오.

유형 3 도함수가 주어진 경우의 부정적분

18

함수 $y=f(x)$에 대하여 $f'(x)=ax-4$ $(a\neq 0)$이고 $f(0)=3$, $f(1)=-4$일 때, $f(2)$의 값은?

① -17 ② -15 ③ -13

④ -11 ⑤ -9

중요

19

곡선 $y=f(x)$ 위의 임의의 점 (x, y)에서의 접선의 기울기가 $2x-4$이고 함수 $y=f(x)$의 최솟값이 7일 때, $f(3)$의 값을 구하시오.

20

'함수 $y=f(x)$의 부정적분을 구하시오.' 라는 문제를 잘못하여 함수 $y=f(x)$를 미분하였더니 $f'(x)=6x-8$이 되었다. 함수 $y=f(x)$의 부정적분 중 하나를 $y=F(x)$라 하고 $f(1)=1$, $F(0)=3$일 때, $F(-1)$의 값을 구하시오.

21

삼차함수 $y=f(x)$의 도함수 $y=f'(x)$의 그래프는 그림과 같다. $f(0)=0$일 때, x에 대한 방정식 $f(x)=kx$가 서로 다른 세 실근을 갖기 위한 실수 k의 값의 범위는?

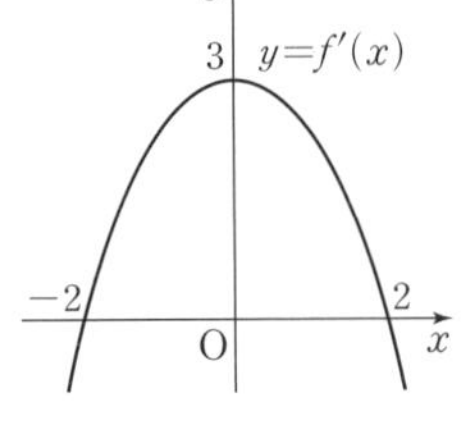

① $k<3$ ② $-4<k<4$ ③ $k<4$
④ $k>2$ ⑤ $k>3$

22

중요

함수 $y=f(x)$의 도함수 $y=f'(x)$의 그래프는 그림과 같이 이차함수이고 $f(1)=1$이 성립할 때, $f(2)$의 값을 구하시오.

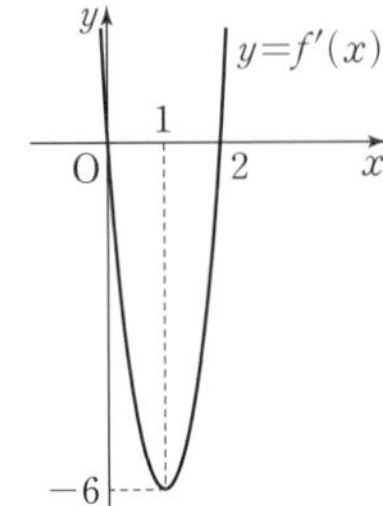

23

다항함수 $y=f(x)$가 임의의 실수 x, y에 대하여

$$f(x+y)=f(x)+f(y)+xy(x+y)$$

를 만족시키고 $f'(0)=1$일 때, $f(3)$의 값을 구하시오.

유형 4 극값이 주어진 경우의 부정적분

24

중요

함수 $y=f(x)$의 도함수 $y=f'(x)$는 이차함수이고, $y=f'(x)$의 그래프가 그림과 같다. $y=f(x)$의 극댓값이 4, 극솟값이 0일 때, $f(1)$의 값은?

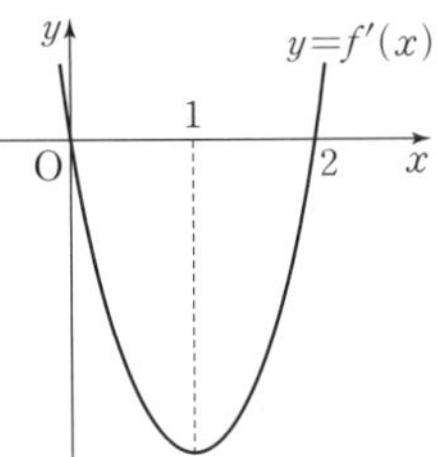

① 1 ② 2
③ 3 ④ 4
⑤ 5

25

삼차함수 $y=f(x)$가 다음 조건을 만족시킬 때, 함수 $y=f(x)$의 극솟값을 구하시오.

> (가) 두 점 $\mathrm{A}(1,\ 1)$, $\mathrm{B}(3,\ 0)$을 지난다.
> (나) $x=-1$에서 극솟값을 갖고, $x=2$에서 극댓값을 갖는다.

26

사차함수 $y=f(x)$의 도함수 $y=f'(x)$의 그래프가 그림과 같다. 함수 $y=f(x)$의 극댓값이 0이고, 극솟값이 -16일 때, $f(-1)$의 값을 구하시오.

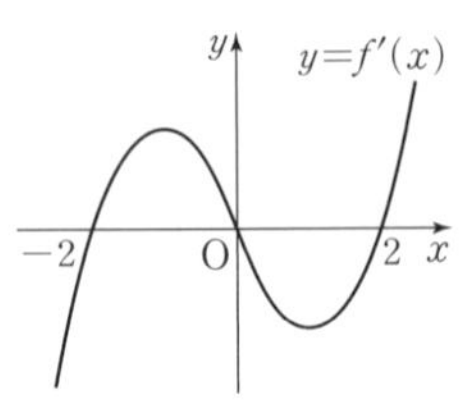

유형 5 함수 $y=f(x)$와 그 부정적분 $y=F(x)$ 사이의 관계

27

다항함수 $y=f(x)$와 그 부정적분 $y=F(x)$ 사이에

$$F(x)+\int xf(x)\,dx=2x^3+2x^2-2x+C$$

인 관계가 성립할 때, $f(5)$의 값은? (단, C는 적분상수이다.)

① 22 ② 24 ③ 26
④ 28 ⑤ 30

중요
28

다항함수 $y=f(x)$의 부정적분 중의 하나인 $y=F(x)$에 대하여

$$xf(x)=F(x)-3x^3(x-2)$$

인 관계가 성립한다. $f(0)=2$일 때, $f'(1)+f(1)$의 값을 구하시오.

29

다항함수 $y=f(x)$와 그 부정적분 $y=F(x)$에 대하여

$$(x-1)f(x)-F(x)=x^3-x^2-x$$

인 관계가 성립한다. $f(1)=3$일 때, $f(3)$의 값을 구하시오.

유형 6 구간별로 정의된 도함수의 부정적분

중요
30

함수 $y=f(x)$의 도함수가 $f'(x)=\begin{cases} 4x-1 & (x\geq 1) \\ k & (x<1) \end{cases}$이고, $f(2)=4$, $f(0)=2$이다. 함수 $y=f(x)$가 $x=1$에서 연속일 때, $f(-2)$의 값은? (단, k는 상수이다.)

① 10 ② 9 ③ 8
④ 7 ⑤ 6

31

실수 전체의 집합에서 연속인 함수 $y=f(x)$의 도함수가 $f'(x)=x+|x+1|$이고 $f(1)=3$일 때, $f(-10)$의 값을 구하시오.

32

함수 $y=f(x)$의 도함수 $y=f'(x)$의 그래프가 그림과 같다. $f(0)=-2$이고 $y=f(x)$가 $x=2$, $x=4$에서 연속일 때, $f(1)+f(3)+f(5)$의 값을 구하시오.

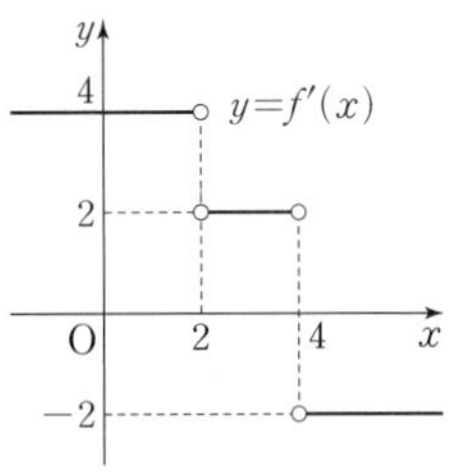

1등급 문제

33
다항함수 $y=f(x)$가 다음 조건을 만족시킬 때, $f(0)$의 값을 구하시오.

(가) $f(x)=\int\left\{\frac{d}{dx}(x^2-4x)\right\}dx$
(나) $0\le x\le 5$에서 $y=\log_2 f(x)$의 최댓값은 4이다.

34
두 다항함수 $y=f(x)$, $y=g(x)$가

$$f(x)=\int xg(x)\,dx,\ \frac{d}{dx}\{f(x)-g(x)\}=4x^3+2x$$

를 만족시킬 때, $g(1)$의 값을 구하시오.

35
다항함수 $y=f(x)$와 $g(x)=x^2+x+1$에 대하여
함수 $y=f(x)+g(x)$가 함수 $y=f(x)-g(x)$의 부정적분이 될 때, $f(1)$의 값은?

① 11 ② 12 ③ 13
④ 14 ⑤ 15

36
두 다항함수 $y=f(x)$, $y=g(x)$에 대하여

$$\int\{f(x)+g(x)\}dx=\frac{1}{3}x^3+2x^2+4x+C,$$
$$f'(x)g(x)+f(x)g'(x)=6x^2+10x+8$$

이다. $g(1)=6$일 때, $|f(2)-g(2)|$의 값을 구하시오.
(단, C는 적분상수이다.)

37
함수 $f(x)=\int(x-2)(x+2)(x^2+4)\,dx$에 대하여

$f(0)=\frac{4}{5}$일 때, $\lim_{x\to 1}\frac{xf(x)-f(1)}{x^2-1}$의 값은?

① -30 ② -25 ③ -20
④ -15 ⑤ -10

38
모든 자연수 n에 대하여 다항함수 $y=f_n(x)$가 $f_n(0)=0$,

$f_n(x)=\int\left(\sum_{k=1}^{n}kx^{k-1}\right)dx$일 때, $f_{10}\left(\frac{1}{2}\right)$의 값을 구하시오.

39

세 다항식 $f(x)$, $g(x)$, $h(x)$에 대하여 $f'(x)=g(x)$, $\int h(x)\,dx=g(x)$이고 $g(x)=x^3-3x+a$이다. $f(x)$가 $h(x)$로 나누어떨어질 때, $f(0)$의 값은? (단, a는 상수이다.)

① $-\frac{7}{4}$　② $-\frac{3}{4}$　③ $\frac{1}{4}$

④ $\frac{5}{4}$　⑤ $\frac{9}{4}$

40

함수 $y=f(x)$가 임의의 실수 t, h에 대하여

$$f(t+h)=f(t)+mt^2h+3th^2+h^3$$

이 성립한다. $f(-1)=0$, $f(1)=2$일 때, $f(2)$의 값은?

(단, m은 상수이다.)

① 3　② 5　③ 7

④ 9　⑤ 11

41

삼차식 $P(x)$가 다음 조건을 만족시킬 때, $P(x)$의 삼차항의 계수를 구하시오.

(가) $P(x)+2$가 $(x-1)^2$으로 나누어떨어진다.
(나) $P(x)-3$이 $(x+1)^2$으로 나누어떨어진다.

42

사차함수 $y=f(x)$의 도함수 $y=f'(x)$의 그래프가 그림과 같다.

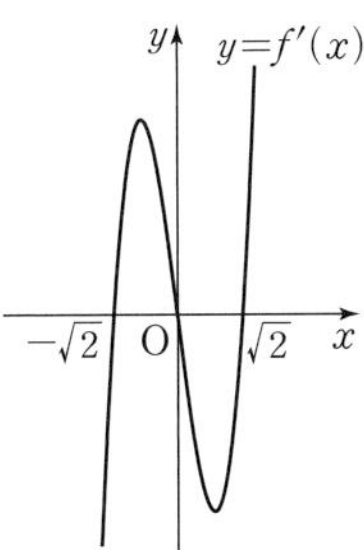

$f(0)=1$, $f(\sqrt{2})=-3$일 때, $f(m)f(m+1)<0$을 만족시키는 모든 정수 m의 값의 합을 구하시오.

43

삼차함수 $y=f(x)$의 극댓값이 $\frac{4}{3}$이고 $f'(x)=x^2-(a+1)x+a$이다. $f(0)=0$일 때, 함수 $y=f(x)$의 극솟값을 구하시오.

(단, $a>1$)

44

모든 실수 x에 대하여 미분가능한 함수 $y=f(x)$의 도함수가 $f'(x)=|x|+|x-1|$일 때, $f(2)-f(-1)$의 값을 구하시오.

45

실수 전체의 집합에서 연속인 함수 $y=f(x)$가 $x<-1$에서 임의의 실수 h에 대하여

$$f(-3+2h)-f(-3)=2h^2-2h$$

를 만족시키고, 함수 $y=f'(x)$의 그래프가 그림과 같다. $f(-2)=-1$일 때, $f(2)$의 값을 구하시오.

(단, 곡선 부분은 이차함수의 일부이다.)

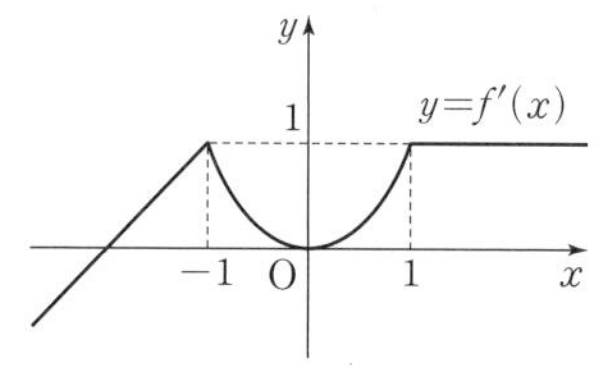

46

함수 $y=f(x)$가 모든 실수에서 연속이고 $|x|\neq2$인 모든 실수 x에 대하여 $f'(x)=\begin{cases}3x^2 & (|x|<2)\\ -1 & (|x|>2)\end{cases}$ 일 때, 〈보기〉에서 옳은 것만을 있는 대로 고른 것은?

보기

ㄱ. 함수 $y=f(x)$는 극값을 갖지 않는다.
ㄴ. $f(0)=-1$이면 $f(3)=6$이다.
ㄷ. 모든 실수 x에 대하여 $f(x)=-f(-x)$이다.

① ㄱ ② ㄴ ③ ㄷ
④ ㄱ, ㄷ ⑤ ㄱ, ㄴ, ㄷ

최고난도 문제

47

최고차항의 계수가 1인 삼차함수 $y=f(x)$가 $f(0)=0$, $f(\alpha)=0$, $f'(\alpha)=0$이고 함수 $y=g(x)$가 다음 조건을 만족시킬 때, $g\left(\frac{\alpha}{3}\right)$의 값을 구하시오. (단, α는 양수이다.)

(가) $g'(x)=f(x)+xf'(x)$
(나) $y=g(x)$의 극댓값이 81이고 극솟값이 0이다.

48

이차함수 $y=f(x)$에 대하여 함수 $y=g(x)$가

$$g(x)=\int\{x^2+f(x)\}dx,\ f(x)g(x)=-2x^4+8x^3$$

을 만족시킬 때, $g(1)$의 값을 구하시오.

09 정적분

제 목		문항 번호	문항 수	확인
쌤이 꼭 내는 기본 문제		01~08	8	
유형 문제	❶ 정적분의 정의	09~14	6	
	❷ 적분과 미분의 관계	15~17	3	
	❸ 정적분의 성질	18~23	6	
	❹ 구간별로 주어진 함수의 정적분	24~26	3	
	❺ 그래프로 주어진 함수의 정적분	27~29	3	
	❻ 절댓값 기호를 포함한 함수의 정적분	30~32	3	
1등급 문제		33~48	16	

09 정적분

1 정적분의 정의

(1) 구간 $[a, b]$에서 연속인 함수 $y=f(x)$의 한 부정적분을 $y=F(x)$라 할 때,

$$\int_a^b f(x)dx=\Big[F(x)\Big]_a^b=F(b)-F(a)$$

이다. 이때 $\int_a^b f(x)dx$의 값 $F(b)-F(a)$를 $y=f(x)$의 a에서 b까지의 정적분이라고 한다.

(2) 함수 $y=f(x)$가 구간 $[a, b]$에서 연속이고 $f(x)\geq 0$이면 정적분 $\int_a^b f(x)dx$는 곡선 $y=f(x)$와 x축 및 두 직선 $x=a$, $x=b$로 둘러싸인 도형의 넓이를 나타낸다.

참고 함수 $y=f(x)$가 구간 $[a, b]$에서 연속이고 양, 음의 값을 모두 가지면

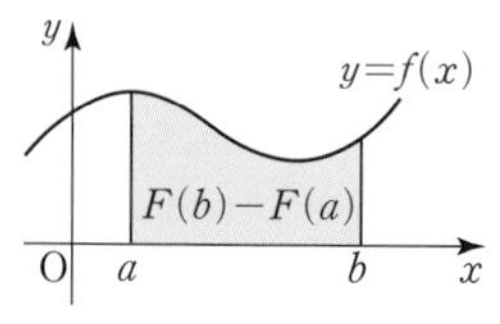

$$\int_a^b f(x)dx=\{(x\text{축 위쪽의 넓이})-(x\text{축 아래쪽의 넓이})\}$$
$$=S_1-S_2$$

개념 플러스

- 정적분의 기본 정의
  (1) $a=b$일 때, $\int_a^b f(x)dx=0$
  (2) $a>b$일 때, $\int_a^b f(x)dx=-\int_b^a f(x)dx$

2 적분과 미분의 관계

함수 $y=f(t)$가 구간 $[a, b]$에서 연속이고 $a\leq x\leq b$일 때,

$$\frac{d}{dx}\int_a^x f(t)\,dt=f(x)$$

- 아래끝의 상수가 달라도 미분 결과는 같다. 즉, $a\neq b$일 때,
  $\frac{d}{dx}\int_a^x f(t)dt=\frac{d}{dx}\int_b^x f(t)dt$

3 정적분의 성질

세 실수 a, b, c를 포함하는 구간에서 두 함수 $y=f(x)$, $y=g(x)$가 연속일 때,

(1) $\int_a^b kf(x)\,dx=k\int_a^b f(x)\,dx$ (단, k는 상수이다.)

(2) $\int_a^b \{f(x)+g(x)\}dx=\int_a^b f(x)\,dx+\int_a^b g(x)\,dx$

(3) $\int_a^b \{f(x)-g(x)\}dx=\int_a^b f(x)\,dx-\int_a^b g(x)\,dx$

(4) $\int_a^b f(x)\,dx=\int_a^c f(x)\,dx+\int_c^b f(x)\,dx$

- 변수를 x 대신에 다른 문자를 사용하여 나타내어도 정적분의 값은 변하지 않는다.
  $\int_a^b f(x)dx=\int_a^b f(y)dy=\int_a^b f(t)dt$
- 정적분 $\int_a^b |f(x)|dx$와 같이 절댓값을 포함한 함수의 정적분은 절댓값 기호 안의 식의 값이 0이 되게 하는 x의 값을 경계로 적분 구간을 나누어 구한다. 즉,
  $\int_a^b |f(x)|dx$
  $=\int_a^c \{-f(x)\}dx+\int_c^b f(x)dx$

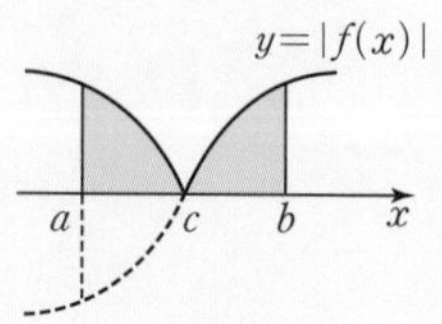

01

정적분 $\int_0^1 18(x^2-1)(x^2+1)(x^4+1)\,dx$의 값은?

① -16 ② -14 ③ -12
④ -10 ⑤ -8

02

그림의 색칠한 부분의 넓이를 정적분을 이용하여 구하시오.

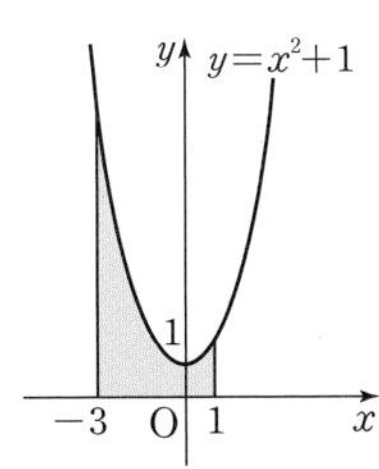

03

모든 실수 x에 대하여 미분가능한 함수 $y=f(x)$가
$\int_0^x f(t)\,dt=x^3+3x$를 만족시킬 때, $f'(2)$의 값을 구하시오.

04

모든 실수 x에 대하여 함수 $y=f(x)$가
$\int_3^x f(t)\,dt=x^2-2x+a$를 만족시킬 때, $a+f(4)$의 값을 구하시오. (단, a는 상수이다.)

05

정적분 $\int_0^2 (2x^2+1)\,dx-2\int_0^2 (x-1)^2\,dx$의 값을 구하시오.

06

정적분 $\int_{-1}^0 (3x^2-2)\,dx+\int_0^2 (3t^2-2)\,dt$의 값은?

① 1 ② 2 ③ 3
④ 4 ⑤ 5

07

함수 $f(x)=6x^2+2x+1$에 대하여 정적분

$$\int_2^4 f(x)dx-\int_3^4 f(x)dx+\int_1^2 f(x)dx$$

의 값을 구하시오.

08

정적분 $\int_{-2}^2 |x^2-2x|\,dx$의 값을 구하시오.

유형 1 정적분의 정의

09

정적분 $\int_{1}^{3} \frac{y^3-1}{y-1}dy$의 값은?

① $\frac{40}{3}$ ② 14 ③ $\frac{44}{3}$

④ $\frac{46}{3}$ ⑤ 16

10

$\int_{1}^{a}(2x+a)\,dx=14$를 만족시키는 양수 a의 값을 구하시오.

11

그림의 색칠한 부분의 넓이를 정적분을 이용하여 구하시오.

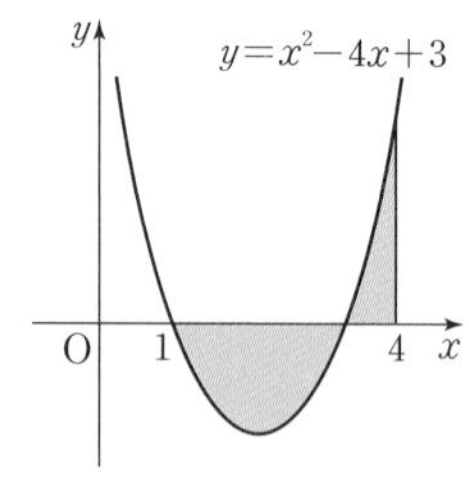

중요
12

미분가능한 함수 $y=f(x)$가 모든 실수 x에 대하여

$$\int_{a}^{x} tf(t)\,dt=x^3-2x^2-3x$$

를 만족시킬 때, 양수 a의 값을 구하시오.

13

곡선 $y=f(x)$ 위의 임의의 점 (x, y)에서의 접선의 기울기가 $2x-1$이고 $\int_{0}^{2} f(x)dx=\frac{8}{3}$일 때, $f(1)$의 값은?

① -1 ② 0 ③ 1

④ 2 ⑤ 3

중요
14

이차함수 $f(x)=ax^2+bx$가 다음 조건을 만족시킬 때, $f(2)$의 값을 구하시오. (단, a, b는 상수이다.)

(가) $\lim_{x\to 1}\frac{f(x)-f(1)}{x^2-1}=-5$

(나) $\int_{0}^{1} f(x)dx=-3$

유형 2 적분과 미분의 관계

15

다항함수 $y=f(x)$가 모든 실수 x에 대하여

$$\int_a^x f(t)dt=x^3-6x^2+9x+16$$

을 만족시킬 때, 방정식 $f(x)=0$의 두 근을 α, β라 하자.

$\int_\beta^\alpha f(x)dx$의 값을 구하시오. (단, a는 상수이고, $\alpha<\beta$이다.)

16

다항함수 $y=f(x)$가 임의의 실수 x에 대하여

$$\int_2^x f(t)dt=x^3-x^2+ax+b$$

를 만족시키고 $f(1)=2$일 때, $a+b$의 값을 구하시오.

(단, a, b는 상수이다.)

17

함수 $f(t)=\int_0^t (3x^2-4x-3)\,dx$에 대하여 두 함수 $y=g(x)$, $y=h(x)$가 각각 다음과 같다.

$$g(x)=\frac{d}{dx}\int_a^x f(t)\,dt,\ h(x)=\int_a^x \left\{\frac{d}{dt}f(t)\right\}dt$$

$g(x)-h(x)=0$을 만족시키는 양수 a의 값은?

① 1 ② 2 ③ 3
④ 4 ⑤ 5

유형 3 정적분의 성질

18 (중요)

정적분 $\int_0^3 \frac{x^3}{x+1}\,dx-\int_3^0 \frac{1}{t+1}\,dt$의 값을 구하시오.

19

등식 $\int_1^n (x+1)^2\,dx+\int_n^1 (x-1)^2\,dx=16$을 만족시키는 자연수 n의 값을 구하시오.

20

정적분 $\int_0^3 (6x+4)\,dx-\int_a^3 (6x+4)\,dx$의 값이 20일 때, 상수 a의 값은? (단, $0<a<3$)

① $\frac{1}{2}$ ② 1 ③ $\frac{3}{2}$
④ 2 ⑤ $\frac{5}{2}$

중요
21

실수 전체의 집합에서 연속인 함수 $y=f(x)$에 대하여

$$\int_{-1}^{2} f(x)dx=5,\ \int_{1}^{3} f(x)dx=10,\ \int_{1}^{2} f(x)dx=12$$

일 때, 정적분 $\int_{-1}^{3} f(x)dx$의 값을 구하시오.

22

함수 $f(x)=2x-3$에 대하여 $\sum_{n=0}^{a}\int_{n}^{n+1} f(x)dx=10$을 만족시킬 때, 양수 a의 값은?

① 5　② 4　③ 3
④ 2　⑤ 1

23

실수 전체의 집합에서 연속인 함수 $y=f(x)$가

$\int_{a}^{b} f(x)\,dx-\int_{-b}^{-a} f(x)\,dx=0$을 만족시킨다.

$\int_{1}^{3} f(x)\,dx=10,\ \int_{-3}^{-2} f(x)\,dx=20$일 때,

정적분 $\int_{1}^{2} f(x)\,dx$의 값을 구하시오. (단, a, b는 실수이다.)

유형 4 구간별로 주어진 함수의 정적분

24

함수 $f(x)=\begin{cases} x^2+2 & (x\le 0) \\ 2-x & (x>0) \end{cases}$일 때, 정적분 $\int_{-1}^{1} f(x)dx$의 값은?

① $\frac{7}{2}$　② $\frac{23}{6}$　③ $\frac{25}{6}$
④ $\frac{9}{2}$　⑤ $\frac{29}{6}$

중요
25

함수 $f(x)=\begin{cases} 2x+a & (x<0) \\ 5 & (0\le x<1) \\ -3x^2+b & (x\ge 1) \end{cases}$가 모든 실수 x에 대하여 연속일 때, 정적분 $\int_{-1}^{3} f(x)dx$의 값을 구하시오.

(단, a, b는 상수이다.)

26

함수 $f(x)=\begin{cases} x^2 & (x\le 1) \\ 2-x & (x>1) \end{cases}$일 때, 정적분 $\int_{1}^{3} f(x-1)dx$의 값을 구하시오.

유형 5 그래프로 주어진 함수의 정적분

27

함수 $y=f(x)$의 그래프가 그림과 같을 때, 정적분 $\int_{-1}^{2} f(x)dx$의 값을 구하시오.

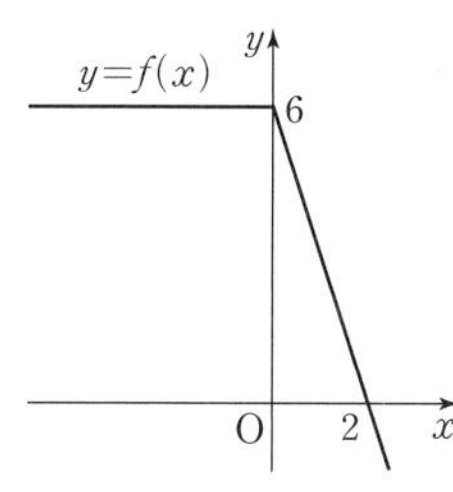

28

실수 전체의 집합에서 연속인 함수 $y=f(x)$의 도함수 $y=f'(x)$의 그래프가 그림과 같고, $f(1)=1$을 만족시킬 때, 정적분 $\int_{0}^{3} f(x)dx$의 값은?

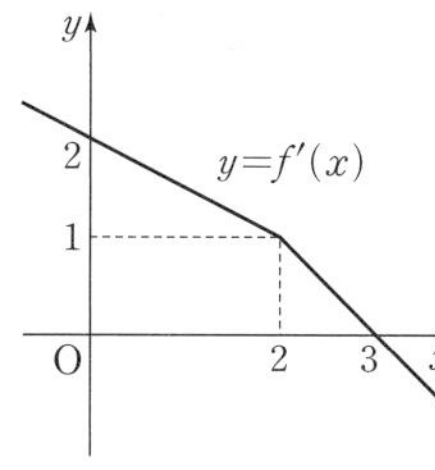

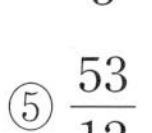

① $\frac{41}{12}$ ② $\frac{11}{3}$ ③ $\frac{47}{12}$
④ $\frac{25}{6}$ ⑤ $\frac{53}{12}$

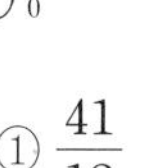

29 (중요)

함수 $y=f(x)$의 그래프가 그림과 같을 때, 정적분 $\int_{1}^{3} xf(x-1)dx$의 값을 구하시오.

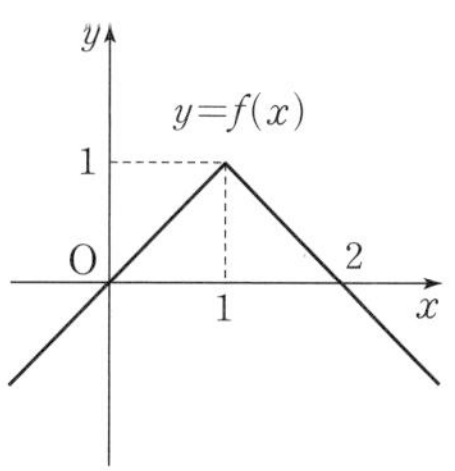

유형 6 절댓값 기호를 포함한 함수의 정적분

30 (중요)

함수 $f(x)=3x+|x-1|$에 대하여 정적분 $\int_{-2}^{2} f(x)dx$의 값은?

① 1 ② 2 ③ 3
④ 4 ⑤ 5

31

실수 전체의 집합에서 연속인 함수 $y=f(x)$가

$$f(0)=0,\ f'(x)=x+|x-1|$$

을 만족시킬 때, $\int_{0}^{2} f(x)dx$의 값은?

① $\frac{4}{3}$ ② $\frac{3}{2}$ ③ $\frac{7}{3}$
④ $\frac{5}{2}$ ⑤ $\frac{11}{3}$

32

정적분 $\int_{0}^{1} |x^2-a^2|\,dx=\frac{4}{3}a^3$일 때, 상수 a의 값을 구하시오.

(단, $0<a<1$)

1등급 문제

33

$\sum_{n=1}^{100}\int_0^1 (1-x)x^{n-1}\,dx$의 값은?

① $\frac{1}{101}$　② $\frac{10}{101}$　③ $\frac{11}{101}$
④ $\frac{100}{101}$　⑤ 1

34

함수 $f(x)=x^3$의 그래프를 x축의 방향으로 a만큼, y축의 방향으로 b만큼 평행이동하였더니 함수 $y=g(x)$의 그래프가 되었다. $g(0)=0$이고 $\int_a^{3a} g(x)dx=\int_0^{2a} f(x)dx+64$일 때, a^4의 값을 구하시오.

35

그림은 삼차함수 $y=f(x)$의 도함수 $y=f'(x)$의 그래프의 개형이다. $f(0)=f(3)=0$일 때, $\int_0^n f(x)\,dx$의 값이 최대가 되게 하는 n의 값을 구하시오.

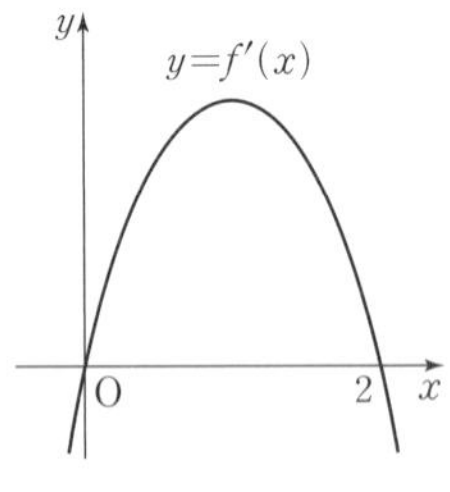

36

최고차항의 계수가 1이고 다음 조건을 만족시키는 모든 삼차함수 $y=f(x)$에 대하여 $\int_0^3 f(x)dx$의 최솟값을 m이라 할 때, $4m$의 값을 구하시오.

> (가) $f(0)=0$
> (나) 모든 실수 x에 대하여 $f'(2-x)=f'(2+x)$이다.
> (다) 모든 실수 x에 대하여 $f'(x)\ge -3$이다.

37

두 다항함수 $y=f(x)$, $y=g(x)$가 모든 실수 x에 대하여 다음 조건을 만족시킨다.

> (가) $f(x)g(x)=x^3+3x^2-x-3$
> (나) $f'(x)=1$
> (다) $g(x)=2\int_1^x f(t)dt$

정적분 $\int_0^3 3g(x)dx$의 값을 구하시오.

38

삼차함수 $y=f(x)$와 이차함수 $y=g(x)$에 대하여

$f(-1)=g(-1)$, $f(1)=g(1)$,
$f(2)=g(2)$, $f(3)=g(3)+2$

가 성립할 때, 정적분

$\int_{-1}^0 \{f(x)-g(x)\}dx-\int_1^0 \{f(x)-g(x)\}dx$의 값을 구하시오.

39

음이 아닌 두 실수 a, b에 대하여 연산 $a*b$를

$$a*b=\begin{cases}\dfrac{a-b}{2} & (a<b)\\ \sqrt{ab} & (a\geq b)\end{cases}$$

로 정의할 때, 정적분 $\int_0^2 (x*x^3)\,dx$의 값을 구하시오.

40

$x=-1$에서 미분가능한 함수

$$f(x)=\begin{cases}ax^3+2x^2-3 & (x\geq -1)\\ x^2+bx & (x<-1)\end{cases}$$

에 대하여 $\int_{-2}^{2} f(x)\,dx=c$일 때, abc의 값을 구하시오.

(단, a, b, c는 상수이다.)

41

$-2\leq x\leq 10$에서 함수 $y=f(x)$의 그래프가 그림과 같다.

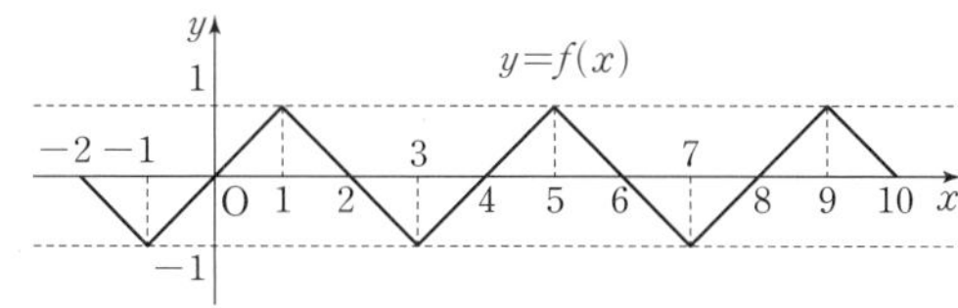

$g(x)=\int_x^{x+3} f(t)\,dt$ $(-2\leq x\leq 7)$에 대하여 〈보기〉에서 옳은 것만을 있는 대로 고르시오.

보기

ㄱ. $g(-1)=\dfrac{1}{2}$

ㄴ. 함수 $y=g(x)$가 최댓값을 갖게 되는 x의 값은 2개이다.

ㄷ. $g(x)\leq\dfrac{1}{2}$

42

양수 a에 대하여 삼차함수 $f(x)=-x(x+a)(x-a)$의 극대인 점의 x좌표를 b라 하자.

$$\int_{-b}^{a} f(x)dx=4,\ \int_{b}^{a+b} f(x-b)dx=9$$

일 때, 정적분 $\int_{-b}^{a} |f(x)|\,dx$의 값을 구하시오.

43

함수 $y=f(x)$가 $x=1$에서 극댓값 2, $x=4$에서 극솟값 -4를 갖고, 함수 $y=f(x)$의 그래프가 그림과 같을 때, 정적분 $\int_0^4 |f'(x)|\,dx$의 값을 구하시오.

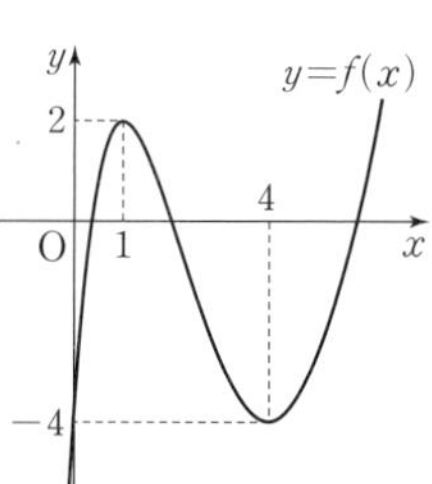

44

함수 $f(x)=|x+2|+|x|+|x-2|$의 최솟값 a에 대하여 정적분 $\int_0^a f(x)dx$의 값은?

① 20 ② 22 ③ 24 ④ 26 ⑤ 28

45

자연수 n에 대하여 함수 $f(n)=\int_0^{2n}|x-n|dx$일 때,

$\frac{f(1)+f(2)+f(3)+\cdots+f(9)}{9}$의 값은?

① 30 ② $\frac{92}{3}$ ③ 31

④ $\frac{95}{3}$ ⑤ 32

46

이차함수 $y=f(x)$가 $f(1)=0$이고 다음 조건을 만족시킨다.

(가) $\int_1^4|f(x)|dx=-\int_1^4 f(x)dx=9$

(나) $\int_4^6|f(x)|dx=\int_4^6 f(x)dx$

$f(-1)$의 값을 구하시오.

최고난도 문제

47

실수 전체의 집합에서 미분가능한 함수 $y=f(x)$가

$$f(x)=\begin{cases}-x^2+9 & (x\le 1)\\ ax^2+bx+c & (x>1)\end{cases}$$

이고, 구간 $[-3, 3]$에서 $-2\le f'(x)\le 6$일 때,

$\int_0^3 f(x)dx$의 최댓값을 구하시오.

(단, $a\ne 0$이고, a, b, c는 상수이다.)

48

다항함수 $y=f(x)$가 다음 조건을 만족시킨다.

(가) $\lim_{x\to\infty}\frac{f(x)}{x^4}=1$ (나) $f(1)=f'(1)=1$

$-1\le n\le 4$인 정수 n에 대하여 함수 $y=g(x)$를

$$g(x)=f(x-n)+n\ (n\le x<n+1)$$

이라 하자. 함수 $y=g(x)$가 구간 $(-1, 5)$에서 미분가능할 때,

$\int_0^4 g(x)\,dx=\frac{q}{p}$이다. $p+q$의 값을 구하시오.

(단, p, q는 서로소인 자연수이다.)

10 정적분의 응용

제 목		문항 번호	문항 수	확인
쌤이 꼭 내는 기본 문제		01～08	8	
유형 문제	❶ 우함수와 기함수의 정적분	09～11	3	
	❷ 주기함수의 정적분	12～14	3	
	❸ 직선 $x=k$에 대하여 대칭인 함수의 정적분	15～17	3	
	❹ 정적분을 포함한 등식 – 적분 구간이 상수인 경우	18～20	3	
	❺ 정적분을 포함한 등식 – 적분 구간이 변수인 경우	21～26	6	
	❻ 정적분을 포함한 등식 – $\int_a^x (x-t)f(t)dt$ 꼴	27～29	3	
	❼ 정적분을 포함한 극한값의 계산	30～32	3	
1등급 문제		33～47	15	

10 정적분의 응용

1 우함수와 기함수의 정적분

함수 $y=f(x)$가 구간 $[-a, a]$에서 연속이고

(1) $f(-x)=f(x)$일 때, $\int_{-a}^{a} f(x)dx=2\int_{0}^{a} f(x)dx$ ← 우함수

(2) $f(-x)=-f(x)$일 때, $\int_{-a}^{a} f(x)dx=0$ ← 기함수

참고 (1) 우함수의 그래프 (y축에 대하여 대칭)

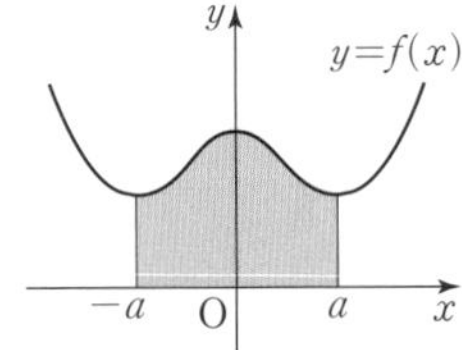

(2) 기함수의 그래프 (원점에 대하여 대칭)

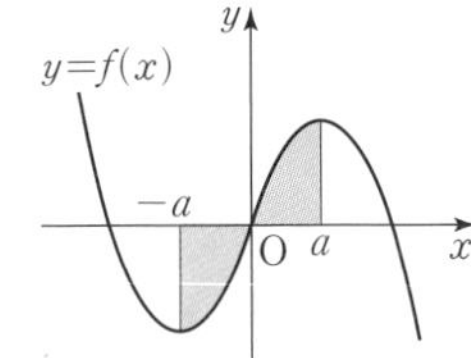

2 주기함수의 정적분

함수 $y=f(x)$가 임의의 실수 x에 대하여

$f(x+p)=f(x)$ (p는 0이 아닌 상수)일 때,

(1) $\int_{a+np}^{b+np} f(x)dx=\int_{a}^{b} f(x)dx$ (단, n은 정수이다.)

(2) $\int_{a}^{a+np} f(x)dx=n\int_{0}^{p} f(x)dx$ (단, n은 정수이다.)

참고 주기함수의 그래프

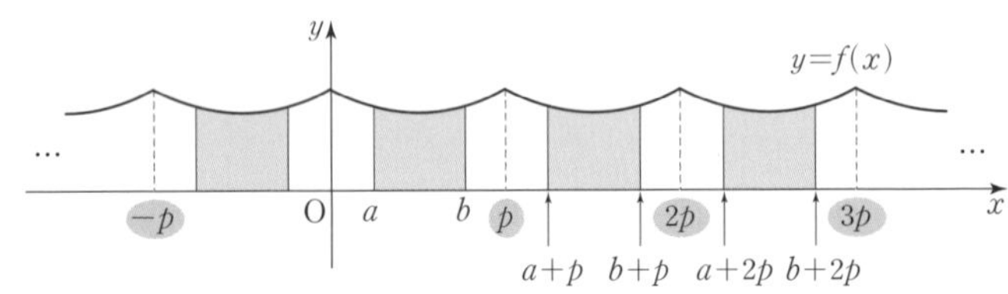

3 정적분으로 정의된 함수의 미분

(1) $\frac{d}{dx}\int_{a}^{x} f(t)dt=f(x)$ (단, a는 상수이다.)

(2) $\frac{d}{dx}\int_{x}^{x+a} f(t)dt=f(x+a)-f(x)$ (단, a는 상수이다.)

4 정적분으로 정의된 함수의 극한

(1) $\lim_{x\to a}\frac{1}{x-a}\int_{a}^{x} f(t)\,dt=f(a)$

(2) $\lim_{x\to 0}\frac{1}{x}\int_{a}^{x+a} f(t)\,dt=f(a)$

개념 플러스

- 다항함수는 모든 항이 짝수차이면 우함수, 홀수 차이면 기함수이다.
  (1) (우함수)×(우함수)=(우함수)
  (2) (우함수)×(기함수)=(기함수)
  (3) (기함수)×(기함수)=(우함수)

- 함수 $y=f(x)$에 대하여 $f(x+p)=f(x)$ (p는 0이 아닌 상수)가 성립할 때, 함수 $y=f(x)$를 주기함수라 하고 위의 식을 만족시키는 최소의 양수를 주기라고 한다.
  ⇨ $f(x+4)=f(x)$를 만족시키는 함수의 주기를 4라고 할 수는 없다. 주기가 2인 경우도 $f(x+4)=f(x)$를 만족시키기 때문이다.

- $f(k+x)=f(k-x)$ 또는 $f(2k-x)=f(x)$이면 함수 $y=f(x)$는 직선 $x=k$에 대하여 대칭이다.

- 모든 실수 x에서 연속인 함수 $y=f(x)$에 대하여 함수 $y=f(x-m)$의 그래프는 함수 $y=f(x)$의 그래프를 x축의 방향으로 m만큼 평행이동한 것이므로

  $\int_{a+m}^{b+m} f(x-m)\,dx=\int_{a}^{b} f(x)\,dx$

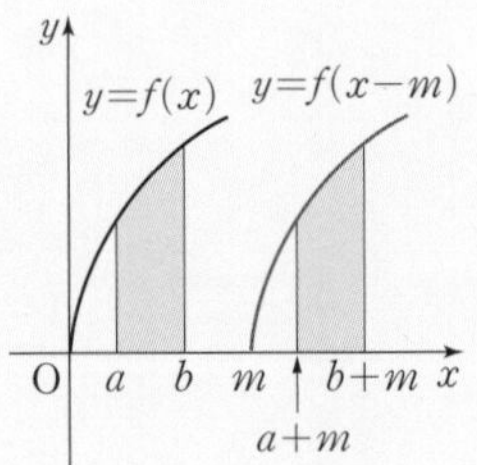

- 함수 $y=f(x)$가 다음과 같은 꼴로 주어질 때,
  (1) $f(x)=g(x)+\int_{a}^{b} f(t)dt$ 꼴
  ⇨ $\int_{a}^{b} f(t)\,dt=$(상수)이므로 $f(x)=g(x)+k$ 꼴로 변형한다. (단, k는 상수)
  (2) $\int_{a}^{x} f(t)dt=g(x)$ 꼴 (단, a는 상수)
  ⇨ 양변을 x에 대하여 미분하여 $f(x)=g'(x)$ 꼴로 변형한다.

정답 및 해설 082쪽

01

정적분 $\int_{-1}^{1}(1+2x+3x^2+\cdots+10x^9)\,dx$의 값을 구하시오.

02

실수 전체의 집합에서 연속인 함수 $y=f(x)$가 모든 실수 x에 대하여

$$f(x+3)=f(x),\ \int_{1}^{4}f(x)dx=4$$

를 만족시킬 때, 정적분 $\int_{1}^{16}f(x)dx$의 값을 구하시오.

03

함수 $f(x)=3x^2+4x+\int_{0}^{2}f(t)dt$일 때, $f(3)$의 값은?

① 20 ② 21 ③ 22
④ 23 ⑤ 24

04

다항함수 $y=f(x)$가 $\int_{1}^{x}f(t)dt=3x^2-2x+a$를 만족시킬 때, $a+f(0)$의 값을 구하시오. (단, a는 상수이다.)

05

함수 $f(x)=\int_{-2}^{x}(t^2+t-2)\,dt$가 극값을 가질 때의 x의 값의 합은?

① -2 ② -1 ③ 0
④ 1 ⑤ 2

06

$-3\leq x\leq 3$에서 함수 $f(x)=\int_{0}^{x}t^2(t-2)\,dt$의 최솟값을 구하시오.

07

$\int_{1}^{x}(x-t)f(t)dt=x^3-x^2-x+1$을 만족시키는 미분가능한 함수 $y=f(x)$에 대하여 $f(1)$의 값을 구하시오.

08

함수 $f(x)=x^2+4x-2$일 때, $\lim_{h\to 0}\frac{1}{h}\int_{1}^{1+3h}f(x)dx$의 값을 구하시오.

유형 1 우함수와 기함수의 정적분

09

정적분 $\int_{-2}^{2}(2x^3+3x^2+2|x|+1)\,dx$의 값은?

① 26 ② 28 ③ 30
④ 32 ⑤ 34

10

상수 a에 대하여

$$\int_{-a}^{1}(x^3+3x^2+2x)\,dx+\int_{1}^{a}(y^3+3y^2+2y)\,dy=\frac{1}{4}$$

일 때, $50a$의 값을 구하시오.

11 (중요)

다항함수 $y=f(x)$가 모든 실수 x에 대하여

$$f(-x)=-f(x),\ \int_{0}^{2}xf(x)\,dx=\frac{5}{2}$$

를 만족시킬 때, 정적분 $\int_{-2}^{2}(x^2+2x-5)f(x)\,dx$의 값을 구하시오.

유형 2 주기함수의 정적분

12

모든 실수 x에서 연속인 함수 $y=f(x)$가

$$f(x+4)=f(x),\ \int_{-2}^{2}f(x)dx=4$$

를 만족시킬 때, 정적분 $\int_{0}^{12}f(x)dx$의 값을 구하시오.

13 (중요)

실수 전체의 집합에서 연속인 함수 $y=f(x)$가

$$f(x)=\begin{cases}-x^2+2x & (0\le x<1)\\ -x+2 & (1\le x<2)\end{cases}$$

이고, 모든 실수 x에 대하여 $f(x-1)=f(x+1)$을 만족시킬 때, $\int_{-6}^{7}f(x)dx$의 값은?

① $\frac{20}{3}$ ② 7 ③ $\frac{22}{3}$
④ $\frac{23}{3}$ ⑤ 8

14

실수 전체의 집합에서 연속인 함수 $y=f(x)$가 임의의 실수 x에 대하여 다음 조건을 만족시킬 때, 정적분 $\int_{-6}^{10}f(x)dx$의 값을 구하시오.

(가) $f(-x)=f(x)$
(나) $f(x+2)=f(x)$
(다) $\int_{-1}^{1}(2x+3)f(x)dx=15$

유형 3 직선 $x=k$에 대하여 대칭인 함수의 정적분

중요

15

모든 실수 x에서 연속인 함수 $y=f(x)$가 다음 조건을 만족시킬 때, 정적분 $\int_0^6 f(x)dx$의 값은?

(가) 모든 실수 x에 대하여 $f(3+x)=f(3-x)$

(나) $\int_3^9 f(x)dx=10$, $\int_{-3}^0 f(x)dx=3$

① 7 ② 10 ③ 12
④ 14 ⑤ 16

16

실수 전체의 집합에서 연속인 함수 $y=f(x)$가 임의의 실수 x에 대하여 다음 조건을 만족시킬 때, $\int_{-3}^5 f(x)dx$의 값을 구하시오.

(가) $2\le x\le 3$일 때, $f(x)=x^2-6x+10$

(나) $f(6-x)=f(x)$

(다) $f(x)=f(x+2)$

17

실수 전체의 집합에서 연속인 함수 $y=f(x)$가 모든 실수 x에 대하여

$$f(x)=f(-x),\ f(2-x)=f(x)$$

이고 $\int_0^1 f(x)dx=2$일 때, 정적분 $\int_0^6 \{x^2+f(x)\}\,dx$의 값을 구하시오.

유형 4 정적분을 포함한 등식 – 적분 구간이 상수인 경우

중요

18

다항함수 $y=f(x)$가 임의의 실수 x에 대하여

$$f(x)=3x^2+\int_0^1 xf(t)dt$$

를 만족시킬 때, $f(2)$의 값을 구하시오.

19

두 함수 $y=f(x)$, $y=g(x)$가

$$f(x)=x^2+\int_{-1}^1 g(t)dt,\ g(x)=x+\int_{-1}^1 f(t)dt$$

를 만족시킬 때, 정적분 $\int_{-1}^1 f(x)dx-\int_{-1}^1 xg(x)dx$의 값은?

① $-\frac{8}{9}$ ② $-\frac{4}{5}$ ③ $-\frac{3}{5}$
④ $-\frac{5}{9}$ ⑤ $-\frac{2}{5}$

20

다항함수 $y=f(x)$가

$$f(x)=3x^2-x+\int_0^1 xf'(x)dx$$

를 만족시킬 때, 정적분 $\int_0^1 f(x)dx$의 값을 구하시오.

유형 5 정적분을 포함한 등식 - 적분 구간이 변수인 경우

21 중요

다항함수 $y=f(x)$에 대하여 $\int_{1}^{x} f(t)dt=2x^3+ax^2-6x$가 성립할 때, $f(2)$의 값은?

① 22　② 26　③ 30　④ 34　⑤ 38

22

다항함수 $y=f(x)$가

$$\int_{1}^{x} xf(t)\,dt=2x^3+ax^2+1+\int_{1}^{x} tf(t)\,dt$$

를 만족시킬 때, 상수 a에 대하여 $f(2)+a$의 값을 구하시오.

23

함수 $f(x)=\int_{x}^{x+2} (t^2-2t)\,dt$일 때, $\int_{0}^{2} x^2 f'(x)dx$의 값을 구하시오.

24

다항함수 $y=f(x)$의 그래프는 점 $(2, 3)$을 지나고,

$$F(x)=\int_{2}^{x} f(t)\,dt$$

이다. 이차함수 $y=F(x)$의 그래프가 그림과 같을 때, $f(0)$의 값은?

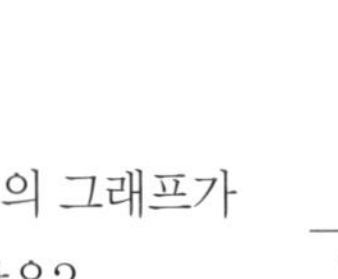

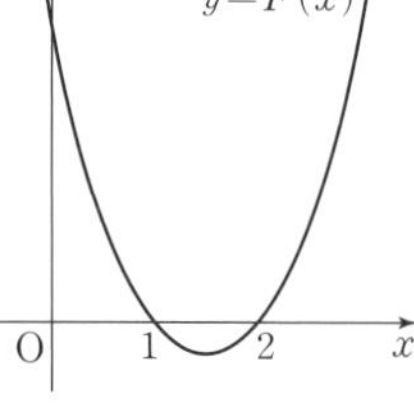

① -10　② -9　③ -8　④ -7　⑤ -6

25 중요

함수 $f(x)=\int_{-3}^{x} (3t^2+at+b)\,dt$가 $x=5$에서 극솟값 -64를 가질 때, 두 상수 a, b에 대하여 $a-b$의 값을 구하시오.

26

이차함수 $y=f(x)$의 그래프가 그림과 같을 때, 함수 $y=g(x)$를 $g(x)=\int_{x}^{x+1} f(t)dt$로 정의하자. 함수 $y=g(x)$의 최솟값이 -13일 때, $f(0)$의 값을 구하시오.

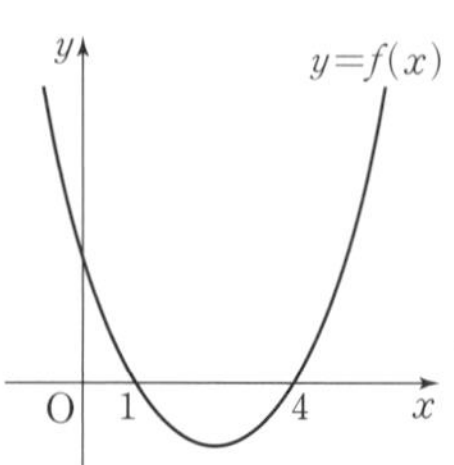

유형 6 정적분을 포함한 등식 - $\int_a^x (x-t)f(t)dt$ 꼴

27

미분가능한 함수 $y=f(x)$가

$$\int_a^x (x-t)f(t)\,dt=x^4-3x^3+5x^2-4x+9$$

를 만족시킬 때, $f(1)$의 값은? (단, a는 상수이다.)

① 1 ② 4 ③ 7
④ 10 ⑤ 13

28

$\int_1^x (x-t)f(t)\,dt=\int_0^x (t^2+at+b)\,dt$를 만족시키는

함수 $y=f(x)$에 대하여 $f(3)$의 값을 구하시오.

(단, a, b는 상수이다.)

29

모든 실수 x에 대하여 함수 $y=f(x)$가

$$\int_0^x (x-t)f(t)\,dt=\frac{1}{8}x^4+5x^2$$

을 만족시킬 때, 함수 $y=f(x)$의 최솟값을 구하시오.

유형 7 정적분을 포함한 극한값의 계산

30

$\lim_{h\to 0}\frac{1}{h}\int_{2-h}^{2+3h}(x^2+3x-1)\,dx$의 값은?

① 27 ② 30 ③ 33
④ 36 ⑤ 39

중요

31

함수 $f(t)=t^3+2t^2-3t+1$일 때, $\lim_{x\to 1}\frac{1}{x-1}\int_1^{x^3} f(t)dt$의 값을 구하시오.

32

함수 $f(x)=2x^2+x+a$에 대하여

$\lim_{x\to 0}\frac{1}{x}\int_{1-2x}^{1+x} f(t)dt=3$일 때, 상수 a의 값을 구하시오.

1등급 문제

33

두 다항함수 $y=f(x)$, $y=g(x)$가 임의의 실수 x에 대하여 다음 조건을 만족시킬 때, $\int_{-2}^{2}\{f(x)+g(x-2)\}\,dx$의 값은?

> (가) $f(-x)=f(x)$, $g(-x)=-g(x)$
> (나) $\int_{0}^{2}f(x)\,dx=5$, $\int_{0}^{4}g(x)\,dx=7$

① 1 ② 2 ③ 3 ④ 4 ⑤ 5

34

실수 전체의 집합에서 연속인 함수 $y=f(x)$가 다음 조건을 만족시킬 때, 정적분 $\int_{-2}^{1}f(x)dx$의 값을 구하시오.

> (가) $\int_{-1}^{2}\{f(x)+f(-x)\}\,dx=22$
> (나) $\int_{1}^{2}\{f(x)-f(-x)\}\,dx=10$

35

실수 전체의 집합에서 연속인 함수 $y=f(x)$가 임의의 실수 x에 대하여 다음 조건을 만족시킨다. $\sum_{n=0}^{300}\int_{n}^{n+1}f(x)\,dx$의 값을 구하시오.

> (가) $0\le x\le 3$일 때, $f(x)=3-2x$
> (나) $f(-x)=f(x)$
> (다) $f(x+6)=f(x)$

36

다항함수 $y=f(x)$가 모든 실수 x에 대하여

$$f(x)+f(6-x)=-3x^2+18x$$

를 만족시킬 때, 정적분 $\int_{0}^{6}f(x)dx$의 값을 구하시오.

37

함수 $f(x)=|x^2-1|+\int_{0}^{2}f(t)dt$일 때, $f(3)$의 값은?

① 0 ② 2 ③ 4 ④ 6 ⑤ 8

38

삼차함수 $f(x)=x^3-3x^2+a$에 대하여 함수

$$F(x)=\int_{0}^{x}f(t)dt$$

가 극댓값을 갖도록 하는 정수 a의 개수를 구하시오.

39

$x\geq -1$일 때, 함수 $f(x)=\int_{-1}^{x}|t|(1-t)dt$의 최댓값을 구하시오.

40

다항식 $f(x)$에 대하여 $f(x)+2x+\int_{2}^{x}f(t)\,dt$가 $(x-2)^2$으로 나누어떨어질 때, $f'(x)$를 $x-2$로 나눈 나머지를 구하시오.

41

$0\leq x\leq 4$에서 함수 $y=f(x)$의 그래프가 그림과 같을 때, 함수

$$g(x)=\int_{0}^{x}f(t)dt\ (0\leq x\leq 4)$$

라 하자. 〈보기〉에서 옳은 것만을 있는 대로 고른 것은? (단, 곡선 $y=f(x)$의 그래프와 x축으로 둘러싸인 부분의 넓이 A, B, C, D는 $A<B<C<D$이다.)

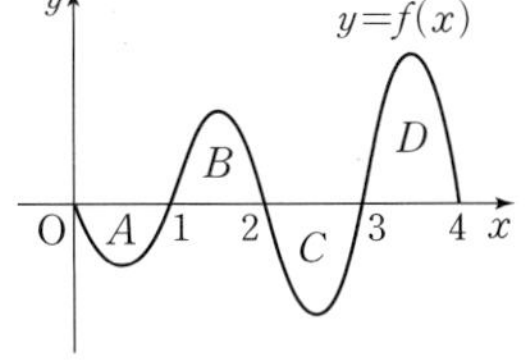

보기

ㄱ. $g'(1)=0$

ㄴ. 함수 $y=g(x)$는 $x=2$에서 극대이다.

ㄷ. 함수 $y=g(x)$는 $x=3$에서 최소이다.

① ㄱ ② ㄴ ③ ㄷ
④ ㄱ, ㄴ ⑤ ㄱ, ㄴ, ㄷ

42

다항함수 $y=f(x)$가 모든 실수 x에 대하여

$$\int_{1}^{x}(x+t)f'(t)dt=2xf(x)-3x^3+2ax^2$$

을 만족시킬 때, $f(a)$의 값은? (단, a는 상수이다.)

① $\frac{91}{2}$ ② $\frac{93}{2}$ ③ $\frac{95}{2}$
④ $\frac{97}{2}$ ⑤ $\frac{99}{2}$

43

미분가능한 함수 $y=f(x)$가

$$\int_{0}^{x}(x-t)f'(t)\,dt=\int_{x-1}^{x+1}(t^3+at)\,dt$$

를 만족시킨다. $f(1)=7$일 때, $f(3)$의 값을 구하시오.

(단, a는 상수이다.)

44

함수 $f(x)=2\int_{0}^{x}(t-1)dt$가 최솟값을 갖도록 하는 x의 값을 a라 할 때, $\lim_{x\to a}\frac{1}{x-a}\int_{a}^{x}f(t)dt$의 값은?

① -2 ② -1 ③ 0
④ 1 ⑤ 2

45

두 다항식 $f(x)$, $g(x)$가 다음과 같다.

$$f(x)=5x^4+4x^3+\int_{-1}^{1}(3x^2-t)f(t)dt$$
$$g(x)=x+\lim_{x\to 1}\frac{1}{x-1}\int_{1}^{x}f(t)dt$$

$g(2)$의 값을 구하시오.

최고난도 문제

46

최고차항의 계수가 1인 삼차함수 $y=f(x)$는 다음 조건을 만족시킨다.

(가) $f(0)=f(6)=0$
(나) 함수 $y=f(x)$의 그래프와 함수 $y=-f(x-k)$의 그래프가 서로 다른 세 점 $(\alpha, f(\alpha))$, $(\beta, f(\beta))$, $(\gamma, f(\gamma))$ $(\alpha<\beta<\gamma)$에서 만나면 k의 값에 관계없이 $\int_{\alpha}^{\gamma}\{f(x)+f(x-k)\}dx=0$이다.

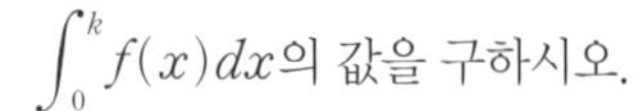

함수 $y=f(x)$의 그래프와 함수 $y=-f(x-k)$의 그래프가 그림과 같이 서로 다른 세 점에서 만나고 가운데 교점의 x좌표가 4일때, $\int_{0}^{k}f(x)dx$의 값을 구하시오.

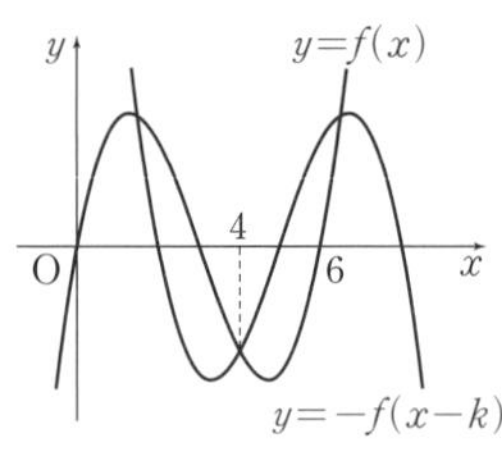

47

최고차항의 계수가 양수인 삼차함수 $y=f(x)$가 다음 조건을 만족시킨다.

(가) 함수 $y=f(x)$는 $x=0$에서 극댓값, $x=k$에서 극솟값을 가진다. (단, k는 상수이다.)
(나) 1보다 큰 모든 실수 t에 대하여 $\int_{0}^{t}|f'(x)|dx=f(t)+f(0)$이다.

〈보기〉에서 옳은 것만을 있는 대로 고르시오.

보기

ㄱ. $\int_{0}^{k}f'(x)dx<0$
ㄴ. $0<k\le 1$
ㄷ. 함수 $y=f(x)$의 극솟값은 0이다.

11 정적분의 활용

제 목		문항 번호	문항 수	확인
쌤이 꼭 내는 기본 문제		01～08	8	
유형 문제	❶ 곡선과 좌표축 사이의 넓이	09～14	6	
	❷ 두 곡선 사이의 넓이	15～20	6	
	❸ 곡선과 접선 사이의 넓이	21～23	3	
	❹ 절댓값 기호를 포함한 함수의 그래프의 넓이	24～26	3	
	❺ 두 부분의 넓이가 같은 경우	27～29	3	
	❻ 역함수의 그래프와 넓이	30～32	3	
	❼ 위치의 변화량	33～35	3	
	❽ 속도와 움직인 거리	36～38	3	
	❾ 그래프에서의 위치와 움직인 거리	39～43	5	
1등급 문제		44～57	14	

11 정적분의 활용

1 곡선과 x축 사이의 넓이

구간 $[a, b]$에서 연속인 곡선 $y=f(x)$와 x축 및 두 직선 $x=a$, $x=b$ $(a<b)$로 둘러싸인 부분의 넓이 S는

$$S=\int_a^b |f(x)|\,dx$$

참고 곡선 $y=a(x-\alpha)(x-\beta)$ $(\alpha<\beta)$와 x축으로 둘러싸인 부분의 넓이 S는

$$S=\int_\alpha^\beta |a(x-\alpha)(x-\beta)|\,dx=\frac{|a|(\beta-\alpha)^3}{6}$$

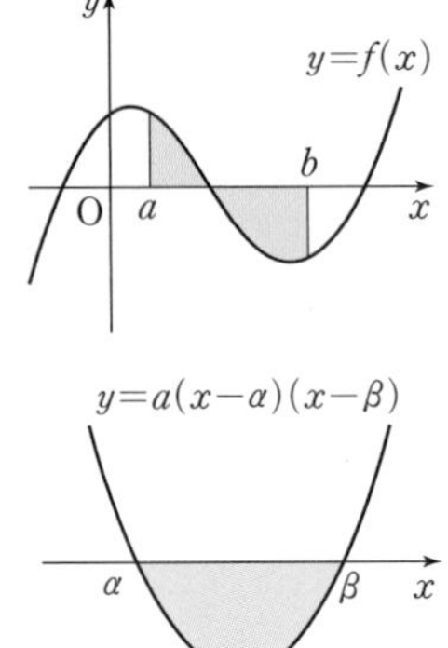

개념 플러스

- 구간 $[a, b]$에서 연속인 곡선 $y=f(x)$에 대하여 $f(x)$의 값이 양수인 경우와 음수인 경우가 있을 때는 $f(x)$의 값이 양수인 구간과 음수인 구간으로 나누어 넓이를 구한다.

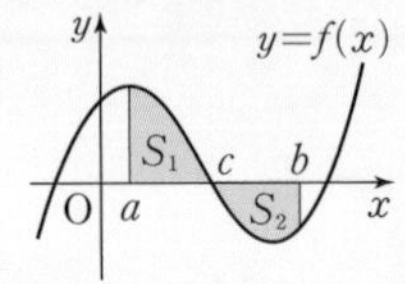

$$S=S_1+S_2=\int_a^c f(x)\,dx+\int_c^b \{-f(x)\}\,dx$$

- **곡선과 y축 사이의 넓이** [교육과정 外]
곡선 $x=g(y)$와 y축으로 둘러싸인 도형의 넓이를 S라 하면

$$S=S_1+S_2=\int_a^b g(y)\,dy-\int_b^c g(y)\,dy$$

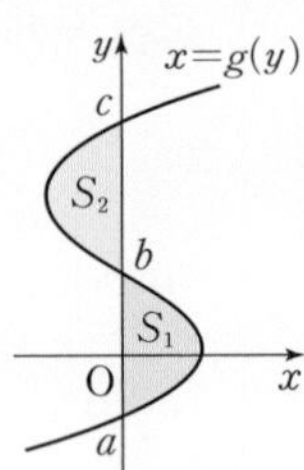

2 두 곡선 사이의 넓이

구간 $[a, b]$에서 연속인 두 곡선 $y=f(x)$, $y=g(x)$와 두 직선 $x=a$, $x=b$ $(a<b)$로 둘러싸인 부분의 넓이 S는

$$S=\int_a^b |f(x)-g(x)|\,dx$$

참고 $S=\int_a^b \{(\text{위 그래프의 식})-(\text{아래 그래프의 식})\}\,dx$

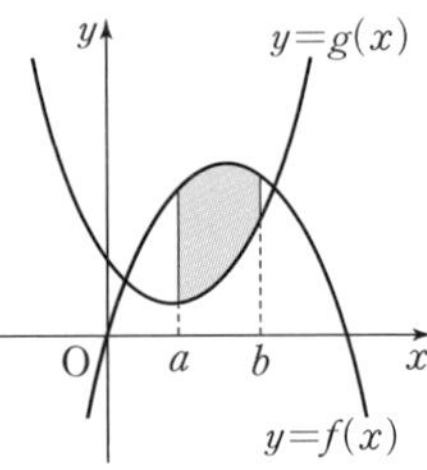

3 수직선 위를 움직이는 점의 위치와 위치의 변화량, 움직인 거리

수직선 위를 움직이는 점 P의 시각 t에서의 속도를 $v(t)$, 시각 $t=a$에서의 위치를 $s(a)$라 할 때,

(1) 시각 t에서의 점 P의 위치 $s(t)$는

➡ $s(t)=s(a)+\int_a^t v(t)\,dt$

(2) 시각 $t=a$에서 $t=b$까지 점 P의 위치의 변화량

➡ $\int_a^b v(t)\,dt$

(3) 시각 $t=a$에서 $t=b$까지 점 P가 움직인 거리 s는

➡ $s=\int_a^b |v(t)|\,dt$

참고 위치 $\underset{\text{적분}}{\overset{\text{미분}}{\rightleftarrows}}$ 속도

- 수직선 위를 움직이는 점 P의 시각 t에서의 속도를 $v(t)$라 할 때,
(1) $v(t)>0$ ⇨ 점 P는 양의 방향으로
(2) $v(t)<0$ ⇨ 점 P는 음의 방향으로
움직인다.

- 시각 $t=a$에서 $t=c$ $(a<b<c)$까지 수직선 위를 움직이는 점 P에 대하여

$t=a$ $t=c$ $t=b$
x_0 x_2 x_1 x

(1) 점 P의 위치의 변화량
⇨ $|x_2-x_0|$
(2) 점 P가 움직인 거리
⇨ $|x_1-x_0|+|x_1-x_2|$

01

그림과 같이 곡선 $y=x^2-4x+3$과 x축 및 두 직선 $x=0$, $x=2$로 둘러싸인 부분의 넓이는?

① 2

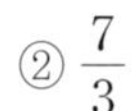
② $\frac{7}{3}$

③ 3

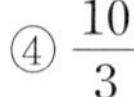
④ $\frac{10}{3}$

⑤ 4

02

곡선 $y=x^2-x$와 직선 $y=2x$로 둘러싸인 부분의 넓이를 구하시오.

03

두 곡선 $y=x^3-3x$, $y=2x^2$으로 둘러싸인 부분의 넓이를 구하시오.

04

곡선 $y=\frac{1}{4}x^2+4$와 이 곡선 위의 점 $(4, 8)$에서의 접선 및 y축으로 둘러싸인 부분의 넓이를 구하시오.

05

곡선 $y=|x^2-9|$와 x축으로 둘러싸인 부분의 넓이를 구하시오.

06

곡선 $y=x(x-4)(x-k)$와 x축으로 둘러싸인 두 부분의 넓이가 같을 때, 상수 k의 값을 구하시오. (단, $k>4$)

07

수직선 위를 움직이는 점 P의 시각 t에서의 속도는 $v(t)=6-2t$이고 $t=0$에서의 점 P의 좌표가 5일 때, $t=4$에서의 점 P의 좌표는?

① 5 ② 7 ③ 9
④ 11 ⑤ 13

08

지상 50 m의 높이에서 49 m/s의 속도로 똑바로 위로 쏘아 올린 로켓의 t초 후의 속도는 $v(t)=49-9.8t$ (m/s)일 때, 이 로켓이 지면에 떨어질 때까지 움직인 거리는?

① 205 m ② 235 m ③ 265 m
④ 295 m ⑤ 325 m

유형 문제

유형 1 곡선과 좌표축 사이의 넓이

09

곡선 $y=x^3-7x+6$과 x축으로 둘러싸인 부분의 넓이는?

① $\frac{61}{2}$ ② $\frac{127}{4}$ ③ $\frac{131}{4}$
④ $\frac{67}{2}$ ⑤ $\frac{139}{4}$

10 (중요)

구간 $[0, 3]$에서 정의된 함수 $y=-x^2+ax\ (a>3)$의 그래프와 x축 및 직선 $x=3$으로 둘러싸인 부분의 넓이가 18일 때, 상수 a의 값을 구하시오.

11

그림은 곡선 $x=(y+1)(y-k)$를 나타낸 것이다. 색칠한 부분의 넓이가 $\frac{9}{2}$일 때, 상수 k의 값을 구하시오.

(단, $k>0$)

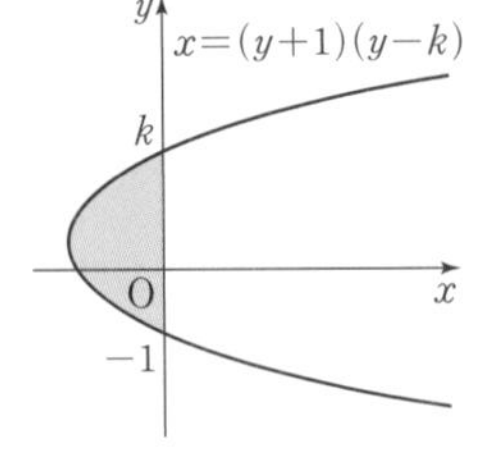

12 (중요)

곡선 $f(x)=x^4-4x^3+5x^2+ax$에 대하여 $x=-1$인 점에서 접선의 기울기가 -28일 때, 곡선 $y=f(x)$와 x축으로 둘러싸인 부분의 넓이를 구하시오. (단, a는 상수이다.)

13

삼차함수 $y=f(x)$의 그래프가 그림과 같을 때, 곡선 $y=f(x)$와 x축 및 직선 $x=-2$로 둘러싸인 두 부분의 넓이를 각각 S_1, S_2라 할 때, $S_1 : S_2$는?

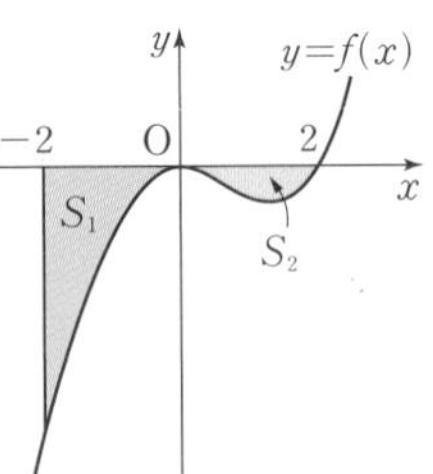

① 7 : 1 ② 6 : 1
③ 4 : 1 ④ 3 : 1
⑤ 2 : 1

14

그림과 같이 곡선 $y=-x^2+4$와 x축 사이에 직사각형을 내접시킬 때, 색칠한 부분의 넓이의 최솟값은?

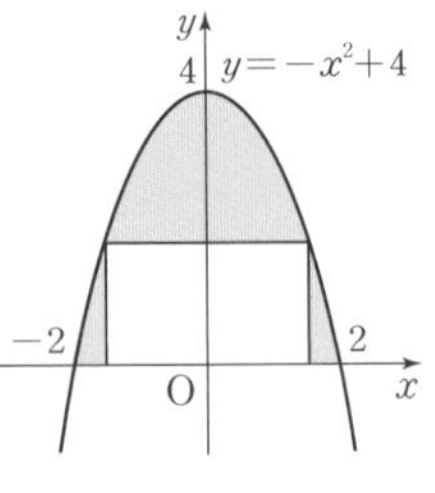

① $\frac{32}{9}(\sqrt{6}-2)$ ② $\frac{32}{9}(3-\sqrt{6})$

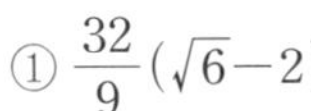

③ $\frac{32}{9}(3-\sqrt{3})$ ④ $\frac{32}{3}(\sqrt{3}-1)$

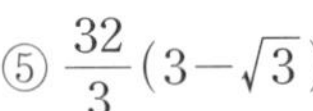

⑤ $\frac{32}{3}(3-\sqrt{3})$

유형 2 두 곡선 사이의 넓이

15

곡선 $y=-x^2+3x$와 직선 $y=-x$로 둘러싸인 부분의 넓이를 S라 할 때, $3S$의 값을 구하시오.

16

그림과 같이 이차함수 $y=f(x)$의 그래프와 직선 $y=g(x)$로 둘러싸인 부분의 넓이는?

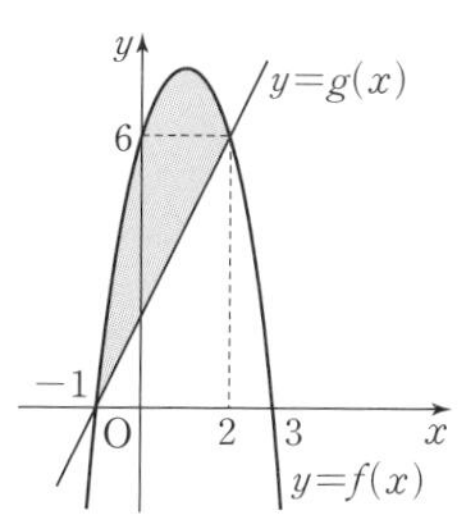

① 3 ② 4 ③ 6 ④ 8 ⑤ 9

중요 **17**

삼차함수 $y=f(x)$와 일차함수 $y=g(x)$의 그래프가 그림과 같다. 색칠한 부분의 넓이가 $\frac{45}{8}$일 때, $f(1)-g(1)$의 값을 구하시오.

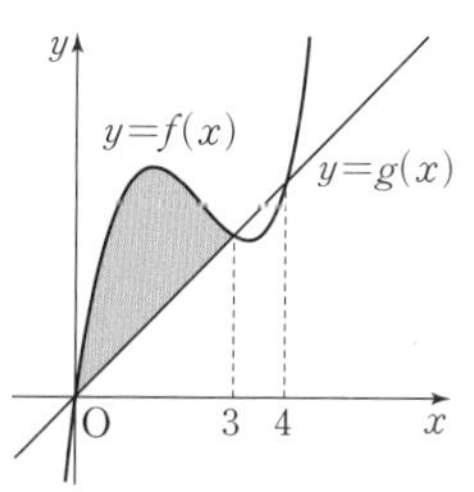

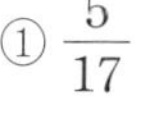

중요 **18**

함수 $f(x)=x^4-2x^2+5$의 극소인 두 점을 각각 A, B라 할 때, 두 점 A, B를 이은 직선과 곡선 $y=f(x)$로 둘러싸인 부분의 넓이를 구하시오.

19

두 상수 a, b에 대하여 두 곡선 $y=x^3+ax+b$, $y=ax^2+bx+1$이 점 $P(-1, k)$에서 서로 접할 때, 두 곡선으로 둘러싸인 부분의 넓이를 구하시오. (단, $a\neq0$)

20

그림과 같이 $x\geq0$에서 두 곡선 $y=x^n$, $y=x^{n+1}$으로 둘러싸인 부분의 넓이를 S_n이라 할 때, $S_2+S_3+S_4+\cdots+S_{100}$의 값은? (단, n은 2 이상의 자연수이다.)

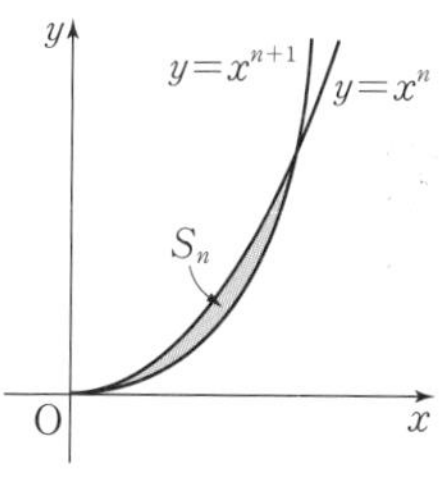

① $\frac{5}{17}$ ② $\frac{31}{102}$ ③ $\frac{16}{51}$ ④ $\frac{11}{34}$ ⑤ $\frac{17}{51}$

유형 3 곡선과 접선 사이의 넓이

중요
21
곡선 $y=x^2-4x+7$ 위의 점 $(3,\ 4)$에서의 접선과 이 곡선 및 y축으로 둘러싸인 부분의 넓이를 구하시오.

22
곡선 $y=x^3+ax+b$와 직선 $y=2x+c$가 점 $(1,\ 0)$에서 접할 때, 이 곡선과 직선으로 둘러싸인 부분의 넓이를 구하시오.

(단, a, b, c는 상수이다.)

23
곡선 $y=2x^2-10x+15$와 점 $(3,\ 1)$에서 이 곡선에 그은 두 개의 접선으로 둘러싸인 부분의 넓이는?

① 1 ② $\frac{4}{3}$ ③ $\frac{5}{3}$
④ 2 ⑤ $\frac{7}{3}$

유형 4 절댓값 기호를 포함한 함수의 그래프의 넓이

24
곡선 $y=|x^2-1|$과 직선 $y=3$으로 둘러싸인 부분의 넓이를 구하시오.

중요
25
곡선 $y=|x(x-1)|$과 직선 $y=2x+4$로 둘러싸인 부분의 넓이를 구하시오.

26
곡선 $y=|x^2-ax|$와 직선 $y=ax$로 둘러싸인 부분의 넓이는?

(단, $a>0$)

① a ② $12a$ ③ a^2
④ $3a^2$ ⑤ a^3

유형 5 두 부분의 넓이가 같은 경우

27

곡선 $y=-x^2-2x$와 x축 및 직선 $x=k$로 둘러싸인 두 부분의 넓이가 같을 때, 상수 k의 값을 구하시오. (단, $k<-2$)

28

함수 $y=-x^3+x-k$의 그래프가 그림과 같고, 두 부분 A, B의 넓이가 서로 같을 때, $81k^2$의 값을 구하시오.

(단, k는 상수이다.)

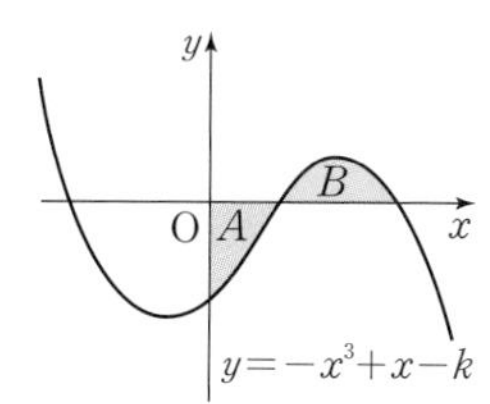

29 중요

그림과 같이 곡선 $y=-x^2+2x$와 x축 및 직선 $x=k$로 둘러싸인 두 부분의 넓이를 각각 S_1, S_2라 할 때, $S_1=2S_2$가 성립한다. 상수 k의 값은?

(단, $k>2$)

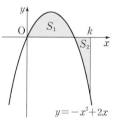

① $1+\sqrt{2}$　② $1+\sqrt{3}$　③ $2+\sqrt{2}$
④ $2+\sqrt{3}$　⑤ $1+2\sqrt{2}$

유형 6 역함수의 그래프와 넓이

30 중요

함수 $y=f(x)$와 그 역함수 $y=g(x)$의 그래프가 그림과 같을 때,

$\int_0^2 f(x)dx+\int_2^6 g(x)dx$의 값은?

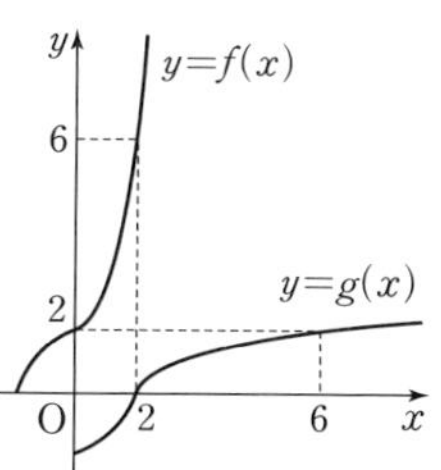

① 6　② 8
③ 10　④ 12
⑤ 14

31

두 곡선 $y=x^2-x$ $(x\geq 0)$와 $x=y^2-y$ $(y\geq 0)$로 둘러싸인 부분의 넓이를 구하시오.

32

함수 $f(x)=\sqrt{ax}$와 그 역함수 $y=f^{-1}(x)$에 대하여 두 곡선 $y=f(x)$, $y=f^{-1}(x)$로 둘러싸인 부분의 넓이가 $\frac{16}{3}$일 때, 양수 a의 값을 구하시오.

유형 7 위치의 변화량

33

원점을 출발하여 수직선 위를 움직이는 점 P의 시각 t에서의 속도가 $v(t)=12-4t$일 때, 점 P가 움직이는 방향이 바뀌는 시각에서의 점 P의 위치를 구하시오.

중요 **34**

원점을 출발하여 수직선 위를 움직이는 점 P의 t초 후의 속도 $v(t)$가

$$v(t)=\begin{cases} t^2-9 & (0\le t\le 3) \\ k(t-3) & (t>3) \end{cases}$$

일 때, 12초 후에 점 P가 다시 원점에 있기 위한 상수 k의 값을 구하시오.

35

수직선 위에 점 A의 좌표는 -28, 점 B는 원점에 있다. 두 점이 동시에 움직이기 시작하여 t초 후의 속도가 각각

$$v_{\mathrm{A}}(t)=6t^2-12t+15,\ v_{\mathrm{B}}(t)=3t^2+12t-24$$

일 때, 〈보기〉에서 옳은 것만을 있는 대로 고른 것은?

보기

ㄱ. 두 점 A와 B는 3번 만난다.
ㄴ. $4<t<7$일 때, 점 B의 좌표가 점 A의 좌표보다 항상 크다.
ㄷ. $1\le t\le 7$일 때, 두 점 A, B 사이의 거리의 최댓값은 6이다.

① ㄱ ② ㄱ, ㄴ ③ ㄱ, ㄷ
④ ㄴ, ㄷ ⑤ ㄱ, ㄴ, ㄷ

유형 8 속도와 움직인 거리

36

원점을 출발하여 수직선 위를 움직이는 점 P의 t초 후의 속도가 $v(t)=4t-t^2$일 때, 출발 후 6초 동안 점 P가 움직인 거리를 구하시오.

중요 **37**

지상 30 m의 높이에서 처음 속도 10 m/s로 똑바로 위로 쏘아 올린 물체의 t초 후의 속도는 $v(t)=10-2t$ (m/s)라고 한다. 이 물체가 운동 방향이 바뀐 후 5초 동안 움직인 거리는?

① 25 m ② 30 m ③ 35 m
④ 40 m ⑤ 45 m

38

수직선 위의 원점을 출발하여 처음 속도 12 m/s로 움직이는 점 P의 t초 후의 속도가 $v(t)=-t^2+t+12$ (m/s)라고 한다. 점 P가 운동 방향을 바꾼 후 1초 동안 움직인 거리를 $\frac{a}{b}$라 할 때, $a+b$의 값을 구하시오. (단, a, b는 서로소인 자연수이다.)

유형 9 그래프에서의 위치와 움직인 거리

39

수직선 위를 움직이는 점 P의 시각 t에서의 속도 $v(t)$의 그래프가 그림과 같다. $t=0$에서 $t=3$까지 점 P가 움직인 거리를 구하시오.

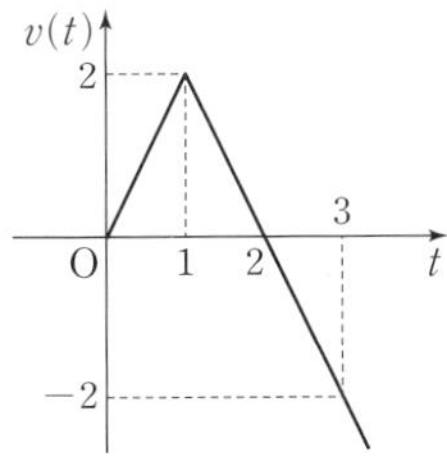

40

수직선 위를 움직이는 물체의 시각 t에서의 속도 $v(t)$의 그래프가 그림과 같다. 이 물체가 $t=0$일 때, P지점을 출발하여 다시 P지점을 통과하게 되는 시각 t를 구하시오.

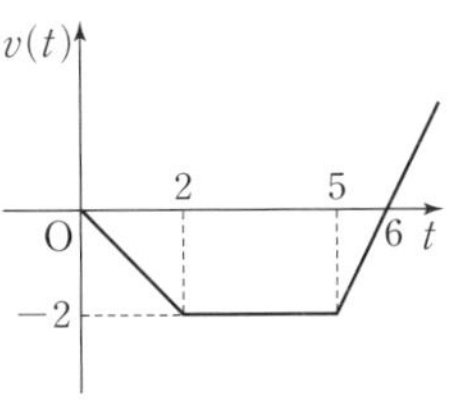

41

중요

원점을 출발하여 수직선 위를 움직이는 물체의 시각 $t\,(0\le t\le 8)$에서의 속도 $v(t)$의 그래프가 그림과 같을 때, 〈보기〉에서 옳은 것만을 있는 대로 고른 것은?

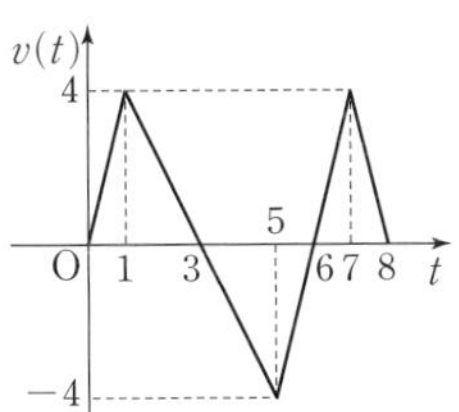

보기

ㄱ. 물체는 움직이는 동안 운동 방향을 2번 바꾼다.
ㄴ. 물체는 출발한 후 원점을 2번 통과한다.
ㄷ. 물체가 출발한 후 원점에서 가장 멀리 떨어져 있을 때의 위치는 6이다.

① ㄱ ② ㄴ ③ ㄱ, ㄴ
④ ㄱ, ㄷ ⑤ ㄴ, ㄷ

42

그림은 원점을 출발하여 수직선 위를 움직이는 점 P의 시각 $t\ (0\le t\le d)$에서의 속도 $v(t)$를 나타내는 그래프이다.

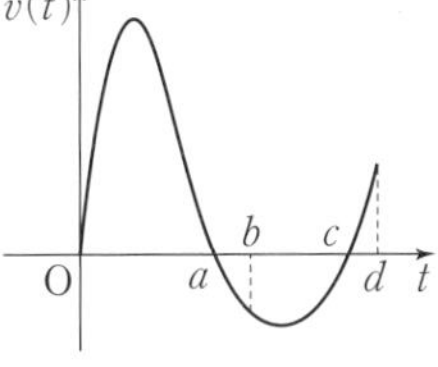

$$\int_0^a |v(t)|dt=\int_a^d |v(t)|dt$$

일 때, 〈보기〉에서 옳은 것만을 있는 대로 고른 것은?

(단, $0<a<b<c<d$)

보기

ㄱ. 점 P는 출발하고 나서 원점을 다시 지난다.
ㄴ. $\int_0^c v(t)dt=\int_c^d v(t)dt$
ㄷ. $\int_0^b v(t)dt=\int_b^d |v(t)|dt$

① ㄴ ② ㄷ ③ ㄱ, ㄴ
④ ㄴ, ㄷ ⑤ ㄱ, ㄴ, ㄷ

43

다음 [그림 1], [그림 2]는 원점을 출발하여 수직선 위를 움직이는 두 물체 A, B의 t초 후의 속도 $v_A(t)$, $v_B(t)$를 각각 나타낸 그래프이다.

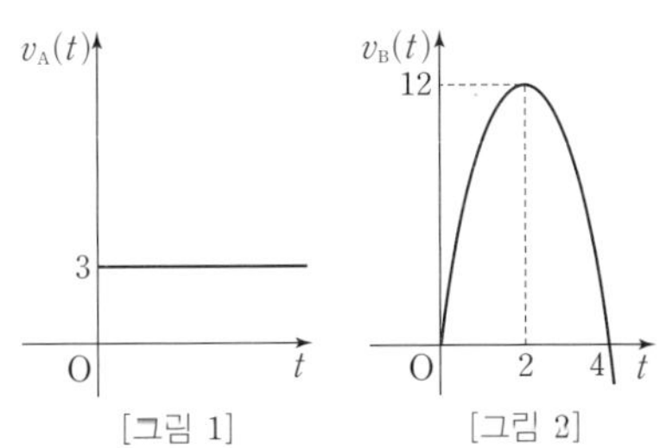

[그림 1] [그림 2]

물체 A가 출발한 지 9초 후에 지나간 지점을 물체 B가 출발한 지 a초 후에 지난다고 할 때, 자연수 a의 값을 구하시오.

(단, $v_A(t)$는 직선, $v_B(t)$는 이차함수 꼴이다.)

1등급 문제

44

그림과 같이 곡선 $y=x^2$ $(x\geq 0)$ 위의 두 점 $\mathrm{P}(a,\ a^2)$, $\mathrm{Q}(2,\ 4)$에서 x축에 내린 수선의 발을 각각 A, C, y축에 내린 수선의 발을 각각 B, D라 하자. 그림에서 색칠한 부분의 넓이의 합이 4일 때, 상수 a^3의 값을 구하시오. (단, $0<a<2$)

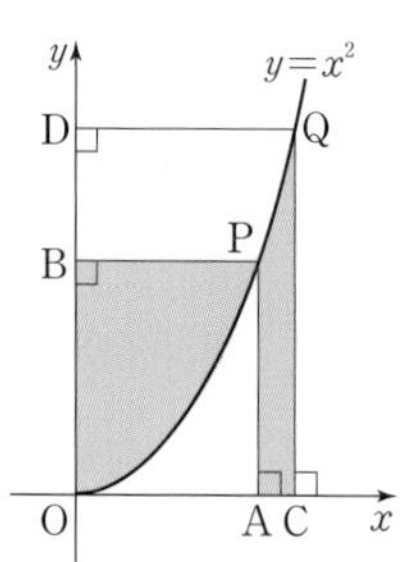

45

그림과 같이 네 점 $(0,\ 0)$, $(1,\ 0)$, $(1,\ 1)$, $(0,\ 1)$을 꼭짓점으로 하는 정사각형의 내부를 두 곡선 $y=\dfrac{1}{2}x^2$, $y=ax^2$으로 나눈 세 부분의 넓이를 각각 S_1, S_2, S_3이라 하자. S_1, S_2, S_3이 이 순서대로 등차수열을 이룰 때, 양수 a의 값을 구하시오.

$\left(\text{단, } a>\dfrac{1}{2}\right)$

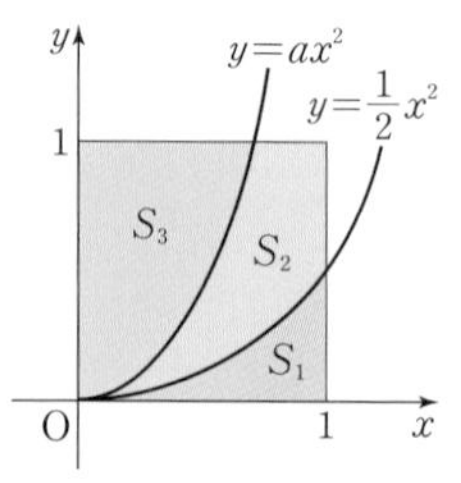

46

다음 조건을 만족시키는 다항함수 $y=f(x)$의 그래프와 x축으로 둘러싸인 부분의 넓이는?

(가) $\displaystyle\lim_{x\to\infty}\frac{f(x)}{x^2}=-1$

(나) $\displaystyle\lim_{x\to 1}\frac{f(x)}{x-1}=-6$

① 32 ② 34 ③ 36
④ 38 ⑤ 40

47

최고차항의 계수가 1인 사차함수 $y=f(x)$가 다음과 같은 조건을 만족시킨다.

(가) 임의의 x에 대하여 $f(x)=f(-x)$

(나) $x=\alpha$, $x=\beta$에서 극솟값 0을 갖는다. (단, $\beta<0<\alpha$)

곡선 $y=f'(x)$와 x축으로 둘러싸인 부분의 넓이가 32이고, 곡선 $y=f(x)$와 x축으로 둘러싸인 부분의 넓이를 S라 할 때, $15S$의 값을 구하시오.

48

그림과 같이 함수 $f(x)=ax^2+b$ $(x\geq 0)$의 그래프와 그 역함수 $y=g(x)$의 그래프가 만나는 두 점의 x좌표는 1과 2이다.
$0\leq x\leq 1$에서 두 곡선 $y=f(x)$, $y=g(x)$ 및 x축, y축으로 둘러싸인 부분의 넓이를 A라 하고, $1\leq x\leq 2$에서 두 곡선 $y=f(x)$, $y=g(x)$로 둘러싸인 부분의 넓이를 B라 하자.

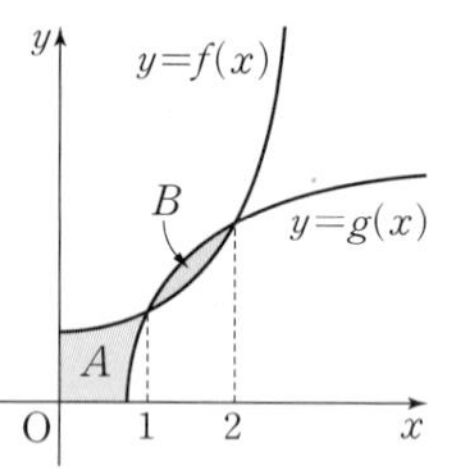

$27(A-B)$의 값을 구하시오. (단, a, b는 양수이다.)

49

두 곡선 $y=x^4-x^3$, $y=-x^4+x$로 둘러싸인 부분의 넓이가 곡선 $y=ax(1-x)$에 의하여 이등분될 때, 상수 a의 값을 구하시오.

(단, $0<a<1$)

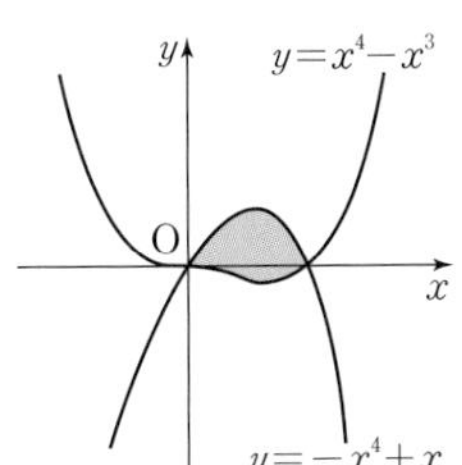

50

그림과 같이 곡선 $y=x^2$의 안쪽 부분에 반지름의 길이가 1인 원을 내접시킬 때, 원과 곡선으로 둘러싸인 부분의 넓이는?

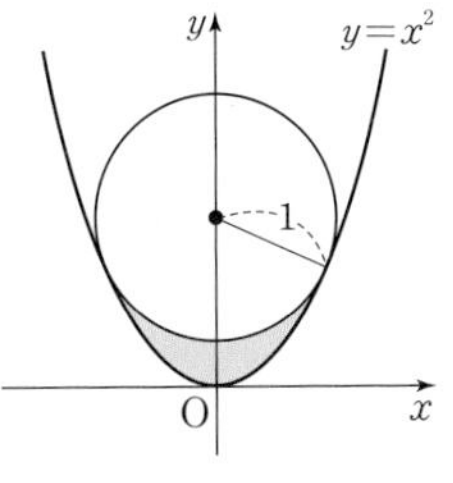

① $\frac{7\sqrt{3}}{4}-\frac{\pi}{3}$ ② $\frac{7\sqrt{3}}{4}-\frac{2\pi}{3}$ ③ $\frac{5\sqrt{3}}{4}-\frac{\pi}{3}$ ④ $\frac{5\sqrt{3}}{4}-\frac{2\pi}{3}$ ⑤ $\frac{3\sqrt{3}}{4}-\frac{\pi}{3}$

51

곡선 $y=x^2-x$ 위의 점 $(2, 2)$에서의 접선이 곡선 $y=x^2+3x+a$에 접할 때, 이 두 곡선과 공통접선으로 둘러싸인 부분의 넓이를 구하시오. (단, a는 상수이다.)

52

그림과 같이 임의로 그은 직선 l이 y축과 만나는 점을 A, 점 C(6, 0)을 지나고 y축과 평행하게 그은 직선과의 교점을 B라 하자. 사다리꼴 OABC의 넓이가 곡선 $f(x)=x^3-6x^2$과 x축으로 둘러싸인 부분의 넓이와 같을 때, 임의의 직선 l은 항상 일정한 점 D를 지난다. 삼각형 ODC의 넓이를 구하시오. (단, O는 원점이고 $\overline{\text{AB}}$는 $\overline{\text{OC}}$ 아래에 있다.)

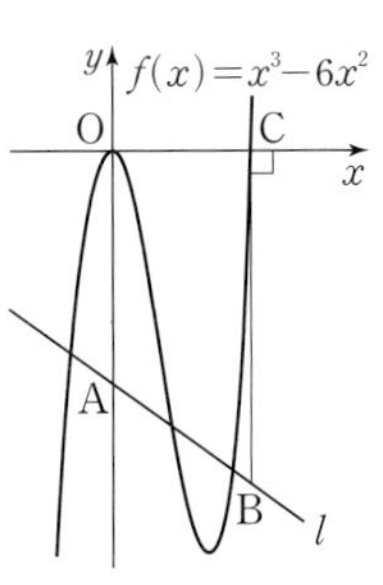

53

곡선 $y=x^2-\frac{3}{n^2}$과 직선 $y=\frac{1}{n^2}$로 둘러싸인 부분의 넓이를 $S(n)$이라 할 때, 〈보기〉에서 옳은 것만을 있는 대로 고른 것은?

(단, n은 자연수이다.)

보기

ㄱ. $S(1)=\frac{32}{3}$

ㄴ. $S(n)<\frac{1}{18}$을 만족시키는 자연수 n의 최솟값은 6이다.

ㄷ. $\sum_{n=2}^{10}|S(n)-S(n-1)|=\frac{1332}{125}$

① ㄱ ② ㄴ ③ ㄱ, ㄷ
④ ㄴ, ㄷ ⑤ ㄱ, ㄴ, ㄷ

54

그림과 같이 한 변의 길이가 10 cm인 정사각형의 한 꼭짓점 A를 출발하여 그림의 화살표 방향으로 진행하는 두 점 P, Q가 있다. 점 A를 출발하여 t초 후의 두 점 P, Q의 속력이 각각 $7t+3$ (cm/s), $3t+2$ (cm/s)일 때, 두 점 P, Q가 동시에 출발한 후 10초 동안 두 점이 만난 횟수를 구하시오.

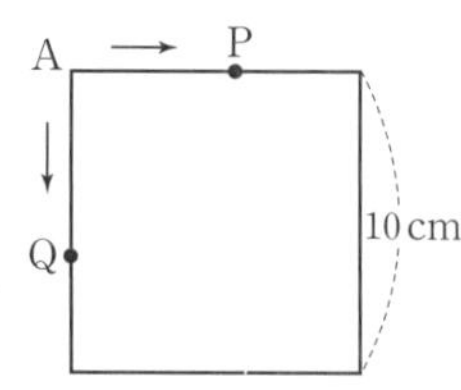

55

원점을 출발하여 수직선 위를 움직이는 점 P의 시각 t에서의 속도 $v(t)$는 $v(4-t)=v(4+t)$가 성립하고 함수 $y=v(t)$의 그래프의 일부가 그림과 같다.

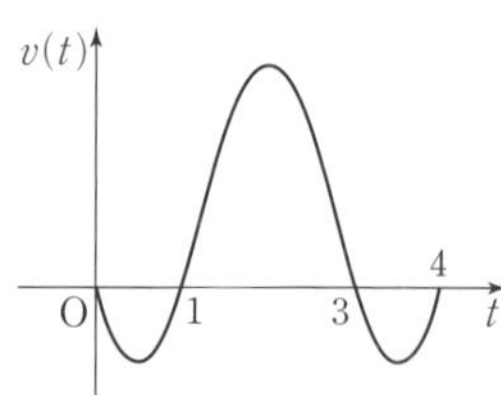

$x(a)=\int_0^a v(t)dt$이고 $x(1)=-\frac{1}{3}$, $x(3)=\frac{16}{3}$, $x(4)=\frac{10}{3}$일 때, 〈보기〉에서 옳은 것만을 있는 대로 고른 것은?

보기

ㄱ. $x(t)$는 $1<t<3$일 때 원점을 한 번 지난다.

ㄴ. $\int_1^3 v(t)dt=\frac{17}{3}$

ㄷ. $4\le t\le 7$일 때, 점 P가 움직인 거리는 $\frac{22}{3}$이다.

① ㄱ　② ㄷ　③ ㄱ, ㄴ　④ ㄴ, ㄷ　⑤ ㄱ, ㄴ, ㄷ

최고난도 문제

56

두 함수 $y=f(x)$, $y=g(x)$가

$$f(x)=\begin{cases} 0 & (x\le 0) \\ x & (x>0) \end{cases},\ g(x)=\begin{cases} x(2-x) & (|x-1|\le 1) \\ 0 & (|x-1|>1) \end{cases}$$

이다. 양의 실수 k, a, b $(a<b<2)$에 대하여 함수 $y=h(x)$를

$$h(x)=k\{f(x)-f(x-a)-f(x-b)+f(x-2)\}$$

라 정의하자. 모든 실수 x에 대하여 $0\le h(x)\le g(x)$일 때, $\int_0^2 \{g(x)-h(x)\}dx$의 값이 최소가 되게 하는 k, a, b에 대하여 $60(k+a+b)$의 값을 구하시오.

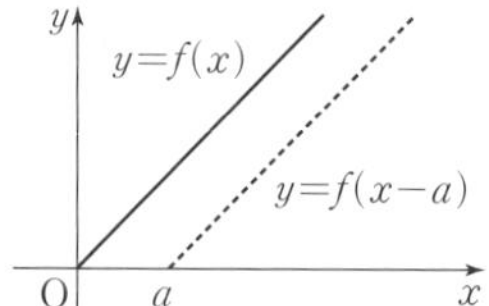

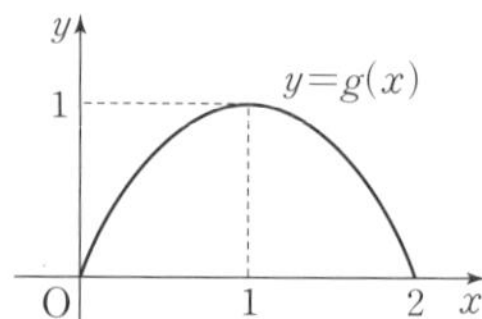

57

직선 도로 위를 따라 앞으로 움직이는 레이싱카트의 최고 속도는 27 m/s이며 t초 후의 속도는 $f(t)$ (m/s)이다. 함수 $y=f(t)$는 $t>0$인 모든 실수 t에서 미분가능하고 $0\le t\le 3$에서 삼차함수이며 출발한지 3초 이후 레이싱카트는 일정 속도를 유지한다. 출발 후 10초까지 이 레이싱카트의 최대 이동거리가 S (m)일 때, $2S$의 값을 구하시오.

빠른 정답 확인

01 함수의 극한

본문 007~016쪽

01 ②	02 -1	03 -6
04 2	05 ②	06 -12
07 10	08 5	
09 4	10 5	11 ①
12 6	13 $\frac{3}{2}$	14 ③
15 1	16 -3	17 ⑤
18 ③	19 $-\frac{7}{4}$	20 ②
21 ⑤	22 $-\frac{7}{2}$	23 $\frac{1}{6}$
24 ②	25 3	26 1
27 ③	28 3	29 3
30 ④	31 $\frac{3}{2}$	32 1
33 20	34 7	35 ③
36 ①	37 16	38 2
39 4	40 1	41 $\frac{1}{2}$
42 ②	43 ⑤	
44 ③	45 5	46 ③
47 16	48 ③	49 ③
50 ①	51 1	52 $2\sqrt{3}$
53 3	54 4	55 ①
56 208	57 12	

02 함수의 연속

본문 019~028쪽

01 ④	02 11	03 7
04 $-\frac{9}{2}$	05 2	06 -2
07 ㄱ, ㄷ	08 ②	
09 ③	10 3	11 3
12 ①	13 -6	14 -4
15 18	16 0	17 ④
18 ③	19 8	20 15
21 ④	22 8	23 5
24 ①	25 -1	26 8
27 ①	28 ③	29 1
30 2	31 ②	32 -2
33 15	34 ㄴ, ㄷ	35 ㄱ, ㄴ, ㄷ
36 ③	37 $\frac{7}{4}$	38 ㄷ
39 0	40 ③	41 ㄱ
42 ②	43 1개	44 ②
45 40	46 3	47 ②
48 ③	49 ②	50 ④
51 21	52 13	53 8
54 ④	55 13	56 5
57 ①	58 3	
59 ②	60 60	

03 미분계수

본문 031~038쪽

01 ④	02 -3	03 $\frac{4}{3}$
04 ③	05 9	06 ㄴ, ㄷ
07 2	08 ③	
09 2	10 6	11 ⑤
12 ①	13 3	14 2
15 ①	16 6	17 ③
18 25	19 22	20 ②
21 ④	22 -1	23 27
24 ⑤	25 ③	26 -5
27 ①	28 -2	29 ㄱ, ㄷ
30 ④	31 ㄱ, ㄷ	
32 ③	33 ③	34 -3
35 ⑤	36 13	37 880
38 6	39 ④	40 -24
41 4	42 2	43 ③
44 ④		
45 $-\frac{3}{4}$	46 13	

04 도함수

본문 041 ~ 048쪽

01 ④	**02** 23	**03** 28
04 7	**05** -2	**06** ①
07 4	**08** -3	
09 ①	**10** $\frac{9}{2}$	**11** 3
12 ②	**13** 26	**14** 21
15 ④	**16** -6	**17** 19
18 ③	**19** 20	**20** 11
21 $f'(x)=x+3$	**22** 28	**23** ⑤
24 ④	**25** 6	**26** $-\frac{1}{4}$
27 -5	**28** ③	**29** $f(x)=x^2-2$
30 ①	**31** 20	**32** 17
33 250	**34** ⑤	**35** -3
36 ①	**37** 70	**38** 24
39 28	**40** ②	**41** 19
42 16	**43** 13	**44** ①
45 -30		
46 4	**47** 20	

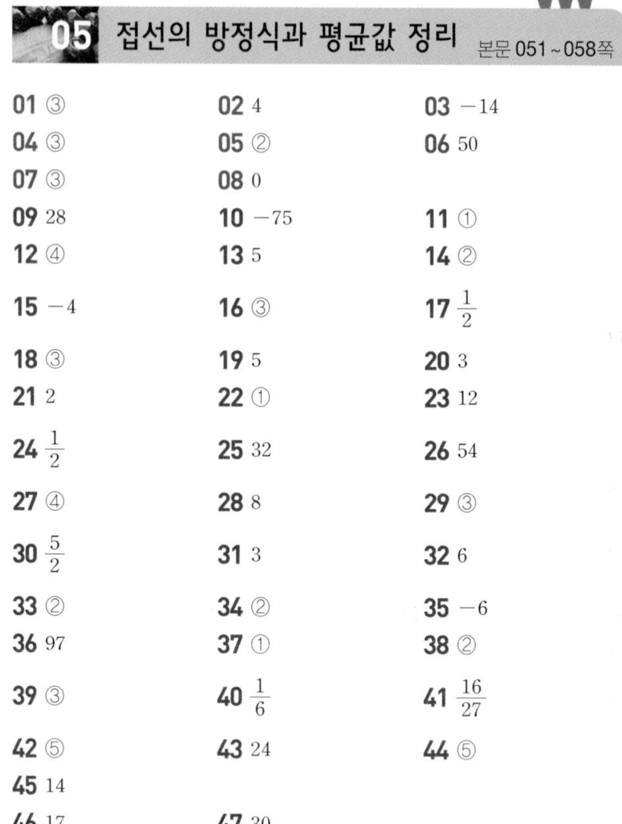

05 접선의 방정식과 평균값 정리

본문 051 ~ 058쪽

01 ③	**02** 4	**03** -14
04 ③	**05** ②	**06** 50
07 ③	**08** 0	
09 28	**10** -75	**11** ①
12 ④	**13** 5	**14** ②
15 -4	**16** ③	**17** $\frac{1}{2}$
18 ③	**19** 5	**20** 3
21 2	**22** ①	**23** 12
24 $\frac{1}{2}$	**25** 32	**26** 54
27 ④	**28** 8	**29** ③
30 $\frac{5}{2}$	**31** 3	**32** 6
33 ②	**34** ②	**35** -6
36 97	**37** ①	**38** ②
39 ③	**40** $\frac{1}{6}$	**41** $\frac{16}{27}$
42 ⑤	**43** 24	**44** ⑤
45 14		
46 17	**47** 30	

06 증가·감소와 극대·극소

본문 061 ~ 070쪽

01 ②	**02** 5	**03** 13
04 5	**05** ④	**06** ④
07 8	**08** 7	
09 ②	**10** 1	**11** 2
12 $-\frac{5}{2}$	**13** ②	**14** ③
15 ②	**16** 27	**17** 11
18 121	**19** 28	**20** ②
21 ②	**22** 2	**23** -6
24 ②	**25** 2	**26** 0
27 ④	**28** ④	**29** ②
30 ②	**31** ③	**32** 8
33 2	**34** ④	**35** ②
36 ③	**37** 4	**38** 20
39 ②	**40** $\frac{32}{9}$	**41** $\frac{8}{3}\pi$
42 ④	**43** 19	**44** 500
45 1	**46** ③	**47** 6
48 5	**49** 19	**50** ②
51 ③	**52** ⑤	**53** ㄱ, ㄴ
54 6	**55** 11	
56 3	**57** 1	

07 도함수의 활용

본문 073~082쪽

01 ②	**02** 4	**03** 3
04 192	**05** ⑤	**06** -1
07 ④	**08** 45 m	
09 ④	**10** 33	**11** $a=0$ 또는 $a=5$
12 8	**13** 2	**14** ③
15 2	**16** 5	**17** 5
18 ③	**19** 26	**20** 6
21 19	**22** ④	**23** 6
24 ③	**25** 풀이 참조	**26** 풀이 참조
27 ①	**28** 4	**29** 1
30 -20	**31** -11	**32** ②
33 ②	**34** 360	**35** 3
36 ①	**37** 25	**38** ㄱ, ㄴ, ㄷ
39 ㄱ, ㄷ	**40** ④	**41** ㄱ, ㄷ
42 $\frac{5}{2}$ m/s	**43** $600\pi\,\text{cm}^2/\text{s}$	**44** ②
45 2	**46** 1	**47** ④
48 $\frac{1}{4}$	**49** ㄱ, ㄴ	**50** ⑤
51 ④	**52** $k<3$	**53** 18
54 ④	**55** 5	**56** 2
57 35	**58** ④	
59 $-\frac{4}{9}$	**60** 65	

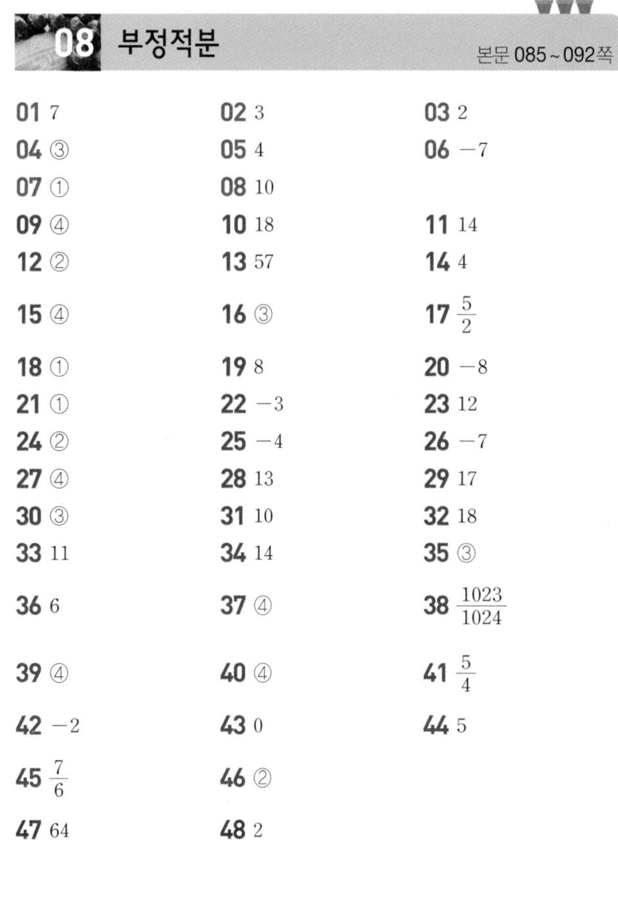

08 부정적분

본문 085~092쪽

01 7	**02** 3	**03** 2
04 ③	**05** 4	**06** -7
07 ①	**08** 10	
09 ④	**10** 18	**11** 14
12 ②	**13** 57	**14** 4
15 ④	**16** ③	**17** $\frac{5}{2}$
18 ①	**19** 8	**20** -8
21 ①	**22** -3	**23** 12
24 ②	**25** -4	**26** -7
27 ④	**28** 13	**29** 17
30 ③	**31** 10	**32** 18
33 11	**34** 14	**35** ③
36 6	**37** ④	**38** $\frac{1023}{1024}$
39 ④	**40** ④	**41** $\frac{5}{4}$
42 -2	**43** 0	**44** 5
45 $\frac{7}{6}$	**46** ②	
47 64	**48** 2	

09 정적분

본문 095~102쪽

01 ①	**02** $\frac{40}{3}$	**03** 12
04 3	**05** 6	**06** ③
07 62	**08** 8	
09 ③	**10** 3	**11** $\frac{8}{3}$
12 3	**13** ③	**14** -20
15 4	**16** -5	**17** ③
18 $\frac{15}{2}$	**19** 3	**20** ④
21 3	**22** ②	**23** -10
24 ②	**25** -1	**26** $\frac{5}{6}$
27 12	**28** ⑤	**29** 2
30 ⑤	**31** ③	**32** $\frac{\sqrt{3}}{3}$
33 ④	**34** 32	**35** 3
36 27	**37** 27	**38** $\frac{2}{3}$
39 $-\frac{19}{24}$	**40** $\frac{20}{3}$	**41** ㄱ, ㄴ
42 14	**43** 12	**44** ⑤
45 ④	**46** 20	
47 26	**48** 137	

10 정적분의 응용

본문 105~112쪽

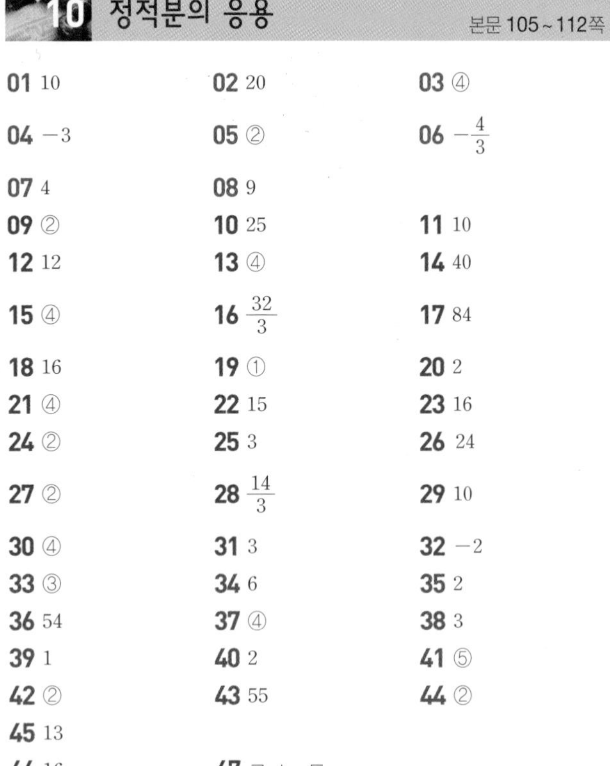

01 10	**02** 20	**03** ④
04 -3	**05** ②	**06** $-\frac{4}{3}$
07 4	**08** 9	
09 ②	**10** 25	**11** 10
12 12	**13** ④	**14** 40
15 ④	**16** $\frac{32}{3}$	**17** 84
18 16	**19** ①	**20** 2
21 ④	**22** 15	**23** 16
24 ②	**25** 3	**26** 24
27 ②	**28** $\frac{14}{3}$	**29** 10
30 ④	**31** 3	**32** -2
33 ③	**34** 6	**35** 2
36 54	**37** ④	**38** 3
39 1	**40** 2	**41** ⑤
42 ②	**43** 55	**44** ②
45 13		
46 16	**47** ㄱ, ㄴ, ㄷ	

11 정적분의 활용

본문 115~124쪽

01 ①	**02** $\frac{9}{2}$	**03** $\frac{71}{6}$
04 $\frac{16}{3}$	**05** 36	**06** 8
07 ⑤	**08** ④	
09 ③	**10** 6	**11** 2
12 $\frac{4}{15}$	**13** ①	**14** ③
15 32	**16** ⑤	**17** 3
18 $\frac{16}{15}$	**19** $\frac{4}{3}$	**20** ④
21 9	**22** $\frac{27}{4}$	**23** ②
24 8	**25** $\frac{41}{2}$	**26** ⑤
27 -3	**28** 6	**29** ②
30 ④	**31** $\frac{8}{3}$	**32** 4
33 18	**34** $\frac{4}{9}$	**35** ②
36 $\frac{64}{3}$	**37** ①	**38** 29
39 3	**40** 9	**41** ④
42 ④	**43** 3	
44 4	**45** $\frac{16}{9}$	**46** ③
47 512	**48** 12	**49** $\frac{3}{4}$
50 ⑤	**51** $\frac{2}{3}$	**52** 54
53 ⑤	**54** 13	**55** ③
56 200	**57** 459	

최상위권 유형별
문제기본서 하이 하이

Hi High

수학 Ⅱ

정답 및 해설

아름다운 샘

아름다운 샘과 함께

수학의 자신감과 최고 실력을 완성!!!

Hi High

수학 Ⅱ

정답 및 해설

정답 및 해설

01 함수의 극한

본책 007~016쪽

01 ㄱ. $\lim_{x\to-2} f(x)=1$

ㄴ. 함수 $y=f(x)$의 $x=0$에서의 좌극한과 우극한을 각각 구하면

$\lim_{x\to0-} f(x)=2$, $\lim_{x\to0+} f(x)=4$

이때 좌극한과 우극한이 서로 다르므로 극한값 $\lim_{x\to0} f(x)$는 존재하지 않는다.

ㄷ. $\lim_{x\to2} f(x)=3$

ㄹ. 함수 $y=f(x)$의 $x=3$에서의 좌극한과 우극한을 각각 구하면

$\lim_{x\to3-} f(x)=5$, $\lim_{x\to3+} f(x)=3$

이때 좌극한과 우극한이 서로 다르므로 극한값 $\lim_{x\to3} f(x)$는 존재하지 않는다.

따라서 극한값이 존재하는 것은 ㄱ, ㄷ이다.

답 ②

02 $\lim_{x\to1+} f(x)=-1$, $\lim_{x\to1-} f(x)=0$이므로

$a=-1$, $b=0$

$\therefore a-b=-1$

답 -1

03 $\lim_{x\to1} f(x)$의 값이 존재하므로

$\lim_{x\to1+} f(x)=\lim_{x\to1-} f(x)$에서

$\lim_{x\to1+} f(x)=\lim_{x\to1+} (x^2-a)=1-a$

$\lim_{x\to1-} f(x)=\lim_{x\to1-} (3x^2-x+5)=7$

즉, $1-a=7$에서 $a=-6$

답 -6

04 $\lim_{x\to0} f(x)=a$, $\lim_{x\to0} g(x)=b$이므로

$$\lim_{x\to0}\{f(x)+g(x)\}=\lim_{x\to0} f(x)+\lim_{x\to0} g(x)=a+b$$

$$\lim_{x\to0} f(x)g(x)=\lim_{x\to0} f(x)\times\lim_{x\to0} g(x)=ab$$

즉, $a+b=7$, $ab=12$이므로 두 식을 연립하여 풀면

$a=3$, $b=4$ ($\because a<b$)

$$\therefore \lim_{x\to0}\frac{3f(x)+1}{2g(x)-3}=\frac{3a+1}{2b-3}=\frac{10}{5}=2$$

답 2

05
$$\lim_{x\to-2}\frac{x^3+2x^2-x-2}{x^2+6x+8}=\lim_{x\to-2}\frac{(x+2)(x^2-1)}{(x+2)(x+4)}=\lim_{x\to-2}\frac{x^2-1}{x+4}=\frac{3}{2}$$

답 ②

06 $\lim_{x\to1}\frac{x-1}{x^2+ax+b}=\frac{1}{5}$에서 $x\to1$일 때, (분자)$\to0$이고 0이 아닌 극한값이 존재하므로 (분모)$\to0$이어야 한다.

즉, $\lim_{x\to1}(x^2+ax+b)=0$이므로 $1+a+b=0$

$\therefore b=-a-1$ ⋯⋯㉠

㉠을 주어진 식에 대입하면

$$\lim_{x\to1}\frac{x-1}{x^2+ax+b}=\lim_{x\to1}\frac{x-1}{x^2+ax-a-1}=\lim_{x\to1}\frac{x-1}{(x-1)(x+a+1)}=\lim_{x\to1}\frac{1}{x+a+1}=\frac{1}{2+a}=\frac{1}{5}$$

$\therefore a=3$

$a=3$을 ㉠에 대입하면 $b=-4$

$\therefore ab=-12$

답 -12

07 $\lim_{x\to-1}\frac{f(x)}{x^2-1}=16$에서 $x\to-1$일 때, (분모)$\to0$이므로 (분자)$\to0$이어야 한다.

즉, $\lim_{x\to-1} f(x)=0$이므로 $f(-1)=0$ ⋯⋯㉠

마찬가지로 $\lim_{x\to1}\frac{f(x)}{x^2-1}=4$에서 $\lim_{x\to1} f(x)=0$이므로

$f(1)=0$ ⋯⋯㉡

㉠, ㉡에서

$f(x)=(x+1)(x-1)(ax+b)$ (a, b는 상수, $a\neq0$)로 놓으면

$$\lim_{x\to-1}\frac{f(x)}{x^2-1}=\lim_{x\to-1}(ax+b)=-a+b=16 \quad \cdots\cdots ㉢$$

$$\lim_{x\to1}\frac{f(x)}{x^2-1}=\lim_{x\to1}(ax+b)=a+b=4 \quad \cdots\cdots ㉣$$

㉢, ㉣을 연립하여 풀면 $a=-6$, $b=10$

따라서 $f(x)=(x+1)(x-1)(-6x+10)$이므로

$$\lim_{x\to0}\frac{f(x)}{x^2-1}=\lim_{x\to0}(-6x+10)=10$$

답 10

08 $\frac{5x-2}{x+1}<f(x)<\frac{10x^2+3x-2}{2x^2-7x+7}$에서

$\lim_{x\to\infty}\frac{5x-2}{x+1}=\lim_{x\to\infty}\frac{10x^2+3x-2}{2x^2-7x+7}=5$이므로

$\lim_{x\to\infty} f(x)=5$

답 5

09 $\lim_{x\to1+} f(x)=\lim_{x\to1+}(x^2-x+a)=1-1+a=5$

이므로 $a=5$

$\lim_{x\to1-} f(x)=\lim_{x\to1-}(-2x+b)=-2+b=-3$

이므로 $b=-1$

$\therefore a+b=5+(-1)=4$

답 4

10 $\lim_{x\to-1-} f(x)=1$, $\lim_{x\to0+} f(x)=1$이고

$f(0)=3$이므로

$\lim_{x\to-1-} f(x)+f(0)+\lim_{x\to0+} f(x)=1+3+1=5$

답 5

11 $f(-x)=-f(x)$이므로
함수 $y=f(x)$는 원점에 대하여 대칭이다. 따라서 함수 $y=f(x)$의 그래프는 그림과 같다.

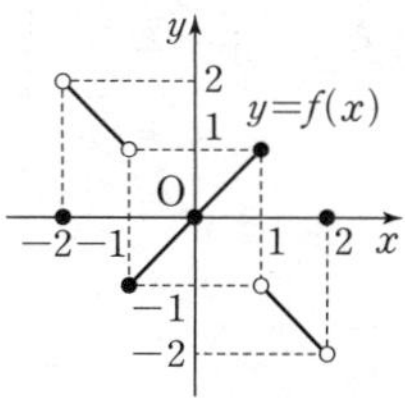

$\lim_{x\to-1+} f(x)+\lim_{x\to2-} f(x)$
$=(-1)+(-2)=-3$

답 ①

12 함수 $y=|x^2-1|$의 그래프는 그림과 같다.

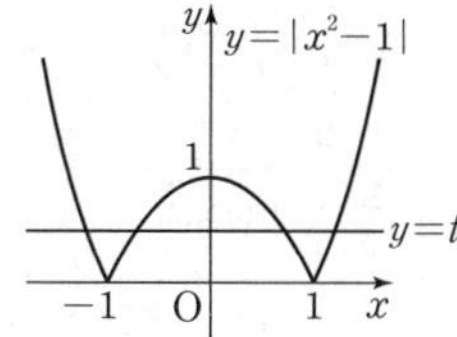

$t>1$일 때, $f(t)=2$
$t=1$일 때, $f(t)=3$
$0<t<1$일 때, $f(t)=4$
$t=0$일 때, $f(t)=2$
$t<0$일 때, $f(t)=0$
t의 값에 따른 $f(t)$의 그래프를 그려보면

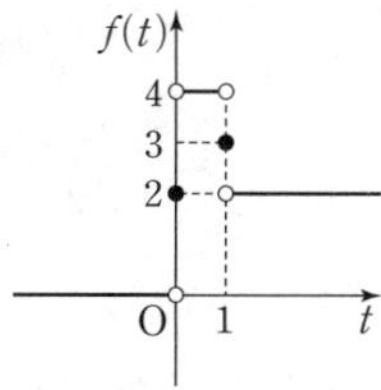

$\therefore \lim_{t\to1+} f(t)+\lim_{t\to1-} f(t)=2+4=6$

답 6

13 $f(x)=\begin{cases} x^2+ax & (|x|\ge1) \\ 2x+b & (|x|<1) \end{cases}$에서

$f(x)=\begin{cases} x^2+ax & (x\le-1 \text{ 또는 } x\ge1) \\ 2x+b & (-1<x<1) \end{cases}$

극한값 $\lim_{x\to-1} f(x)$가 존재하므로 $\lim_{x\to-1+} f(x)=\lim_{x\to-1-} f(x)$

즉, $\lim_{x\to-1+} (2x+b)=\lim_{x\to-1-} (x^2+ax)$이므로

$-2+b=1-a$

$\therefore a+b=3$ ⋯⋯ ㉠

또 극한값 $\lim_{x\to1} f(x)$가 존재하므로 $\lim_{x\to1+} f(x)=\lim_{x\to1-} f(x)$

즉, $\lim_{x\to1+} (x^2+ax)=\lim_{x\to1-} (2x+b)$이므로

$1+a=2+b$

$\therefore a-b=1$ ⋯⋯ ㉡

㉠, ㉡을 연립하여 풀면 $a=2$, $b=1$

따라서 $|x|<1$일 때, $f(x)=2x+1$이므로

$f\left(\frac{1}{4}\right)=2\times\frac{1}{4}+1=\frac{3}{2}$

답 $\frac{3}{2}$

14 주어진 그래프에서

$\lim_{x\to1-} f(x)=-1$, $\lim_{x\to1+} f(x)=1$

$\lim_{x\to1-} g(x)=1$, $\lim_{x\to1+} g(x)=-1$

ㄱ. $\lim_{x\to1-} \{f(x)+g(x)\}=\lim_{x\to1-} f(x)+\lim_{x\to1-} g(x)$
$=-1+1=0$

$\lim_{x\to1+} \{f(x)+g(x)\}=\lim_{x\to1+} f(x)+\lim_{x\to1+} g(x)$
$=1-1=0$

$\therefore \lim_{x\to1} \{f(x)+g(x)\}=0$ (참)

ㄴ. $\lim_{x\to1-} \{g(x)\}^2=\lim_{x\to1-} g(x)\times\lim_{x\to1-} g(x)$
$=1^2=1$

$\lim_{x\to1+} \{g(x)\}^2=\lim_{x\to1+} g(x)\times\lim_{x\to1+} g(x)$
$=(-1)^2=1$

$\therefore \lim_{x\to1} \{g(x)\}^2=1$ (참)

ㄷ. $\lim_{x\to1-} \{f(x)g(x)\}=\lim_{x\to1-} f(x)\times\lim_{x\to1-} g(x)$
$=(-1)\times1=-1$

$\lim_{x\to1+} \{f(x)g(x)\}=\lim_{x\to1+} f(x)\times\lim_{x\to1+} g(x)$
$=1\times(-1)=-1$

$\therefore \lim_{x\to1} \{f(x)g(x)\}=-1$ (거짓)

따라서 옳은 것은 ㄱ, ㄴ이다.

답 ③

15 $f(x)=t$로 놓으면 $x\to1$일 때 $t\to0+$이므로

$\lim_{x\to1} g(f(x))=\lim_{t\to0+} g(t)=1$

답 1

16 $f(x)=t$로 놓으면

$x\to0-$일 때 $t\to0-$,

$x\to0+$일 때 $t\to0+$이고 $g(x)=-2$이므로

$\lim_{x\to0-} g(f(x))+\lim_{x\to0+} g(f(x))+\lim_{x\to0+} f(g(x))$

$=\lim_{t\to0-} g(t)+\lim_{t\to0+} g(t)+f(-2)$

$=0+(-2)+(-1)=-3$

답 -3

17 함수 $y=f(x)$의 그래프에서 $\lim_{x\to1+} f(x)=1$

$1-x=t$로 놓으면 $x\to1+$일 때 $t\to0-$이므로

$\lim_{x\to1+} f(1-x)=\lim_{t\to0-} f(t)=2$

$\therefore \lim_{x\to1+} f(x)f(1-x)=1\times2=2$

답 ⑤

18 ① $\lim_{x\to0+} \frac{|x|}{1+|x|}=\lim_{x\to0+} \frac{x}{1+x}=\frac{0}{1+0}=0$

② $\lim_{x\to0-} \frac{|x|}{1+|x|}=\lim_{x\to0-} \frac{-x}{1-x}=\frac{0}{1-0}=0$

③ $\lim_{x\to0+} \frac{x}{|x|}=\lim_{x\to0+} \frac{x}{x}=1$

④ $\lim_{x\to0-} \frac{x}{|x|}=\lim_{x\to0-} \frac{x}{-x}=-1$

⑤ $\lim_{x\to0+} [x]=0$

따라서 가장 큰 것은 ③이다.

답 ③

19 $-1<x<1$일 때, $-1\le x^2-1<0$이므로

$|x^2-1|=-(x^2-1)=1-x^2$

$\therefore \lim_{x\to-1+} \frac{x^2+x}{|x^2-1|}=\lim_{x\to-1+} \frac{x^2+x}{1-x^2}$

$=\lim_{x\to-1+} \frac{x(1+x)}{(1+x)(1-x)}$

$=\lim_{x\to-1+} \frac{x}{1-x}$

$=-\frac{1}{2}=a$

$2<x<3$일 때, $[x]=2$

$\therefore \lim_{x\to 3-}\frac{[x]^2+x}{[x]}=\frac{2^2+3}{2}$

$=\frac{7}{2}=b$

$\therefore ab=\left(-\frac{1}{2}\right)\times\frac{7}{2}=-\frac{7}{4}$ 답 $-\frac{7}{4}$

20 $\sqrt{2x^2+x}=[\sqrt{2x^2+x}]+h\ (0\le h<1)$로 놓으면

$[\sqrt{2x^2+x}]=\sqrt{2x^2+x}-h$

$\therefore \lim_{x\to\infty}\frac{[\sqrt{2x^2+x}]-\sqrt{x}}{x}=\lim_{x\to\infty}\frac{\sqrt{2x^2+x}-h-\sqrt{x}}{x}$

$=\lim_{x\to\infty}\left(\sqrt{2+\frac{1}{x}}-\frac{h}{x}-\sqrt{\frac{1}{x}}\right)$

$=\sqrt{2}$ 답 ②

21 $\lim_{x\to a}\frac{3f(x)-g(x)}{f(x)+2g(x)}=\lim_{x\to a}\frac{\frac{3f(x)}{x-a}-\frac{g(x)}{x-a}}{\frac{f(x)}{x-a}+\frac{2g(x)}{x-a}}$

$=\frac{3\lim_{x\to a}\frac{f(x)}{x-a}-\lim_{x\to a}\frac{g(x)}{x-a}}{\lim_{x\to a}\frac{f(x)}{x-a}+2\lim_{x\to a}\frac{g(x)}{x-a}}$

$=\frac{3\times5-2}{5+2\times2}$

$=\frac{13}{9}$ 답 ⑤

22 $\lim_{x\to2}f(x)=\infty$이고 $\lim_{x\to2}\frac{3f(x)-g(x)}{f(x)}=0$이므로

$\lim_{x\to2}\left\{3-\frac{g(x)}{f(x)}\right\}=0$

$\therefore \lim_{x\to2}\frac{g(x)}{f(x)}=3$

$\therefore \lim_{x\to2}\frac{f(x)+2g(x)}{f(x)-g(x)}=\lim_{x\to2}\frac{1+2\times\frac{g(x)}{f(x)}}{1-\frac{g(x)}{f(x)}}$

$=\frac{1+2\times3}{1-3}$

$=-\frac{7}{2}$ 답 $-\frac{7}{2}$

23 $\lim_{x\to0}\frac{g(x-1)}{x}=2$에서 $x-1=t$로 놓으면

$x\to0$일 때 $t\to-1$이므로

$\lim_{x\to0}\frac{g(x-1)}{x}=\lim_{t\to-1}\frac{g(t)}{t+1}=2$

$\therefore \lim_{x\to-1}\frac{g(x)}{x+1}=2$

$\therefore \lim_{x\to-1}\frac{g(x)}{4f(x)}=\lim_{x\to-1}\frac{\frac{g(x)}{x+1}}{4\times\frac{f(x)}{x+1}}$

$=\frac{2}{4\times3}$

$=\frac{1}{6}$ 답 $\frac{1}{6}$

24 $\lim_{x\to2}\frac{\sqrt{x^2-3}-1}{x-2}=\lim_{x\to2}\frac{x^2-4}{(x-2)(\sqrt{x^2-3}+1)}$

$=\lim_{x\to2}\frac{x+2}{\sqrt{x^2-3}+1}$

$=\frac{4}{2}=2$ 답 ②

25 $\lim_{x\to\infty}(\sqrt{x^2+3x}-\sqrt{x^2-3x})$

$=\lim_{x\to\infty}\frac{(\sqrt{x^2+3x}-\sqrt{x^2-3x})(\sqrt{x^2+3x}+\sqrt{x^2-3x})}{\sqrt{x^2+3x}+\sqrt{x^2-3x}}$

$=\lim_{x\to\infty}\frac{6x}{\sqrt{x^2+3x}+\sqrt{x^2-3x}}$

$=\lim_{x\to\infty}\frac{6}{\sqrt{1+\frac{3}{x}}+\sqrt{1-\frac{3}{x}}}$

$=\frac{6}{2}=3$ 답 3

26 $\lim_{x\to\infty}x^2\left(1-\frac{x}{\sqrt{x^2+2}}\right)=\lim_{x\to\infty}x^2\left(\frac{\sqrt{x^2+2}-x}{\sqrt{x^2+2}}\right)$

$=\lim_{x\to\infty}\frac{2x^2}{\sqrt{x^2+2}(\sqrt{x^2+2}+x)}$

$=\lim_{x\to\infty}\frac{2}{\sqrt{1+\frac{2}{x^2}}\left(\sqrt{1+\frac{2}{x^2}}+1\right)}$

$=\frac{2}{1\times2}=1$ 답 1

27 $x-2=t$로 놓으면 $x\to2$일 때 $t\to0$이므로

$\lim_{x\to2}\frac{f(x-2)}{x^2-4}=\lim_{t\to0}\frac{f(t)}{t(t+4)}$

$=\lim_{t\to0}\left\{\frac{f(t)}{t}\times\frac{1}{t+4}\right\}$

$=3\times\frac{1}{4}=\frac{3}{4}$ 답 ③

28 $x=-t$로 놓으면 $x\to-\infty$일 때 $t\to\infty$이므로

$\lim_{x\to-\infty}\frac{\sqrt{x^2+4x}}{x-5}=\lim_{t\to\infty}\frac{\sqrt{t^2-4t}}{-t-5}$

$=\lim_{t\to\infty}\frac{1-4}{-1-\frac{5}{t}}=3$ 답 3

29 $x=-t$로 놓으면 $x\to-\infty$일 때 $t\to\infty$이므로

$\lim_{x\to-\infty}\{\sqrt{f(x)}-\sqrt{f(-x)}\}$

$=\lim_{x\to-\infty}(\sqrt{x^2-3x}-\sqrt{x^2+3x})$

$=\lim_{t\to\infty}(\sqrt{t^2+3t}-\sqrt{t^2-3t})$

$=\lim_{t\to\infty}\frac{(\sqrt{t^2+3t}-\sqrt{t^2-3t})(\sqrt{t^2+3t}+\sqrt{t^2-3t})}{\sqrt{t^2+3t}+\sqrt{t^2-3t}}$

$=\lim_{t\to\infty}\frac{6t}{\sqrt{t^2+3t}+\sqrt{t^2-3t}}$

$=\lim_{t\to\infty}\frac{6}{\sqrt{1+\frac{3}{t}}+\sqrt{1-\frac{3}{t}}}$

$=\frac{6}{2}=3$ 답 3

30 $x \to 1$일 때, (분모)$\to 0$이고 극한값이 존재하므로 (분자)$\to 0$이어야 한다.

즉, $\lim_{x\to1}(x^2+ax-b)=0$이므로

$1+a-b=0$

$\therefore b=a+1$ ······㉠

㉠을 주어진 식에 대입하면

$$\lim_{x\to1}\frac{x^2+ax-b}{x^3-1}=\lim_{x\to1}\frac{x^2+ax-(a+1)}{x^3-1}=\lim_{x\to1}\frac{(x-1)(x+a+1)}{(x-1)(x^2+x+1)}=\lim_{x\to1}\frac{x+a+1}{x^2+x+1}=\frac{a+2}{3}=3$$

$a+2=9$ $\therefore a=7$

$a=7$을 ㉠에 대입하면 $b=8$

$\therefore a+b=15$ 답 ④

31 $x \to 3$일 때, (분모)$\to 0$이고 극한값이 존재하므로 (분자)$\to 0$이어야 한다.

즉, $\lim_{x\to3}(a\sqrt{x-2}-1)=0$이므로 $a-1=0$

$\therefore a=1$

$a=1$을 주어진 식에 대입하면

$$\lim_{x\to3}\frac{\sqrt{x-2}-1}{x-3}=\lim_{x\to3}\frac{(\sqrt{x-2}-1)(\sqrt{x-2}+1)}{(x-3)(\sqrt{x-2}+1)}=\lim_{x\to3}\frac{x-3}{(x-3)(\sqrt{x-2}+1)}=\lim_{x\to3}\frac{1}{\sqrt{x-2}+1}=\frac{1}{2}=b$$

$\therefore a+b=1+\frac{1}{2}=\frac{3}{2}$ 답 $\frac{3}{2}$

32 $a\le0$이면 $\lim_{x\to-\infty}(\sqrt{1+x^2}+ax)=\infty$이므로 $a>0$이어야 한다.

$x=-t$로 놓으면 $x\to-\infty$일 때 $t\to\infty$이므로

$$\lim_{x\to-\infty}(\sqrt{1+x^2}+ax)=\lim_{t\to\infty}(\sqrt{1+t^2}-at)=\lim_{t\to\infty}\frac{(\sqrt{1+t^2}-at)(\sqrt{1+t^2}+at)}{\sqrt{1+t^2}+at}=\lim_{t\to\infty}\frac{1+(1-a^2)t^2}{\sqrt{1+t^2}+at}=\lim_{t\to\infty}\frac{\frac{1}{t}+(1-a^2)t}{\sqrt{\frac{1}{t^2}+1}+a}$$ ······㉠

㉠의 극한값이 존재하려면

$1-a^2=0$ $\therefore a=1$ ($\because a>0$)

$a=1$을 ㉠에 대입하면

$$\lim_{t\to\infty}\frac{\frac{1}{t}}{\sqrt{\frac{1}{t^2}+1}+1}=0$$이므로 $b=0$

$\therefore a+b=1$ 답 1

33 $y=f(x)$가 다항함수이고 $\lim_{x\to\infty}\frac{f(x)}{3x^2-x+2}=1$이므로

$y=f(x)$는 이차항의 계수가 3인 이차함수이다.

또 $\lim_{x\to2}\frac{f(x)-2}{x-2}=3$에서 $x\to2$일 때, (분모)$\to0$이므로 (분자)$\to0$이어야 한다.

$\lim_{x\to2}\{f(x)-2\}=f(2)-2=0$ $\therefore f(2)=2$

$f(x)=3x^2+ax+b$ (a, b는 상수)로 놓으면

$f(2)=12+2a+b=2$

$\therefore b=-2a-10$ ······㉠

즉, $f(x)=3x^2+ax-2a-10$이므로

$$\lim_{x\to2}\frac{f(x)-2}{x-2}=\lim_{x\to2}\frac{(3x^2+ax-2a-10)-2}{x-2}=\lim_{x\to2}\frac{(x-2)(3x+a+6)}{x-2}=\lim_{x\to2}(3x+a+6)=a+12=3$$

$\therefore a=-9$

$a=-9$를 ㉠에 대입하면 $b=8$

따라서 $f(x)=3x^2-9x+8$이므로

$f(-1)=3+9+8=20$ 답 20

다른 풀이

$f(x)-2=3(x-2)(x-k)$ (k는 상수)로 놓을 수 있으므로

$$\lim_{x\to2}\frac{f(x)-2}{x-2}=\lim_{x\to2}\frac{3(x-2)(x-k)}{x-2}=\lim_{x\to2}3(x-k)=6-3k=3$$

$\therefore k=1$

따라서 $f(x)=3(x-2)(x-1)+2$이므로

$f(-1)=3\times(-3)\times(-2)+2=20$

34 조건 (가)에서 $\lim_{x\to\infty}\frac{f(x)-3x^3}{x^2}=2$와 같이 수렴하려면

분모와 분자의 차수가 2로 같고, 분자인 $f(x)-3x^3$의 최고차항의 계수가 2이어야 한다.

즉, 다항식 $f(x)$의 최고차항은 $3x^3$이고, 이차항의 계수가 2이므로 $f(x)=3x^3+2x^2+ax+b$ (a, b는 상수)로 놓을 수 있다.

조건 (나)에서

$$\lim_{x\to0}\frac{f(x)}{x}=\lim_{x\to0}\frac{3x^3+2x^2+ax+b}{x}=2$$ ······㉠

$x\to0$일 때, (분모)$\to0$이므로 (분자)$\to0$이어야 한다.

$\therefore \lim_{x\to0}(3x^3+2x^2+ax+b)=b=0$

$b=0$을 ㉠에 대입하면

$$\lim_{x\to0}\frac{3x^3+2x^2+ax}{x}=\lim_{x\to0}(3x^2+2x+a)=2$$

$\therefore a=2$

따라서 $f(x)=3x^3+2x^2+2x$이므로

$f(1)=3+2+2=7$ 답 7

35 $\lim_{x\to1}\frac{f(x)}{x-1}=-1$, $\lim_{x\to2}\frac{f(x)}{x-2}=5$에서 $f(1)=0$, $f(2)=0$이므로

$f(x)=(x-1)(x-2)Q(x)$ ($Q(x)$는 다항식) ······㉠

로 놓으면

$$\lim_{x\to1}\frac{f(x)}{x-1}=\lim_{x\to1}\frac{(x-1)(x-2)Q(x)}{x-1}$$
$$=\lim_{x\to1}(x-2)Q(x)=-1$$
$\therefore Q(1)=1$ ······㉡
$$\lim_{x\to2}\frac{f(x)}{x-2}=\lim_{x\to2}\frac{(x-1)(x-2)Q(x)}{x-2}$$
$$=\lim_{x\to2}(x-1)Q(x)=5$$
$\therefore Q(2)=5$ ······㉢

㉠에서 $Q(x)$의 차수가 가장 낮을 때, $f(x)$의 차수도 가장 낮다.
㉡, ㉢을 만족시키는 다항식 $Q(x)$ 중에서 차수가 가장 낮은 것은 일차식이므로
$Q(x)=ax+b$ (a, b는 상수)로 놓으면
㉡, ㉢에서 $a+b=1$, $2a+b=5$
위의 식을 연립하여 풀면
$a=4$, $b=-3$
따라서 $g(x)=(x-1)(x-2)(4x-3)$이므로
$g(3)=2\times1\times9=18$ 답 ③

36 $x>0$이므로 주어진 부등식의 각 변에 x를 곱하면
$$\frac{x^2}{3x^2+2x+1}<xf(x)<\frac{x^2}{3x^2-2x+1}$$
$\lim_{x\to\infty}\frac{x^2}{3x^2+2x+1}=\lim_{x\to\infty}\frac{x^2}{3x^2-2x+1}=\frac{1}{3}$이므로
$$\lim_{x\to\infty}xf(x)=\frac{1}{3}$$ 답 ①

37 $1<4x+1<f(x)<4x+3$의 각 변을 제곱하면
$(4x+1)^2<\{f(x)\}^2<(4x+3)^2$
양수 x에 대하여 $x^2+1>0$이므로 위의 부등식의 각 변을 x^2+1로 나누면
$$\frac{(4x+1)^2}{x^2+1}<\frac{\{f(x)\}^2}{x^2+1}<\frac{(4x+3)^2}{x^2+1}$$
$\lim_{x\to\infty}\frac{(4x+1)^2}{x^2+1}=\lim_{x\to\infty}\frac{(4x+3)^2}{x^2+1}=16$이므로
$$\lim_{x\to\infty}\frac{\{f(x)\}^2}{x^2+1}=16$$ 답 16

38 이차함수 $y=2x^2-4x+5$의 그래프를 y축의 방향으로 a만큼 평행이동하면 $y=2x^2-4x+5+a$이므로
$g(x)=2x^2-4x+5+a$
두 함수 $y=f(x)$와 $y=g(x)$의 그래프 사이에 함수 $y=h(x)$의 그래프가 존재하므로
$2x^2-4x+5<h(x)<2x^2-4x+5+a$ ($\because a>0$)
위의 부등식의 각 변을 x^2으로 나누면
$$\frac{2x^2-4x+5}{x^2}<\frac{h(x)}{x^2}<\frac{2x^2-4x+5+a}{x^2}$$
$\lim_{x\to\infty}\frac{2x^2-4x+5}{x^2}=\lim_{x\to\infty}\frac{2x^2-4x+5+a}{x^2}=2$이므로
$$\lim_{x\to\infty}\frac{h(x)}{x^2}=2$$ 답 2

39 직선 $y=2x+1$에 수직이고 점 $\mathrm{P}(t, 2t+1)$을 지나는 직선의 방정식은
$$y-(2t+1)=-\frac{1}{2}(x-t)$$
$$\therefore y=-\frac{1}{2}x+\frac{5}{2}t+1$$
이 직선이 x축과 만나는 점 Q의 좌표는 $(5t+2, 0)$이다.
$$\overline{\mathrm{PQ}}^2=(4t+2)^2+(2t+1)^2$$
$$=20t^2+20t+5$$
$$\overline{\mathrm{OP}}^2=t^2+(2t+1)^2=5t^2+4t+1$$
$$\therefore \lim_{t\to\infty}\frac{\overline{\mathrm{PQ}}^2}{\overline{\mathrm{OP}}^2}=\lim_{t\to\infty}\frac{20t^2+20t+5}{5t^2+4t+1}=4$$ 답 4

40 점 $\mathrm{A}(a, b)$가 곡선 $y=\sqrt{2x}$ 위의 점이므로 $b=\sqrt{2a}$
점 A를 지나는 원의 반지름의 길이는
$\overline{\mathrm{OA}}=\sqrt{a^2+b^2}=\sqrt{a^2+2a}$ ($\because b=\sqrt{2a}$)
점 B를 지나는 원의 반지름의 길이는 $\overline{\mathrm{OB}}=a$
따라서 $f(a)=\overline{\mathrm{OA}}-\overline{\mathrm{OB}}=\sqrt{a^2+2a}-a$이므로
$$\lim_{a\to\infty}f(a)=\lim_{a\to\infty}(\sqrt{a^2+2a}-a)$$
$$=\lim_{a\to\infty}\frac{(\sqrt{a^2+2a}-a)(\sqrt{a^2+2a}+a)}{\sqrt{a^2+2a}+a}$$
$$=\lim_{a\to\infty}\frac{2a}{\sqrt{a^2+2a}+a}$$
$$=\lim_{a\to\infty}\frac{2}{\sqrt{1+\frac{2}{a}}+1}=1$$ 답 1

41 점 P의 좌표를 $(t, \sqrt{2t-2})$ $(t\ge1)$라 하면 점 Q의 좌표는 $(t, 2)$이므로
$\overline{\mathrm{PQ}}=|\sqrt{2t-2}-2|$, $\overline{\mathrm{AQ}}=|t-3|$
점 P가 점 A에 한없이 가까워지면 $t\to3$이므로
$$\lim_{t\to3}\frac{\overline{\mathrm{PQ}}}{\overline{\mathrm{AQ}}}=\lim_{t\to3}\frac{|\sqrt{2t-2}-2|}{|t-3|}$$
$$=\lim_{t\to3}\frac{\sqrt{2t-2}-2}{t-3}$$
$$=\lim_{t\to3}\frac{2t-6}{(t-3)(\sqrt{2t-2}+2)}$$
$$=\lim_{t\to3}\frac{2}{\sqrt{2t-2}+2}$$
$$=\frac{2}{\sqrt{4}+2}=\frac{1}{2}$$ 답 $\frac{1}{2}$

42 선분 OP의 중점을 M이라 하면 $\mathrm{M}\left(\frac{a}{2}, \frac{a^2}{2}\right)$
선분 OP의 기울기는 $\frac{a^2-0}{a-0}=a$
즉, 선분 OP의 수직이등분선은 기울기가 $-\frac{1}{a}$이고 점 M을 지나는 직선이므로
$$y-\frac{a^2}{2}=-\frac{1}{a}\left(x-\frac{a}{2}\right)$$
$$\therefore y=-\frac{1}{a}x+\frac{1}{2}+\frac{a^2}{2}$$
점 Q의 좌표는 $\left(0, \frac{1}{2}+\frac{a^2}{2}\right)$이고, $\mathrm{P}\to\mathrm{O}$일 때 $a\to0$이므로
$$\lim_{a\to0}\left(\frac{1}{2}+\frac{a^2}{2}\right)=\frac{1}{2}$$
따라서 점 P가 곡선을 따라 원점 O에 한없이 가까워지면 점 Q는 점 $\left(0, \frac{1}{2}\right)$에 한없이 가까워진다. 답 ②

43 원의 중심을 점 C라 하면 그림과 같이 $\triangle$COB, $\triangle$COA, $\triangle$CAB는 각각 밑면이 $\overline{\text{OB}}$, $\overline{\text{OA}}$, $\overline{\text{AB}}$이고 높이가 r인 삼각형이다.

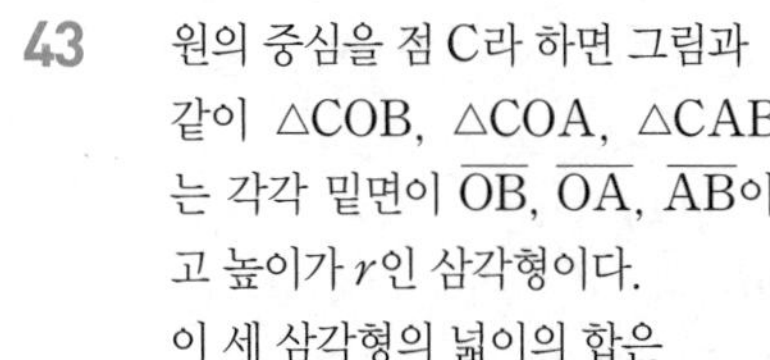

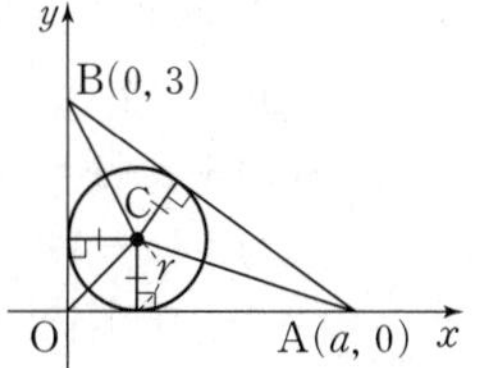

이 세 삼각형의 넓이의 합은 $\triangle$OAB의 넓이와 같으므로

$\frac{1}{2}r(\overline{\text{OB}}+\overline{\text{OA}}+\overline{\text{AB}})=\frac{1}{2}\times a\times 3$

$\overline{\text{AB}}=\sqrt{a^2+9}$ 이므로

$\frac{1}{2}r(3+a+\sqrt{a^2+9})=\frac{3}{2}a$

$\therefore \frac{r}{a}=\frac{3}{a+3+\sqrt{a^2+9}}$

$\therefore \lim_{a\to0+}\frac{r}{a}=\lim_{a\to0+}\frac{3}{a+3+\sqrt{a^2+9}}$

$=\frac{3}{3+\sqrt{9}}=\frac{1}{2}$

답 ⑤

44 ㄱ. $g(x)=t$로 놓으면

$x\to0+$일 때 $t\to0+$이므로

$\lim_{x\to0+}f(g(x))=\lim_{t\to0+}f(t)=3$

$x\to0-$일 때 $t\to0-$이므로

$\lim_{x\to0-}f(g(x))=\lim_{t\to0-}f(t)=1$

즉, $\lim_{x\to0+}f(g(x))\neq\lim_{x\to0-}f(g(x))$이므로 극한값은 존재하지 않는다.

ㄴ. $x\to0+$일 때 $f(x)=3$이므로

$\lim_{x\to0+}g(f(x))=g(3)=0$

$x\to0-$일 때 $f(x)=1$이므로

$\lim_{x\to0-}g(f(x))=g(1)=0$

$\therefore \lim_{x\to0}g(f(x))=0$

ㄷ. $g(x)=t$로 놓으면

$x\to3+$일 때 $t\to0+$이므로

$\lim_{x\to3+}f(g(x))=\lim_{t\to0+}f(t)=3$

$x\to3-$일 때 $t\to0-$이므로

$\lim_{x\to3-}f(g(x))=\lim_{t\to0-}f(t)=1$

즉, $\lim_{x\to3+}f(g(x))\neq\lim_{x\to3-}f(g(x))$이므로 극한값은 존재하지 않는다.

ㄹ. $x\to3$일 때 $f(x)=3$이므로

$\lim_{x\to3}g(f(x))=g(3)=0$

따라서 극한값이 존재하는 것은 ㄴ, ㄹ이다. 답 ③

45 $\lim_{t\to\infty}f\left(\frac{t-1}{t+1}\right)$에서 $\frac{t-1}{t+1}=s$로 놓으면

$s=1+\frac{-2}{t+1}$

$t\to\infty$일 때 $s\to1-$이므로

$\lim_{t\to\infty}f\left(\frac{t-1}{t+1}\right)=\lim_{s\to1-}f(s)=2$

$\lim_{t\to-\infty}f\left(\frac{4t-1}{t+1}\right)$에서 $\frac{4t-1}{t+1}=k$로 놓으면

$k=4+\frac{-5}{t+1}$

$t\to-\infty$일 때 $k\to4+$이므로

$\lim_{t\to-\infty}f\left(\frac{4t-1}{t+1}\right)=\lim_{k\to4+}f(k)=3$

$\therefore \lim_{t\to\infty}f\left(\frac{t-1}{t+1}\right)+\lim_{t\to-\infty}f\left(\frac{4t-1}{t+1}\right)=2+3=5$

답 5

46 $f(-1)=2$, $f(0)=2$, $f(2)=2$에서

$f(-1)-2=0$, $f(0)-2=0$, $f(2)-2=0$이므로

$f(x)-2=ax(x+1)(x-2)$ $(a\neq0)$로 놓으면

ㄱ. $\lim_{x\to2}\frac{x-2}{f(x)-2}=\lim_{x\to2}\frac{x-2}{ax(x+1)(x-2)}$

$=\lim_{x\to2}\frac{1}{ax(x+1)}=\frac{1}{6a}$

ㄴ. $\lim_{x\to2}\frac{f(x)-2}{f(x-2)}=\frac{f(2)-2}{f(0)}$

$=\frac{2-2}{2}=0$

ㄷ. $x\to2$일 때 (분모)$\to0$, (분자)$\to2$이므로 $\frac{2}{0}$ 꼴이다.

즉, $\lim_{x\to2+}\frac{f(x-2)}{x-2}=\infty$, $\lim_{x\to2-}\frac{f(x-2)}{x-2}=-\infty$이므로 극한값이 존재하지 않는다.

따라서 극한값이 존재하는 것은 ㄱ, ㄴ이다. 답 ③

47 $\lim_{x\to0}\frac{f(x)}{x}=8$에서 $x\to0$일 때, (분모)$\to0$이고 극한값이 존재하므로 (분자)$\to0$이어야 한다.

$\therefore \lim_{x\to0}f(x)=0$

마찬가지로 $\lim_{x\to2}\frac{f(x)}{x-2}=8$에서 $\lim_{x\to2}f(x)=0$

$f(x)=t$로 놓으면 $x\to2$일 때 $t\to0$이므로

$\lim_{x\to2}\frac{f(f(x))}{f(x)}=\lim_{t\to0}\frac{f(t)}{t}=8$

$\therefore \lim_{x\to2}\frac{f(f(x))}{x^2-4}=\lim_{x\to2}\left\{\frac{f(f(x))}{f(x)}\times\frac{f(x)}{x-2}\times\frac{1}{x+2}\right\}$

$=8\times8\times\frac{1}{4}=16$

답 16

48 $\lim_{x\to k+}[x]=k$, $\lim_{x\to k+}[3x]=3k$이므로

$\lim_{x\to k+}\frac{[3x]}{[x]^2+2x}=\frac{3k}{k^2+2k}=\frac{3}{k+2}$

$\lim_{x\to k-}[x]=k-1$, $\lim_{x\to k-}[3x]=3k-1$이므로

$\lim_{x\to k-}\frac{[3x]}{[x]^2+2x}=\frac{3k-1}{(k-1)^2+2k}=\frac{3k-1}{k^2+1}$

$\lim_{x\to k}\frac{[3x]}{[x]^2+2x}$의 값이 존재하므로

$\frac{3}{k+2}=\frac{3k-1}{k^2+1}$, $3k^2+3=3k^2+5k-2$

$5k=5$ $\quad\therefore k=1$

따라서 $a=\frac{3}{k+2}=1$이므로

$k+a=2$

답 ③

49 $f(x)=\begin{cases} -1 & (x<-1) \\ 0 & (x=-1 \text{ 또는 } x=1) \\ x & (-1<x<1) \\ 1 & (x>1) \end{cases}$ 이므로

$f(-x)=\begin{cases} 1 & (x<-1) \\ 0 & (x=-1 \text{ 또는 } x=1) \\ -x & (-1<x<1) \\ -1 & (x>1) \end{cases}$

ㄱ. $\lim_{x\to-1-}\{f(x)f(-x)\}=(-1)\times1=-1$

$\lim_{x\to-1+}\{f(x)f(-x)\}=\lim_{x\to-1+}\{x\times(-x)\}=-1$

$\therefore \lim_{x\to-1}\{f(x)f(-x)\}=-1$ (참)

ㄴ. $\lim_{x\to-1-}\{f(|x|)+f(-x)\}=\lim_{x\to-1-}\{f(-x)+f(-x)\}$
$=1+1=2$

$\lim_{x\to-1+}\{f(|x|)+f(-x)\}=\lim_{x\to-1+}\{f(-x)+f(-x)\}$
$=\lim_{x\to-1+}\{(-x)+(-x)\}$
$=1+1=2$

$\therefore \lim_{x\to-1}\{f(|x|)+f(-x)\}=2$ (참)

ㄷ. $f(x)=t$로 놓으면

$x\to1-$일 때 $t\to1-$이므로

$\lim_{x\to1-}f(f(x))=\lim_{t\to1-}f(t)=1$

$x\to1+$일 때 $f(x)=1$이므로

$\lim_{x\to1+}f(f(x))=f(1)=0$

즉, $\lim_{x\to1-}f(f(x))\neq\lim_{x\to1+}f(f(x))$이므로

$\lim_{x\to1}f(f(x))$의 값은 존재하지 않는다. (거짓)

따라서 옳은 것은 ㄱ, ㄴ이다. 답 ③

50 $\lim_{x\to0}(x+1)f(x)=1$에서 $(x+1)f(x)=h(x)$로 놓으면

$\lim_{x\to0}h(x)=1,\ f(x)=\dfrac{h(x)}{x+1}$

ㄱ. $g(x)=x+2$이면

$\lim_{x\to0}\{f(x)g(x)\}=\lim_{x\to0}\dfrac{h(x)(x+2)}{x+1}=2$

ㄴ. $g(x)=\dfrac{1}{x}$이면

$\lim_{x\to0}\{f(x)g(x)\}=\lim_{x\to0}\dfrac{h(x)}{x(x+1)}=\infty$ (발산)

ㄷ. $g(x)=[x]$이면

$\lim_{x\to0}\{f(x)g(x)\}=\lim_{x\to0}\dfrac{h(x)[x]}{x+1}$에서

$\lim_{x\to0+}\dfrac{h(x)[x]}{x+1}=\lim_{x\to0+}\dfrac{h(x)\times0}{x+1}=0$

$\lim_{x\to0-}\dfrac{h(x)[x]}{x+1}=\lim_{x\to0-}\dfrac{h(x)\times(-1)}{x+1}=-1$

즉, $\lim_{x\to0}\{f(x)g(x)\}$의 극한값은 존재하지 않는다.

따라서 $\lim_{x\to0}\{f(x)g(x)\}$의 값이 존재하는 함수 $y=g(x)$는 ㄱ뿐이다. 답 ①

51 $\lim_{x\to1}\dfrac{g(x)-2x}{x-1}$의 값이 존재하고 $x\to1$일 때,

(분모)$\to0$이므로 (분자)$\to0$이어야 한다.

즉, $\lim_{x\to1}\{g(x)-2x\}=0$이므로 $g(1)-2=0$

$\therefore g(1)=2$

$f(x)+x-1=(x-1)g(x)$에서

$f(x)=(x-1)\{g(x)-1\}$

$x=1$을 대입하면 $f(1)=0$이므로

$\lim_{x\to1}\dfrac{f(x)-f(1)}{x-1}=\lim_{x\to1}\{g(x)-1\}$
$=g(1)-1=1$

$\therefore \lim_{x\to1}\dfrac{f(x)g(x)}{x^2-1}=\lim_{x\to1}\left\{\dfrac{f(x)}{x-1}\times\dfrac{g(x)}{x+1}\right\}$
$=\lim_{x\to1}\dfrac{f(x)-f(1)}{x-1}\times\lim_{x\to1}\dfrac{g(x)}{x+1}$
$=1\times\dfrac{g(1)}{2}=1$ 답 1

52 $\lim_{x\to\infty}\dfrac{\sqrt{x+\alpha^2}-\sqrt{x+\beta^2}}{\sqrt{3x+\alpha}-\sqrt{3x+\beta}}$

$=\lim_{x\to\infty}\dfrac{(x+\alpha^2-x-\beta^2)(\sqrt{3x+\alpha}+\sqrt{3x+\beta})}{(3x+\alpha-3x-\beta)(\sqrt{x+\alpha^2}+\sqrt{x+\beta^2})}$

$=\lim_{x\to\infty}\dfrac{\alpha^2-\beta^2}{\alpha-\beta}\times\lim_{x\to\infty}\dfrac{\sqrt{3+\frac{\alpha}{x}}+\sqrt{3+\frac{\beta}{x}}}{\sqrt{1+\frac{\alpha^2}{x}}+\sqrt{1+\frac{\beta^2}{x}}}$

$=(\alpha+\beta)\times\dfrac{2\sqrt{3}}{2}$

$=2\sqrt{3}$ 답 $2\sqrt{3}$

53 $\lim_{x\to2}\dfrac{f(x)-1}{x-2}=4$에서 $x\to2$일 때, (분모)$\to0$이고

극한값이 존재하므로 (분자)$\to0$이어야 한다.

즉, $\lim_{x\to2}\{f(x)-1\}=0$에서 $\lim_{x\to2}f(x)=1$

마찬가지로 $\lim_{x\to2}\dfrac{g(x)-3}{x-2}=2$에서 $\lim_{x\to2}g(x)=3$

$(x-1)g(x)\le h(x)\le(x+1)f(x)$에서

$\lim_{x\to2}(x-1)g(x)=\lim_{x\to2}(x+1)f(x)=3$이므로

$\lim_{x\to2}h(x)=3$ 답 3

54 점 A의 좌표를 $(k,\ ak^2)$ $(k>0)$이라 하면 점 $\mathrm{D}(k,\ a)$이고

정사각형 ABCD의 한 변의 길이는 $2k$이므로

$a-ak^2=2k,\ ak^2+2k-a=0$

$\therefore k=\dfrac{-1+\sqrt{1+a^2}}{a}$ $(\because a>0,\ k>0)$

따라서 정사각형 ABCD의 한 변의 길이는

$2k=\dfrac{-2+2\sqrt{1+a^2}}{a}$이므로 정사각형 ABCD의 넓이 $S(a)$는

$S(a)=(2k)^2=\left(\dfrac{-2+2\sqrt{1+a^2}}{a}\right)^2=\dfrac{4a^2+8-8\sqrt{1+a^2}}{a^2}$

$\therefore \lim_{a\to\infty}S(a)=\lim_{a\to\infty}\dfrac{4a^2+8-8\sqrt{1+a^2}}{a^2}=4$

답 4

55 두 점 $\mathrm{P}(t,\ \sqrt{t}\,)$, $\mathrm{Q}\left(t,\ \dfrac{1}{t}\right)$이고, 두 곡선 $y=\sqrt{x}$와 $y=\dfrac{1}{x}$의

교점이 $\mathrm{S}(1,\ 1)$이므로 점 $\mathrm{R}\left(1,\ \dfrac{1}{t}\right)$이다.

$$f(t)=\frac{1}{2}(t-1)\left(\sqrt{t}-\frac{1}{t}\right)=\frac{(t-1)(t\sqrt{t}-1)}{2t}$$

$$g(t)=\frac{1}{2}(t-1)\left(1-\frac{1}{t}\right)=\frac{(t-1)^2}{2t}$$

$$\therefore \lim_{t\to1}\frac{f(t)}{g(t)}=\lim_{t\to1}\frac{\frac{(t-1)(t\sqrt{t}-1)}{2t}}{\frac{(t-1)^2}{2t}}$$

$$=\lim_{t\to1}\frac{t\sqrt{t}-1}{t-1}$$

$$=\lim_{t\to1}\frac{t^3-1}{(t-1)(t\sqrt{t}+1)}$$

$$=\lim_{t\to1}\frac{t^2+t+1}{t\sqrt{t}+1}=\frac{3}{2}$$

답 ①

56 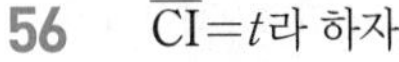
$\overline{CI}=t$라 하자.

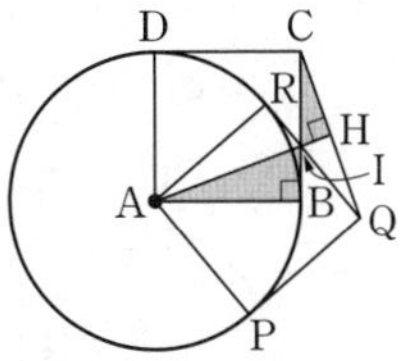

점 P가 점 B에 한없이 가까워지면 $t\to0$이다.

점 I에서 선분 QC에 내린 수선의 발을 H라 하면 삼각형 ABI와 삼각형 CHI는 닮음이다.

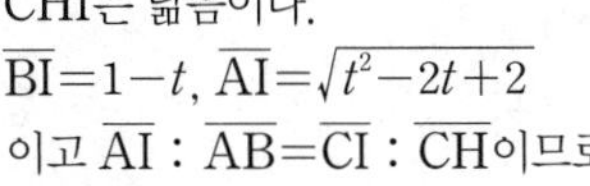
$\overline{BI}=1-t$, $\overline{AI}=\sqrt{t^2-2t+2}$

이고 $\overline{AI}:\overline{AB}=\overline{CI}:\overline{CH}$이므로

$\sqrt{t^2-2t+2}:1=t:\overline{CH}$

$\therefore \overline{CH}=\frac{t}{\sqrt{t^2-2t+2}}$

$\overline{AI}:\overline{BI}=\overline{CI}:\overline{HI}$이므로

$\sqrt{t^2-2t+2}:1-t=t:\overline{HI}$

$\therefore \overline{HI}=\frac{t(1-t)}{\sqrt{t^2-2t+2}}$

삼각형 IQC에 대하여 S, L을 구하면

$S=\frac{t^2(1-t)}{t^2-2t+2}$, $L=2t\times\frac{\sqrt{t^2-2t+2}+1}{\sqrt{t^2-2t+2}}$

$$\therefore \lim_{t\to0}\frac{L^2}{S}=\lim_{t\to0}\frac{4t^2\times\frac{t^2-2t+3+2\sqrt{t^2-2t+2}}{t^2-2t+2}}{\frac{t^2(1-t)}{t^2-2t+2}}$$

$$=\lim_{t\to0}\frac{4(t^2-2t+3+2\sqrt{t^2-2t+2})}{1-t}$$

$$=12+8\sqrt{2}$$

따라서 $a=12$, $b=8$이므로

$a^2+b^2=144+64=208$

답 208

다른 풀이

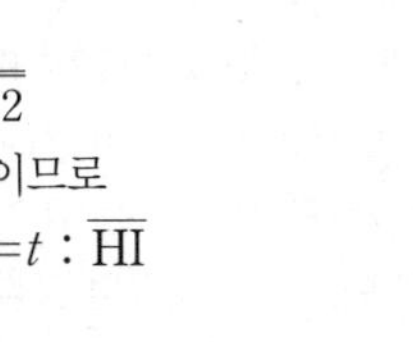

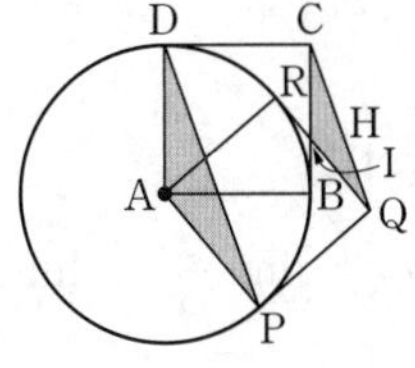

[그림1]

[그림1]에서 $\angle CIQ=\angle DAP$, $\overline{IC}=\overline{IQ}$, $\overline{AD}=\overline{AP}$이므로 두 삼각형 IQC, APD는 서로 닮음인 도형이다. 따라서

$$\frac{(\triangle\text{IQC의 둘레의 길이})^2}{(\triangle\text{IQC의 넓이})}=\frac{(\triangle\text{APD의 둘레의 길이})^2}{(\triangle\text{APD의 넓이})}$$

이다.

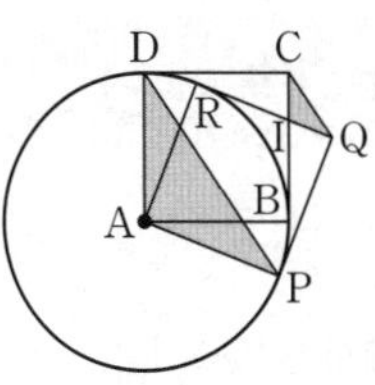

[그림2]

[그림2]에서 볼 수 있듯이 점 P가 점 B에 한없이 가까워지면 삼각형 APD는 삼각형 ABD에 한없이 가까워진다.

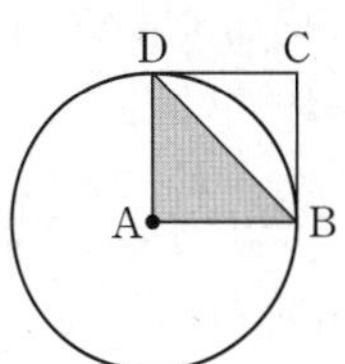

[그림3]

[그림3]에서 삼각형 ABD는 직각이등변삼각형이므로

$$\frac{(\triangle\text{ABD의 둘레의 길이})^2}{(\triangle\text{ABD의 넓이})}=\frac{(1+1+\sqrt{2})^2}{\frac{1}{2}\times1\times1}=12+8\sqrt{2}$$

이다. 그러므로 점 P가 점 B에 한없이 가까워지면 $\frac{L^2}{S}$의 값은 $12+8\sqrt{2}$에 한없이 가까워진다.

따라서 $a=12$, $b=8$이므로

$a^2+b^2=144+64=208$

57 $n=1$일 때, $\lim_{x\to1}\frac{f(x)}{g(x)}=0$ ······㉠

$n=2$일 때, $\lim_{x\to2}\frac{f(x)}{g(x)}=0$ ······㉡

$n=3$일 때, $\lim_{x\to3}\frac{f(x)}{g(x)}=2$ ······㉢

$n=4$일 때, $\lim_{x\to4}\frac{f(x)}{g(x)}=6$ ······㉣

조건 (가)에서 $g(1)=0$이므로 최고차항의 계수가 1인 삼차함수 $y=g(x)$는 $g(x)=(x-1)(x^2+ax+b)$ (a, b는 상수)로 놓을 수 있다.

㉠, ㉡에서 $f(x)=(x-1)^2(x-2)$이고

㉢에서 $\frac{f(3)}{g(3)}=\frac{4}{2(9+3a+b)}=2$이므로

$3a+b+8=0$ ······㉤

㉣에서 $\frac{f(4)}{g(4)}=\frac{18}{3(16+4a+b)}=6$이므로

$4a+b+15=0$ ······㉥

㉤, ㉥을 연립하여 풀면 $a=-7$, $b=13$

따라서 $g(x)=(x-1)(x^2-7x+13)$이므로

$g(5)=4\times(25-35+13)=12$

답 12

02 함수의 연속

본책 019~028쪽

01 ㄱ. $f(x)=\frac{1}{x}$은 $x=0$에서 정의되지 않으므로 함수 $y=f(x)$는 $x=0$에서 불연속이다.

ㄴ. $f(0)=0$, $\lim_{x\to0}f(x)=\lim_{x\to0}|x|=0$이므로

$f(0)=\lim_{x\to0}f(x)$

따라서 함수 $y=f(x)$는 $x=0$에서 연속이다.

ㄷ. $x<2$에서 함숫값이 정의되지 않으므로 함수 $y=f(x)$는 $x=0$에서 불연속이다.

ㄹ. $\lim_{x\to0}f(x)=\lim_{x\to0}\frac{x^2-2x}{x}=\lim_{x\to0}(x-2)=-2$이므로

$f(0)=\lim_{x\to0}f(x)$

따라서 함수 $y=f(x)$는 $x=0$에서 연속이다.

따라서 $x=0$에서 연속인 함수는 ㄴ, ㄹ이다. 답 ④

02 함수 $y=f(x)$가 실수 전체의 집합에서 연속이 되려면 $x=1$에서 연속이어야 한다.

즉, $\lim_{x\to1-}f(x)=\lim_{x\to1+}f(x)=f(1)$이어야 하므로

$2+10=1+a$ $\therefore a=11$ 답 11

03 함수 $y=f(x)$가 모든 실수 x에서 연속이 되려면 $x=3$에서 연속이어야 한다.

즉, $\lim_{x\to3}f(x)=f(3)$이어야 하므로

$$\lim_{x\to3}\frac{x^2+x-12}{x-3}=\lim_{x\to3}\frac{(x-3)(x+4)}{x-3}=\lim_{x\to3}(x+4)=7$$

$\therefore f(3)=a=7$ 답 7

04 함수 $y=f(x)$가 실수 전체의 집합에서 연속이므로 $x=1$에서도 연속이다.

$\lim_{x\to1-}f(x)=\lim_{x\to1+}f(x)=f(1)$에서

$-6=-2b$ $\therefore b=3$

$f(x+3)=f(x)$에 $x=0$을 대입하면

$f(3)=f(0)$이므로 $4a-6=0$ $\therefore a=\frac{3}{2}$

$\therefore f(x)=\frac{3}{2}(x-1)^2-6$ (단, $1\le x\le3$)

$\therefore f(98)=f(3\times32+2)=f(2)=-\frac{9}{2}$ 답 $-\frac{9}{2}$

05 $x\neq2$일 때, $f(x)=\frac{x^2-2x+a}{x-2}$이고

함수 $y=f(x)$가 모든 실수 x에서 연속이므로 $x=2$에서도 연속이다.

$f(2)=\lim_{x\to2}f(x)=\lim_{x\to2}\frac{x^2-2x+a}{x-2}$ ……㉠

$x\to2$일 때, (분모)$\to0$이고 극한값이 존재하므로 (분자)$\to0$이어야 한다.

$\lim_{x\to2}(x^2-2x+a)=4-4+a=0$ $\therefore a=0$

$a=0$을 ㉠에 대입하면

$$f(2)=\lim_{x\to2}\frac{x^2-2x}{x-2}=\lim_{x\to2}\frac{x(x-2)}{x-2}=\lim_{x\to2}x=2$$

답 2

06 함수 $y=f(x)g(x)$가 $x=2$에서 연속이려면

$\lim_{x\to2-}\{f(x)g(x)\}=\lim_{x\to2+}\{f(x)g(x)\}=f(2)g(2)$이어야 하므로

$(2-2)(2+k)=(-2+4)(2+k)$

$\therefore k=-2$ 답 -2

다른 풀이

함수 $y=f(x)$가 $x=2$에서 불연속이므로

$g(2)=2+k=0$이어야 한다.

$\therefore k=-2$

07 ㄱ. 불연속인 x의 값은 $x=-1$, $x=0$, $x=1$의 3개이다. (참)

ㄴ. $x=-1$에서의 극한값은 $\lim_{x\to-1-}f(x)=\lim_{x\to-1+}f(x)=2$이지만 $x=0$, $x=1$에서의 극한값은 존재하지 않으므로 극한값이 존재하지 않는 x의 값은 2개이다. (거짓)

ㄷ. 닫힌구간 $[-2, 2]$에서 최댓값은 $f(1)=3$, 최솟값은 $f(0)=-1$이다. (참)

따라서 옳은 것은 ㄱ, ㄷ이다. 답 ㄱ, ㄷ

08 $f(x)=x^3-x^2+4x-2$라 하면

$f(-1)=-8<0$, $f(0)=-2<0$, $f(1)=2>0$

$f(2)=10>0$, $f(3)=28>0$, $f(4)=62>0$

따라서 함수 $y=f(x)$는 모든 실수 x에서 연속이고

$f(0)f(1)<0$이므로 사잇값의 정리에 의하여

$f(x)=0$의 실근이 존재하는 구간은 $(0, 1)$이다. 답 ②

09 ㄱ. $f(0)=0\times|0|=0$이고,

$\lim_{x\to0+}f(x)=\lim_{x\to0+}x^2=0$,

$\lim_{x\to0-}f(x)=\lim_{x\to0-}(-x^2)=0$

이므로 $\lim_{x\to0}f(x)=0$

즉, $\lim_{x\to0}f(x)=f(0)$이므로 함수 $y=f(x)$는 $x=0$에서 연속이다.

ㄴ. $g(0)=0-|0|=0$이고,

$\lim_{x\to0+}g(x)=\lim_{x\to0+}(x-x)=0$,

$\lim_{x\to0-}g(x)=\lim_{x\to0-}(x+x)=0$

이므로 $\lim_{x\to0}g(x)=0$

즉, $\lim_{x\to0}g(x)=g(0)$이므로 함수 $y=g(x)$는 $x=0$에서 연속이다.

ㄷ. $h(0)=1$이고,

$\lim_{x\to0+}h(x)=\lim_{x\to0+}\frac{x^2}{x}=\lim_{x\to0+}x=0$,

$\lim_{x\to0-}h(x)=\lim_{x\to0-}\frac{x^2}{-x}=\lim_{x\to0-}(-x)=0$

이므로 $\lim_{x\to0}h(x)=0$

즉, $\lim_{x\to0}h(x)\neq h(0)$이므로 함수 $y=h(x)$는 $x=0$에서 불연속이다.

따라서 $x=0$에서 연속인 것은 ㄱ, ㄴ이다. 답 ③

10 함수 $y=f(x)$의 극한값이 존재하지 않는 x의 값은 $x=3$일 때뿐이므로 $m=1$
또 함수 $y=f(x)$는 $x=2$, $x=5$일 때 극한값이 존재하지만 함숫값과 다르므로 $n=2$
$\therefore m+n=1+2=3$ 답 3

11 조건 ㈎, 조건 ㈏에서 좌극한과 우극한이 같으면서 불연속인 x의 값은 $x=0$, $x=5$이다.
$f(0)$의 값은 존재하지 않고, $f(5)=2$이므로
조건 ㈐에서 $f(a)=b$를 만족시키는 a, b의 값은
$a=5$, $b=2$
$\therefore a-b=3$ 답 3

12 함수 $y=f(x)$가 실수 전체의 집합에서 연속이면 $x=1$에서도 연속이므로
$\lim_{x\to1-}f(x)=\lim_{x\to1+}f(x)=f(1)$에서
$4-a=1+a \quad \therefore a=\frac{3}{2}$ 답 ①

13 함수 $y=f(x)$가 모든 실수 x에서 연속이므로 $x=1$, $x=2$에서도 연속이다.
(i) $x=1$에서 연속이므로
$\lim_{x\to1-}f(x)=\lim_{x\to1+}f(x)=f(1)$에서
$2+b=1+a-3$
$\therefore a-b=4$ ……㉠
(ii) $x=2$에서 연속이므로
$\lim_{x\to2-}f(x)=\lim_{x\to2+}f(x)=f(2)$에서
$4+2a-3=4+b$
$\therefore 2a-b=3$ ……㉡
㉠, ㉡을 연립하여 풀면 $a=-1$, $b=-5$
$\therefore a+b=-6$ 답 -6

14 함수 $y=f(x)$가 모든 실수 x에서 연속이려면 $x=-1$, $x=1$에서 연속이어야 한다.
(i) $x=-1$에서 연속이어야 하므로
$\lim_{x\to-1-}f(x)=\lim_{x\to-1+}f(x)=f(-1)$에서
$3=-1-a+b$
$\therefore a-b=-4$ ……㉠
(ii) $x=1$에서 연속이어야 하므로
$\lim_{x\to1-}f(x)=\lim_{x\to1+}f(x)=f(1)$에서
$-1+a+b=-1$
$\therefore a+b=0$ ……㉡
㉠, ㉡을 연립하여 풀면 $a=-2$, $b=2$
$\therefore ab=-4$ 답 -4

15 함수 $y=f(x)$가 실수 전체의 집합에서 연속이므로 $x=1$에서도 연속이다.
$\lim_{x\to1-}f(x)=\lim_{x\to1+}f(x)=f(1)$에서
$1+b+8=-1+a$
$\therefore a-b=10$ ……㉠
$f(x+4)=f(x)$에 $x=-1$을 대입하면
$f(3)=f(-1)$이므로 $-3+a=1-b+8$
$\therefore a+b=12$ ……㉡
㉠, ㉡을 연립하여 풀면
$a=11$, $b=1$
따라서 $f(x)=\begin{cases} x^2+x+8 & (-1\le x<1) \\ -x+11 & (1\le x\le3) \end{cases}$이므로
$f(a)+f(b)=f(11)+f(1)$
$=f(3)+f(1)$
$=8+10=18$ 답 18

16 함수 $y=f(x)$가 실수 전체의 집합에서 연속이므로 $x=1$에서도 연속이다.
$\lim_{x\to1-}f(x)=\lim_{x\to1+}f(x)=f(1)$에서
$3=1+a+b$
$\therefore a+b=2$ ……㉠
$f(x-2)=f(x+2)$에 $x=2$를 대입하면
$f(0)=f(4)$이므로
$0=16+4a+b$
$\therefore 4a+b=-16$ ……㉡
㉠, ㉡을 연립하여 풀면
$a=-6$, $b=8$
따라서 $f(x)=\begin{cases} 3x & (0\le x<1) \\ x^2-6x+8 & (1\le x\le4) \end{cases}$이므로
$f(10)=f(2)=0$ 답 0

17 함수 $y=f(x)$의 그래프는 반닫힌 구간 $[-3, 3)$에서 그림과 같고,
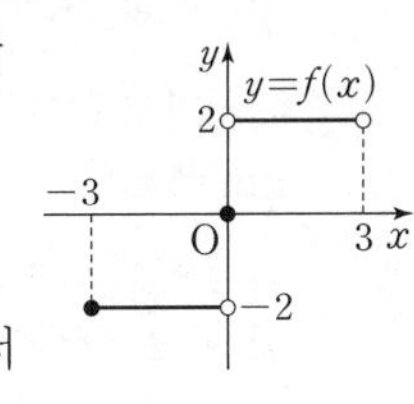

$f(x+4)=f(x-2)$에 x 대신 $x+2$를 대입하면 $f(x+6)=f(x)$이므로
함수 $y=f(x)$는 $x=3n$(n은 정수)에서 불연속이다.
따라서 열린구간 $(-12, 12)$에서 x의 값이 -9, -6, -3, 0, 3, 6, 9일 때 불연속이므로 불연속인 x의 개수는 7이다. 답 ④

18 함수 $y=f(x)$가 $x=-2$에서 연속이므로
$\lim_{x\to-2}\frac{x^2+ax+b}{x+2}=f(-2)=0$ ……㉠
$x\to-2$일 때, (분모)$\to0$이므로 (분자)$\to0$이어야 한다.
$\lim_{x\to-2}(x^2+ax+b)=4-2a+b=0$
$\therefore b=2a-4$ ……㉡
㉡을 ㉠에 대입하면
$$\lim_{x\to-2}\frac{x^2+ax+b}{x+2}=\lim_{x\to-2}\frac{x^2+ax+2a-4}{x+2}$$
$$=\lim_{x\to-2}\frac{(x+2)(x-2+a)}{x+2}$$
$$=\lim_{x\to-2}(x-2+a)$$
$$=-4+a=0$$
$\therefore a=4$
$a=4$를 ㉡에 대입하면 $b=4$
$\therefore a+b=8$ 답 ③

19 함수 $y=f(x)$가 모든 실수 x에서 연속이려면 $x=0$에서 연속이어야 한다.

즉, $\lim_{x\to0} f(x)=f(0)$이어야 하므로

$\lim_{x\to0}\frac{2\sqrt{x+a}-b}{x}=\frac{1}{2}$ ······㉠

$x\to0$일 때, (분모)$\to0$이므로 (분자)$\to0$이어야 한다.

$\lim_{x\to0}(2\sqrt{x+a}-b)=2\sqrt{a}-b=0$

$\therefore b=2\sqrt{a}$

$b=2\sqrt{a}$를 ㉠에 대입하면

$$\begin{aligned}\lim_{x\to0}\frac{2\sqrt{x+a}-b}{x}&=\lim_{x\to0}\frac{2\sqrt{x+a}-2\sqrt{a}}{x}\\&=\lim_{x\to0}\frac{2(\sqrt{x+a}-\sqrt{a})(\sqrt{x+a}+\sqrt{a})}{x(\sqrt{x+a}+\sqrt{a})}\\&=\lim_{x\to0}\frac{2x}{x(\sqrt{x+a}+\sqrt{a})}\\&=\frac{2}{2\sqrt{a}}=\frac{1}{\sqrt{a}}=\frac{1}{2}\end{aligned}$$

따라서 $a=4$, $b=4$이므로

$a+b=8$

답 8

20 $\lim_{x\to\infty}g(x)=\lim_{x\to\infty}\frac{f(x)-x^2}{x-1}=2$이므로

$f(x)-x^2=2x+a$ (a는 상수)로 놓으면

$f(x)=x^2+2x+a$

함수 $y=g(x)$는 모든 실수 x에서 연속이므로 $x=1$에서도 연속이다.

$\lim_{x\to1}g(x)=g(1)$에서 $\lim_{x\to1}\frac{2x+a}{x-1}=k$ ······㉠

$x\to1$일 때, (분모)$\to0$이므로 (분자)$\to0$이어야 한다.

$\lim_{x\to1}(2x+a)=2+a=0$ $\quad\therefore a=-2$

따라서 $f(x)=x^2+2x-2$이므로 $f(3)=13$

$a=-2$를 ㉠에 대입하면

$\lim_{x\to1}\frac{2x-2}{x-1}=2=k$

$\therefore k+f(3)=2+13=15$

답 15

21 $x\neq0$일 때, $f(x)=\frac{2x^2+4x}{\sqrt{1+x}-\sqrt{1-x}}$이고

함수 $y=f(x)$가 열린구간 $(-1, 1)$에서 연속이므로 $x=0$에서도 연속이다.

$$\begin{aligned}\therefore f(0)&=\lim_{x\to0}f(x)\\&=\lim_{x\to0}\frac{2x^2+4x}{\sqrt{1+x}-\sqrt{1-x}}\\&=\lim_{x\to0}\frac{(2x^2+4x)(\sqrt{1+x}+\sqrt{1-x})}{(\sqrt{1+x}-\sqrt{1-x})(\sqrt{1+x}+\sqrt{1-x})}\\&=\lim_{x\to0}\frac{2x(x+2)(\sqrt{1+x}+\sqrt{1-x})}{2x}\\&=\lim_{x\to0}\{(x+2)(\sqrt{1+x}+\sqrt{1-x})\}\\&=2(\sqrt{1}+\sqrt{1})=4\end{aligned}$$

답 ④

22 $x\neq1$일 때, $f(x)=\frac{ax^2+bx}{x-1}$이고

함수 $y=f(x)$가 모든 실수 x에서 연속이므로 $x=1$에서도 연속이다.

$\lim_{x\to1}f(x)=f(1)$에서

$\lim_{x\to1}\frac{ax^2+bx}{x-1}=4$ ······㉠

$x\to1$일 때, (분모)$\to0$이므로 (분자)$\to0$이어야 한다.

$\lim_{x\to1}(ax^2+bx)=a+b=0$

$\therefore b=-a$

$b=-a$를 ㉠에 대입하면

$$\begin{aligned}\lim_{x\to1}\frac{ax^2-ax}{x-1}&=\lim_{x\to1}\frac{ax(x-1)}{x-1}\\&=\lim_{x\to1}ax\\&=a=4\end{aligned}$$

따라서 $a=4$, $b=-4$이므로

$a-b=8$

답 8

23 조건 (가)에서

$x\neq2$일 때, $f(x)=\frac{x^3+ax-b}{x-2}$ ······㉠

함수 $y=f(x)$가 모든 실수 x에서 연속이므로 $x=2$에서도 연속이다.

$f(2)=\lim_{x\to2}f(x)=\lim_{x\to2}\frac{x^3+ax-b}{x-2}$

$x\to2$일 때, (분모)$\to0$이므로 (분자)$\to0$이어야 한다.

$\lim_{x\to2}(x^3+ax-b)=8+2a-b=0$

$\therefore b=2a+8$ ······㉡

㉡을 ㉠에 대입하면

$$\begin{aligned}f(x)&=\frac{x^3+ax-2a-8}{x-2}\\&=\frac{(x-2)(x^2+2x+4+a)}{x-2}\\&=x^2+2x+4+a\\&=(x+1)^2+3+a\end{aligned}$$

(나)에서 함수 $y=f(x)$가 최솟값 2를 가지므로

$f(-1)=3+a=2$

$\therefore a=-1$

$a=-1$을 ㉡에 대입하면 $b=6$

$\therefore a+b=5$

답 5

24 (i) $0<x<\frac{1}{5}$일 때, $0<5x<1$이므로 $f(x)=0$

(ii) $\frac{1}{5}\le x<\frac{2}{5}$일 때, $1\le5x<2$이므로 $f(x)=1$

(iii) $\frac{2}{5}\le x<\frac{3}{5}$일 때, $2\le5x<3$이므로 $f(x)=2$

(iv) $\frac{3}{5}\le x<\frac{4}{5}$일 때, $3\le5x<4$이므로 $f(x)=3$

(v) $\frac{4}{5}\le x<1$일 때, $4\le5x<5$이므로 $f(x)=4$

(i)~(v)에서 함수 $y=[5x]$의 그래프는 그림과 같으므로 불연속이 되는 x의 값은

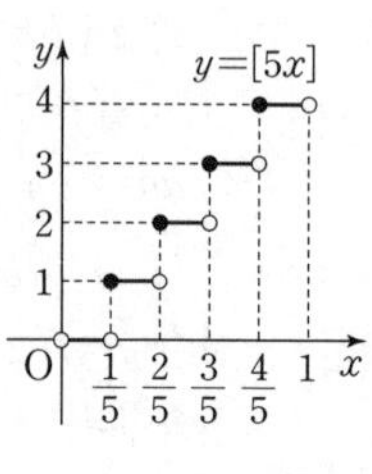

$x=\frac{1}{5}$, $x=\frac{2}{5}$, $x=\frac{3}{5}$, $x=\frac{4}{5}$

따라서 모든 x의 값의 합은

$\frac{1}{5}+\frac{2}{5}+\frac{3}{5}+\frac{4}{5}=2$

답 ①

25 함수 $f(x)=[x]^2+(ax+2)[x]$에서

(i) $-2\le x<-1$일 때, $[x]=-2$이므로

$f(x)=(-2)^2+(ax+2)\times(-2)$
$=-2ax$

(ii) $-1\le x<0$일 때, $[x]=-1$이므로

$f(x)=(-1)^2+(ax+2)\times(-1)$
$=-ax-1$

$f(x)$가 $x=-1$에서 연속이므로

$\lim_{x\to-1-}f(x)=\lim_{x\to-1+}f(x)=f(-1)$에서

$2a=a-1$ $\therefore a=-1$

답 -1

26 함수 $f(x)=[x^2-2x+6]$은 x^2-2x+6의 값이 정수인 x에서 불연속이다.

$y=x^2-2x+6=(x-1)^2+5$이므로 열린구간 $(1, 4)$에서 함수 $y=x^2-2x+6$의 그래프는 그림과 같다.

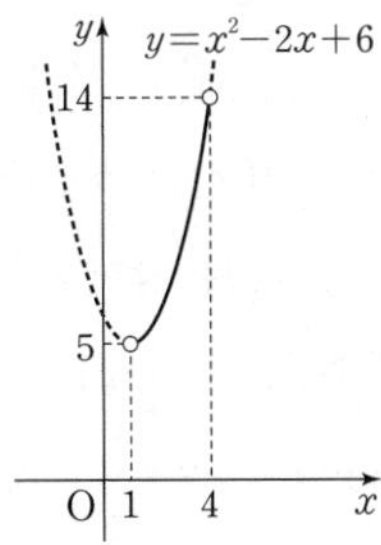

즉, $1<x<4$에서 $5<x^2-2x+6<14$이므로

$5\le[x^2-2x+6]\le13$

따라서 함수 $y=f(x)$는

$x^2-2x+6=6, 7, 8, \cdots, 13$

인 x에서 불연속이므로 불연속이 되는 x의 개수는 8이다.

답 8

27 ① $f(g(x))=f(x^2+1)=\dfrac{1}{x^2+1}$

② $g(f(x))=g\left(\dfrac{1}{x}\right)=\dfrac{1}{x^2}+1$

③ $f(x)g(x)=\dfrac{1}{x}(x^2+1)=x+\dfrac{1}{x}$

④ $\dfrac{f(x)}{g(x)}=\dfrac{1}{x(x^2+1)}$

⑤ $f(x)+g(x)=\dfrac{1}{x}+x^2+1$

②, ③, ④, ⑤는 $x=0$에서 정의되지 않으므로 $x=0$에서 불연속이다.

답 ①

28 $\dfrac{1}{f(x)+g(x)}=\dfrac{1}{x^2+(a-1)x+4}$이 모든 실수 x에서 연속이 되려면 $x^2+(a-1)x+4\ne0$이어야 한다.

즉, 이차방정식 $x^2+(a-1)x+4=0$의 판별식을 D라 하면

$D=(a-1)^2-16<0$에서

$a^2-2a-15<0$, $(a+3)(a-5)<0$

$\therefore -3<a<5$

답 ③

29 $f(x)=\begin{cases}x-1 & (x<0)\\ x^3+1 & (x\ge0)\end{cases}$, $g(x)=\begin{cases}x^2+3 & (x<0)\\ x+k & (x\ge0)\end{cases}$에서

$f(x)+g(x)=\begin{cases}x^2+x+2 & (x<0)\\ x^3+x+1+k & (x\ge0)\end{cases}$

이므로

$\lim_{x\to0-}\{f(x)+g(x)\}=2$

$\lim_{x\to0+}\{f(x)+g(x)\}=1+k$

$f(0)+g(0)=1+k$

함수 $y=f(x)+g(x)$가 $x=0$에서 연속이 되려면

$\lim_{x\to0-}\{f(x)+g(x)\}=\lim_{x\to0+}\{f(x)+g(x)\}=f(0)+g(0)$

$2=1+k$ $\therefore k=1$

답 1

30 함수 $y=(x-a)f(x)$가 닫힌구간 $[0, 3]$에서 연속이려면 함수 $y=f(x)$가 $x=2$에서 불연속이므로 함수 $y=(x-a)f(x)$가 $x=2$에서 연속이면 된다.

$g(x)=(x-a)f(x)$라 하면

$\lim_{x\to2-}g(x)=\lim_{x\to2+}g(x)=g(2)$에서

$\lim_{x\to2-}g(x)=\lim_{x\to2-}(x-a)\times\lim_{x\to2-}f(x)$
$=(2-a)\times1$
$=2-a$

$\lim_{x\to2+}g(x)=\lim_{x\to2+}(x-a)\times\lim_{x\to2+}f(x)$
$=(2-a)\times(-1)$
$=-2+a$

$g(2)=(2-a)f(2)=(2-a)\times(-1)=-2+a$

이므로 $2-a=-2+a$

$\therefore a=2$

답 2

31 함수 $y=f(x)g(x)$가 $x=2$에서 연속이 되기 위해서는

$\lim_{x\to2-}\{f(x)g(x)\}=\lim_{x\to2+}\{f(x)g(x)\}=f(2)g(2)$이어야 한다.

$\lim_{x\to2-}\{f(x)g(x)\}=\lim_{x\to2-}\{(-x^2+a)\times(x-4)\}$
$=(-4+a)\times(-2)=8-2a$

$\lim_{x\to2+}\{f(x)g(x)\}=\lim_{x\to2+}\left\{(x^2-4)\times\dfrac{1}{x-2}\right\}$
$=\lim_{x\to2+}\dfrac{(x+2)(x-2)}{x-2}$
$=\lim_{x\to2+}(x+2)=4$

$f(2)g(2)=(-4+a)\times(-2)=8-2a$

따라서 $8-2a=4$이어야 하므로

$4=2a$에서 $a=2$

답 ②

32 $\lim_{x\to0-}f(x)=\lim_{x\to0-}(x+2)=2$

$\lim_{x\to0+}f(x)=\lim_{x\to0+}(-x+a)=a$

$f(0)=2$이고 함수 $y=f(x)$가 $x=0$에서 불연속이므로

$a\ne2$ ······㉠

$x-1=t$로 놓으면

$\lim_{x\to1-}\{f(x)f(x-1)\}=\lim_{x\to1-}f(x)\lim_{t\to0-}f(t)$
$=\lim_{x\to1-}(-x+a)\lim_{t\to0-}(t+2)$
$=(-1+a)\times2=2(a-1)$

$\lim_{x\to1+}\{f(x)f(x-1)\}=\lim_{x\to1+}f(x)\lim_{t\to0+}f(t)$
$=\lim_{x\to1+}(-x+a)\lim_{t\to0+}(-t+a)$
$=(-1+a)\times a=a^2-a$

$f(1)f(1-1)=f(1)f(0)=(-1+a)(0+2)$
$=2(a-1)$
이고 함수 $y=f(x)f(x-1)$이 $x=1$에서 연속이므로
$2(a-1)=a^2-a$, $a^2-3a+2=0$
$(a-1)(a-2)=0$
$\therefore a=1$ 또는 $a=2$
㉠에서 $a\neq 2$이므로 $a=1$
$\therefore f(3)=(-3)+1=-2$ 답 -2

33 함수 $y=g(f(x))$가 모든 실수 x에서 연속이려면 $x=0$에서 연속이어야 하므로
$\lim_{x\to 0-} g(f(x))=\lim_{x\to 0+} g(f(x))=g(f(0))$
$g(f(0))=g(3)$
$=27-3a-4=23-3a$
$f(x)=t$로 놓으면
$x\to 0-$ 일 때, $t\to 3-$ 이므로
$\lim_{x\to 0-} g(f(x))=\lim_{t\to 3-} g(t)$
$=27-3a-4=23-3a$
$x\to 0+$ 일 때, $t\to 2-$ 이므로
$\lim_{x\to 0+} g(f(x))=\lim_{t\to 2-} g(t)$
$=12-2a-4=8-2a$
$23-3a=8-2a$
$\therefore a=15$ 답 15

34 닫힌구간 $[-2, 2]$에서 함수 $y=f(x)$는 $x=0$에서만 불연속이고 함수 $y=g(x)$는 모두 연속이므로, 함수 $y=g(f(x))$가 $x=0$에서 연속이면 닫힌구간 $[-2, 2]$에서 연속이 된다.
함수 $y=g(f(x))$가 $x=0$에서 연속이려면
$\lim_{x\to 0-} g(f(x))=\lim_{x\to 0+} g(f(x))=g(f(0))$
이어야 한다.
즉, $x\to 0-$ 일 때 $f(x)=1$, $x\to 0+$ 일 때 $f(x)=-1$, $f(0)=0$이므로
$g(1)=g(-1)=g(0)$이어야 한다.
따라서 $g(1)=g(-1)=g(0)$을 만족시키는 것은 ㄴ, ㄷ이다.
답 ㄴ, ㄷ

35 ㄱ. $x\to 0$일 때 $g(x)=1$이므로
$\lim_{x\to 0} f(g(x))=f(1)=0$,
$f(g(0))=f(1)=0$
즉, 함수 $y=f(g(x))$는 $x=0$에서 연속이다. (참)
ㄴ. $f(x)=t$로 놓으면
$x\to 1-$ 일 때, $t\to 1-$ 이므로
$\lim_{x\to 1-} g(f(x))=\lim_{t\to 1-} g(t)=1$
$x\to 1+$ 일 때, $f(x)=-1$이므로
$\lim_{x\to 1+} g(f(x))=g(-1)=1$
$\therefore \lim_{x\to 1} g(f(x))=1$
또 $g(f(1))=g(0)=1$이므로
$\lim_{x\to 1} g(f(x))=g(f(1))$
즉, 함수 $y=g(f(x))$는 $x=1$에서 연속이다. (참)
ㄷ. $g(x)=s$로 놓으면
$x\to 1-$ 일 때, $g(x)=1$이므로
$\lim_{x\to 1-} f(g(x))=f(1)=0$
$x\to 1+$ 일 때, $s\to 0+$ 이므로
$\lim_{x\to 1+} f(g(x))=\lim_{s\to 0+} f(s)=0$
$\therefore \lim_{x\to 1} f(g(x))=0$
또 $f(g(1))=f(1)=0$이므로
$\lim_{x\to 1} f(g(x))=f(g(1))$
즉, 함수 $y=f(g(x))$는 $x=1$에서 연속이다. (참)
따라서 ㄱ, ㄴ, ㄷ 모두 옳다. 답 ㄱ, ㄴ, ㄷ

36 ㄱ. $f(g(x))=\dfrac{1}{x+1}-2$는 $x\neq -1$인 모든 실수에서 연속이다.
따라서 함수 $y=f(g(x))$는 닫힌구간 $[0, 4]$에서 연속이므로 최댓값, 최솟값을 모두 갖는다.
ㄴ. $g(f(x))=\dfrac{1}{x-1}$은 $x=1$에서 불연속이다.
또한, $\lim_{x\to 1+} g(f(x))=\infty$, $\lim_{x\to 1-} g(f(x))=-\infty$이므로
함수 $y=g(f(x))$는 닫힌구간 $[0, 4]$에서
최댓값, 최솟값을 갖지 않는다.
ㄷ. $f(x)+g(x)=x-2+\dfrac{1}{x+1}$은 $x\neq -1$인 모든 실수에서 연속이다.
따라서 함수 $y=f(x)+g(x)$는 닫힌구간 $[0, 4]$에서 연속이므로 최댓값, 최솟값을 모두 갖는다.
따라서 닫힌구간 $[0, 4]$에서 최댓값, 최솟값을 모두 갖는 함수는 ㄱ, ㄷ이다. 답 ③

37 $x\neq -1$일 때, $f(x)=\dfrac{x^3+ax+b}{x+1}$
함수 $y=f(x)$가 모든 실수 x에서 연속이므로
$x=-1$에서도 연속이다.
$\lim_{x\to -1} f(x)=f(-1)$에서
$\lim_{x\to -1} \dfrac{x^3+ax+b}{x+1}=2$ ……㉠
$x\to -1$일 때, (분모) $\to 0$이므로 (분자) $\to 0$이어야 한다.
$\lim_{x\to -1} (x^3+ax+b)=0$
$-1-a+b=0$
$\therefore b=a+1$ ……㉡
㉡을 ㉠에 대입하면
$\lim_{x\to -1} \dfrac{x^3+ax+a+1}{x+1}=\lim_{x\to -1} \dfrac{(x+1)(x^2-x+a+1)}{x+1}$
$=\lim_{x\to -1} (x^2-x+a+1)$
$=a+3=2$
$\therefore a=-1$, $b=0$
$\therefore f(x)=x^2-x=\left(x-\dfrac{1}{2}\right)^2-\dfrac{1}{4}$ (단, $x\neq -1$)
따라서 닫힌구간 $[-1, 1]$에서 함수 $y=f(x)$는
최댓값 $M=f(-1)=2$, 최솟값 $m=f\left(\dfrac{1}{2}\right)=-\dfrac{1}{4}$을 갖는다.
$\therefore M+m=\dfrac{7}{4}$ 답 $\dfrac{7}{4}$

38 ㄱ. $\lim_{x\to-1-} f(x)=-3$, $\lim_{x\to1+} f(x)=0$이므로 $\lim_{x\to1} f(x)$의 값은 존재하지 않는다. (거짓)

ㄴ. 닫힌구간 $[-1, 4]$에서 함수 $y=f(x)$의 최댓값은 $f(4)=3$이고, 최솟값은 존재하지 않는다. (거짓)

ㄷ. $-1<a<1$인 모든 실수 a에 대하여 $\lim_{x\to a} f(x)$의 값이 존재한다. (참)

따라서 옳은 것은 ㄷ뿐이다. 답 ㄷ

39 $f(x)=x^3-3x+a$라 하면 함수 $y=f(x)$는 닫힌구간 $[-1, 1]$에서 연속이므로 사잇값의 정리에 의하여 방정식 $f(x)=0$이 열린구간 $(-1, 1)$에서 적어도 하나의 실근을 가지려면 $f(-1)f(1)<0$이어야 한다.

$f(-1)=a+2$, $f(1)=a-2$이므로

$f(-1)f(1)=(a+2)(a-2)<0$, $-2<a<2$

따라서 $\alpha=-2$, $\beta=2$이므로 $\alpha+\beta=0$ 답 0

40 $f(x)=\sqrt{x}-\dfrac{3}{x}-1$이라 하면

$f(1)=-3<0$, $f(2)=\sqrt{2}-\dfrac{5}{2}<0$, $f(3)=\sqrt{3}-2<0$,

$f(4)=\dfrac{1}{4}>0$, $f(5)=\sqrt{5}-\dfrac{8}{5}>0$, $f(6)=\sqrt{6}-\dfrac{3}{2}>0$

따라서 함수 $y=f(x)$가 닫힌구간 $[3, 4]$에서 연속이고 $f(3)f(4)<0$이므로 사잇값의 정리에 의하여 $f(x)=0$의 실근이 존재하는 구간은 $(3, 4)$이다. 답 ③

41 ㄱ. $g(x)=f(x)-3x$라 하면 함수 $y=g(x)$는 실수 전체의 집합에서 연속이고

$g(0)=f(0)-0=1$, $g(1)=f(1)-3=-1$

즉, $g(0)g(1)<0$이므로 사잇값의 정리에 의하여 방정식 $g(x)=0$은 열린구간 $(0, 1)$에서 적어도 하나의 실근을 갖는다.

ㄴ. $g(x)=2f(x)+x$라 하면 함수 $y=g(x)$는 실수 전체의 집합에서 연속이고

$g(0)=2f(0)+0=2$, $g(1)=2f(1)+1=5$

이므로 방정식 $g(x)=0$은 열린구간 $(0, 1)$에서 실근을 갖지 않을 수도 있다.

ㄷ. $g(x)=2f(x)-x$라 하면 함수 $y=g(x)$는 실수 전체의 집합에서 연속이고

$g(0)=2f(0)-0=2$, $g(1)=2f(1)-1=3$

이므로 방정식 $g(x)=0$은 열린구간 $(0, 1)$에서 실근을 갖지 않을 수도 있다.

따라서 열린구간 $(0, 1)$에서 항상 적어도 하나의 실근을 갖는 것은 ㄱ뿐이다. 답 ㄱ

42 $F(x)=f(x+1)-f(x)$라 하면 함수 $y=F(x)$는 모든 실수에서 연속이다.

$F(-1)F(1)=\{f(0)-f(-1)\}\{f(2)-f(1)\}<0$

이므로 사잇값의 정리에 의하여 방정식 $F(x)=0$은 열린구간 $(-1, 1)$에서 적어도 하나의 실근을 갖는다.

따라서 방정식 $f(x)=f(x+1)$은 열린구간 $(-1, 1)$에서 적어도 하나의 실근을 갖는다. 답 ②

43 조건 (가), (나)에서 $f(-1)=0$, $f(2)=0$이므로

$f(x)=(x+1)(x-2)Q(x)$ ($Q(x)$는 다항함수) ……㉠

로 놓을 수 있다.

㉠을 조건 (가)에 대입하면

$$\lim_{x\to-1}\frac{(x+1)(x-2)Q(x)}{x+1}=\lim_{x\to-1}(x-2)Q(x)=-3Q(-1)=\frac{1}{3}$$

$\therefore Q(-1)=-\dfrac{1}{9}$ ……㉡

㉠을 조건 (나)에 대입하면

$$\lim_{x\to2}\frac{(x+1)(x-2)Q(x)}{x-2}=\lim_{x\to2}(x+1)Q(x)=3Q(2)=\frac{1}{2}$$

$\therefore Q(2)=\dfrac{1}{6}$ ……㉢

$y=Q(x)$는 다항함수이므로 모든 실수 x에서 연속이고, ㉡, ㉢에서 $Q(-1)Q(2)<0$이므로 사잇값의 정리에 의하여 방정식 $Q(x)=0$은 열린구간 $(-1, 2)$에서 적어도 한 개의 실근을 갖는다.

따라서 방정식 $f(x)=0$은 열린구간 $(-1, 2)$에서 적어도 한 개의 실근을 갖는다. 답 1개

44 출발점으로부터 x km 떨어진 지점까지 달렸을 때 걸린 시간을 $f(x)$(분), $g(x)=f(x+2)-f(x)$라 하면 함수 $y=g(x)$는 닫힌구간 $[0, 8]$에서 연속이다.

$g(2)=7+\dfrac{1}{3}$, $g(4)=8+\dfrac{1}{2}$

따라서 사잇값의 정리에 의하여 $g(a)=8$을 만족시키는 상수 a가 2 와 4 사이에 적어도 하나 존재한다.

$\therefore 2<a<4$ 답 ②

45 $x\neq4$일 때,

$$\lim_{x\to\infty}\{f(x)-x\}=\lim_{x\to\infty}\left(\frac{x^2+ax+b}{x-4}-x\right)=\lim_{x\to\infty}\frac{(a+4)x+b}{x-4}=a+4=5$$

$\therefore a=1$

또 함수 $y=f(x)$가 $x=4$에서 연속이므로

$\lim_{x\to4} f(x)=f(4)$에서

$\lim_{x\to4}\dfrac{x^2+x+b}{x-4}=-8+c$ ……㉠

$x\to4$일 때, (분모)$\to0$이므로 (분자)$\to0$이어야 한다.

$\lim_{x\to4}(x^2+x+b)=20+b=0$

$\therefore b=-20$

$b=-20$을 ㉠에 대입하면

$$\lim_{x\to4}\frac{x^2+x-20}{x-4}=\lim_{x\to4}\frac{(x-4)(x+5)}{x-4}=\lim_{x\to4}(x+5)=9$$

$-8+c=9$이므로 $c=17$

$\therefore -20(a+b+c)=-20(1-20+17)=40$

답 40

46 조건 (가)에서 $x<0$일 때,

$g(x)=-f(x)+x^2+4$

조건 (나)에서 $x>0$일 때,

$g(x)=f(x)-x^2-2x-8$

이고, 함수 $y=f(x)$가 $x=0$에서 연속이므로

$\lim_{x\to 0-} f(x)=\lim_{x\to 0+} f(x)=f(0)$이어야 한다.

$\lim_{x\to 0-} g(x)=\lim_{x\to 0-} \{-f(x)+x^2+4\}$
$=-f(0)+4$

$\lim_{x\to 0+} g(x)=\lim_{x\to 0+} \{f(x)-x^2-2x-8\}$
$=f(0)-8$

이므로

$\lim_{x\to 0-} g(x)-\lim_{x\to 0+} g(x)=6$에서

$\{-f(0)+4\}-\{f(0)-8\}=6$

$\therefore f(0)=3$ 답 3

47 함수 $y=f(x)$가 $x=n$에서 연속이므로

$\lim_{x\to n+} f(x)=\lim_{x\to n-} f(x)=f(n)$이어야 한다.

$\lim_{x\to n+} f(x)=\lim_{x\to n+} ([x]^2-3[x]+4)=n^2-3n+4$

$\lim_{x\to n-} f(x)=\lim_{x\to n-} ([x]^2-3[x]+4)$
$=(n-1)^2-3(n-1)+4$
$=n^2-5n+8$

$n^2-3n+4=n^2-5n+8$

$2n=4 \quad \therefore n=2$ 답 ②

48 두 함수 $y=f(x)$, $y=g(x)$는 $x\neq 0$인 모든 실수에 대하여 연속이고 함수 $y=h(x)$는 모든 실수 x에 대하여 연속이므로 〈보기〉에 주어진 함수의 $x=0$에서의 연속성을 조사해 보면

ㄱ. $\lim_{x\to 0+} \{f(x)+g(x)\}=1+(-1)=0$

$\lim_{x\to 0-} \{f(x)+g(x)\}=(-1)+1=0$

$\therefore \lim_{x\to 0} \{f(x)+g(x)\}=0$

$f(0)+g(0)=\frac{1}{2}+\left(-\frac{1}{2}\right)=0$

즉, $\lim_{x\to 0} \{f(x)+g(x)\}=f(0)+g(0)$

따라서 함수 $y=f(x)+g(x)$는 $x=0$에서 연속이므로 모든 실수 x에 대하여 연속이다.

ㄴ. $\lim_{x\to 0+} \{f(x)g(x)\}=1\times(-1)=-1$

$\lim_{x\to 0-} \{f(x)g(x)\}=(-1)\times 1=-1$

$\therefore \lim_{x\to 0} \{f(x)g(x)\}=-1$

$f(0)g(0)=\frac{1}{2}\times\left(-\frac{1}{2}\right)=-\frac{1}{4}$

즉, $\lim_{x\to 0} \{f(x)g(x)\}\neq f(0)g(0)$이므로 함수 $y=f(x)g(x)$는 $x=0$에서 불연속이다.

ㄷ. $\lim_{x\to 0+} \frac{h(x)}{g(x)}=\frac{0}{-1}=0$, $\lim_{x\to 0-} \frac{h(x)}{g(x)}=\frac{0}{1}=0$

$\therefore \lim_{x\to 0} \frac{h(x)}{g(x)}=0$

$\frac{h(0)}{g(0)}=\frac{0}{-\frac{1}{2}}=0$

즉, $\lim_{x\to 0} \frac{h(x)}{g(x)}=\frac{h(0)}{g(0)}$

따라서 함수 $y=\frac{h(x)}{g(x)}$는 $x=0$에서 연속이므로 모든 실수 x에 대하여 연속이다.

그러므로 모든 실수 x에 대하여 연속인 함수는 ㄱ, ㄷ이다.

답 ③

49 $\lim_{x\to -1+} f(x)=-1$, $\lim_{x\to -1-} f(x)=1$, $f(-1)=0$

$\lim_{x\to -1+} g(x)=-\infty$, $\lim_{x\to -1-} g(x)=\infty$, $g(-1)=1$

ㄱ. $x+1=t$로 놓으면 $x\to -1$일 때 $t\to 0$이므로

$\lim_{x\to -1+} \{f(x)-g(x+1)\}=\lim_{x\to -1+} f(x)-\lim_{t\to 0+} g(t)$
$=(-1)-0=-1$

$\lim_{x\to -1-} \{f(x)-g(x+1)\}=\lim_{x\to -1-} f(x)-\lim_{t\to 0-} g(t)$
$=1-0=1$

따라서 $\lim_{x\to -1} \{f(x)-g(x+1)\}$의 값이 존재하지 않으므로 함수 $y=f(x)-g(x+1)$은 $x=-1$에서 불연속이다.

ㄴ. $\lim_{x\to -1+} \frac{\{f(x)\}^2}{g(x)}=0$, $\lim_{x\to -1-} \frac{\{f(x)\}^2}{g(x)}=0$이므로

$\lim_{x\to -1} \frac{\{f(x)\}^2}{g(x)}=0$

또한, $\frac{\{f(-1)\}^2}{g(-1)}=0$이므로

$\lim_{x\to -1} \frac{\{f(x)\}^2}{g(x)}=\frac{\{f(-1)\}^2}{g(-1)}$

즉, 함수 $y=\frac{\{f(x)\}^2}{g(x)}$은 $x=-1$에서 연속이다.

ㄷ. $-x=t$로 놓으면 $x\to -1$일 때 $t\to 1$이므로

$\lim_{x\to -1+} \{f(-x)g(x)\}=\lim_{t\to 1-} f(t)\times\lim_{x\to -1+} g(x)$
$=(-1)\times(-\infty)=\infty$

$\lim_{x\to -1-} \{f(-x)g(x)\}=\lim_{t\to 1+} f(t)\times\lim_{x\to -1-} g(x)$
$=(-1)\times\infty=-\infty$

따라서 $\lim_{x\to -1} \{f(-x)g(x)\}$의 값이 존재하지 않으므로 함수 $y=f(-x)g(x)$는 $x=-1$에서 불연속이다.

따라서 $x=-1$에서 연속인 함수는 ㄴ뿐이다. 답 ②

50 이차 이상의 다항식 $g(x)$를 $(x-1)^2$으로 나눈 몫을 $Q(x)$, 나머지를 $ax+b$ (a, b는 상수)라 하면

$g(x)=(x-1)^2Q(x)+ax+b$

함수 $y=f(x)$가 $x=1$에서 연속이므로

$\lim_{x\to 1} f(x)=f(1)$이어야 한다.

즉, $\lim_{x\to 1} \frac{(x-1)^2Q(x)+ax+b-x^2}{x-1}=8$ ……㉠

$x\to 1$일 때, (분모) $\to 0$이므로 (분자) $\to 0$이어야 한다.

$a+b-1=0$

$\therefore b=-a+1$ ……㉡

㉡을 ㉠에 대입하면

$\lim_{x\to 1} \frac{(x-1)^2Q(x)+ax-a+1-x^2}{x-1}$

$=\lim_{x\to 1} \frac{(x-1)^2Q(x)-(x-1)(x-a+1)}{x-1}$

$=\lim_{x\to 1} \{(x-1)Q(x)-(x-a+1)\}$

$=a-2=8$

$\therefore a=10,\ b=-9$

따라서 구하는 나머지는 $10x-9$이다. 답 ④

51 (i) 함수 $y=f(x)$가 $x=a$에서 연속일 때, 함수 $y=g(x)$는 실수 전체의 집합에서 연속이므로 함수 $y=f(x)g(x)$도 실수 전체의 집합에서 연속이다.

$\lim_{x\to a-} f(x)=\lim_{x\to a-}(x+3)=a+3$

$\lim_{x\to a+} f(x)=\lim_{x\to a+}(x^2-x)=a^2-a$

이므로 $a^2-a=a+3,\ a^2-2a-3=0$

$(a+1)(a-3)=0$

$\therefore a=-1$ 또는 $a=3$

(ii) 함수 $y=f(x)$가 $x=a$에서 불연속일 때, 실수 전체의 집합에서 연속인 함수 $y=g(x)$가 $\lim_{x\to a} g(x)=0$이어야 함수 $y=f(x)g(x)$도 실수 전체의 집합에서 연속이다.

$\lim_{x\to a} g(x)=\lim_{x\to a}\{x-(2a+7)\}$

$=a-(2a+7)$

$=-a-7=0$

$\therefore a=-7$

(i), (ii)에서 모든 실수 a의 값의 곱은

$(-1)\times 3\times(-7)=21$ 답 21

52 (i) $a=0$일 때,

$f(x)f(x-a)=\{f(x)\}^2$

$\lim_{x\to 0-}\{f(x)\}^2=\lim_{x\to 0-}(x+1)^2=1$

$\lim_{x\to 0+}\{f(x)\}^2=\lim_{x\to 0+}\left(-\frac{1}{2}x+7\right)^2=49$

따라서 $x=0$에서 극한값이 존재하지 않으므로 연속이 아니다.

(ii) $a<0$일 때,

$f(a)f(a-a)=f(a)f(0)=(a+1)\times 1=a+1$

$\lim_{x\to a-} f(x)f(x-a)=(a+1)\times 1=a+1$

$\lim_{x\to a+} f(x)f(x-a)=(a+1)\times 7=7(a+1)$

즉, $a+1=7(a+1)$이어야 하므로

$a+1=0 \qquad \therefore a=-1$

(iii) $a>0$일 때,

$f(a)f(a-a)=f(a)f(0)=\left(-\frac{1}{2}a+7\right)\times 1=-\frac{1}{2}a+7$

$\lim_{x\to a-} f(x)f(x-a)=\left(-\frac{1}{2}a+7\right)\times 1=-\frac{1}{2}a+7$

$\lim_{x\to a+} f(x)f(x-a)=\left(-\frac{1}{2}a+7\right)\times 7=7\left(-\frac{1}{2}a+7\right)$

즉, $-\frac{1}{2}a+7=7\left(-\frac{1}{2}a+7\right)$이어야 하므로

$-\frac{1}{2}a+7=0 \qquad \therefore a=14$

(i), (ii), (iii)에서 구하는 모든 실수 a의 값의 합은

$(-1)+14=13$ 답 13

53

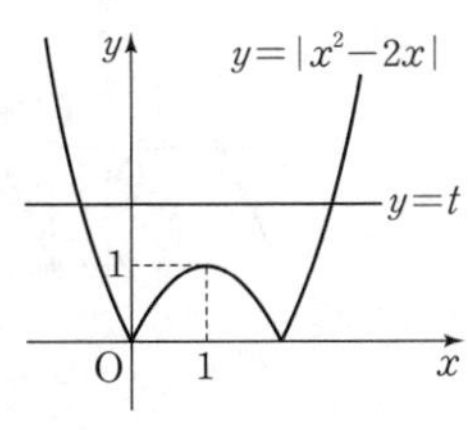

함수 $y=|x^2-2x|$의 그래프가 그림과 같으므로 직선 $y=t$에 대하여

함수 $y=f(t)$는

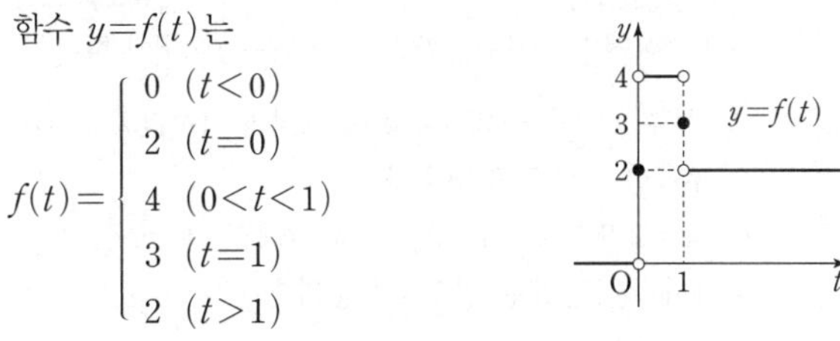

$$f(t)=\begin{cases}0 & (t<0)\\ 2 & (t=0)\\ 4 & (0<t<1)\\ 3 & (t=1)\\ 2 & (t>1)\end{cases}$$

이므로 $t=0,\ t=1$에서 불연속이다.

그런데 함수 $y=f(t)g(t)$가 모든 실수 t에서 연속이므로 $t=0,\ t=1$에서도 연속이어야 한다.

(i) $t=0$에서 연속이므로

$\lim_{t\to 0+}\{f(t)g(t)\}=4g(0)$

$\lim_{t\to 0-}\{f(t)g(t)\}=0$

$f(0)g(0)=2g(0)$

에서 $4g(0)=0=2g(0) \qquad \therefore g(0)=0$

(ii) $t=1$에서 연속이므로

$\lim_{t\to 1+}\{f(t)g(t)\}=2g(1)$

$\lim_{t\to 1-}\{f(t)g(t)\}=4g(1)$

$f(1)g(1)=3g(1)$

에서 $2g(1)=4g(1)=3g(1) \qquad \therefore g(1)=0$

따라서 $g(t)=t(t-1)$이므로

$f(3)+g(3)=2+6=8$ 답 8

54 (i) $a=0$일 때, $-4x+2=0$에서 $x=\frac{1}{2} \qquad \therefore f(0)=1$

(ii) $a\neq 0$일 때, 이차방정식 $ax^2+2(a-2)x-(a-2)=0$의 판별식을 D라 하면

$\frac{D}{4}=(a-2)^2+a(a-2)=2(a-1)(a-2)$

즉, 이 이차방정식은 $a=1$ 또는 $a=2$일 때 중근을 갖고, $1<a<2$일 때 실근을 갖지 않고, $a<1$ 또는 $a>2$일 때 서로 다른 두 실근을 갖는다.

(i), (ii)에서 함수 $y=f(a)$의 그래프는 그림과 같다.

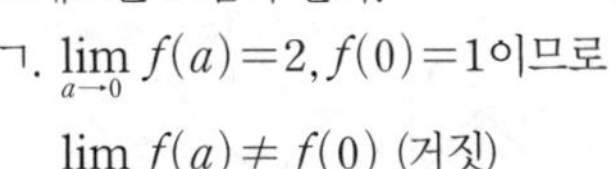

ㄱ. $\lim_{a\to 0} f(a)=2,\ f(0)=1$이므로

$\lim_{a\to 0} f(a)\neq f(0)$ (거짓)

ㄴ. $\lim_{a\to c+} f(a)\neq\lim_{a\to c-} f(a)$를 만족시키는 실수 c는 $c=1,\ c=2$의 2개이다. (참)

ㄷ. 함수 $y=f(a)$가 불연속인 a는 $a=0,\ a=1,\ a=2$의 3개이다. (참)

따라서 옳은 것은 ㄴ, ㄷ이다. 답 ④

55 $g(x)=(x-2)^2+k-4$이므로

$x\to 2$일 때 $g(x)\to(k-4)+$이다.

즉, $g(x)=t$로 놓으면

$\lim_{x\to 2} f(g(x))=\lim_{t\to(k-4)+} f(t)$

그런데 주어진 함수 $y=f(x)$의 그래프에서 $\lim_{t\to(k-4)+} f(t)$의 값은 항상 존재하므로 함수 $y=(f\circ g)(x)$가 $x=2$에서 불연속이려면

$\lim_{t \to (k-4)+} f(t) \neq f(g(2))$이어야 한다.

이때 $f(g(2))=f(k-4)$이므로 함수 $(f \circ g)(x)$가 $x=2$에서 불연속이려면 $\lim_{t \to (k-4)+} f(t) \neq f(k-4)$이어야 한다.

즉, 함수 $y=f(x)$의 $x=k-4$에서의 함숫값과 $x=k-4$에서의 우극한이 서로 달라야 하므로

$k-4=2$ 또는 $k-4=3$ $\quad \therefore k=6$ 또는 $k=7$

따라서 구하는 모든 실수 k의 값의 합은

$6+7=13$ 답 13

다른 풀이

$\lim_{x \to 2} f(g(x)) = \lim_{t \to (k-4)+} f(t)$이고

$f(g(2))=f(k-4)$이다.

한편, $k-4 \neq 1$, $k-4 \neq 2$, $k-4 \neq 3$일 때,

함수 $y=f(t)$는 $t=k-4$에서 연속이므로

$k-4 \neq 1$, $k-4 \neq 2$, $k-4 \neq 3$일 때,

함수 $y=(f \circ g)(x)$는 $x=2$에서 연속이다.

(i) $k-4=1$, 즉 $k=5$일 때,

$\lim_{t \to 1+} f(t)=3$, $f(1)=3$이므로 함수 $y=(f \circ g)(x)$는 $x=2$에서 연속이다.

(ii) $k-4=2$, 즉 $k=6$일 때,

$\lim_{x \to 2+} f(t)=2$, $f(2)=1$이므로 함수 $y=(f \circ g)(x)$는 $x=2$에서 불연속이다.

(iii) $k-4=3$, 즉 $k=7$일 때,

$\lim_{x \to 3+} f(t)=2$, $f(3)=1$이므로 함수 $y=(f \circ g)(x)$는 $x=2$에서 불연속이다.

(i), (ii), (iii)에서 함수 $y=(f \circ g)(x)$가 $x=2$에서 불연속이 되도록 하는 실수 k의 값은 6과 7이다.

따라서 구하는 합은 13이다.

56 $(g \circ f)(x) = \begin{cases} |f(x)| & (0<|f(x)| \le 1) \\ -1 & (f(x)=0) \\ 0 & (|f(x)|>1) \end{cases}$ 이고,

함수 $y=|f(x)|$의 그래프는 그림과 같다.

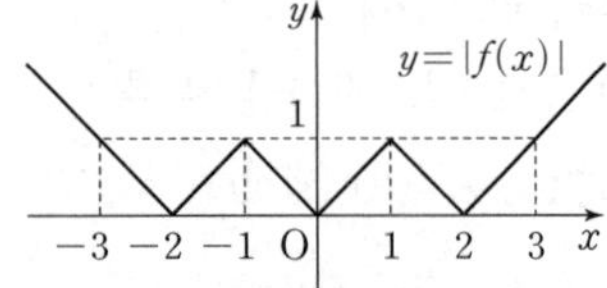

(i) $0<|f(x)| \le 1$을 만족시키는 x는

$-3 \le x < -2$, $-2<x<0$, $0<x<2$, $2<x \le 3$

(ii) $f(x)=0$을 만족시키는 x는

$x=-2$ 또는 $x=0$ 또는 $x=2$

(iii) $|f(x)|>1$을 만족시키는 x는

$x<-3$ 또는 $x>3$

(i), (ii), (iii)에서 함수 $y=(g \circ f)(x)$의 그래프는 그림과 같다.

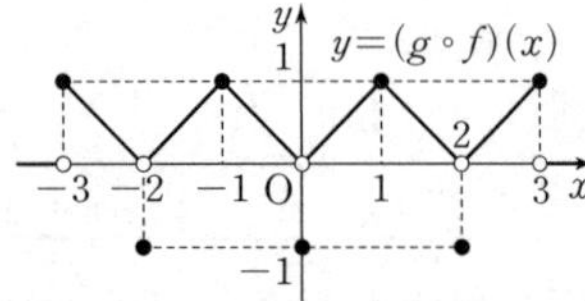

$y=(g \circ f)(x)$는 $x=-3$, $x=-2$, $x=0$, $x=2$, $x=3$에서 불연속이므로 불연속이 되는 x의 개수는 5이다. 답 5

57 ㄱ. $\lim_{x \to a} f(x)=f(a)$이므로 $\lim_{x \to a} |f(x)|=|f(a)|$

즉, 함수 $y=|f(x)|$는 $x=a$에서 연속이다. (참)

ㄴ. [반례] $f(x)=|x|$, $g(x)=\begin{cases} 1 & (x \ge 0) \\ -1 & (x<0) \end{cases}$이면

$\lim_{x \to 0} f(g(x))=f(g(0))=1$이므로 함수 $y=f(g(x))$는 $x=0$에서 연속이지만 함수 $y=g(x)$는 $x=0$에서 연속이 아니다. (거짓)

ㄷ. [반례] $f(x)=\begin{cases} 1 & (x \ge 0) \\ -1 & (x<0) \end{cases}$이면

$\lim_{x \to 0} \{f(x)\}^2=\{f(0)\}^2=1$이므로 함수 $y=\{f(x)\}^2$은 $x=0$에서 연속이지만 함수 $y=f(x)$는 $x=0$에서 연속이 아니다. (거짓)

따라서 옳은 것은 ㄱ뿐이다. 답 ①

58 $\lim_{x \to 1} \frac{f(x)}{x-1}=1$에서 극한값이 존재하고 $x \to 1$일 때,

(분모) $\to$ 0이므로 (분자) $\to$ 0이어야 한다.

$\therefore f(1)=0$ ……㉠

$\lim_{x \to 2} \frac{f(x)}{x-2}=1$에서 극한값이 존재하고 $x \to 2$일 때,

(분모) $\to$ 0이므로 (분자) $\to$ 0이어야 한다.

$\therefore f(2)=0$ ……㉡

㉠, ㉡에서 $f(x)=(x-1)(x-2)g(x)$라 하면

$\lim_{x \to 1} \frac{f(x)}{x-1}=\lim_{x \to 1}\{(x-2)g(x)\}=-g(1)=1$

$\therefore g(1)=-1$ ……㉢

$\lim_{x \to 2} \frac{f(x)}{x-2}=\lim_{x \to 2}\{(x-1)g(x)\}=g(2)=1$ ……㉣

㉢, ㉣에서 $g(1)g(2)=-1<0$

따라서 방정식 $g(x)=0$은 사잇값의 정리에 의하여 열린구간 $(1, 2)$에서 적어도 하나의 실근을 가지므로 방정식 $f(x)=0$은 $1 \le x \le 2$에서 적어도 3개의 서로 다른 실근을 갖는다.

$\therefore n=3$ 답 3

59

ㄱ. $\lim_{x \to 1+} \{f(x)+f(-x)\}=(-1)+1=0$ (참)

ㄴ. $g(x)=f(x)-|f(x)|$라 하면

$$g(x)=\begin{cases} 2x+4 & (x \le -2) \\ 0 & (-2<x<1) \\ 2x-4 & (1 \le x<2) \\ 0 & (x \ge 2) \end{cases}$$

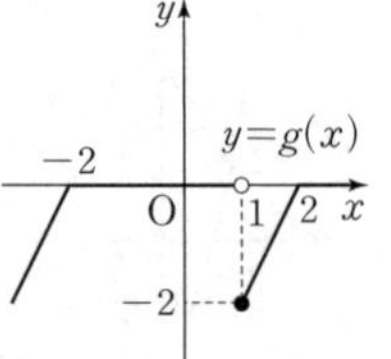

즉, $g(x)=f(x)-|f(x)|$는 $x=1$에서만 불연속이므로 불연속인 x의 값은 1개이다. (참)

ㄷ. 함수 $y=f(x)f(x-a)$가 실수 전체의 집합에서 연속이 되는 상수 a의 값은 $a=-1$, $a=1$이다. (거짓)

따라서 옳은 것은 ㄱ, ㄴ이다. 답 ②

60 함수 $y=g(x)$의 그래프는 함수 $y=f(x)$의 그래프에서 $x\geq 0$인 부분에서의 그래프를 y축에 대하여 대칭이동시킨 그래프이므로 다음과 같은 6가지 경우의 그래프의 개형을 갖는다.

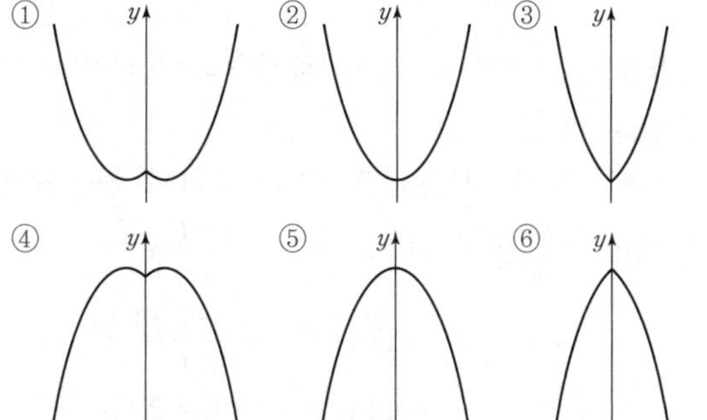

함수 $y=h(t)$가 조건 (가)의 $h(2)<h(-1)<h(0)$을 만족시키는 경우는 다음의 4가지이다.

$h(2)$	$h(-1)$	$h(0)$
2	3	4
0	3	4
0	2	4
0	2	3

즉, 함수 $y=g(x)$의 그래프의 개형은 ④의 경우가 유일하다.
$h(t)=3$을 만족시키는 t를 α, $h(t)=2$를 만족시키는 t를 β $(\alpha<\beta)$라 하면, 함수 $y=g(x)$의 그래프와 함수 $y=h(t)$의 그래프의 개형은 그림과 같다.

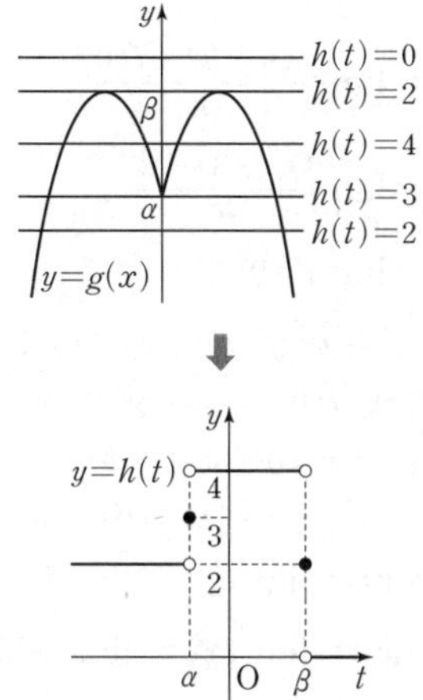

(단, $-1\leq\alpha\leq 0$, $0<\beta\leq 2$)

조건 (나)에서 함수 $y=(t^2-t)h(t)$가 모든 실수 t에서 연속이려면 $t=\alpha$, $t=\beta$에서 연속이어야 한다.

(i) $t=\alpha$에서 연속이어야 하므로

$$\lim_{t\to\alpha+}(t^2-t)h(t)=\lim_{t\to\alpha-}(t^2-t)h(t)=(\alpha^2-\alpha)h(\alpha)$$

에서 $\alpha^2-\alpha=0$, $\alpha(\alpha-1)=0$ $\quad\therefore \alpha=0$ 또는 $\alpha=1$

(ii) $t=\beta$에서 연속이어야 하므로

$$\lim_{t\to\beta+}(t^2-t)h(t)=\lim_{t\to\beta-}(t^2-t)h(t)=(\beta^2-\beta)h(\beta)$$

에서 $\beta^2-\beta=0$, $\beta(\beta-1)=0$ $\quad\therefore \beta=0$ 또는 $\beta=1$

(i), (ii)에 의하여 $\alpha=0$, $\beta=1$이므로 함수 $y=h(t)$는 다음과 같다.

$$h(t)=\begin{cases}0 & (t>1)\\ 2 & (t=1)\\ 4 & (0<t<1)\\ 3 & (t=0)\\ 2 & (t<0)\end{cases}$$

이를 만족시키는 이차함수 $y=f(x)$는 원점을 지나고 제1사분면에서 최댓값이 1인 위로 볼록한 함수이다.

$\therefore f(x)=a(x-b)^2+1$ (단, $a<0$, $b>0$)

$f(0)=0$이므로 $ab^2=-1$

$a=-\dfrac{1}{b^2}$이고 a는 정수이므로 $b^2=1$

$b>0$에서 $b=1$이므로 $a=-1$

즉, $f(x)=-(x-1)^2+1=-x^2+2x$

$\therefore 80f\left(\dfrac{1}{2}\right)=80\times\dfrac{3}{4}=60$ 답 60

03 미분계수

본책 031~038쪽

01 x의 값이 0에서 2까지 변할 때의 평균변화율은

$$\frac{f(2)-f(0)}{2-0}=\frac{10}{2}=5$$

또 $x=a$에서의 순간변화율은

$$f'(a)=\lim_{x\to a}\frac{f(x)-f(a)}{x-a}$$
$$=\lim_{x\to a}\frac{x^3+x-(a^3+a)}{x-a}$$
$$=\lim_{x\to a}\frac{(x-a)(x^2+ax+a^2+1)}{x-a}$$
$$=\lim_{x\to a}(x^2+ax+a^2+1)$$
$$=3a^2+1$$

즉, $3a^2+1=5$이므로

$a=\frac{2\sqrt{3}}{3}$ ($\because 0<a<2$) 답 ④

02 $$\lim_{h\to 0}\frac{f\left(1-\frac{3}{2}h\right)-f(1)}{h}=\lim_{h\to 0}\frac{f\left(1-\frac{3}{2}h\right)-f(1)}{-\frac{3}{2}h}\times\left(-\frac{3}{2}\right)$$
$$=-\frac{3}{2}f'(1)$$
$$=-\frac{3}{2}\times 2=-3$$ 답 -3

03 $$\lim_{h\to 0}\frac{f(3+h)-f(3-h)}{3h}$$
$$=\frac{1}{3}\lim_{h\to 0}\frac{f(3+h)-f(3)-\{f(3-h)-f(3)\}}{h}$$
$$=\frac{1}{3}\lim_{h\to 0}\left\{\frac{f(3+h)-f(3)}{h}+\frac{f(3-h)-f(3)}{-h}\right\}$$
$$=\frac{1}{3}\{f'(3)+f'(3)\}=\frac{2}{3}f'(3)$$
$$=\frac{2}{3}\times 2=\frac{4}{3}$$ 답 $\frac{4}{3}$

04 $$\lim_{x\to 3}\frac{f(x)-f(3)}{x^2-9}=\lim_{x\to 3}\left\{\frac{f(x)-f(3)}{x-3}\times\frac{1}{x+3}\right\}$$
$$=\frac{1}{6}f'(3)$$
$$=\frac{1}{6}\times(-3)=-\frac{1}{2}$$ 답 ③

05 점 $\mathrm{P}(a, 4)$에서의 접선의 방정식이 $y=3x+b$이므로

$f'(a)=3$

$\frac{1}{n}=h$로 놓으면 $n\to\infty$일 때 $h\to 0$이므로

$$\lim_{n\to\infty}n\left\{f\left(a+\frac{3}{n}\right)-f(a)\right\}$$
$$=\lim_{h\to 0}\frac{f(a+3h)-f(a)}{h}$$
$$=\lim_{h\to 0}\frac{f(a+3h)-f(a)}{3h}\times 3$$
$$=3f'(a)=3\times 3=9$$ 답 9

06 ㄱ. $f(1)=0$이지만 $f'(2)$의 값은 존재하지 않는다. (거짓)

ㄴ. $\lim_{x\to 3}\frac{f(x)-f(3)}{x-3}=f'(3)>0$ (참)

ㄷ. $f(1)=0$이므로

$$\lim_{h\to 0}\frac{f(1+h)}{h}=\lim_{h\to 0}\frac{f(1+h)-f(1)}{h}=f'(1)$$

$f'(1)<0$이므로 $\lim_{h\to 0}\frac{f(1+h)}{h}<0$ (참)

따라서 옳은 것은 ㄴ, ㄷ이다. 답 ㄴ, ㄷ

07 $\lim_{x\to 1}f(x)=f(1)=a+2$이므로 함수 $y=f(x)$는 $x=1$에서 연속이다.

$x=1$에서 미분가능하려면 미분계수 $f'(1)$이 존재해야 한다.

$$\lim_{x\to 1+}\frac{f(x)-f(1)}{x-1}=\lim_{x\to 1+}\frac{(x^2+ax+1)-(a+2)}{x-1}$$
$$=\lim_{x\to 1+}\frac{(x-1)(x+a+1)}{x-1}$$
$$=\lim_{x\to 1+}(x+a+1)=2+a$$

$$\lim_{x\to 1-}\frac{f(x)-f(1)}{x-1}=\lim_{x\to 1-}\frac{(2x^2+a)-(a+2)}{x-1}$$
$$=\lim_{x\to 1-}\frac{2(x+1)(x-1)}{x-1}$$
$$=\lim_{x\to 1-}2(x+1)=4$$

이므로

$\lim_{x\to 1+}\frac{f(x)-f(1)}{x-1}=\lim_{x\to 1-}\frac{f(x)-f(1)}{x-1}$에서

$2+a=4 \qquad \therefore a=2$ 답 2

08 ① $\lim_{x\to 0}f(x)=f(0)=3$이므로 함수 $y=f(x)$는 $x=0$에서 연속이다.

$$f'(0)=\lim_{h\to 0}\frac{f(0+h)-f(0)}{h}$$
$$=\lim_{h\to 0}\frac{(h^2+3)-3}{h}$$
$$=\lim_{h\to 0}h=0$$

이므로 함수 $y=f(x)$는 $x=0$에서 미분가능하다.

② $x=0$일 때, $f(0)$의 값이 정의되지 않는다. 따라서 함수 $y=f(x)$는 $x=0$에서 불연속이므로 미분가능하지 않다.

③ $f(x)=\sqrt{x^2}=|x|$에서 $f(0)=0$이고,

$\lim_{x\to 0+}f(x)=\lim_{x\to 0+}|x|=\lim_{x\to 0+}x=0$,

$\lim_{x\to 0-}f(x)=\lim_{x\to 0-}|x|=\lim_{x\to 0-}(-x)=0$

즉, $\lim_{x\to 0}f(x)=f(0)$이므로 함수 $y=f(x)$는 $x=0$에서 연속이다.

$$\lim_{h\to 0+}\frac{f(0+h)-f(0)}{h}=\lim_{h\to 0+}\frac{|h|}{h}$$
$$=\lim_{h\to 0+}\frac{h}{h}=1$$

$$\lim_{h\to 0-}\frac{f(0+h)-f(0)}{h}=\lim_{h\to 0-}\frac{|h|}{h}$$
$$=\lim_{h\to 0-}\frac{-h}{h}=-1$$

이므로 함수 $y=f(x)$는 $x=0$에서 미분가능하지 않다.

④ $f(x)=|x|^2=x^2$에서 $\lim_{x\to0}f(x)=f(0)=0$이므로

함수 $y=f(x)$는 $x=0$에서 연속이다.

$$f'(0)=\lim_{h\to0}\frac{f(0+h)-f(0)}{h}$$
$$=\lim_{h\to0}\frac{h^2}{h}$$
$$=\lim_{h\to0}h=0$$

이므로 함수 $y=f(x)$는 $x=0$에서 미분가능하다.

⑤ $f(x)=x^2|x|=\begin{cases} x^3 & (x\geq0) \\ -x^3 & (x<0)\end{cases}$에서

$\lim_{x\to0}f(x)=f(0)=0$이므로 함수 $y=f(x)$는 $x=0$에서 연속이다.

$$\lim_{h\to0+}\frac{f(0+h)-f(0)}{h}=\lim_{h\to0+}\frac{h^3}{h}$$
$$=\lim_{h\to0+}h^2=0$$
$$\lim_{h\to0-}\frac{f(0+h)-f(0)}{h}=\lim_{h\to0-}\frac{-h^3}{h}$$
$$=\lim_{h\to0-}(-h^2)=0$$

이므로 함수 $y=f(x)$는 $x=0$에서 미분가능하다.

따라서 $x=0$에서 연속이지만 미분가능하지 않은 함수는 ③이다. 답 ③

09 x의 값이 1에서 a까지 변할 때의 평균변화율이 9이므로

$$\frac{f(a)-f(1)}{a-1}=\frac{a^3+2a-3}{a-1}$$
$$=\frac{(a-1)(a^2+a+3)}{a-1}$$
$$=a^2+a+3=9$$

$a^2+a-6=0$, $(a+3)(a-2)=0$

$\therefore a=2$ ($\because a>1$) 답 2

10 x의 값이 -1에서 1까지 변할 때의 평균변화율은

$$\frac{f(1)-f(-1)}{1-(-1)}=\frac{(1-a)-(-1-a)}{2}$$
$$=\frac{2}{2}=1$$

또 $x=k$에서의 미분계수는

$$f'(k)=\lim_{h\to0}\frac{f(k+h)-f(k)}{h}$$
$$=\lim_{h\to0}\frac{\{(k+h)^3-a(k+h)^2\}-(k^3-ak^2)}{h}$$
$$=\lim_{h\to0}\frac{(3k^2-2ak)h+(3k-a)h^2+h^3}{h}$$
$$=\lim_{h\to0}\{(3k^2-2ak)+(3k-a)h+h^2\}$$
$$=3k^2-2ak$$

즉, $3k^2-2ak=1$에서 $3k^2-2ak-1=0$

따라서 이 식을 만족시키는 모든 k의 값의 합은 근과 계수의 관계에 의하여

$\frac{2a}{3}=4 \quad \therefore a=6$ 답 6

11 ㄱ. $x=c$에서의 접선의 기울기는 3이므로

$f'(c)=3$ (참)

ㄴ. 직선 AB의 기울기는 $\frac{b^2-a^2}{b-a}=\frac{(b-a)(b+a)}{b-a}=3$

$\therefore a+b=3$ (참)

ㄷ. $f'(c)=\lim_{x\to c}\frac{f(x)-f(c)}{x-c}$

$$=\lim_{x\to c}\frac{x^2-c^2}{x-c}$$
$$=\lim_{x\to c}(x+c)=2c$$

즉, $2c=3$이므로 $c=\frac{3}{2}$

$a+b=3$이므로 $c=\frac{a+b}{2}$ (참)

따라서 ㄱ, ㄴ, ㄷ 모두 옳다. 답 ⑤

12 $\lim_{h\to0}\frac{f(-2+3h)-f(-2)}{2h}$

$$=\lim_{h\to0}\frac{f(-2+3h)-f(-2)}{3h}\times\frac{3}{2}$$
$$=\frac{3}{2}f'(-2)$$
$$=\frac{3}{2}\times(-1)=-\frac{3}{2}$$

답 ①

13 $\lim_{h\to0}\frac{f(4-3h)-f(4+4h)}{h}$

$$=\lim_{h\to0}\frac{f(4-3h)-f(4)-\{f(4+4h)-f(4)\}}{h}$$
$$=\lim_{h\to0}\frac{f(4-3h)-f(4)}{-3h}\times(-3)-\lim_{h\to0}\frac{f(4+4h)-f(4)}{4h}\times4$$
$$=-3f'(4)-4f'(4)=-7f'(4)=-21$$

$\therefore f'(4)=3$

$$\therefore f'(-4)=\lim_{h\to0}\frac{f(-4+h)-f(-4)}{h}$$
$$=\lim_{h\to0}\frac{-f(4-h)+f(4)}{h}\ (\because f(-x)=-f(x))$$
$$=\lim_{h\to0}\frac{f(4-h)-f(4)}{-h}$$
$$=f'(4)=3$$

답 3

다른 풀이

다항함수 $y=f(x)$가 $f(-x)=-f(x)$를 만족시키므로

$f(4-3h)=-f(-4+3h)$, $f(4+4h)=-f(-4-4h)$

$$\therefore \lim_{h\to0}\frac{f(4-3h)-f(4+4h)}{h}$$
$$=\lim_{h\to0}\frac{-f(-4+3h)+f(-4-4h)}{h}$$
$$=\lim_{h\to0}\frac{-\{f(-4+3h)-f(-4)\}+\{f(-4-4h)-f(-4)\}}{h}$$
$$=\lim_{h\to0}\frac{f(-4+3h)-f(-4)}{3h}\times(-3)+\lim_{h\to0}\frac{f(-4-4h)-f(-4)}{-4h}\times(-4)$$
$$=-3f'(-4)-4f'(-4)$$
$$=-7f'(-4)$$
$$=-21$$

$\therefore f'(-4)=3$

14 $\lim_{x\to2}\frac{x^2-4}{f(x)-f(2)}=\lim_{x\to2}\left\{\frac{1}{\frac{f(x)-f(2)}{x-2}}\times(x+2)\right\}$

$=\frac{4}{f'(2)}=\frac{4}{2}=2$ 답 2

15 $f'(2)=-3$, $f'(4)=6$이고, 함수 $y=f(x)$의 그래프는 y축에 대하여 대칭이므로

$f'(-2)=-f'(2)=3$

$\therefore \lim_{x\to-2}\frac{f(x^2)-f(4)}{f(x)-f(-2)}$

$=\lim_{x\to-2}\left\{\frac{f(x^2)-f(4)}{x^2-4}\times\frac{x-(-2)}{f(x)-f(-2)}\times(x-2)\right\}$

$=f'(4)\times\frac{1}{f'(-2)}\times(-4)$

$=6\times\frac{1}{3}\times(-4)=-8$ 답 ①

16 $\lim_{x\to2}\frac{f(x)}{x-2}=3$에서 $x\to2$일 때, (분모)$\to0$이므로 (분자)$\to0$이어야 한다.

즉, $\lim_{x\to2}f(x)=0$이므로 $f(2)=0$

$\lim_{x\to2}\frac{f(x)}{x-2}=\lim_{x\to2}\frac{f(x)-f(2)}{x-2}$

$=f'(2)=3$

$\therefore \lim_{x\to2}\frac{\{f(x)\}^2-2f(x)}{2-x}$

$=\lim_{x\to2}\frac{f(x)\{2-f(x)\}}{x-2}$

$=\lim_{x\to2}\left[\frac{f(x)-f(2)}{x-2}\times\{2-f(x)\}\right]$

$=f'(2)\{2-f(2)\}=3\times2=6$ 답 6

17 $\lim_{x\to a}\frac{x^2f(a)-a^2f(x)}{x-a}$

$=\lim_{x\to a}\frac{x^2f(a)-a^2f(a)-\{a^2f(x)-a^2f(a)\}}{x-a}$

$=\lim_{x\to a}\frac{(x^2-a^2)f(a)}{x-a}-\lim_{x\to a}\frac{a^2\{f(x)-f(a)\}}{x-a}$

$=\lim_{x\to a}\frac{(x-a)(x+a)f(a)}{x-a}-\lim_{x\to a}\frac{a^2\{f(x)-f(a)\}}{x-a}$

$=\lim_{x\to a}(x+a)f(a)-a^2\lim_{x\to a}\frac{f(x)-f(a)}{x-a}$

$=2af(a)-a^2f'(a)$ 답 ③

18 $\frac{1}{n}=h$로 놓으면 $n\to\infty$일 때 $h\to0$이고, $f'(1)=5$이므로

$\lim_{n\to\infty}5n\left\{f\left(\frac{n+2}{n}\right)-f\left(\frac{n+1}{n}\right)\right\}$

$=\lim_{h\to0}\frac{5}{h}\{f(1+2h)-f(1+h)\}$

$=5\lim_{h\to0}\frac{f(1+2h)-f(1)-\{f(1+h)-f(1)\}}{h}$

$=5\lim_{h\to0}\left\{\frac{f(1+2h)-f(1)}{2h}\times2-\frac{f(1+h)-f(1)}{h}\right\}$

$=5\{2f'(1)-f'(1)\}=5f'(1)=5\times5=25$ 답 25

19 $\lim_{x\to2}\frac{f(x+2)-10}{x^2-4}=3$에서 $x\to2$일 때, (분모)$\to0$이므로 (분자)$\to0$이어야 한다.

즉, $\lim_{x\to2}\{f(x+2)-10\}=0$이므로

$f(4)-10=0$

$\therefore f(4)=10$

$x+2=t$로 놓으면 $x\to2$일 때, $t\to4$이므로

$\lim_{x\to2}\frac{f(x+2)-10}{x^2-4}=\lim_{t\to4}\frac{f(t)-f(4)}{(t-2)^2-4}$

$=\lim_{t\to4}\frac{f(t)-f(4)}{t^2-4t}$

$=\lim_{t\to4}\left\{\frac{f(t)-f(4)}{t-4}\times\frac{1}{t}\right\}$

$=\frac{1}{4}f'(4)=3$

에서 $f'(4)=12$

$\therefore f(4)+f'(4)=10+12=22$ 답 22

20 $2x^2-5x+4=t$로 놓으면 $x\to1$일 때 $t\to1$이므로

$\lim_{x\to1}\frac{f(2x^2-5x+4)-f(1)}{x-1}$

$=\lim_{t\to1}\left\{\frac{f(t)-f(1)}{t-1}\times\frac{t-1}{x-1}\right\}$

$=f'(1)\times\lim_{x\to1}\frac{2x^2-5x+3}{x-1}$

$=f'(1)\times\lim_{x\to1}\frac{(x-1)(2x-3)}{x-1}$

$=f'(1)\times\lim_{x\to1}(2x-3)$

$=-f'(1)$ 답 ②

21 주어진 식에 $x=0$, $y=0$을 대입하면

$f(0)=f(0)+f(0)$에서 $f(0)=0$

$\therefore f'(1)=\lim_{h\to0}\frac{f(1+h)-f(1)}{h}$

$=\lim_{h\to0}\frac{f(1)+f(h)-h-f(1)}{h}$

$=\lim_{h\to0}\frac{f(h)}{h}-1$

$=\lim_{h\to0}\frac{f(h)-f(0)}{h}-1$

$=f'(0)-1=3-1=2$ 답 ④

22 주어진 식에 $x=0$, $y=0$을 대입하면

$f(0)=f(0)-f(0)$에서 $f(0)=0$이므로

$f'(1)=\lim_{h\to0}\frac{f(1-h)-f(1)}{-h}$

$=\lim_{h\to0}\frac{f(1)-f(h)-f(1)}{-h}$

$=\lim_{h\to0}\frac{f(h)}{h}$

$=\lim_{h\to0}\frac{f(h)-f(0)}{h}$

$=f'(0)$

$\therefore f'(0)=-1$ 답 -1

23 주어진 식에 $x=0, y=0$을 대입하면
$f(0)=f(0)+f(0)-2$에서 $f(0)=2$이므로

$$f'(2)=\lim_{h\to0}\frac{f(2+h)-f(2)}{h}$$
$$=\lim_{h\to0}\frac{f(2)+f(h)+2h(2+h)-2-f(2)}{h}$$
$$=\lim_{h\to0}\frac{f(h)-2}{h}+\lim_{h\to0}2(2+h)$$
$$=\lim_{h\to0}\frac{f(h)-f(0)}{h}+4$$
$$=f'(0)+4=6$$

$\therefore f'(0)=2$

$$\therefore f'(5)=\lim_{h\to0}\frac{f(5+h)-f(5)}{h}$$
$$=\lim_{h\to0}\frac{f(5)+f(h)+5h(5+h)-2-f(5)}{h}$$
$$=\lim_{h\to0}\frac{f(h)-2}{h}+\lim_{h\to0}5(5+h)$$
$$=\lim_{h\to0}\frac{f(h)-f(0)}{h}+25=f'(0)+25$$
$$=2+25=27$$

답 27

24 그림에서 x좌표가 a, b, c, p, q, r인 점에서의 접선의 기울기를 살펴보면 $f'(a)<0$, $f'(b)>0$, $f'(c)<0$, $f'(p)<0$, $f'(q)>0$, $f'(r)<0$이다.

① $f'(a)<f'(b)$ (거짓)

② $f'(q)>f'(r)$ (거짓)

③ 두 점 $(p, f(p))$, $(r, f(r))$를 지나는 직선의 기울기는 0이므로
$\frac{f(r)-f(p)}{r-p}<f'(q)$ (거짓)

④ 두 점 $(p, f(p))$, $(c, f(c))$를 지나는 직선의 기울기는 양수이므로
$\frac{f(c)-f(p)}{c-p}>f'(p)$ (거짓)

⑤ 두 점 $(b, f(b))$, $(r, f(r))$를 지나는 직선의 기울기는 점 $(r, f(r))$에서의 접선의 기울기보다 크므로
$\frac{f(r)-f(b)}{r-b}>f'(r)$ (참)

따라서 옳은 것은 ⑤이다.

답 ⑤

25 ㄱ. $\frac{f(a)}{a}$는 원점과 점 $(a, f(a))$를 지나는 직선의 기울기이고, $\frac{f(b)}{b}$는 원점과 점 $(b, f(b))$를 지나는 직선의 기울기이므로

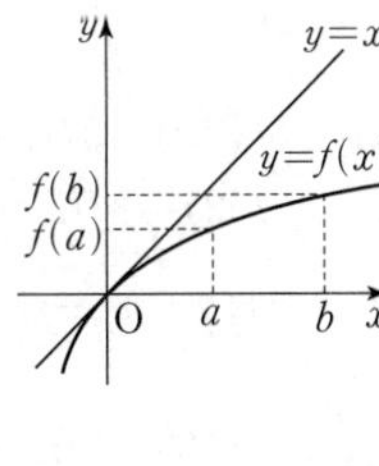

$\frac{f(a)}{a}>\frac{f(b)}{b}$ ……㉠

$ab>0$이므로 ㉠의 양변에 ab를 곱하면
$bf(a)>af(b)$ $\therefore bf(a)-af(b)>0$ (거짓)

ㄴ. 두 점 $(a, f(a))$, $(b, f(b))$를 지나는 직선의 기울기는 직선 $y=x$의 기울기인 1보다 작으므로
$\frac{f(b)-f(a)}{b-a}<1$ ……㉡
$a<b$에서 $b-a>0$이므로 ㉡의 양변에 $b-a$를 곱하면
$f(b)-f(a)<b-a$ (거짓)

ㄷ. $f'(a)$는 점 $(a, f(a))$에서의 접선의 기울기이고, $f'(b)$는 점 $(b, f(b))$에서의 접선의 기울기이다.
그런데 점 $(a, f(a))$에서의 접선의 기울기가 점 $(b, f(b))$에서의 접선의 기울기보다 크므로
$f'(a)>f'(b)$ (참)

따라서 옳은 것은 ㄷ뿐이다.

답 ③

26 함수 $y=f(x)$가 $x=2$에서 미분가능하면 $x=2$에서 연속이므로
$\lim_{x\to2+}(ax^2-2)=\lim_{x\to2-}(4x+b)=f(2)$에서
$4a-2=8+b$
$\therefore 4a-b=10$ ……㉠
또 함수 $y=f(x)$의 $x=2$에서의 미분계수가 존재하므로

$$\lim_{x\to2+}\frac{f(x)-f(2)}{x-2}=\lim_{x\to2+}\frac{(ax^2-2)-(4a-2)}{x-2}$$
$$=\lim_{x\to2+}\frac{ax^2-4a}{x-2}$$
$$=\lim_{x\to2+}\frac{a(x+2)(x-2)}{x-2}$$
$$=\lim_{x\to2+}a(x+2)=4a$$

$$\lim_{x\to2-}\frac{f(x)-f(2)}{x-2}=\lim_{x\to2-}\frac{4x+b-(4a-2)}{x-2}$$
$$=\lim_{x\to2-}\frac{4x+b-(8+b)}{x-2}$$
$$=\lim_{x\to2-}\frac{4(x-2)}{x-2}=4$$

즉, $4a=4$이므로 $a=1$
$a=1$을 ㉠에 대입하면 $b=-6$
$\therefore a+b=-5$

답 -5

27 함수 $y=f(x)$가 $x=1$에서 미분가능하면 $x=1$에서 연속이므로
$\lim_{x\to1+}(2x^3+ax^2+bx)=\lim_{x\to1-}(3x^2+1)=f(1)$에서
$2+a+b=4$
$\therefore a+b=2$ ……㉠
또 함수 $y=f(x)$의 $x=1$에서의 미분계수가 존재하므로

$$\lim_{x\to1+}\frac{f(x)-f(1)}{x-1}$$
$$=\lim_{x\to1+}\frac{2x^3+ax^2+bx-(2+a+b)}{x-1}$$
$$=\lim_{x\to1+}\frac{(x-1)\{2x^2+(a+2)x+a+b+2\}}{x-1}$$
$$=\lim_{x\to1+}\{2x^2+(a+2)x+a+b+2\}=2a+b+6$$

$$\lim_{x\to1-}\frac{f(x)-f(1)}{x-1}=\lim_{x\to1-}\frac{3x^2+1-(2+a+b)}{x-1}$$
$$=\lim_{x\to1-}\frac{(3x^2+1)-4}{x-1}$$
$$=\lim_{x\to1-}\frac{3(x+1)(x-1)}{x-1}$$
$$=\lim_{x\to1-}3(x+1)=6$$

즉, $2a+b+6=6$이므로
$2a+b=0$ ……㉡
㉠, ㉡을 연립하여 풀면
$a=-2, b=4$
$\therefore ab=-8$

답 ①

28 $f(x)=|x-2|(x+a)=\begin{cases}(x-2)(x+a) & (x\ge 2)\\(2-x)(x+a) & (x<2)\end{cases}$ 에서

미분계수 $f'(2)$가 존재해야 하므로

$$\lim_{x\to 2+}\frac{f(x)-f(2)}{x-2}=\lim_{x\to 2+}\frac{(x-2)(x+a)}{x-2}=2+a$$

$$\lim_{x\to 2-}\frac{f(x)-f(2)}{x-2}=\lim_{x\to 2-}\frac{(2-x)(x+a)}{x-2}=-2-a$$

즉, $2+a=-2-a$이므로 $2a=-4$

$\therefore a=-2$

답 -2

29 ㄱ. $\lim_{x\to 2-}f(x)=\lim_{x\to 2+}f(x)$이므로 $\lim_{x\to 2}f(x)$의 값이 존재한다. (참)

ㄴ. $f'(x)=0$인 x의 값은 $x=3$일 때의 1개이다. (거짓)

ㄷ. 함수 $y=f(x)$가 $x=1$에서 뾰족한 점을 가지고, $x=2$에서 불연속이므로 미분가능하지 않다.

따라서 함수 $y=f(x)$가 미분가능하지 않은 x의 값은 $x=1$, $x=2$일 때의 2개이다. (참)

따라서 옳은 것은 ㄱ, ㄷ이다.

답 ㄱ, ㄷ

30 ㄱ. $f(1)=0$, $\lim_{x\to 1}f(x)=\lim_{x\to 1}|x^2-1|=0$이므로

$\lim_{x\to 1}f(x)=f(1)$

즉, 함수 $y=f(x)$는 $x=1$에서 연속이다.

$$f'(1)=\lim_{h\to 0}\frac{f(1+h)-f(1)}{h}=\lim_{h\to 0}\frac{|(1+h)^2-1|-|1^2-1|}{h}=\lim_{h\to 0}\frac{|h^2+2h|}{h}$$

에서

$$\lim_{h\to 0+}\frac{|h^2+2h|}{h}=\lim_{h\to 0+}\frac{h^2+2h}{h}=\lim_{h\to 0+}(h+2)=2$$

$$\lim_{h\to 0-}\frac{|h^2+2h|}{h}=\lim_{h\to 0-}\frac{-h^2-2h}{h}=\lim_{h\to 0-}(-h-2)=-2$$

이므로 함수 $y=f(x)$는 $x=1$에서 미분가능하지 않다.

ㄴ. $f(1)=0$, $\lim_{x\to 1}f(x)=\lim_{x\to 1}(x-1)|x-1|=0$이므로

$\lim_{x\to 1}f(x)=f(1)$

즉, 함수 $y=f(x)$는 $x=1$에서 연속이다.

$$f'(1)=\lim_{x\to 1}\frac{f(x)-f(1)}{x-1}=\lim_{x\to 1}\frac{(x-1)|x-1|}{x-1}=\lim_{x\to 1}|x-1|=0$$

이므로 함수 $y=f(x)$는 $x=1$에서 미분가능하다.

ㄷ. $f(x)=\frac{x^2-1}{|x-1|}$에서 $f(1)$이 정의되지 않는다.

즉, 함수 $y=f(x)$는 $x=1$에서 불연속이므로 미분가능하지 않다.

따라서 $x=1$에서 미분가능하지 않은 함수는 ㄱ, ㄷ이다.

답 ④

31 ㄱ. $f(x)=x[x]$라 하면

$f(0)=0$, $\lim_{x\to 0}f(x)=\lim_{x\to 0}x[x]=0$이므로

$\lim_{x\to 0}f(x)=f(0)$

즉, 함수 $y=f(x)$는 $x=0$에서 연속이다.

$$\lim_{h\to 0+}\frac{f(0+h)-f(0)}{h}=\lim_{h\to 0+}\frac{h[h]}{h}=\lim_{h\to 0+}[h]=0$$

$$\lim_{h\to 0-}\frac{f(0+h)-f(0)}{h}=\lim_{h\to 0-}\frac{h[h]}{h}=\lim_{h\to 0-}[h]=-1$$

이므로 함수 $y=f(x)$는 $x=0$에서 미분가능하지 않다.

ㄴ. $f(x)=x-[x]$라 하면

$\lim_{x\to 0+}f(x)=\lim_{x\to 0+}(x-[x])=0-0=0$

$\lim_{x\to 0-}f(x)=\lim_{x\to 0-}(x-[x])=0-(-1)=1$

즉, 함수 $y=f(x)$는 $x=0$에서 불연속이므로 미분가능하지 않다.

ㄷ. $f(x)=x+|x|$라 하면

$f(0)=0$, $\lim_{x\to 0}f(x)=\lim_{x\to 0}(x+|x|)=0$이므로

$\lim_{x\to 0}f(x)=f(0)$

즉, 함수 $y=f(x)$는 $x=0$에서 연속이다.

$$\lim_{h\to 0+}\frac{f(0+h)-f(0)}{h}=\lim_{h\to 0+}\frac{h+|h|}{h}=\lim_{h\to 0+}\frac{h+h}{h}=2$$

$$\lim_{h\to 0-}\frac{f(0+h)-f(0)}{h}=\lim_{h\to 0-}\frac{h+|h|}{h}=\lim_{h\to 0-}\frac{h-h}{h}=0$$

이므로 함수 $y=f(x)$는 $x=0$에서 미분가능하지 않다.

따라서 $x=0$에서 연속이지만 미분가능하지 않은 함수는 ㄱ, ㄷ이다.

답 ㄱ, ㄷ

32 닫힌구간 $[n, n+1]$에서 함수 $y=\sqrt{x}$의 평균변화율은

$$a_n=\frac{\sqrt{n+1}-\sqrt{n}}{(n+1)-n}=\sqrt{n+1}-\sqrt{n}$$

$$\begin{aligned}\therefore \sum_{n=1}^{99}a_n&=\sum_{n=1}^{99}(\sqrt{n+1}-\sqrt{n})\\&=-\sum_{n=1}^{99}(\sqrt{n}-\sqrt{n+1})\\&=-\{(\sqrt{1}-\sqrt{2})+(\sqrt{2}-\sqrt{3})+(\sqrt{3}-\sqrt{4})+\cdots\\&\qquad+(\sqrt{99}-\sqrt{100})\}\\&=-(\sqrt{1}-\sqrt{100})=9\end{aligned}$$

답 ③

33 $f(3x)=3f(x)$의 양변에 $x=1$을 대입하면

$f(3)=3f(1)$

$f(3+h)=f\left(3\left(1+\frac{h}{3}\right)\right)=3f\left(1+\frac{h}{3}\right)$이므로

$$\begin{aligned}f'(3)&=\lim_{h\to 0}\frac{f(3+h)-f(3)}{h}\\&=\lim_{h\to 0}\frac{3f\left(1+\frac{h}{3}\right)-3f(1)}{h}\\&=\lim_{h\to 0}\frac{f\left(1+\frac{h}{3}\right)-f(1)}{\frac{h}{3}}=f'(1)=a\end{aligned}$$

답 ③

34 $x=1$에서의 미분계수 $f'(1)$은 곡선 $y=f(x)$ 위의 점 $(1, 3)$에서의 접선의 기울기이므로

$$f'(1)=\frac{3-(-1)}{1-0}=4,\ f(1)=3$$

$$\begin{aligned}\therefore \lim_{x\to1}\frac{x^3f(1)-f(x^3)}{x-1}&=\lim_{x\to1}\frac{x^3f(1)-f(1)-\{f(x^3)-f(1)\}}{x-1}\\&=\lim_{x\to1}\frac{(x^3-1)f(1)}{x-1}-\lim_{x\to1}\frac{f(x^3)-f(1)}{x-1}\\&=\lim_{x\to1}(x^2+x+1)f(1)\\&\quad-\lim_{x\to1}\left\{\frac{f(x^3)-f(1)}{x^3-1}\times(x^2+x+1)\right\}\\&=3f(1)-3f'(1)\\&=3\times3-3\times4=-3\end{aligned}$$

답 -3

35 $\lim_{x\to2}\frac{f(x)}{x-2}=3$에서 $x\to 2$일 때, (분모)$\to 0$이므로 (분자)$\to 0$이어야 한다.

즉, $\lim_{x\to2}f(x)=0$이므로 $f(2)=0$

$$\therefore \lim_{x\to2}\frac{f(x)}{x-2}=\lim_{x\to2}\frac{f(x)-f(2)}{x-2}=f'(2)=3$$

$\lim_{x\to0}\frac{f(x)}{x}=2$에서 $x\to 0$일 때, (분모)$\to 0$이므로 (분자)$\to 0$이어야 한다.

즉, $\lim_{x\to0}f(x)=0$이므로 $f(0)=0$

$$\lim_{x\to0}\frac{f(x)}{x}=\lim_{x\to0}\frac{f(x)-f(0)}{x-0}=f'(0)=2$$

$f(2)=0,\ f(0)=0$에서 $f(f(2))=0$이므로

$$\begin{aligned}\lim_{x\to2}\frac{f(f(x))}{x-2}&=\lim_{x\to2}\left\{\frac{f(f(x))-f(f(2))}{f(x)-f(2)}\times\frac{f(x)-f(2)}{x-2}\right\}\\&=f'(f(2))\times f'(2)\\&=f'(0)\times f'(2)\\&=2\times3=6\end{aligned}$$

답 ⑤

36

$$\begin{aligned}\lim_{h\to0}\frac{\sum_{k=1}^{n}f(1+kh)-nf(1)}{h}&=\lim_{h\to0}\frac{\sum_{k=1}^{n}f(1+kh)-\sum_{k=1}^{n}f(1)}{h}\\&=\lim_{h\to0}\sum_{k=1}^{n}\frac{f(1+kh)-f(1)}{h}\\&=\sum_{k=1}^{n}\lim_{h\to0}\frac{f(1+kh)-f(1)}{kh}\times k\\&=\sum_{k=1}^{n}kf'(1)\\&=f'(1)\times\sum_{k=1}^{n}k\\&=3\times\frac{n(n+1)}{2}\end{aligned}$$

즉, $\frac{3n(n+1)}{2}=273$에서

$n^2+n-182=0$

$(n-13)(n+14)=0$

$\therefore n=13$ ($\because n$은 자연수)

답 13

37

$$\begin{aligned}\lim_{x\to1}\frac{f(x)-3x^2}{x-1}&=\lim_{x\to1}\frac{f(x)-3-(3x^2-3)}{x-1}\\&=\lim_{x\to1}\frac{f(x)-f(1)}{x-1}-\lim_{x\to1}\frac{3(x+1)(x-1)}{x-1}\\&=f'(1)-\lim_{x\to1}3(x+1)\\&=f'(1)-6\end{aligned}$$

$f'(1)-6=10$이므로 $f'(1)=16$

$\frac{1}{h}=t$로 놓으면 $h\to\infty$일 때 $t\to 0$이므로

$$\begin{aligned}&\lim_{h\to\infty}h\left\{\sum_{k=1}^{10}f\left(1+\frac{k}{h}\right)-10f(1)\right\}\\&=\lim_{h\to\infty}h\left\{\sum_{k=1}^{10}f\left(1+\frac{k}{h}\right)-\sum_{k=1}^{10}f(1)\right\}\\&=\lim_{h\to\infty}h\sum_{k=1}^{10}\left\{f\left(1+\frac{k}{h}\right)-f(1)\right\}\\&=\lim_{t\to0}\sum_{k=1}^{10}\frac{f(1+kt)-f(1)}{t}\\&=\sum_{k=1}^{10}\lim_{t\to0}\frac{f(1+kt)-f(1)}{kt}\times k\\&=\sum_{k=1}^{10}kf'(1)\\&=\frac{10\times11}{2}\times f'(1)\\&=55\times16=880\end{aligned}$$

답 880

38 주어진 식에 $x=0,\ y=0$을 대입하면

$f(0)=2\{f(0)\}^2,\ f(0)\{2f(0)-1\}=0$

$\therefore f(0)=\frac{1}{2}$ ($\because f(x)>0$)

$$\begin{aligned}f'(-3)&=\lim_{h\to0}\frac{f(-3+h)-f(-3)}{h}\\&=\lim_{h\to0}\frac{2f(-3)f(h)-f(-3)}{h}\\&=2f(-3)\times\lim_{h\to0}\frac{f(h)-\frac{1}{2}}{h}\\&=2f(-3)\times\lim_{h\to0}\frac{f(h)-f(0)}{h}\\&=2f(-3)f'(0)\end{aligned}$$

이므로

$$\begin{aligned}\frac{f'(-3)}{f(-3)}&=\frac{2f(-3)f'(0)}{f(-3)}=2f'(0)\\&=2\times3=6\end{aligned}$$

답 6

39 ㄱ. $0>f'(a)>f'(b)$이고 $0<a<b$이므로

$\frac{f'(a)}{b}>\frac{f'(b)}{b}>\frac{f'(b)}{a}$ (참)

ㄴ. 두 점 $(a,\ f(a)),\ (b,\ f(b))$를 지나는 직선의 기울기는 $x=b$에서의 접선의 기울기보다 크다.

$\therefore \frac{f(b)-f(a)}{b-a}>f'(b)$ (거짓)

ㄷ. $0<a<b$에 대하여 $\frac{a+b}{2}>\sqrt{ab}$이고, 열린구간 $(a,\ b)$에서 접선의 기울기는 점점 감소하므로

$f'(\sqrt{ab})>f'\left(\frac{a+b}{2}\right)$ (참)

따라서 옳은 것은 ㄱ, ㄷ이다.

답 ④

40 이차함수의 그래프가 직선 $x=5$에 대하여 대칭이면 $f'(5)=0$이고 임의의 양수 a에 대하여

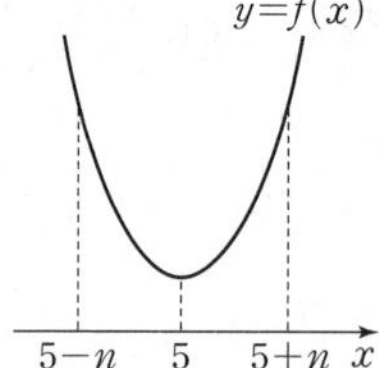

$f'(5-a)+f'(5+a)=0$

이므로

$f'(4)+f'(6)=0$

$f'(3)+f'(7)=0$

$f'(2)+f'(8)=0$

$f'(1)+f'(9)=0$

$\therefore \sum_{k=1}^{10} f'(k)=f'(1)+f'(2)+\cdots+f'(9)+f'(10)=f'(10)$

또 $\frac{a+b}{2}=5$이므로 수직선에서 두 점 $\mathrm{A}(a)$, $\mathrm{B}(b)$의 중점은 $\mathrm{P}(5)$이다.

그러므로 양수 k에 대하여 두 점 $\mathrm{A'}(a-k)$, $\mathrm{B'}(b+k)$도 점 $\mathrm{P}(5)$에 대하여 대칭이다.

$\therefore f'(a-k)+f'(b+k)=0$

$\therefore \sum_{k=1}^{10} \{f'(a-k)+f'(b+k)\}=0$

$f(x)=p(x-5)^2+q\ (p\neq 0)$라 하면

$f'(k)$

$=\lim_{h\to 0}\frac{p(k+h-5)^2+q-\{p(k-5)^2+q\}}{h}$

$=\lim_{h\to 0}\frac{p(k^2+h^2+25+2kh-10h-10k)+q-p(k^2-10k+25)-q}{h}$

$=\lim_{h\to 0}\frac{h^2p+2khp-10hp}{h}=\lim_{h\to 0}(hp+2kp-10p)$

$=2kp-10p$

$\therefore f'(10)=10p$

$\sum_{k=1}^{10}\{f'(a-k)+f'(b+k)+f'(k)\}$

$=\sum_{k=1}^{10}\{f'(a-k)+f'(b+k)\}+\sum_{k=1}^{10}f'(k)$

$=0+f'(10)=10p=30$

$\therefore p=3$

따라서 $f'(k)=6k-30$이므로

$f'(1)=6-30=-24$ 답 -24

41 $\frac{1}{2}\le x<1$일 때, $1\le 2x<2$이므로 $[2x]=1$

$\therefore f(x)=x^2+ax+b$

$1\le x<\frac{3}{2}$일 때, $2\le 2x<3$이므로 $[2x]=2$

$\therefore f(x)=2(x^2+ax+b)$

$$\therefore f(x)=\begin{cases}\vdots \\ x^2+ax+b & \left(\frac{1}{2}\le x<1\right)\\ 2(x^2+ax+b) & \left(1\le x<\frac{3}{2}\right)\\ \vdots\end{cases}$$

함수 $y=f(x)$가 $x=1$에서 미분가능하면 연속이므로

$\lim_{x\to 1+}f(x)=\lim_{x\to 1-}f(x)=f(1)$에서

$\lim_{x\to 1+}2(x^2+ax+b)=\lim_{x\to 1-}(x^2+ax+b)$

$1+a+b=2(1+a+b)$

$\therefore a+b=-1$ ······㉠

또 함수 $y=f(x)$의 $x=1$에서의 미분계수가 존재하므로

$\lim_{h\to 0+}\frac{f(1+h)-f(1)}{h}$

$=\lim_{h\to 0+}\frac{2\{(1+h)^2+a(1+h)+b\}-2(1+a+b)}{h}$

$=\lim_{h\to 0+}\frac{2h^2+4h+2ah}{h}$

$=\lim_{h\to 0+}(2h+4+2a)$

$=4+2a$

$\lim_{h\to 0-}\frac{f(1+h)-f(1)}{h}$

$=\lim_{h\to 0-}\frac{(1+h)^2+a(1+h)+b-(1+a+b)}{h}$

$=\lim_{h\to 0-}\frac{h^2+2h+ah}{h}$

$=\lim_{h\to 0-}(h+2+a)$

$=2+a$

즉, $4+2a=2+a$이므로 $a=-2$

$a=-2$를 ㉠에 대입하면 $b=1$

따라서 $f(x)=[2x](x^2-2x+1)$이므로

$f(2)=[4](4-4+1)=4$ 답 4

42 집합 A의 원소 a는 함수 $y=f(x)$의 그래프에서 연속인 x의 값이다.

또 집합 B의 원소 a는 함수 $y=f(x)$의 그래프에서 미분가능한 x의 값이다.

즉, $A\cap B^C$의 원소는 연속이지만 미분가능하지 않은 x의 값이므로 그래프에서 $x=2$일 때이다.

따라서 $A\cap B^C$의 원소의 합은 2이다. 답 2

43 ㄱ. $\lim_{x\to 1+}f(x)=\lim_{x\to 1+}\frac{2}{3}(x^3-1)=0$,

$\lim_{x\to 1-}f(x)=\lim_{x\to 1-}(x^2-1)=0$, $f(1)=0$이므로

$\lim_{x\to 1}f(x)=f(1)$

즉, 함수 $y=f(x)$는 $x=1$에서 연속이다.

$\lim_{h\to 0+}\frac{f(1+h)-f(1)}{h}=\lim_{h\to 0+}\frac{\frac{2}{3}\{(1+h)^3-1\}-0}{h}$

$=\lim_{h\to 0+}\frac{\frac{2}{3}(h^3+3h^2+3h)}{h}$

$=\lim_{h\to 0+}\frac{2}{3}(h^2+3h+3)=2$

$\lim_{h\to 0-}\frac{f(1+h)-f(1)}{h}=\lim_{h\to 0-}\frac{\{(1+h)^2-1\}-0}{h}$

$=\lim_{h\to 0-}\frac{h^2+2h}{h}$

$=\lim_{h\to 0-}(h+2)=2$

이므로 함수 $y=f(x)$는 $x=1$에서 미분가능하다. (참)

ㄴ. $F(x)=|f(x)|$로 놓으면

$\lim_{x\to 0+}F(x)=\lim_{x\to 0+}|x^2-1|=1$,

$\lim_{x\to 0-}F(x)=\lim_{x\to 0-}|1-x|=1$, $F(0)=1$이므로

$\lim_{x\to 0}F(x)=F(0)$

즉, 함수 $y=F(x)$는 $x=0$에서 연속이다.

$$\lim_{h\to 0+}\frac{F(0+h)-F(0)}{h}=\lim_{h\to 0+}\frac{|f(h)|-|f(0)|}{h}$$
$$=\lim_{h\to 0+}\frac{|h^2-1|-1}{h}$$
$$=\lim_{h\to 0+}\frac{-(h^2-1)-1}{h}$$
$$=\lim_{h\to 0+}(-h)=0$$
$$\lim_{h\to 0-}\frac{F(0+h)-F(0)}{h}=\lim_{h\to 0-}\frac{|f(h)|-|f(0)|}{h}$$
$$=\lim_{h\to 0-}\frac{|1-h|-1}{h}$$
$$=\lim_{h\to 0-}\frac{(1-h)-1}{h}=-1$$

이므로 함수 $y=|f(x)|$는 $x=0$에서 미분가능하지 않다. (거짓)

ㄷ. $G(x)=x^kf(x)$로 놓으면

$\lim_{x\to 0}G(x)=G(0)=0$이므로 함수 $y=G(x)$는 $x=0$에서 연속이다.

$$\lim_{h\to 0+}\frac{G(0+h)-G(0)}{h}=\lim_{h\to 0+}\frac{h^kf(h)}{h}$$
$$=\lim_{h\to 0+}\frac{h^k(h^2-1)}{h}$$
$$=\lim_{h\to 0+}h^{k-1}(h^2-1)\quad\cdots\cdots ㉠$$
$$\lim_{h\to 0-}\frac{G(0+h)-G(0)}{h}=\lim_{h\to 0-}\frac{h^kf(h)}{h}$$
$$=\lim_{h\to 0-}\frac{h^k(1-h)}{h}$$
$$=\lim_{h\to 0-}h^{k-1}(1-h)\quad\cdots\cdots ㉡$$

(i) $k=1$일 때,

㉠에서 $\lim_{h\to 0+}(h^2-1)=-1$

㉡에서 $\lim_{h\to 0-}(1-h)=1$

이므로 함수 $y=G(x)$는 $x=0$에서 미분가능하지 않다.

(ii) $k\geq 2$일 때,

㉠에서 $\lim_{h\to 0+}h^{k-1}(h^2-1)=0$

㉡에서 $\lim_{h\to 0-}h^{k-1}(1-h)=0$

이므로 함수 $y=G(x)$가 $x=0$에서 미분가능하다.

(i), (ii)에서 함수 $y=x^kf(x)$가 $x=0$에서 미분가능하도록 하는 자연수 k의 최솟값은 2이다. (참)

따라서 옳은 것은 ㄱ, ㄷ이다. 답 ③

44 ㄱ. $\lim_{x\to 0}\{x+f(x)\}=0+f(0)=1$이므로

함수 $y=x+f(x)$는 $x=0$에서 연속이다.

$$\lim_{x\to 0}\frac{\{x+f(x)\}-f(0)}{x-0}=\lim_{x\to 0}\left\{1+\frac{f(x)-f(0)}{x-0}\right\}$$

주어진 그래프에서 $\lim_{x\to 0}\frac{f(x)-f(0)}{x-0}$의 값이 존재하지 않으므로 함수 $y=x+f(x)$는 $x=0$에서 미분가능하지 않다.

ㄴ. $\lim_{x\to 0}xf(x)=0\times f(0)=0$이므로

함수 $y=xf(x)$는 $x=0$에서 연속이다.

$$\lim_{x\to 0}\frac{xf(x)-0\times f(0)}{x-0}=\lim_{x\to 0}f(x)=1$$

즉, 함수 $y=xf(x)$는 $x=0$에서 미분가능하다.

ㄷ. $\lim_{x\to 0}\frac{1}{1+xf(x)}=\frac{1}{1+0\times f(0)}=1$이므로

함수 $y=\frac{1}{1+xf(x)}$은 $x=0$에서 연속이다.

$$\lim_{x\to 0}\frac{\frac{1}{1+xf(x)}-\frac{1}{1+0\times f(0)}}{x-0}$$
$$=\lim_{x\to 0}\frac{\frac{-xf(x)}{1+xf(x)}}{x}=\lim_{x\to 0}\frac{-xf(x)}{x\{1+xf(x)\}}$$
$$=\lim_{x\to 0}\frac{-f(x)}{1+xf(x)}$$
$$=\frac{-f(0)}{1+0\times f(0)}=-1$$

즉, 함수 $y=\frac{1}{1+xf(x)}$은 $x=0$에서 미분가능하다.

따라서 $x=0$에서 미분가능한 함수는 ㄴ, ㄷ이다. 답 ④

45 함수 $y=f(x)$가 모든 실수 x에 대하여 미분가능하므로 $x=0$, $x=2$에서 연속이다.

$\lim_{x\to 0+}f(x)=\lim_{x\to 0-}f(x)=f(0)$에서

$\lim_{x\to 0+}(ax^3+bx^2+cx+d)=\lim_{x\to 0-}(x^2-2x)=0$

$\therefore d=0$

$\lim_{x\to 2+}f(x)=\lim_{x\to 2-}f(x)=f(2)$에서

$\lim_{x\to 2+}(x-2)=\lim_{x\to 2-}(ax^3+bx^2+cx+d)=0$

$\therefore 8a+4b+2c+d=0\quad\cdots\cdots ㉠$

또 $x=0$, $x=2$에서의 미분계수가 존재하므로

$\lim_{x\to 0+}\frac{f(x)-f(0)}{x}=\lim_{x\to 0-}\frac{f(x)-f(0)}{x}$에서

$$\lim_{x\to 0+}\frac{ax^3+bx^2+cx+d-d}{x}=\lim_{x\to 0-}\frac{x^2-2x}{x}$$

$\lim_{x\to 0+}(ax^2+bx+c)=\lim_{x\to 0-}(x-2)$

$\therefore c=-2$

$\lim_{x\to 2+}\frac{f(x)-f(2)}{x-2}=\lim_{x\to 2-}\frac{f(x)-f(2)}{x-2}$에서

$$\lim_{x\to 2+}\frac{x-2}{x-2}$$
$$=\lim_{x\to 2-}\frac{ax^3+bx^2+cx+d-(8a+4b+2c+d)}{x-2}$$
$$\lim_{x\to 2+}1=\lim_{x\to 2-}\frac{(x-2)\{ax^2+(2a+b)x+4a+2b+c\}}{x-2}$$
$$\lim_{x\to 2-}\{ax^2+(2a+b)x+4a+2b+c\}=1$$

$4a+2(2a+b)+4a+2b+c=1$

$\therefore 12a+4b+c=1\quad\cdots\cdots ㉡$

$c=-2$, $d=0$을 ㉠, ㉡에 대입하여 정리하면

$8a+4b-4=0$에서 $2a+b=1$

$12a+4b-2=1$에서 $12a+4b=3$

위의 두 식을 연립하여 풀면 $a=-\frac{1}{4}$, $b=\frac{3}{2}$

따라서 $0<x<2$일 때,

$f(x)=-\frac{1}{4}x^3+\frac{3}{2}x^2-2x$이므로

$f(1)=-\frac{1}{4}+\frac{3}{2}-2=-\frac{3}{4}$ 답 $-\frac{3}{4}$

46 함수 $y=g(x)$가 실수 전체의 집합에서 미분가능하기 위해서는 $x=k$에서 미분가능하면 된다.

$$\lim_{x\to k+}\frac{g(x)-g(k)}{x-k}$$
$$=\lim_{x\to k+}\frac{f(x)-f(k)}{x-k}$$
$$=\lim_{x\to k+}\frac{(x^3-x^2-9x+1)-(k^3-k^2-9k+1)}{x-k}$$
$$=\lim_{x\to k+}\frac{(x-k)\{x^2+kx+k^2-(x+k)-9\}}{x-k}$$
$$=3k^2-2k-9$$
$$\lim_{x\to k-}\frac{g(x)-g(k)}{x-k}$$
$$=\lim_{x\to k-}\frac{f(2k-x)-f(k)}{x-k}$$
$$=\lim_{x\to k-}\left[\frac{\{(2k-x)^3-(2k-x)^2-9(2k-x)+1\}}{x-k}-\frac{(k^3-k^2-9k+1)}{x-k}\right]$$
$$=\lim_{x\to k-}\left[(k-x)\times\frac{\{(2k-x)^2+k(2k-x)+k^2-(3k-x)-9\}}{x-k}\right]$$
$$=-3k^2+2k+9$$

즉, $3k^2-2k-9=-3k^2+2k+9$이므로

$3k^2-2k-9=0$

따라서 이차방정식의 근과 계수의 관계에 의하여 구하는 모든 실수 k의 값의 합은 $\frac{2}{3}$이므로 $p=3$, $q=2$

$\therefore p^2+q^2=13$ 답 13

참고

함수 $y=f(2k-x)$의 그래프는 함수 $y=f(x)$의 그래프와 직선 $x=k$에 대하여 대칭이다. 따라서 함수 $y=g(x)$의 그래프는 $x=k$에 대하여 대칭이고, 함수 $y=g(x)$가 실수 전체의 집합에서 미분가능하기 위해서는 $f'(k)=0$이어야 한다.

04 도함수

본책 041~048쪽

01 $f(x)=x^4-2x^2+ax+3$에서

$f'(x)=4x^3-4x+a$

$f'(1)=5$이므로

$f'(1)=4-4+a=5$

$\therefore a=5$ 답 ④

02 $f'(x)=3x^2(x^4+x^2+x)+(x^3+1)(4x^3+2x+1)$

$\therefore f'(1)=3\times3+2\times7=23$ 답 23

03 $f(x)=x^3+2x^2-1$에서

$f'(x)=3x^2+4x$이므로

$$\lim_{h\to0}\frac{f(1+2h)-f(1-2h)}{h}$$
$$=\lim_{h\to0}\frac{f(1+2h)-f(1)-\{f(1-2h)-f(1)\}}{h}$$
$$=\lim_{h\to0}\frac{f(1+2h)-f(1)}{2h}\times2+\lim_{h\to0}\frac{f(1-2h)-f(1)}{-2h}\times2$$
$$=2f'(1)+2f'(1)$$
$$=4f'(1)$$
$$=4\times7=28$$
답 28

04 $f(x)=3x^2-5x+1$에서 $f(2)=3$이고

$f'(x)=6x-5$이므로

$$\lim_{x\to2}\frac{f(x)-3}{x-2}=\lim_{x\to2}\frac{f(x)-f(2)}{x-2}$$
$$=f'(2)=7$$
답 7

05 $\lim_{x\to1}\frac{f(x)}{x-1}=4$에서 $x\to1$일 때, (분모)$\to0$이므로 (분자)$\to0$이어야 한다.

즉, $\lim_{x\to1}f(x)=0$에서 $f(1)=0$이므로

$$\lim_{x\to1}\frac{f(x)}{x-1}=\lim_{x\to1}\frac{f(x)-f(1)}{x-1}$$
$$=f'(1)=4$$

$f(x)=x^3+ax+b$에서

$f'(x)=3x^2+a$

$f(1)=1+a+b=0$

$\therefore a+b=-1$ ······ ㉠

$f'(1)=3+a=4$ $\therefore a=1$

$a=1$을 ㉠에 대입하면 $b=-2$

$\therefore ab=-2$ 답 -2

06 $f(x)=2x-1$에서 $f'(x)=2$

$$\therefore \lim_{x\to2}\frac{2f(x)-xf(2)}{x-2}$$
$$=\lim_{x\to2}\frac{2f(x)-2f(2)-\{xf(2)-2f(2)\}}{x-2}$$
$$=\lim_{x\to2}\frac{2\{f(x)-f(2)\}}{x-2}-\lim_{x\to2}\frac{(x-2)f(2)}{x-2}$$
$$=2f'(2)-f(2)$$
$$=2\times2-3=1$$
답 ①

07 $f(x)=x^n+x^2+x$라 하면 $f(1)=3$이므로

$$\lim_{x\to1}\frac{x^n+x^2+x-3}{x-1}=\lim_{x\to1}\frac{f(x)-f(1)}{x-1}=f'(1)=7$$

$f'(x)=nx^{n-1}+2x+1$에서

$f'(1)=n+3=7$ $\quad\therefore n=4$

답 4

08 함수 $y=f(x)$가 모든 실수 x에서 미분가능하려면 $x=1$에서 연속이고 미분가능해야 한다.

$\lim_{x\to1-}f(x)=\lim_{x\to1+}f(x)=f(1)$이므로

$3=1+a+b$

$\therefore a+b=2$ $\quad\cdots\cdots$ ㉠

함수 $y=f(x)$는 $x=1$에서 미분계수가 존재하므로

$f'(x)=\begin{cases}4x & (x<1)\\ 3x^2+2ax+b & (x>1)\end{cases}$에서

$\lim_{x\to1-}f'(x)=\lim_{x\to1+}f'(x)$이므로

$4=3+2a+b$

$\therefore 2a+b=1$ $\quad\cdots\cdots$ ㉡

㉠, ㉡을 연립하여 풀면

$a=-1,\ b=3$

$\therefore ab=-3$

답 -3

09 $f(x)=x^3+ax+b$에서

$f'(x)=3x^2+a$

$f(1)=1,\ f'(1)=-3$이므로

$f(1)=1+a+b=1$

$\therefore a+b=0$ $\quad\cdots\cdots$ ㉠

$f'(1)=3+a=-3$

$\therefore a=-6$

$a=-6$을 ㉠에 대입하면 $b=6$

$\therefore ab=-36$

답 ①

10 $f(x)=x^3+ax^2+b$라 하면

$f'(x)=3x^2+2ax$

함수 $y=f(x)$의 그래프가 점 $(1,\ 4)$를 지나므로

$f(1)=1+a+b=4$

$\therefore a+b=3$ $\quad\cdots\cdots$ ㉠

점 $(1,\ 4)$에서의 접선의 기울기가 6이므로

$f'(1)=3+2a=6$

$\therefore a=\frac{3}{2}$

$a=\frac{3}{2}$을 ㉠에 대입하면

$\frac{3}{2}+b=3$ $\quad\therefore b=\frac{3}{2}$

$\therefore a+2b=\frac{3}{2}+3=\frac{9}{2}$

답 $\frac{9}{2}$

11 $f(x)=(x^2+1)g(x)$에서

$f'(x)=2xg(x)+(x^2+1)g'(x)$

$\therefore f'(1)=2g(1)+2g'(1)$

$f'(1)=10,\ g(1)=2$이므로

$10=4+2g'(1)$

$\therefore g'(1)=3$

답 3

12 $f(x)=x^2+ax+5$에서

$f'(x)=2x+a$

$f'(1)=2+a=5$이므로 $a=3$

$\therefore f'(x)=2x+3$

$$\therefore \lim_{x\to2}\frac{f(x)-f(2)}{x^2-4}=\lim_{x\to2}\left\{\frac{f(x)-f(2)}{x-2}\times\frac{1}{x+2}\right\}$$
$$=\frac{1}{4}f'(2)$$
$$=\frac{1}{4}\times7=\frac{7}{4}$$

답 ②

13 조건 (가)에서

$$\lim_{x\to1}\frac{f(x^2)-f(1)}{x-1}=\lim_{x\to1}\left\{\frac{f(x^2)-f(1)}{x^2-1}\times(x+1)\right\}$$
$$=2f'(1)=6$$

$\therefore f'(1)=3$

조건 (나)에서

$$\lim_{x\to2}\frac{x-2}{f(x)-f(2)}=\lim_{x\to2}\frac{1}{\frac{f(x)-f(2)}{x-2}}$$
$$=\frac{1}{f'(2)}=1$$

$\therefore f'(2)=1$

$f(x)=ax^2+bx$에서

$f'(x)=2ax+b$이므로

$f'(1)=2a+b=3$ $\quad\cdots\cdots$ ㉠

$f'(2)=4a+b=1$ $\quad\cdots\cdots$ ㉡

㉠, ㉡을 연립하여 풀면

$a=-1,\ b=5$

$\therefore a^2+b^2=(-1)^2+5^2=26$

답 26

14 $\lim_{h\to0}\frac{f(1+2h)-3}{h}=6$에서 $h\to0$일 때, (분모)$\to0$이므로 (분자)$\to0$이어야 한다.

즉, $\lim_{h\to0}\{f(1+2h)-3\}=0$이므로 $f(1)=3$

$$\therefore \lim_{h\to0}\frac{f(1+2h)-3}{h}=\lim_{h\to0}\frac{f(1+2h)-f(1)}{h}$$
$$=\lim_{h\to0}\frac{f(1+2h)-f(1)}{2h}\times2$$
$$=2f'(1)=6$$

$\therefore f'(1)=3$

$g(x)=(x^2+2x)f(x)$라 하면

$g'(x)=(2x+2)f(x)+(x^2+2x)f'(x)$이므로

$g'(1)=4f(1)+3f'(1)$

$=4\times3+3\times3=21$

답 21

15 $\frac{1}{n}=h$로 놓으면 $n\to\infty$일 때 $h\to0$이므로

$$\lim_{n\to\infty}n\left\{f\left(a+\frac{1}{n}\right)-f(a)\right\}=\lim_{h\to0}\frac{f(a+h)-f(a)}{h}$$
$$=f'(a)=13$$

$f(x)=x^2+3x+7$에서

$f'(x)=2x+3$이므로

$f'(a)=2a+3=13$

$\therefore a=5$

답 ④

16 함수 $y=f(x)$의 그래프 위의 점 $(1, 3)$에서의 접선의 기울기가 5이므로

$f(1)=3$, $f'(1)=5$

$$\therefore \lim_{x\to1}\frac{x^3f(1)-f(x^3)}{x-1}$$
$$=\lim_{x\to1}\frac{x^3f(1)-f(1)-\{f(x^3)-f(1)\}}{x-1}$$
$$=\lim_{x\to1}\frac{(x^3-1)f(1)}{x-1}-\lim_{x\to1}\frac{f(x^3)-f(1)}{x-1}$$
$$=\lim_{x\to1}(x^2+x+1)f(1)-\lim_{x\to1}\left\{\frac{f(x^3)-f(1)}{x^3-1}\times(x^2+x+1)\right\}$$
$$=3f(1)-3f'(1)$$
$$=3\times3-3\times5$$
$$=-6$$

답 -6

17 $g(x)=(x^2+3)f(x)$라 하면

$g(2)=7f(2)$이므로

$$\lim_{x\to2}\frac{(x^2+3)f(x)-7f(2)}{x-2}=\lim_{x\to2}\frac{g(x)-g(2)}{x-2}$$
$$=g'(2)$$

$g'(x)=2xf(x)+(x^2+3)f'(x)$이므로

$$g'(2)=4f(2)+7f'(2)$$
$$=4\times3+7\times1$$
$$=19$$

답 19

18 $f(x)=x^9-5x^3+10x$라 하면 $f(1)=6$이므로

$$\lim_{x\to1}\frac{x^9-5x^3+10x-6}{x-1}=\lim_{x\to1}\frac{f(x)-f(1)}{x-1}$$
$$=f'(1)$$

$f'(x)=9x^8-15x^2+10$이므로

$f'(1)=9-15+10=4$

답 ③

19 $\lim_{x\to1}\frac{x^n-kx+2}{x-1}=14$에서 $x\to1$일 때, (분모)$\to0$이므로 (분자)$\to0$이어야 한다.

즉, $\lim_{x\to1}(x^n-kx+2)=0$에서

$1-k+2=0 \quad \therefore k=3$

$f(x)=x^n-3x$라 하면 $f(1)=-2$이므로

$$\lim_{x\to1}\frac{x^n-3x+2}{x-1}=\lim_{x\to1}\frac{f(x)-f(1)}{x-1}$$
$$=f'(1)=14$$

$f'(x)=nx^{n-1}-3$에서

$f'(1)=n-3=14 \qquad \therefore n=17$

$\therefore n+k=17+3=20$

답 20

20 $f(x)=x^n+x$라 하면 $f(1)=2$이므로

$$a_n=\lim_{x\to1}\frac{x^n+x-2}{x-1}=\lim_{x\to1}\frac{f(x)-f(1)}{x-1}=f'(1)$$

$f'(x)=nx^{n-1}+1$이므로

$a_n=f'(1)=n+1$

$$\therefore \sum_{k=1}^{11}\frac{12}{ka_k}=\sum_{k=1}^{11}\frac{12}{k(k+1)}$$
$$=12\sum_{k=1}^{11}\left(\frac{1}{k}-\frac{1}{k+1}\right)$$
$$=12\left\{\left(\frac{1}{1}-\frac{1}{2}\right)+\left(\frac{1}{2}-\frac{1}{3}\right)+\cdots+\left(\frac{1}{11}-\frac{1}{12}\right)\right\}$$
$$=12\left(1-\frac{1}{12}\right)$$
$$=11$$

답 11

21 주어진 식의 양변에 $x=0$, $y=0$을 대입하면

$f(0)=f(0)+f(0)-1 \qquad \therefore f(0)=1$

$$f'(x)=\lim_{h\to0}\frac{f(x+h)-f(x)}{h}$$
$$=\lim_{h\to0}\frac{f(x)+f(h)+xh-1-f(x)}{h}$$
$$=\lim_{h\to0}\frac{f(h)+xh-1}{h}$$
$$=\lim_{h\to0}\frac{f(h)-1}{h}+x$$
$$=\lim_{h\to0}\frac{f(h)-f(0)}{h}+x$$
$$=f'(0)+x$$
$$=x+3$$

답 $f'(x)=x+3$

22 주어진 식의 양변에 $x=0$, $y=0$을 대입하면

$f(0)=f(0)+f(0)-1 \qquad \therefore f(0)=1$

$$f'(x)=\lim_{h\to0}\frac{f(x+h)-f(x)}{h}$$
$$=\lim_{h\to0}\frac{f(x)+f(h)+3xh-1-f(x)}{h}$$
$$=\lim_{h\to0}\frac{f(h)+3xh-1}{h}$$
$$=\lim_{h\to0}\frac{f(h)-1}{h}+3x$$
$$=\lim_{h\to0}\frac{f(h)-f(0)}{h}+3x$$
$$=f'(0)+3x$$

$x=3$을 대입하면

$f'(3)=f'(0)+9$

$f'(3)=7$이므로 $f'(0)=-2$

따라서 $f'(x)=3x-2$이므로

$f'(10)=3\times10-2=28$

답 28

23 ㄱ. $f(x+y)=f(x)+f(y)-4xy$의 양변에 $x=0$, $y=0$을 대입하면

$f(0)=f(0)+f(0) \qquad \therefore f(0)=0$ (참)

ㄴ. $$f'(x)=\lim_{h\to0}\frac{f(x+h)-f(x)}{h}$$
$$=\lim_{h\to0}\frac{f(x)+f(h)-4xh-f(x)}{h}$$
$$=\lim_{h\to0}\frac{f(h)-4xh}{h}=\lim_{h\to0}\frac{f(h)}{h}-4x$$
$$=\lim_{h\to0}\frac{f(h)-f(0)}{h}-4x$$
$$=f'(0)-4x$$
$$=-4x+1 \text{ (참)}$$

ㄷ. 함수 $y=f(x)$가 모든 실수 x에 대하여 미분가능하므로 모든 실수 a에 대하여 연속이다.

$\therefore f(a)=\lim_{x\to a}f(x)$ (참)

따라서 ㄱ, ㄴ, ㄷ 모두 옳다. 답 ⑤

24 함수 $y=f(x)$가 모든 실수 x에 대하여 미분가능하려면 $x=1$에서 연속이고 미분가능해야 한다.

$\lim_{x\to1-}f(x)=\lim_{x\to1+}f(x)=f(1)$이므로

$-1+a=b+3$

$\therefore b-a=-4$ ······㉠

함수 $y=f(x)$는 $x=1$에서 미분계수가 존재하므로

$f'(x)=\begin{cases}-3x^2 & (x<1)\\ 2x+b & (x>1)\end{cases}$에서

$\lim_{x\to1-}f'(x)=\lim_{x\to1+}f'(x)$

$-3=2+b$

$\therefore b=-5$

$b=-5$를 ㉠에 대입하면 $a=-1$

따라서 $f(x)=\begin{cases}-x^3-1 & (x<1)\\ x^2-5x+2 & (x\ge1)\end{cases}$이므로

$f(-2)=8-1=7$ 답 ④

25 $f(x+3)=f(x)$이므로

$f(3)=f(0)$에서

$54+27a+3b=0$ ······㉠

함수 $y=f(x)$가 모든 실수 x에서 미분가능하고,

$f(x)=2x^3+3ax^2+bx\ (0\le x<3)$에서

$f'(x)=6x^2+6ax+b$이므로

$f'(3)=f'(0)$에서

$54+18a+b=b \quad \therefore a=-3$

$a=-3$을 ㉠에 대입하면

$54+(-81)+3b=0 \quad \therefore b=9$

$\therefore a+b=(-3)+9=6$ 답 6

26 $f(x)=\begin{cases}x & (x\ge2)\\ -x+4 & (x<2)\end{cases}$이므로

$f(x)g(x)=\begin{cases}x(ax^2+1) & (x\ge2)\\ (-x+4)(ax^2+1) & (x<2)\end{cases}$

함수 $y=f(x)g(x)$가 실수 전체의 집합에서 미분가능하므로 $x=2$에서 연속이고 미분가능해야 한다.

$\lim_{x\to2+}f(x)g(x)=\lim_{x\to2-}f(x)g(x)-2(4a+1)$이고

$\{f(x)g(x)\}'=\begin{cases}3ax^2+1 & (x>2)\\ -3ax^2+8ax-1 & (x<2)\end{cases}$에서

함수 $y=f(x)g(x)$는 $x=2$에서 미분계수가 존재하므로

$\lim_{x\to2+}\{f(x)g(x)\}'=\lim_{x\to2-}\{f(x)g(x)\}'$

$12a+1=-12a+16a-1$

$8a=-2 \quad \therefore a=-\frac{1}{4}$ 답 $-\frac{1}{4}$

27 $f(x)-f'(x)$가 이차식이므로 $y=f(x)$는 이차함수이다.

$f(x)=ax^2+bx+c\ (a\ne0)$라 하면

$f'(x)=2ax+b$이므로

$(ax^2+bx+c)-(2ax+b)=x^2-2x+3$

$\therefore (a-1)x^2+(b-2a+2)x+c-b-3=0$

모든 실수 x에 대하여 성립하므로

$a-1=0,\ b-2a+2=0,\ c-b-3=0$

$\therefore a=1,\ b=0,\ c=3$

따라서 $f(x)=x^2+3$이므로

$f(0)-2f(1)=3-2\times4=-5$ 답 -5

28 $f(x)f'(x)=9x+12$ ······㉠

에서 $y=f(x)$를 n차 함수라 하면 $y=f'(x)$는 $(n-1)$차 함수이므로

㉠의 좌변의 차수는

$n+(n-1)=2n-1$

㉠의 우변은 일차식이므로

$2n-1=1 \quad \therefore n=1$

즉, $y=f(x)$는 일차함수이고, 최고차항의 계수가 양수이므로

$f(x)=ax+b\ (a>0)$라 하면

$f'(x)=a$

$f(x),\ f'(x)$를 ㉠에 대입하면

$(ax+b)\times a=9x+12$

$\therefore (a^2-9)x+(ab-12)=0$

모든 실수 x에 대하여 성립하므로

$a^2=9,\ ab=12$

$\therefore a=3,\ b=4\ (\because a>0)$

따라서 $f(x)=3x+4$이므로

$f(2)f(3)=10\times13=130$ 답 ③

29 $(2x^2-x-4)f'(x)+2f(x)=2f(x)f'(x)-4$ ······㉠

에서 $y=f(x)$를 n차 함수라 하면 $y=f'(x)$는 $(n-1)$차 함수이므로

㉠의 좌변의 차수는 $2+(n-1)$

㉠의 우변의 차수는 $n+(n-1)$

즉, $2+(n-1)=n+(n-1)$이므로

$n+1=2n-1 \quad \therefore n=2$

$y=f(x)$는 이차함수이므로 $f(x)=ax^2+bx+c\ (a\ne0)$라 하면

$f'(x)=2ax+b$

$f(x),\ f'(x)$를 ㉠에 대입하면

$(2x^2-x-4)(2ax+b)+2(ax^2+bx+c)$

$=2(ax^2+bx+c)(2ax+b)-4$

$4ax^3+2bx^2-(8a-b)x-4b+2c$

$=4a^2x^3+6abx^2+2(b^2+2ac)x+2bc-4$

모든 실수 x에 대하여 성립하므로

$4a=4a^2,\ 2b=6ab,$

$-8a+b=2b^2+4ac,\ -4b+2c=2bc-4$

이 식을 연립하여 풀면

$a=1,\ b=0,\ c=-2\ (\because a\ne0)$

$\therefore f(x)=x^2-2$ 답 $f(x)=x^2-2$

30 다항식 $x^{12}-x+1$을 $(x-1)^2$으로 나누었을 때의 몫을 $Q(x)$, 나머지를 $ax+b$ (a, b는 상수)라 하면

$x^{12}-x+1=(x-1)^2Q(x)+ax+b$ ······㉠

㉠의 양변에 $x=1$을 대입하면

$1-1+1=a+b \quad \therefore a+b=1$ ······㉡

㉠의 양변을 x에 대하여 미분하면

$12x^{11}-1=2(x-1)Q(x)+(x-1)^2Q'(x)+a$

양변에 $x=1$을 대입하면

$12-1=a \qquad \therefore a=11$

$a=11$을 ㉡에 대입하면

$b=-10$

따라서 구하는 나머지는 $11x-10$이다. 답 ①

다른 풀이

$f(x)=x^{12}-x+1$이라 하면 $f'(x)=12x^{11}-1$

$f(x)$를 $(x-1)^2$으로 나누었을 때의 나머지는

$f'(1)(x-1)+f(1)=11(x-1)+1$

$=11x-10$

31 다항식 ax^3+bx^2-4가 $(x+1)^2$을 인수로 가지므로 $(x+1)^2$으로 나누어떨어진다.

다항식 ax^3+bx^2-4를 $(x+1)^2$으로 나누었을 때의 몫을 $Q(x)$라 하면

$ax^3+bx^2-4=(x+1)^2Q(x)$ ⋯⋯ ㉠

㉠의 양변에 $x=-1$을 대입하면

$-a+b-4=0$ ⋯⋯ ㉡

㉠의 양변을 x에 대하여 미분하면

$3ax^2+2bx=2(x+1)Q(x)+(x+1)^2Q'(x)$

양변에 $x=-1$을 대입하면

$3a-2b=0$ ⋯⋯ ㉢

㉡, ㉢을 연립하여 풀면

$a=8, b=12$

$\therefore a+b=20$ 답 20

다른 풀이

$f(x)=ax^3+bx^2-4$라 하면 $f(x)$가 $(x+1)^2$으로 나누어떨어지므로

$f(-1)=0, \ f'(-1)=0$

$f(-1)=0$에서

$-a+b-4=0$ ⋯⋯ ㉠

$f'(x)=3ax^2+2bx$이므로 $f'(-1)=0$에서

$3a-2b=0$ ⋯⋯ ㉡

㉠, ㉡을 연립하여 풀면

$a=8, b=12$

$\therefore a+b=20$

32 다항식 $x^{10}-x+3$을 $(x+1)(x-1)^2$으로 나누었을 때의 몫을 $Q(x)$, 나머지를 $R(x)=ax^2+bx+c$ (a, b, c는 상수)라 하면

$x^{10}-x+3=(x+1)(x-1)^2Q(x)+ax^2+bx+c$ ⋯⋯ ㉠

㉠의 양변에 $x=1$을 대입하면

$1-1+3=a+b+c$

$\therefore a+b+c=3$ ⋯⋯ ㉡

㉠의 양변에 $x=-1$을 대입하면

$1-(-1)+3=a-b+c$

$\therefore a-b+c=5$ ⋯⋯ ㉢

㉠의 양변을 x에 대하여 미분하면

$10x^9-1=(x-1)^2Q(x)+2(x+1)(x-1)Q(x)$

$+(x+1)(x-1)^2Q'(x)+2ax+b$

양변에 $x=1$을 대입하면

$10-1=2a+b$

$\therefore 2a+b=9$ ⋯⋯ ㉣

㉡, ㉢, ㉣을 연립하여 풀면

$a=5, b=-1, c=-1$

따라서 $R(x)=5x^2-x-1$이므로

$R(2)=20-2-1=17$ 답 17

33 $g'(x)=\sum_{k=1}^{10}\{x^kf(x)\}'=\sum_{k=1}^{10}\{kx^{k-1}f(x)+x^kf'(x)\}$이므로

$g'(1)=\sum_{k=1}^{10}\{kf(1)+f'(1)\}$

$=\sum_{k=1}^{10}(4k+3)$

$=4\times\frac{10\times11}{2}+3\times10$

$=220+30=250$ 답 250

참고

$y=\sum_{k=1}^{n}f_k(x)=f_1(x)+f_2(x)+\cdots+f_n(x)$일 때,

$y'=f_1'(x)+f_2'(x)+\cdots+f_n'(x)=\sum_{k=1}^{n}f_k'(x)$

34 $g(x)=(x^2+1)f(x)$에서

$g'(x)=2xf(x)+(x^2+1)f'(x)$

① $g'(-2)=-4f(-2)+5f'(-2)$이고

$f(-2)>0, \ f'(-2)=0$이므로

$g'(-2)<0$

② $g'(-1)=-2f(-1)+2f'(-1)$

$f(-1)>0, \ f'(-1)<0$이므로

$g'(-1)<0$

③ $g'(0)=f'(0)<0$

④ $g'(1)=2f(1)+2f'(1)$

$f(1)<0, \ f'(1)>0$이므로

항상 $g'(1)>0$이라고 할 수 없다.

⑤ $g'(2)=4f(2)+5f'(2)$

$f(2)>0, \ f'(2)>0$이므로

$g'(2)>0$

따라서 항상 옳은 것은 ⑤이다. 답 ⑤

35 $f(x)=x^2+ax+b$라 하고 곡선 $y=f(x)$와 직선 $y=k$의 교점의 x좌표를 각각 α, β $(\alpha<\beta)$라 하면

$\overline{AB}=\beta-\alpha=3$이고 $f(x)-k=0$의 두 근이 α, β이다.

즉, $f(x)-k=(x-\alpha)(x-\beta)$이므로

$f(x)=(x-\alpha)(x-\beta)+k$

$\therefore f'(x)=(x-\beta)+(x-\alpha)$

$=2x-\alpha-\beta$

따라서 점 A에서의 접선의 기울기는

$f'(\alpha)=\alpha-\beta=-3$ 답 -3

36 $\lim_{x\to2}\frac{f(x+1)-8}{x^2-4}=6$에서 $x\to2$일 때, (분모)$\to0$이므로 (분자)$\to0$이어야 한다.

즉, $\lim_{x\to2}\{f(x+1)-8\}=0$이므로

$f(3)=8$ ⋯⋯ ㉠

$x+1=t$로 놓으면 $x \to 2$일 때 $t \to 3$이므로

$$\lim_{x\to 2}\frac{f(x+1)-8}{x^2-4}=\lim_{t\to 3}\frac{f(t)-f(3)}{(t-1)^2-4}$$
$$=\lim_{t\to 3}\frac{f(t)-f(3)}{t^2-2t-3}$$
$$=\lim_{t\to 3}\left\{\frac{f(t)-f(3)}{t-3}\times\frac{1}{t+1}\right\}$$
$$=\frac{1}{4}f'(3)=6$$

$\therefore f'(3)=24$

$f'(x)=2x+5a$이므로

$f'(3)=6+5a=24$

$\therefore a=\frac{18}{5}$

즉, $f(x)=x^2+18x+b$이므로 ㉠에서

$f(3)=9+54+b=8$

$\therefore b=-55$

따라서 $f(x)=x^2+18x-55$이므로

$f(2)=4+36-55=-15$ 답 ①

37 $f(x)=(2x-1)(3x^2+1)$에서

$$f'(x)=2(3x^2+1)+(2x-1)\times 6x$$
$$=18x^2-6x+2$$

$3x^2-x-1=t$로 놓으면 $x \to 1$일 때 $t \to 1$이므로

$$\lim_{x\to 1}\frac{f(3x^2-x-1)-f(1)}{x-1}$$
$$=\lim_{t\to 1}\left\{\frac{f(t)-f(1)}{t-1}\times\frac{t-1}{x-1}\right\}$$
$$=f'(1)\times\lim_{x\to 1}\frac{3x^2-x-2}{x-1}$$
$$=f'(1)\times\lim_{x\to 1}\frac{(3x+2)(x-1)}{x-1}$$
$$=5f'(1)$$
$$=5\times 14$$
$$=70$$

답 70

38 조건 (가)에서 $f(0)=1$, $g(0)=4$이므로

$f(0)g(0)=4$

조건 (나)에서 $h(x)=f(x)g(x)$라 하면

$$\lim_{x\to 0}\frac{f(x)g(x)-4}{x}=\lim_{x\to 0}\frac{f(x)g(x)-f(0)g(0)}{x}$$
$$=\lim_{x\to 0}\frac{h(x)-h(0)}{x}$$
$$=h'(0)=0$$

$h'(x)=f'(x)g(x)+f(x)g'(x)$이므로

$$h'(0)=f'(0)g(0)+f(0)g'(0)$$
$$=(-6)\times 4+1\times g'(0)\ (\because \text{조건 (가)})$$
$$=0$$

$\therefore g'(0)=24$ 답 24

39 주어진 식의 양변에 $x=0$, $y=0$을 대입하면

$f(0)=f(0)+f(0)-1$ $\quad\therefore f(0)=1$

$$f'(x)=\lim_{h\to 0}\frac{f(x+h)-f(x)}{h}$$
$$=\lim_{h\to 0}\frac{f(x)+f(h)+2xh-1-f(x)}{h}$$
$$=2x+\lim_{h\to 0}\frac{f(h)-1}{h}$$
$$=2x+\lim_{h\to 0}\frac{f(h)-f(0)}{h}$$
$$=2x+f'(0) \qquad \cdots\cdots ㉠$$

$\lim_{x\to 1}\frac{f(x)-f'(x)}{x^2-1}=14$에서 $x \to 1$일 때, (분모) $\to 0$이므로 (분자) $\to 0$이어야 한다.

$\therefore f(1)=f'(1)$

㉠에서 $f'(1)=2+f'(0)$이므로

$f'(0)=f'(1)-2=f(1)-2$ $\quad\cdots\cdots ㉡$

$$\therefore \lim_{x\to 1}\frac{f(x)-f'(x)}{x^2-1}$$
$$=\lim_{x\to 1}\frac{f(x)-2x-f'(0)}{x^2-1}\ (\because ㉠)$$
$$=\lim_{x\to 1}\frac{f(x)-2x-f(1)+2}{x^2-1}\ (\because ㉡)$$
$$=\lim_{x\to 1}\frac{f(x)-f(1)}{x^2-1}-\lim_{x\to 1}\frac{2(x-1)}{x^2-1}$$
$$=\lim_{x\to 1}\left\{\frac{f(x)-f(1)}{x-1}\times\frac{1}{x+1}\right\}-\lim_{x\to 1}\frac{2(x-1)}{(x-1)(x+1)}$$
$$=\frac{1}{2}f'(1)-1$$
$$=14$$

$\therefore f'(1)=30$

$f'(1)=30$을 ㉡에 대입하면

$f'(0)=f'(1)-2=28$ 답 28

40 ㄱ. 함수 $y=f(x)$가 $x=a$에서 미분가능하면

$$\lim_{h\to 0}\frac{f(a+h^2)-f(a)}{h^2}=\lim_{t\to 0+}\frac{f(a+t)-f(a)}{t}$$
$$=f'(a)$$

이므로 그 값이 존재한다.

그런데 함수 $f(x)=|x-a|$에 대하여

$$\lim_{h\to 0}\frac{f(a+h^2)-f(a)}{h^2}=\lim_{h\to 0}\frac{|h^2|}{h^2}=1$$

이므로 그 값이 존재하지만 주어진 함수는 $x=a$에서 미분가능하지 않다.

즉, 함수 $y=f(x)$가 $x=a$에서 미분가능하면 ㄱ이기 위한 충분조건이지만 필요조건은 아니다.

ㄴ. 함수 $y=f(x)$가 $x=a$에서 미분가능하면

$$\lim_{h\to 0}\frac{f(a+h^3)-f(a)}{h^3}=\lim_{t\to 0}\frac{f(a+t)-f(a)}{t}$$
$$=f'(a)$$

이므로 그 값이 존재한다.

또한, $h^3=t$로 놓으면

$h\to 0+$일 때 $t\to 0+$이고

$h\to 0-$일 때 $t\to 0-$이므로

$$\lim_{h\to 0}\frac{f(a+h^3)-f(a)}{h^3}=\lim_{t\to 0}\frac{f(a+t)-f(a)}{t}$$

따라서 $\lim_{h \to 0} \frac{f(a+h^3)-f(a)}{h^3}$ 의 값이 존재하면

$\lim_{t \to 0} \frac{f(a+t)-f(a)}{t}$, 즉 $\lim_{h \to 0} \frac{f(a+h)-f(a)}{h}$ 의 값이 존재하므로 함수 $y=f(x)$가 $x=a$에서 미분가능하면 ㄴ이기 위한 필요충분조건이다.

ㄷ. 함수 $y=f(x)$가 $x=a$에서 미분가능하면

$$\lim_{h \to 0} \frac{f(a+h)-f(a-h)}{2h}$$
$$=\frac{1}{2}\lim_{h \to 0}\left\{\frac{f(a+h)-f(a)}{h}+\frac{f(a-h)-f(a)}{-h}\right\}$$
$$=\frac{1}{2}\{f'(a)+f'(a)\}$$
$$=f'(a)$$

이므로 그 값이 존재한다.

그런데 함수 $f(x)=|x-a|$에 대하여

$$\lim_{h \to 0} \frac{f(a+h)-f(a-h)}{2h}=\lim_{h \to 0} \frac{|h|-|-h|}{2h}=0$$

이므로 그 값이 존재하지만 주어진 함수는 $x=a$에서 미분가능하지 않다.

즉, 함수 $y=f(x)$가 $x=a$에서 미분가능하면 ㄷ이기 위한 충분조건이지만 필요조건은 아니다.

따라서 함수 $y=f(x)$가 $x=a$에서 미분가능하기 위한 필요충분조건인 것은 ㄴ뿐이다. 답 ②

41 $f(x)$의 최고차항을 ax^n $(a\neq 0,\ a\neq 1)$이라 하면

$\lim_{x \to \infty} \frac{\{f(x)\}^2-f(x^2)}{x^3 f(x)}=4$에서

분모와 분자의 차수는 같고 최고차항의 계수의 비는 4이다.

즉, $2n=n+3$에서 $n=3$

$\frac{a^2-a}{a}=4$에서 $a-1=4$ $\quad\therefore a=5$

$f(x)=5x^3+bx^2+cx+d$ (b, c, d는 상수)라 하면

$f'(x)=15x^2+2bx+c$

조건 (나)에서

$$\lim_{x \to 0} \frac{f'(x)}{x}=\lim_{x \to 0} \frac{15x^2+2bx+c}{x}=4$$

이고, $x \to 0$일 때, (분모) $\to 0$이므로 (분자) $\to 0$이어야 한다.

즉, $\lim_{x \to 0}(15x^2+2bx+c)=c=0$이므로

$f'(x)=15x^2+2bx$

$$\therefore \lim_{x \to 0} \frac{f'(x)}{x}=\lim_{x \to 0} \frac{15x^2+2bx}{x}$$
$$=\lim_{x \to 0} \frac{x(15x+2b)}{x}$$
$$=\lim_{x \to 0}(15x+2b)$$
$$=2b=4$$

즉, $b=2$이므로 $f'(x)=15x^2+4x$

$\therefore f'(1)=15+4=19$ 답 19

42 $y=f(x)$를 n차 함수라 하면 $y=f'(x)$는 $(n-1)$차 함수이다.

조건 (나)에서 $(f\circ f)(x)=f(x)f'(x)+4$이므로

좌변과 우변의 최고차항의 차수가 같다.

$n^2=n+(n-1)$, $n^2-2n+1=0$

$(n-1)^2=0 \quad \therefore n=1$

즉, $f(x)=ax+b$ ($a\neq 0$, b는 상수)라 하면

$f'(x)=a$

$f(x)$, $f'(x)$를 조건 (나)에 대입하면

$a(ax+b)+b=a(ax+b)+4$

$\therefore b=4$

조건 (가)에서 $f(1)=8$이므로

$a+b=8$

$b=4$를 대입하면 $a=4$

따라서 $f(x)=4x+4$이므로

$f(3)=12+4=16$ 답 16

43 조건 (가)에서

$f(x)=x^4+ax^3+bx^2+cx+d$ (a, b, c, d는 상수)라 하면

$f'(x)=4x^3+3ax^2+2bx+c$

조건 (다)에서 $f'(0)=0$이므로 $c=0$

조건 (나)에서 $f(2)=2$, $f'(2)=0$이므로

$16+8a+4b+d=2$ ······ ㉠

$32+12a+4b=0$

$\therefore b=-3a-8$

$b=-3a-8$을 ㉠에 대입하면

$16+8a+4(-3a-8)+d=2$

$\therefore d=4a+18$

$$\therefore f(x)=x^4+ax^3+(-3a-8)x^2+4a+18$$
$$=(x^4-8x^2+18)+a(x^3-3x^2+4)$$
$$=(x^4-8x^2+18)+a(x+1)(x-2)^2$$

따라서 함수 $y=f(x)$의 그래프는 a의 값에 관계없이 항상 두 점 $(-1,\ f(-1))$, $(2,\ f(2))$를 지난다.

$\therefore f(-1)+f(2)=(1-8+18)+(16-32+18)=13$

답 13

다른 풀이

조건 (가), (나)에서 최고차항의 계수가 1인 사차함수 $y=f(x)$의 그래프가 점 $(2,\ f(2))$에서 직선 $y=2$에 접하므로

$f(x)-2=(x-2)^2(x^2+ax+b)$ (단, a, b는 상수이다.)

······ ㉠

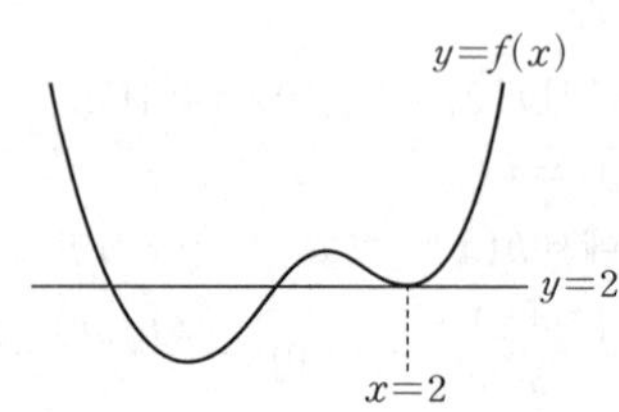

㉠의 양변을 x에 대하여 미분하면

$f'(x)=2(x-2)(x^2+ax+b)+(x-2)^2(2x+a)$ ······ ㉡

조건 (다)에서 $f'(0)=0$이므로

㉡에 $x=0$을 대입하면

$f'(0)=-4b+4a=0$에서 $a=b$

$a=b$를 ㉠에 대입하면

$f(x)-2=(x-2)^2\{x^2+a(x+1)\}$ ······ ㉢

a에 대하여 정리하면

$(x-2)^2(x+1)a+\{x^2(x-2)^2+2-f(x)\}=0$ ······ ㉣

a의 값에 관계없이 성립해야 하므로

$(x-2)^2(x+1)=0$에서

$x=2$ 또는 $x=-1$

(i) ㉣에 $x=2$를 대입하면 $f(2)=2$

(ii) ㉣에 $x=-1$을 대입하면 $f(-1)=11$

(i), (ii)에 의하여 모든 사차함수 $y=f(x)$가 a의 값에 관계없이 항상 지나는 점들의 y좌표의 합은

$f(2)+f(-1)=2+11=13$

44 조건 ㈏에서

$$f_1'(0)=\lim_{x\to 0}\frac{f_1(x)+2kx}{f_1(x)+kx}=\lim_{x\to 0}\frac{\frac{f_1(x)}{x}+2k}{\frac{f_1(x)}{x}+k}$$

$$f_1'(0)=\lim_{x\to 0}\frac{f_1(x)-f_1(0)}{x-0}=\lim_{x\to 0}\frac{f_1(x)}{x}\ (\because f_1(0)=0)$$

이므로

$$f_1'(0)=\frac{f_1'(0)+2k}{f_1'(0)+k}$$

$f_1'(0)=a$ (a는 실수)라 하면

$a=\dfrac{a+2k}{a+k}$, $a+2k=a^2+ak$ ……㉠

같은 방법으로 $f_2'(0)=b$ (b는 실수)라 하면

$b=\dfrac{b+2k}{b+k}$, $b+2k=b^2+bk$ ……㉡

㉠−㉡을 하면

$a-b=(a-b)(a+b+k)$

조건 ㈐에서 $ab=-1$이므로 $a\neq b$

$\therefore a+b=1-k$ ……㉢

또한, $ab=\left(\dfrac{a+2k}{a+k}\right)\times\left(\dfrac{b+2k}{b+k}\right)=-1$에서

$5k^2+3(a+b)k-2=0$ ($\because ab=-1$)

㉢을 대입하여 정리하면

$2k^2+3k-2=(k+2)(2k-1)=0$

$\therefore k=-2$ 또는 $k=\dfrac{1}{2}$

이를 ㉠, ㉡에 대입하면 $k=-2$일 때, a, b는 실수가 아니므로

$k=\dfrac{1}{2}$ 답 ①

45 다항식 $x^n(x^2+ax+b)$를 $(x-3)^2$으로 나누었을 때의 몫을 $Q(x)$라 하면

$x^n(x^2+ax+b)=(x-3)^2Q(x)+3^n(x-3)$ ……㉠

㉠의 양변에 $x=3$을 대입하면

$3^n(9+3a+b)=0$

$\therefore 3a+b+9=0$ ……㉡

㉠의 양변을 x에 대하여 미분하면

$nx^{n-1}(x^2+ax+b)+x^n(2x+a)$

$=2(x-3)Q(x)+(x-3)^2Q'(x)+3^n$

양변에 $x=3$을 대입하면

$n\times 3^{n-1}(9+3a+b)+3^n(6+a)=3^n$

㉡에서 $3a+b+9=0$이므로

$3^n(6+a)=3^n$

$6+a=1$ $\therefore a=-5$

$a=-5$를 ㉡에 대입하면 $b=6$

$\therefore ab=-30$ 답 -30

46 함수 $y=f(t)$를 구하면 다음과 같다.

(i) $0<t\leq 1$일 때

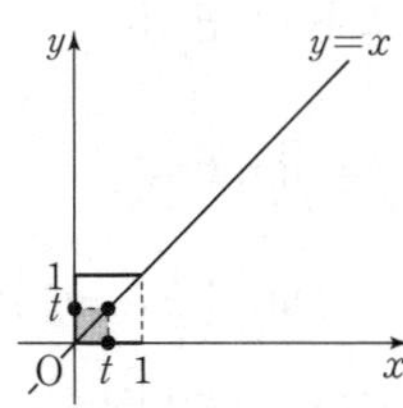

$\therefore f(t)=t^2$

(ii) $1<t\leq 2$일 때

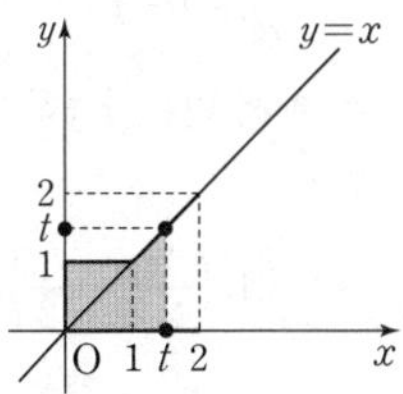

$\therefore f(t)=1\times 1+\dfrac{1}{2}(t+1)(t-1)$

$=\dfrac{1}{2}t^2+\dfrac{1}{2}$

(iii) $2<t\leq 3$일 때

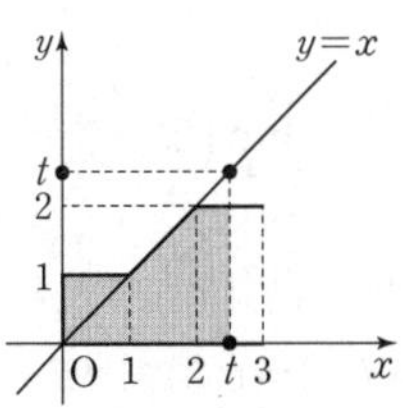

$\therefore f(t)=1\times 1+\dfrac{1}{2}\times(1+2)\times 1+(t-2)\times 2$

$=2t-\dfrac{3}{2}$

(iv) $3<t<4$일 때

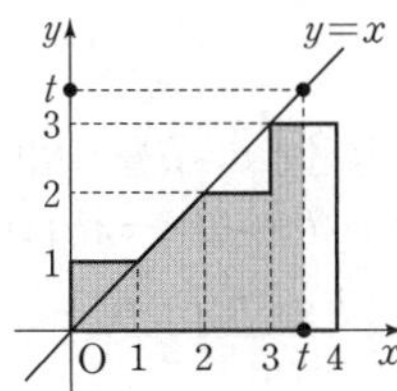

$\therefore f(t)=1\times 1+\dfrac{1}{2}\times(1+2)\times 1+1\times 2+(t-3)\times 3$

$=3t-\dfrac{9}{2}$

(i)~(iv)에 의하여

$$f(t)=\begin{cases} t^2 & (0<t\leq 1) \\ \frac{1}{2}t^2+\frac{1}{2} & (1<t\leq 2) \\ 2t-\frac{3}{2} & (2<t\leq 3) \\ 3t-\frac{9}{2} & (3<t<4) \end{cases}$$

이므로

$$f'(t)=\begin{cases} 2t & (0<t<1) \\ t & (1<t<2) \\ 2 & (2<t<3) \\ 3 & (3<t<4) \end{cases}$$

열린구간 $(0, 4)$에서 $t\neq1$, $t\neq2$, $t\neq3$인 경우에 함수 $y=f(t)$는 미분가능하므로 $t=1$, $t=2$, $t=3$에서 함수 $y=f(t)$가 미분가능한지를 조사해 보면 된다.

(i) $t=1$일 때

$\lim_{t\to1-} f(t)=\lim_{t\to1-} t^2=1$,

$\lim_{t\to1+} f(t)=\lim_{t\to1+} \left(\frac{1}{2}t^2+\frac{1}{2}\right)=1$

즉, $\lim_{t\to1} f(t)=f(1)$이므로 $t=1$에서 연속이지만

$\lim_{t\to1-} f'(t)=\lim_{t\to1-} 2t=2$,

$\lim_{t\to1+} f'(t)=\lim_{t\to1+} t=1$

이므로 $t=1$에서 미분가능하지 않다.

(ii) $t=2$일 때

$\lim_{t\to2-} f(t)=\lim_{t\to2-} \left(\frac{1}{2}t^2+\frac{1}{2}\right)=\frac{5}{2}$,

$\lim_{t\to2+} f(t)=\lim_{t\to2+} \left(2t-\frac{3}{2}\right)=\frac{5}{2}$

즉, $\lim_{t\to2} f(t)=f(2)$이므로 $t=2$에서 연속이다.

또 $\lim_{t\to2-} f'(t)=\lim_{t\to2-} t=2$, $\lim_{t\to2+} f'(t)=2$

이므로 $t=2$에서 미분가능하다.

(iii) $t=3$일 때

$\lim_{t\to3-} f(t)=\lim_{t\to3-} \left(2t-\frac{3}{2}\right)=\frac{9}{2}$,

$\lim_{t\to3+} f(t)=\lim_{t\to3+} \left(3t-\frac{9}{2}\right)=\frac{9}{2}$

즉, $\lim_{t\to3} f(t)=f(3)$이므로 $t=3$에서 연속이지만

$\lim_{t\to3-} f'(t)=2$, $\lim_{t\to3+} f'(t)=3$

이므로 $t=3$에서 미분가능하지 않다.

(i), (ii), (iii)에 의하여 함수 $y=f(t)$가 미분가능하지 않은 모든 t의 값의 합은

$1+3=4$

답 4

47 주어진 식의 양변에 $y=h$를 대입하면

$x\{f(x+h)-f(x-h)\}=4h\{f(x)+g(h)\}$

$\therefore x\times\frac{f(x+h)-f(x-h)}{2h}=2\{f(x)+g(h)\}$ ……㉠

두 다항함수 $y=f(x)$, $y=g(x)$는 연속이면서 미분가능하므로 ㉠의 좌변에서

$\lim_{h\to0}\left\{x\times\frac{f(x+h)-f(x-h)}{2h}\right\}$

$=\lim_{h\to0}\left\{x\times\frac{f(x+h)-f(x)-f(x-h)+f(x)}{2h}\right\}$

$=\frac{x}{2}\lim_{h\to0}\left\{\frac{f(x+h)-f(x)}{h}+\frac{f(x-h)-f(x)}{-h}\right\}$

$=\frac{x}{2}\times2f'(x)=xf'(x)$

㉠의 우변에서

$\lim_{h\to0}2\{f(x)+g(h)\}=2\{f(x)+g(0)\}$

$=2\{f(x)+1\}$ ($\because g(0)=1$)

$\therefore xf'(x)=2\{f(x)+1\}$ ……㉡

다항함수 $y=f(x)$의 최고차항을 ax^n $(a\neq0)$이라 하면 $f'(x)$의 최고차항은 anx^{n-1}이므로 $xf'(x)$의 최고차항의 계수는 an이고, $2\{f(x)+1\}$의 최고차항의 계수는 $2a$이다.

즉, $an=2a$이므로 $a(n-2)=0$

$\therefore n=2$ ($\because a\neq0$)

즉, $y=f(x)$는 이차함수이므로

$f(x)=ax^2+bx+c$ (a, b, c는 상수, $a\neq0$)라 하면

$f'(x)=2ax+b$

㉡에서 $x(2ax+b)=2(ax^2+bx+c+1)$

$2ax^2+bx=2ax^2+2bx+2c+2$

모든 실수 x에 대하여 성립해야 하므로

$b=2b$, $0=2c+2$

$\therefore b=0$, $c=-1$

또한, $f(1)=4$이므로

$a+b+c=4$ $\quad\therefore a=5$

따라서 $f(x)=5x^2-1$이므로

$f'(x)=10x$

$\therefore f'(2)=10\times2=20$

답 20

05 접선의 방정식과 평균값 정리

본책 051~058쪽

01 $f(x)=3x^2+4x+5$에서
$f'(x)=6x+4$
함수 $y=f(x)$의 그래프가 점 (a, b)를 지나므로
$f(a)=3a^2+4a+5=b$ ……㉠
또 점 (a, b)에서의 접선의 기울기가 -2이므로
$f'(a)=6a+4=-2$
$6a=-6$ $\therefore a=-1$ ……㉡
㉡을 ㉠에 대입하면
$3-4+5=b$ $\therefore b=4$
$\therefore a+b=(-1)+4=3$
답 ③

02 $f(x)=2x^3-3x+10$이라 하면
$f'(x)=6x^2-3$
$x=1$인 점에서의 접선의 기울기는
$f'(1)=6-3=3$
접점의 좌표는 $(1, 9)$이므로 구하는 접선의 방정식은
$y-9=3(x-1)$ $\therefore y=3x+6$
따라서 이 접선의 x절편은 -2, y절편은 6이므로 합은
$(-2)+6=4$
답 4

03 $f(x)=x^3-3x^2+4$라 하면
$f'(x)=3x^2-6x$
접점의 좌표를 (t, t^3-3t^2+4)라 하면 접선의 기울기가 9이므로
$f'(t)=3t^2-6t=9$
$t^2-2t-3=0$, $(t+1)(t-3)=0$
$\therefore t=-1$ 또는 $t=3$
즉, 접점의 좌표는 $(-1, 0)$, $(3, 4)$이므로 접선의 방정식은
$y=9\{x-(-1)\}$, $y-4=9(x-3)$
$\therefore y=9x+9$, $y=9x-23$
따라서 $a=9$, $b=-23$ 또는 $a=-23$, $b=9$이므로
$a+b=9+(-23)=-14$
답 -14

04 $f(x)=x^2-3$이라 하면
$f'(x)=2x$
접점의 좌표를 (t, t^2-3)이라 하면 접선의 기울기는
$f'(t)=2t$
이므로 접선의 방정식은
$y-(t^2-3)=2t(x-t)$
$\therefore y=2tx-t^2-3$
이 직선이 점 $(2, 0)$을 지나므로
$0=4t-t^2-3$, $t^2-4t+3=0$
$(t-1)(t-3)=0$
$\therefore t=1$ 또는 $t=3$
따라서 두 접선의 기울기의 곱은
$f'(1)\times f'(3)=2\times 6=12$
답 ③

05 $f(x)=x^3-3x^2-6x+a$라 하면
$f'(x)=3x^2-6x-6$
접점의 좌표를 (t, t^3-3t^2-6t+a)라 하면 접선의 기울기는
$f'(t)=3t^2-6t-6$
이므로 접선의 방정식은
$y-(t^3-3t^2-6t+a)=(3t^2-6t-6)(x-t)$
$\therefore y=(3t^2-6t-6)x-2t^3+3t^2+a$
이 직선의 방정식은 $y=-9x+3$과 일치해야 하므로
$3t^2-6t-6=-9$ ……㉠
$-2t^3+3t^2+a=3$ ……㉡
㉠에서 $3(t-1)^2=0$ $\therefore t=1$
$t=1$을 ㉡에 대입하면 $-2+3+a=3$
$\therefore a=2$
답 ②

다른 풀이
$f(x)=x^3-3x^2-6x+a$, $g(x)=-9x+3$이라 하면
$f'(x)=3x^2-6x-6$, $g'(x)=-9$
곡선과 직선이 $x=t$인 점에서 접한다고 하면
$f(t)=g(t)$에서 $t^3-3t^2-6t+a=-9t+3$ ……㉠
$f'(t)=g'(t)$에서 $3t^2-6t-6=-9$
$3(t-1)^2=0$ $\therefore t=1$
$t=1$을 ㉠에 대입하면 $-8+a=-6$
$\therefore a=2$

06 $f(x)=-x^3+2$, $g(x)=x^2+ax+b$라 하면
$f'(x)=-3x^2$, $g'(x)=2x+a$
두 곡선이 점 $(1, 1)$에서 공통접선을 가지므로
$f(1)=g(1)$에서 $1=1+a+b$ ……㉠
$f'(1)=g'(1)$에서 $-3=2+a$ $\therefore a=-5$
$a=-5$를 ㉠에 대입하면 $b=5$
$\therefore a^2+b^2=(-5)^2+5^2=50$
답 50

07 $f(x)=3x^2-1$이라 하면 $f'(x)=6x$
이므로 점 $(1, 2)$에서의 접선의 기울기는
$f'(1)=6$
따라서 접선의 방정식은
$y-2=6(x-1)$
$\therefore y=6x-4$
즉, 접선의 y절편이 -4이므로
구하는 삼각형의 넓이는
$\frac{1}{2}\times 6\times 1=3$
답 ③

08 함수 $f(x)=x^2+ax-2$는 닫힌구간 $[0, 2]$에서 롤의 정리를 만족시키는 실수 1이 존재하므로
$f'(x)=2x+a$에서 $f'(1)=2+a=0$
$\therefore a=-2$
$f(x)=x^2-2x-2$이므로 닫힌구간 $[0, 4]$에서 평균값 정리에 의하여
$\frac{f(4)-f(0)}{4-0}=\frac{6-(-2)}{4}=2=f'(b)$
인 b가 0과 4 사이에 적어도 하나 존재한다.
$f'(x)=2x-2$이므로
$f'(b)=2b-2=2$
$\therefore b=2$
$\therefore a+b=(-2)+2=0$
답 0

09 $f(x)=x^3+2$라 하면 $f'(x)=3x^2$
점 $\mathrm{P}(a, -6)$이 곡선 $y=f(x)$ 위에 있으므로
$f(a)=a^3+2=-6$, $a^3=-8$
$\therefore a=-2$
즉, 점 $\mathrm{P}(-2, -6)$에서의 접선의 기울기는
$f'(-2)=3\times(-2)^2=12$
구하는 접선의 방정식은
$y-(-6)=12\{x-(-2)\}$　　$\therefore y=12x+18$
따라서 $a=-2$, $m=12$, $n=18$이므로
$a+m+n=28$　　답 28

10 $f(x)=x^3+nx^2+x$라 하면
$f'(x)=3x^2+2nx+1$
점 $(1, n+2)$에서의 접선의 기울기는
$f'(1)=3+2n+1=2n+4$
즉, 점 $(1, n+2)$에서의 접선의 방정식은
$y-(n+2)=(2n+4)(x-1)$
$\therefore y=(2n+4)x-n-2$
따라서 $a_n=-n-2$이므로
$\sum_{n=1}^{10} a_n=\sum_{n=1}^{10}(-n-2)$
$=-\frac{10\times 11}{2}-2\times 10=-75$　　답 -75

11 $\lim_{x\to 1}\frac{f(x)-2}{x-1}=1$에서 $x\to 1$일 때, (분모)$\to 0$이므로
(분자)$\to 0$이어야 한다.
즉, $\lim_{x\to 1}\{f(x)-2\}=0$에서
$f(1)=2$
$\therefore \lim_{x\to 1}\frac{f(x)-2}{x-1}=\lim_{x\to 1}\frac{f(x)-f(1)}{x-1}=f'(1)=1$
$\lim_{x\to 1}\frac{g(x)+1}{x-1}=2$에서 $x\to 1$일 때, (분모)$\to 0$이므로
(분자)$\to 0$이어야 한다.
즉, $\lim_{x\to 1}\{g(x)+1\}=0$에서
$g(1)=-1$
$\therefore \lim_{x\to 1}\frac{g(x)+1}{x-1}=\lim_{x\to 1}\frac{g(x)-g(1)}{x-1}=g'(1)=2$
$y=f(x)g(x)$에서 $y'=f'(x)g(x)+f(x)g'(x)$
$x=1$인 점에서의 접선의 기울기는
$f'(1)g(1)+f(1)g'(1)=1\times(-1)+2\times 2=3$
이고, $f(1)g(1)=2\times(-1)=-2$이므로 점 $(1, -2)$에서의 접선의 방정식은
$y-(-2)=3(x-1)$　　$\therefore y=3x-5$
따라서 $m=3$, $n=-5$이므로
$mn=-15$　　답 ①

12 두 점 A, B를 지나는 직선의 기울기는
$\frac{-3-0}{2-1}=-3$
$f(x)=-x^2+1$이라 하면 $f'(x)=-2x$
접점의 좌표를 $(t, -t^2+1)$이라 하면 $x=t$인 점에서의 접선의 기울기는 $f'(t)=-2t$이므로
$-2t=-3$　　$\therefore t=\frac{3}{2}$
따라서 접점의 좌표는 $\left(\frac{3}{2}, -\frac{5}{4}\right)$이고, 접선의 기울기가 -3이므로 구하는 접선의 방정식은
$y-\left(-\frac{5}{4}\right)=-3\left(x-\frac{3}{2}\right)$
$\therefore 12x+4y-13=0$　　답 ④

13 점 P는 직선 $x-y-10=0$을 평행이동하여 움직일 때 곡선과 처음으로 만나는 점, 즉 접점이므로 점 P에서 곡선에 그은 접선의 기울기는 1이다.
$f(x)=\frac{1}{3}x^3+\frac{11}{3}$이라 하면 $f'(x)=x^2$
$x^2=1$　　$\therefore x=1$ ($\because x>0$)
$\therefore f(1)=\frac{1}{3}+\frac{11}{3}=4$
따라서 점 P의 좌표는 $(1, 4)$이므로
$a+b=1+4=5$　　답 5

14 $f(x)=(x-1)^3$이라 하면 $f'(x)=3(x-1)^2$
점 $(2, 1)$에서의 접선의 기울기는 $f'(2)=3$
이므로 접선의 방정식은
$y-1=3(x-2)$　　$\therefore y=3x-5$　　……㉠
접선 ㉠에 평행한 또 다른 접선의 접점의 x좌표는
$3(x-1)^2=3$에서 $x=0$ ($\because x\neq 2$)
접선 ㉠과 다른 접선의 접점의 좌표는 $(0, -1)$이므로 접선의 방정식은 $y=3x-1$　　……㉡
따라서 두 접선 ㉠과 ㉡ 사이의 거리는 $y=3x-1$ 위의 점 $(0, -1)$과 직선 $3x-y-5=0$ 사이의 거리와 같으므로
$\frac{|1-5|}{\sqrt{9+1}}=\frac{4}{\sqrt{10}}=\frac{2\sqrt{10}}{5}$　　답 ②

참고
① $y=\{f(x)\}^n$ ➡ $y'=n\{f(x)\}^{n-1}f'(x)$
이므로 $f(x)=(x-1)^3$에서
$f'(x)=3(x-1)^2(x-1)'$
$=3(x-1)^2$
으로 구할 수 있다.
② $f(x)=(x-1)^3=x^3-3x^2+3x-1$이므로
$f'(x)=3x^2-6x+3$
으로 구해도 된다.

15 $f(x)=x^3-2x$라 하면 $f'(x)=3x^2-2$
접점의 좌표를 (t, t^3-2t)라 하면 접선의 기울기는
$f'(t)=3t^2-2$
이므로 접선의 방정식은
$y-(t^3-2t)=(3t^2-2)(x-t)$
$\therefore y=(3t^2-2)x-2t^3$　　……㉠
이 직선이 점 $(1, 3)$을 지나므로 $3=3t^2-2-2t^3$
$2t^3-3t^2+5=0$, $(t+1)(2t^2-5t+5)=0$
$2t^2-5t+5>0$이므로 $t=-1$
$t=-1$을 ㉠에 대입하면 $y=x+2$
따라서 접선의 x절편은 -2, y절편은 2이므로
$ab=(-2)\times 2=-4$　　답 -4

16 $f(x)=x^3-3x^2+2$라 하면 $f'(x)=3x^2-6x$
접점의 좌표를 (t, t^3-3t^2+2)라 하면 접선의 기울기는
$f'(t)=3t^2-6t$
이므로 접선의 방정식은
$y-(t^3-3t^2+2)=(3t^2-6t)(x-t)$
$\therefore y=(3t^2-6t)x-2t^3+3t^2+2$
이 직선이 점 $\mathrm{A}(2, -3)$을 지나므로
$-3=6t^2-12t-2t^3+3t^2+2$
$2t^3-9t^2+12t-5=0, (t-1)^2(2t-5)=0$
$\therefore t=1$ 또는 $t=\frac{5}{2}$
따라서 두 접점의 좌표는 $(1, 0), \left(\frac{5}{2}, -\frac{9}{8}\right)$이므로 두 접점 사이의 거리는
$\sqrt{\left(\frac{5}{2}-1\right)^2+\left(-\frac{9}{8}-0\right)^2}=\frac{15}{8}$ 답 ③

17 $f(x)=x^3-2x-1$이라 하면 $f'(x)=3x^2-2$
접점의 좌표를 (t, t^3-2t-1)이라 하면 접선의 기울기는
$f'(t)=3t^2-2$
이므로 접선의 방정식은
$y-(t^3-2t-1)=(3t^2-2)(x-t)$
$\therefore y=(3t^2-2)x-2t^3-1$
이 직선이 점 $(-1, k)$를 지나므로
$k=-3t^2+2-2t^3-1$
$\therefore 2t^3+3t^2+k-1=0$ ……㉠
방정식 ㉠이 서로 다른 세 실근을 갖고, 이 세 실근이 등차수열을 이루므로 세 실근을 $\alpha-d, \alpha, \alpha+d$라 하면 근과 계수의 관계에 의하여
$(\alpha-d)+\alpha+(\alpha+d)=-\frac{3}{2}$ $\therefore \alpha=-\frac{1}{2}$
$\alpha=-\frac{1}{2}$을 ㉠에 대입하면
$-\frac{1}{4}+\frac{3}{4}+k-1=0$ $\therefore k=\frac{1}{2}$ 답 $\frac{1}{2}$

18 $f(x)=x^2-x-5$라 하면 $f'(x)=2x-1$
접점의 좌표를 (k, k^2-k-5)라 하면 접선의 기울기가 1이므로
$f'(k)=2k-1=1$ $\therefore k=1$
따라서 접점의 좌표는 $(1, -5)$이고, 이 점에서의 접선의 방정식은 $y-(-5)=1\times(x-1)$
$\therefore y=x-6$
이 직선의 방정식은 $y=x-a$와 일치해야 하므로 $a=6$
$\therefore ak=6$ 답 ③

19 $f(x)=x^3+ax+3$에서 $f'(x)=3x^2+a$
점 $(-1, b)$에서의 접선의 기울기가 4이므로
$f'(-1)=3\times(-1)^2+a=4$
$\therefore a=1$
즉, 곡선 $f(x)=x^3+x+3$이 점 $(-1, b)$를 지나므로
$f(-1)=(-1)^3+(-1)+3=1=b$
또 직선 $y=4x+c$도 점 $(-1, 1)$을 지나므로
$1=4\times(-1)+c$ $\therefore c=5$
$\therefore abc=1\times1\times5=5$ 답 5

20 $f(x)=x^3+ax^2+ax+2$라 하면
$f'(x)=3x^2+2ax+a$
접점의 좌표를 (t, t^3+at^2+at+2)라 하면 접선의 기울기는
$f'(t)=3t^2+2at+a$
이므로 접선의 방정식은
$y-(t^3+at^2+at+2)=(3t^2+2at+a)(x-t)$
$\therefore y=(3t^2+2at+a)x-2t^3-at^2+2$
이 직선의 방정식은 $y=x+2$와 일치해야 하므로
$3t^2+2at+a=1$ ……㉠
$-2t^3-at^2+2=2$ ……㉡
㉡에서 $t^2(2t+a)=0$
$\therefore t=0$ 또는 $t=-\frac{a}{2}$
$t=0$을 ㉠에 대입하면 $a=1$
$t=-\frac{a}{2}$를 ㉠에 대입하면
$\frac{3}{4}a^2-a^2+a=1, (a-2)^2=0$
$\therefore a=2$
따라서 구하는 모든 상수 a의 값의 합은
$1+2=3$ 답 3

21 $f(x)=x^3+ax, g(x)=bx^2-a$에서
$f'(x)=3x^2+a, g'(x)=2bx$
두 곡선이 $x=1$인 점에서 접하므로
$f(1)=g(1)$에서 $1+a=b-a$
$\therefore 2a-b=-1$ ……㉠
$f'(1)=g'(1)$에서 $3+a=2b$ ……㉡
㉠, ㉡을 연립하여 풀면
$a=\frac{1}{3}, b=\frac{5}{3}$
$\therefore a+b=2$ 답 2

22 $f(x)=-x^3-ax+3, g(x)=x^2+2$라 하면
$f'(x)=-3x^2-a, g'(x)=2x$
접점의 x좌표를 t라 하면
$f(t)=g(t)$에서 $-t^3-at+3=t^2+2$ ……㉠
$f'(t)=g'(t)$에서 $-3t^2-a=2t$
$a=-3t^2-2t$ ……㉡
㉡을 ㉠에 대입하면
$-t^3-(-3t^2-2t)t+3=t^2+2$
$2t^3+t^2+1=0, (t+1)(2t^2-t+1)=0$
$2t^2-t+1>0$이므로 $t=-1$
$t=-1$을 ㉡에 대입하면
$a=-3\times(-1)^2-2\times(-1)=-1$ 답 ①

23 $f(x)=x^3-2, g(x)=x^3+2$에서
$f'(x)=3x^2, g'(x)=3x^2$
두 곡선 $y=f(x), y=g(x)$와 직선 $y=h(x)$의 접점의 x좌표를 각각 α, β라 하면
곡선 $y=f(x)$ 위의 $x=\alpha$인 점에서의 접선의 방정식은
$y-(\alpha^3-2)=3\alpha^2(x-\alpha)$
$\therefore y=3\alpha^2x-2\alpha^3-2$ ……㉠

곡선 $y=g(x)$ 위의 $x=\beta$인 점에서의 접선의 방정식은
$y-(\beta^3+2)=3\beta^2(x-\beta)$
$\therefore y=3\beta^2x-2\beta^3+2$ ……㉡
두 직선 ㉠, ㉡이 일치해야 하므로
$3\alpha^2=3\beta^2$ $\therefore \alpha=\beta$ 또는 $\alpha=-\beta$
$-2\alpha^3-2=-2\beta^3+2$ ……㉢
$\alpha=\beta$이면 ㉢이 성립하지 않으므로 $\alpha=-\beta$
$\beta=-\alpha$를 ㉢에 대입하면
$-2\alpha^3-2=2\alpha^3+2,\ \alpha^3=-1$
$\therefore \alpha=-1$
$\alpha=-1$을 ㉠에 대입하면 $y=3x$
따라서 $h(x)=3x$이므로
$h(4)=3\times4=12$ 답 12

24 $f(x)=x^3$이라 하면 $f'(x)=3x^2$
접점 $\mathrm{P}(a,\ a^3)$에서의 접선의 기울기는
$f'(a)=3a^2$
이므로 접선의 방정식은
$y-a^3=3a^2(x-a)$
$\therefore y=3a^2x-2a^3$
점 Q의 좌표는 $(0,\ -2a^3)$이므로
$S_1=\frac{1}{2}\times2a^3\times a=a^4$
$S_2=\frac{1}{2}\times a^3\times a=\frac{1}{2}a^4$
$\therefore \frac{S_2}{S_1}=\frac{\frac{1}{2}a^4}{a^4}=\frac{1}{2}$ 답 $\frac{1}{2}$

25 $f(x)=x^3-5x$라 하고 직선 AB와 접하는 점의 좌표를 $(x_1,\ y_1)$이라 하자.
직선 AB의 기울기가 1이므로
$f'(x)=3x^2-5$에서
$f'(x_1)=3x_1^2-5=1$
$x_1^2=2$ $\therefore x_1=-\sqrt{2}$ $(\because x_1<0)$
$y_1=-2\sqrt{2}+5\sqrt{2}=3\sqrt{2}$
직선 AB의 방정식은
$y-3\sqrt{2}=1\times\{x-(-\sqrt{2})\}$
$\therefore y=x+4\sqrt{2}$
즉, 두 점 A, B의 좌표는 각각 $(0,\ 4\sqrt{2})$, $(-4\sqrt{2},\ 0)$이므로
$\overline{\mathrm{AB}}=\sqrt{(4\sqrt{2})^2+(4\sqrt{2})^2}=8$
따라서 정사각형 ABCD의 둘레의 길이는
$4\overline{\mathrm{AB}}=4\times8=32$ 답 32

26 $f(x)=x^2+2x+5$라 하면
$f'(x)=2x+2$
접점의 좌표를 $(t,\ t^2+2t+5)$라 하면 이 점에서의 접선의 기울기는 $f'(t)=2t+2$이므로 접선의 방정식은
$y-(t^2+2t+5)=(2t+2)(x-t)$
$\therefore y=(2t+2)x-t^2+5$
이 직선이 점 $\mathrm{A}(1,\ -1)$을 지나므로
$-1=2t+2-t^2+5$

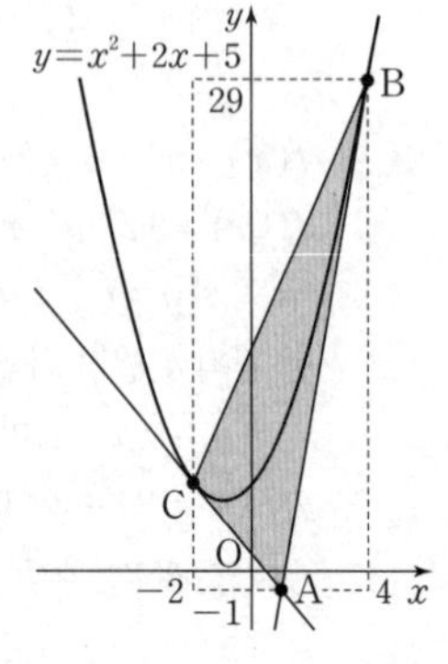

$t^2-2t-8=0,\ (t+2)(t-4)=0$
$\therefore t=-2$ 또는 $t=4$
따라서 두 접점의 좌표는 $(-2,\ 5)$, $(4,\ 29)$이므로 삼각형 ABC의 넓이는
$6\times30-\left(\frac{1}{2}\times3\times6+\frac{1}{2}\times3\times30+\frac{1}{2}\times6\times24\right)=54$
답 54

27 함수 $f(x)=x^3-5x^2+8x-4$는 닫힌구간 $[1,\ 2]$에서 연속이고 열린구간 $(1,\ 2)$에서 미분가능하며 $f(1)=f(2)=0$이므로 롤의 정리에 의하여 $f'(c)=0$인 c가 열린구간 $(1,\ 2)$에 적어도 하나 존재한다.
$f'(x)=3x^2-10x+8$에서
$f'(c)=3c^2-10c+8=0$
$(c-2)(3c-4)=0$
$\therefore c=\frac{4}{3}$ $(\because 1<c<2)$ 답 ④

28 함수 $f(x)=-x^2+ax-7$은 닫힌구간 $[2,\ 6]$에서 롤의 정리를 만족시키는 실수 4가 존재하므로
$f'(x)=-2x+a$에서
$f'(4)=-8+a=0$
$\therefore a=8$ 답 8

29 함수 $y=f(x)$가 닫힌구간 $[0,\ 3]$에서 롤의 정리가 성립하려면 닫힌구간 $[0,\ 3]$에서 연속이고, 열린구간 $(0,\ 3)$에서 미분가능하며 $f(0)=f(3)$이어야 한다.
ㄱ. $f(x)=x^2(x-3)$은 다항함수이므로 닫힌구간 $[0,\ 3]$에서 연속이고, 열린구간 $(0,\ 3)$에서 미분가능하며 $f(0)=f(3)=0$이다.
ㄴ. 함수 $f(x)=|x-2|$의 그래프는 그림과 같다.
즉, 함수 $y=f(x)$는 닫힌구간 $[0,\ 3]$에서 연속이지만 $f(0)\neq f(3)$이고, $x=2$에서 미분가능하지 않다.

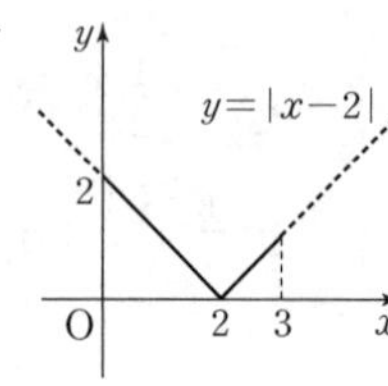

ㄷ. $0\le x\le3$에서 $x+2>0$이므로
$f(x)=\frac{|x+2|}{x+2}=\frac{x+2}{x+2}=1$
즉, 함수 $y=f(x)$는 닫힌구간 $[0,\ 3]$에서 연속이고, 열린구간 $(0,\ 3)$에서 미분가능하며 $f(0)=f(3)=1$이다.
따라서 롤의 정리가 성립하는 함수는 ㄱ, ㄷ이다. 답 ③

30 함수 $f(x)=x^2-3x$는 닫힌구간 $[1,\ 4]$에서 연속이고 열린구간 $(1,\ 4)$에서 미분가능하므로 평균값 정리에 의하여
$\frac{f(4)-f(1)}{4-1}=\frac{4-(-2)}{4-1}=2=f'(c)$
인 c가 열린구간 $(1,\ 4)$에 적어도 하나 존재한다.
$f'(x)=2x-3$이므로
$f'(c)=2c-3=2$
$\therefore c=\frac{5}{2}$ 답 $\frac{5}{2}$

31 $f(b)=f(a)+(b-a)f'(c)$

에서 $\frac{f(b)-f(a)}{b-a}=f'(c)$

두 점 $(a,\ f(a))$, $(b,\ f(b))$의 기울기와 접선의 기울기가 같은 점은 그림과 같으므로 실수 c의 개수는 3이다.

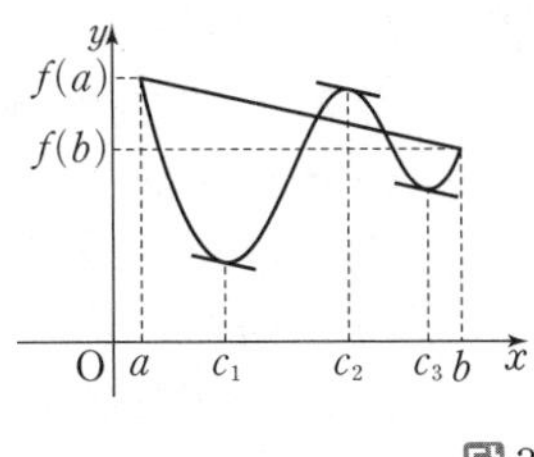

답 3

32 함수 $y=f(x)$가 실수 전체의 집합에서 미분가능하므로 연속이다. 즉, $y=g(x)$는 닫힌구간 $[0,\ 3]$에서 연속이고, 열린구간 $(0,\ 3)$에서 미분가능한 함수이다.

$g(0)=f(0)=2$, $g(3)=10f(3)=20$이므로 평균값 정리에 의하여

$g'(c)=\frac{g(3)-g(0)}{3-0}=\frac{20-2}{3}=6$

답 6

33 곡선 $y=f(x)$의 접선의 기울기는 $f'(x)$이므로

$f(x)=-x^3+3x^2-4$에서

$f'(x)=-3x^2+6x=-3(x-1)^2+3$

즉, $x=1$일 때, 기울기의 최댓값은 3이다.

따라서 접점의 좌표는 $(1,\ -2)$이므로

$p=1,\ q=-2,\ M=3$

$\therefore pqM=-6$

답 ②

34 $f(x)=x^3-3x$라 하면 $f'(x)=3x^2-3$이므로

접선 l의 기울기는 $f'(0)=-3$이다.

또한, 접선 l은 원점을 지나므로 그 방정식은

$y=-3x$

점 P의 x좌표를 p라 하면 접선 l'의 기울기는 $3p^2-3$이고, $l\perp l'$이므로

$-3(3p^2-3)=-1$

$3p^2-3=\frac{1}{3}\qquad \therefore p^2=\frac{10}{9}$

따라서 $p>0$이므로

$p=\sqrt{\frac{10}{9}}=\frac{\sqrt{10}}{3}$

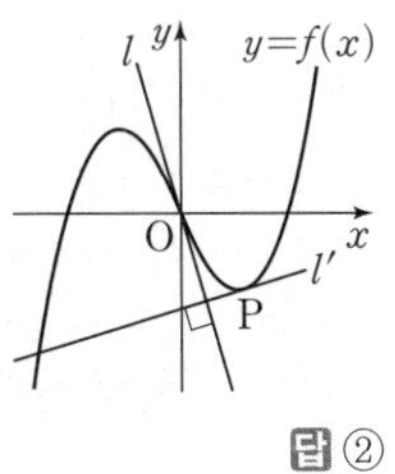

답 ②

35 $y=x^3+ax^2-2ax+3$을 a에 대하여 정리하면

$a(x^2-2x)+x^3+3-y=0$

위의 식이 실수 a의 값에 관계없이 항상 성립하려면

$x^2-2x=0,\ x^3+3-y=0$

$x^2-2x=0$에서 $x(x-2)=0$

$\therefore x=0$ 또는 $x=2$

$f(x)=x^3+ax^2-2ax+3$이라 하면

$f'(x)=3x^2+2ax-2a$

$x=0,\ x=2$인 점에서의 접선의 기울기는 각각

$f'(0)=-2a,\ f'(2)=12+4a-2a=2a+12$

$x=0,\ x=2$인 점에서의 접선이 서로 수직이므로

$-2a(2a+12)=-1\quad \therefore 4a^2+24a-1=0$

따라서 이차방정식의 근과 계수의 관계에 의하여 모든 실수 a의 값의 합은 $-\frac{24}{4}=-6$

답 -6

36 조건 (나)에서 $x\to 2$일 때, (분모)$\to 0$이므로 (분자)$\to 0$이어야 한다.

즉, $\lim_{x\to 2}\{f(x)-g(x)\}=0$에서 $f(2)=g(2)$

$\therefore \lim_{x\to 2}\frac{\{f(x)-f(2)\}-\{g(x)-g(2)\}}{x-2}=f'(2)-g'(2)=2$

조건 (가)에서 $x=2$를 대입하면

$g(2)=8f(2)-7$이므로

$g(2)=8g(2)-7\qquad \therefore g(2)=1$

조건 (가)의 양변을 x에 대하여 미분하면

$g'(x)=3x^2f(x)+x^3f'(x)$

양변에 $x=2$를 대입하면

$g'(2)=12f(2)+8f'(2)$

$=12\times 1+8\{g'(2)+2\}\ (\because f(2)=g(2)=1)$

$=8g'(2)+28$

$\therefore g'(2)=-4$

따라서 점 $(2,\ g(2))$, 즉 점 $(2,\ 1)$에서의 접선의 방정식은

$y-1=-4(x-2)\qquad \therefore y=-4x+9$

$\therefore a^2+b^2=(-4)^2+9^2=97$

답 97

37 $g(3)=t$라 하면 $f(t)=3$이므로

$t^3+2=3,\ t^3=1\qquad \therefore t=1$

두 곡선 $y=f(x)$, $y=g(x)$는 직선 $y=x$에 대하여 서로 대칭이므로 곡선 $y=g(x)$ 위의 점 $(3,\ 1)$에서의 접선도 곡선 $y=f(x)$ 위의 점 $(1,\ 3)$에서의 접선과 직선 $y=x$에 대하여 대칭이다.

즉, $f'(x)=3x^2$에서 $f'(1)=3$이므로 곡선 $y=f(x)$ 위의 점 $(1,\ 3)$에서의 접선의 방정식은

$y-3=3(x-1)\qquad \therefore y=3x$

따라서 곡선 $y=g(x)$ 위의 점 $(3,\ 1)$에서의 접선의 방정식은

$x=3y\qquad \therefore y=\frac{1}{3}x$

답 ①

참고

역함수 $y=g(x)$의 그래프는 함수 $y=f(x)$의 그래프와 직선 $y=x$에 대하여 대칭이므로 곡선 $y=g(x)$ 위의 점 $(a,\ g(a))$에서의 접선의 방정식은 곡선 $y=f(x)$ 위의 점 $(f^{-1}(a),\ a)$에서의 접선의 방정식과 직선 $y=x$에 대하여 대칭이다.

$(\because f^{-1}(a)=g(a))$

38 $f(x)=x^3+3x^2+2x$에서 $f'(x)=3x^2+6x+2$

함수 $y=f(x)$의 그래프 위의 두 점 P, Q의 x좌표를 각각 $\alpha,\ \beta$라 하고, 두 점 P, Q에서의 접선의 기울기를 k라 하면 $\alpha,\ \beta$는 $3x^2+6x+2=k$, 즉 $3x^2+6x+2-k=0$의 두 근이므로

근과 계수의 관계에 의하여

$\alpha+\beta=-2,\ \alpha\beta=\frac{2-k}{3}$

두 점 P, Q의 중점의 좌표는 $\left(\frac{\alpha+\beta}{2},\ \frac{f(\alpha)+f(\beta)}{2}\right)$이고,

$\alpha^2+\beta^2=(\alpha+\beta)^2-2\alpha\beta=4-2\times\frac{2-k}{3}=\frac{8+2k}{3}$

$\alpha^3+\beta^3=(\alpha+\beta)^3-3\alpha\beta(\alpha+\beta)$

$=-8-3\times\frac{2-k}{3}\times(-2)=-4-2k$

$\therefore f(\alpha)+f(\beta)=\alpha^3+\beta^3+3(\alpha^2+\beta^2)+2(\alpha+\beta)$

$=-4-2k+3\times\dfrac{8+2k}{3}+2\times(-2)=0$

즉, $\dfrac{\alpha+\beta}{2}=-1$, $\dfrac{f(\alpha)+f(\beta)}{2}=0$이므로

두 점 P, Q의 중점의 좌표는 $(-1, 0)$이다. 답 ②

참고

모든 삼차함수의 그래프는 특정한 점 P에 대하여 점대칭이다.
이때 점 P는 다음과 같은 방법으로 쉽게 찾을 수 있다.

① 함수 $y=f(x)$에 대하여 $g(x)=f'(x)$라 놓는다.

② $g'(x)=0$을 만족시키는 x의 값을 구한다.

③ 이 x의 값을 $y=f(x)$에 대입하여 점 P를 찾는다.

예 $f(x)=x^3+3x^2+2x$에서 $g(x)=f'(x)=3x^2+6x+2$

$g'(x)=6x+6$이므로

$g'(x)=0$에서 $6x+6=0 \quad \therefore x=-1$

따라서 점 P의 좌표는 $(-1, 0)$이고,

함수 $f(x)=x^3+3x^2+2x$의 그래프는 점 $P(-1, 0)$에 대하여 점대칭이다.

39 두 접점을 각각

$P(\alpha, \alpha^3-3\alpha^2+2\alpha)$, $Q(\beta, \beta^3-3\beta^2+2\beta)$라 하면

ㄱ. $y'=3x^2-6x+2$이므로 기울기가 m인 접선의 두 접점의 x좌표는 $3x^2-6x+2-m=0$을 만족시키므로 $\alpha+\beta=2$이다. (참)

ㄴ. 기울기가 m인 접선의 두 접점이 존재하므로 α, β는 서로 다른 실수이다.

$3x^2-6x+2-m=0$이 서로 다른 두 실근을 가지므로

이 이차방정식의 판별식을 D라 하면

$\dfrac{D}{4}=(-3)^2-3(2-m)>0$, $3+3m>0$

$\therefore m>-1$ (참)

ㄷ. 두 접선은 평행하므로 두 접선 사이의 거리가 $\overline{PQ}$가 되기 위해서는 두 접점 P, Q를 지나는 직선과 접선이 수직이어야 한다. 즉, 기울기의 곱은 -1이다.

$m\times\dfrac{(\alpha^3-3\alpha^2+2\alpha)-(\beta^3-3\beta^2+2\beta)}{\alpha-\beta}=-1$

$m\times\dfrac{(\alpha-\beta)\{\alpha^2+\alpha\beta+\beta^2-3(\alpha+\beta)+2\}}{\alpha-\beta}=-1$

$m\{\alpha^2+\beta^2+\alpha\beta-3(\alpha+\beta)+2\}=-1$

$m\{(\alpha+\beta)^2-\alpha\beta-3(\alpha+\beta)+2\}=-1$

α, β는 $3x^2-6x+2-m=0$의 두 근이므로 근과 계수의 관계에 의하여

$\alpha+\beta=2$, $\alpha\beta=\dfrac{2-m}{3}$

$m\times\left(-\dfrac{2-m}{3}\right)=-1$

$\therefore m^2-2m+3=0$

이 식의 판별식을 D라 하면

$\dfrac{D}{4}=(-1)^2-3=-2<0$이므로 실수 m이 존재하지 않는다.

따라서 두 접선 사이의 거리와 $\overline{PQ}$가 같아지는 실수 m은 존재하지 않는다. (거짓)

따라서 옳은 것은 ㄱ, ㄴ이다. 답 ③

40 $f(x)=x^3$이라 하면 $f'(x)=3x^2$이므로

점 $A(a, a^3)$에서의 접선의 방정식은

$y-a^3=3a^2(x-a)$

즉, $y=3a^2x-2a^3$이므로 점 B의 좌표는

$(0, -2a^3)$

또 점 A에서의 접선과 수직인 직선의 기울기는 $-\dfrac{1}{3a^2}$이므로 직선의 방정식은

$y-a^3=-\dfrac{1}{3a^2}(x-a) \qquad \therefore y=-\dfrac{1}{3a^2}x+\dfrac{1}{3a}+a^3$

즉, 점 C의 좌표는 $\left(0, \dfrac{1}{3a}+a^3\right)$

$\therefore S=\dfrac{1}{2}\left|\left(\dfrac{1}{3a}+a^3+2a^3\right)\times a\right|=\dfrac{1}{6}+\dfrac{3}{2}a^4$

$\therefore \lim\limits_{a\to 0}S=\lim\limits_{a\to 0}\left(\dfrac{1}{6}+\dfrac{3}{2}a^4\right)=\dfrac{1}{6}$ 답 $\dfrac{1}{6}$

41 삼각형 OAP의 넓이가 최대가 되려면 점 P에서 직선 $y=x$까지의 거리가 최대이어야 한다.

즉, 점 P에서의 접선이 직선 $y=x$와 평행일 때이므로 $f'(x)=1$

$f(x)=ax(x-3)^2$에서

$f'(x)=a\{(x-3)^2+2x(x-3)\}$이므로

$a\{(x-3)^2+2x(x-3)\}=1$, $3ax^2-12ax+9a-1=0$

이 이차방정식의 한 근이 $x=\dfrac{3}{4}$이므로

$3a\times\left(\dfrac{3}{4}\right)^2-12a\times\dfrac{3}{4}+9a-1=0$

$\dfrac{27}{16}a=1 \qquad \therefore a=\dfrac{16}{27}$ 답 $\dfrac{16}{27}$

참고

① $y=\{f(x)\}^n \Rightarrow y'=n\{f(x)\}^{n-1}f'(x)$

이므로 $f(x)=ax(x-3)^2$에서

$f'(x)=a\{(x-3)^2+2x(x-3)\}$으로 구할 수 있다.

② $f(x)=ax(x-3)^2=ax(x^2-6x+9)$이므로

$f'(x)=a\{x^2-6x+9+x(2x-6)\}$

$=a(3x^2-12x+9)$

로 구해도 된다.

42 $f(x)=\dfrac{1}{2}x^2$이라 하면 $f'(x)=x$

접점을 점 $P\left(a, \dfrac{1}{2}a^2\right)$이라 하면 접선의 기울기는 $f'(a)=a$

또 원의 중심은 $C(0, 3)$이므로 직선 CP의 기울기는

$\dfrac{\frac{1}{2}a^2-3}{a-0}=\dfrac{a^2-6}{2a}$

접선과 직선 CP는 수직이므로

$a\times\dfrac{a^2-6}{2a}=-1$, $a^2=4$

$\therefore a=-2$ 또는 $a=2$

즉, 접점 P의 좌표는 $(-2, 2)$, $(2, 2)$이므로 원의 반지름의 길이는

$\overline{CP}=\sqrt{(2-0)^2+(2-3)^2}=\sqrt{5}$

따라서 원의 넓이는 5π 답 ⑤

43 그림과 같이 곡선 $y=ax^3$ 위의 점 $\mathrm{P}(p,\ ap^3)$에서의 접선이 x축과 만나는 점을 A, 점 P에서 x축에 내린 수선의 발을 B, 점 C에서 y축에 내린 수선과 선분 PB의 교점을 D라 하자.

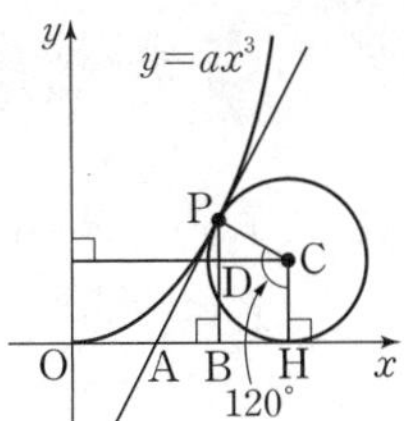

$\angle \mathrm{PCD}=120^\circ-90^\circ=30^\circ$이므로

$\overline{\mathrm{PD}}=\dfrac{1}{2}$ $\quad\therefore \overline{\mathrm{PB}}=ap^3=\dfrac{3}{2}$ $\quad\cdots\cdots$ ㉠

또 $\angle \mathrm{PAB}=60^\circ$이므로 직선 AP의 기울기는 $\tan 60^\circ=\sqrt{3}$

점 $\mathrm{P}\left(p,\ \dfrac{3}{2}\right)$은 곡선 $y=ax^3$ 위의 점이고 이 점에서의 접선의 기울기가 $\sqrt{3}$이므로

$y'=3ax^2$에서 $3ap^2=\sqrt{3}$ $\quad\cdots\cdots$ ㉡

㉠, ㉡을 연립하여 풀면 $p=\dfrac{3\sqrt{3}}{2},\ a=\dfrac{4\sqrt{3}}{81}$

점 $\mathrm{P}\left(\dfrac{3\sqrt{3}}{2},\ \dfrac{3}{2}\right)$은 원 $(x-b)^2+(y-1)^2=1$ 위의 점이므로

$\left(\dfrac{3\sqrt{3}}{2}-b\right)^2+\left(\dfrac{3}{2}-1\right)^2=1$ $\quad\therefore b=2\sqrt{3}\ (\because b>p)$

$\therefore 81ab=81\times\dfrac{4\sqrt{3}}{81}\times 2\sqrt{3}=24$

답 24

44 $f(1)-f(-1)=2f'(c)$에서 $\dfrac{f(1)-f(-1)}{1-(-1)}=f'(c)$

〈보기〉의 세 함수는 모두 $f(1)=f(-1)$을 만족시키므로 $f'(c)=0$을 만족시키는 실수 c가 열린구간 $(-1,\ 1)$에 존재하는지 알아보아야 한다.

ㄱ. 함수 $f(x)=|x|-3$의 그래프는 그림과 같으므로 $f'(c)=0$을 만족시키는 실수 c가 열린구간 $(-1,\ 1)$에 존재하지 않는다.

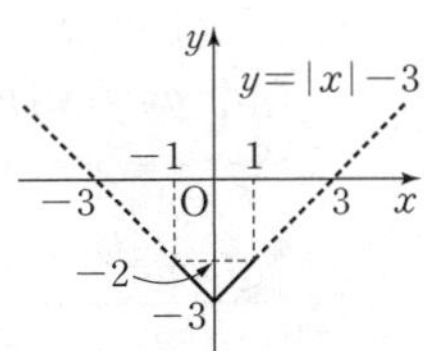

ㄴ, ㄷ. 함수 $y=f(x)$는 닫힌구간 $[-1,\ 1]$에서 연속이고 열린구간 $(-1,\ 1)$에서 미분가능하며 $f(-1)=f(1)$이므로 롤의 정리에 의하여 $f'(c)=0$을 만족시키는 실수 c가 열린구간 $(-1,\ 1)$에 적어도 하나 존재한다.

ㄴ.

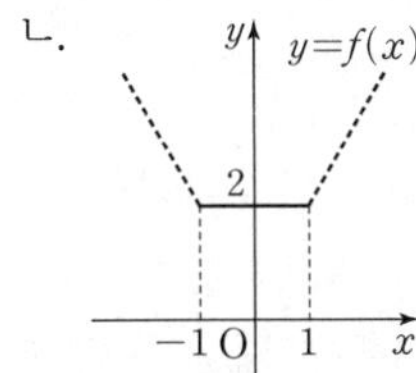

ㄷ.

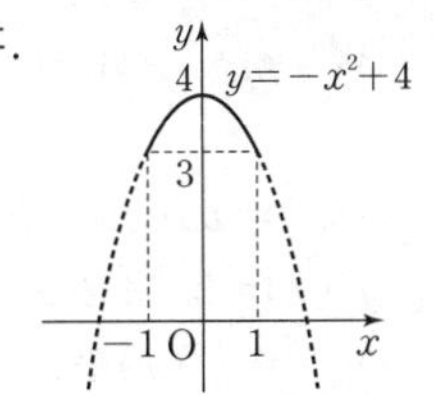

따라서 주어진 조건을 만족시키는 함수는 ㄴ, ㄷ이다.

답 ⑤

45 $\dfrac{1}{h}=t$로 놓으면 $h\to 0+$일 때 $t\to\infty$이므로

$$\lim_{h\to 0+}\left\{f\left(\frac{1+h}{h}\right)-f\left(\frac{1-h}{h}\right)\right\}=\lim_{h\to 0+}\left\{f\left(\frac{1}{h}+1\right)-f\left(\frac{1}{h}-1\right)\right\}$$
$$=\lim_{t\to\infty}\{f(t+1)-f(t-1)\}$$

함수 $y=f(x)$가 실수 전체의 집합에서 미분가능하므로 함수 $y=f(x)$는 닫힌구간 $[t-1,\ t+1]$에서 연속이고 열린구간 $(t-1,\ t+1)$에서 미분가능하다.

따라서 평균값 정리에 의하여

$$\frac{f(t+1)-f(t-1)}{(t+1)-(t-1)}=f'(c)$$

인 c가 열린구간 $(t-1,\ t+1)$에 적어도 하나 존재한다.

$$\therefore \lim_{t\to\infty}\{f(t+1)-f(t-1)\}$$
$$=2\lim_{t\to\infty}\frac{f(t+1)-f(t-1)}{2}$$
$$=2\lim_{t\to\infty}\frac{f(t+1)-f(t-1)}{(t+1)-(t-1)}$$
$$=2\lim_{t\to\infty}f'(c)\ (t-1<c<t+1)$$
$$=2\lim_{c\to\infty}f'(c)$$
$$=2\times 7=14$$

답 14

46 $f(x)=x^4-8x^2+x$라 하면

$f'(x)=4x^3-16x+1$

접점의 좌표를 $(t,\ t^4-8t^2+t)$라 하면 접선의 기울기는

$f'(t)=4t^3-16t+1$이므로 접선의 방정식은

$y-(t^4-8t^2+t)=(4t^3-16t+1)(x-t)$

$\therefore y=(4t^3-16t+1)x-3t^4+8t^2$ $\quad\cdots\cdots$ ㉠

이 접선과 곡선 $y=f(x)$의 교점의 x좌표는

$x^4-8x^2+x=(4t^3-16t+1)x-3t^4+8t^2$에서

$x^4-8x^2-(4t^3-16t)x+3t^4-8t^2=0$

$(x-t)\{x^3+tx^2+(t^2-8)x-3t^3+8t\}=0$

$(x-t)^2\{x^2+2tx+3t^2-8\}=0$

직선 ㉠과 곡선 $y=f(x)$가 서로 다른 두 점에서 접하려면 위의 방정식이 서로 다른 두 중근을 가져야 한다.

즉, x에 대한 이차방정식 $x^2+2tx+3t^2-8=0$이 중근을 가져야 하므로 이 방정식의 판별식을 D라 하면

$\dfrac{D}{4}=t^2-(3t^2-8)=0$에서

$t^2=4$ $\quad\therefore t=\pm 2$

이것을 ㉠에 대입하여 정리하면

$y=x-16$이므로

$a=1,\ b=-16$

$\therefore a-b=1-(-16)=17$

답 17

47 $f(x)=x^3+ax^2+bx$에서

$f'(x)=3x^2+2ax+b$

이므로 점 $(t,\ f(t))$에서의 접선의 방정식은

$y-(t^3+at^2+bt)=(3t^2+2at+b)(x-t)$

$\therefore y=(3t^2+2at+b)x-2t^3-at^2$

즉, 접선이 y축과 만나는 점 P의 좌표는 $(0,\ -2t^3-at^2)$이다.

$\therefore g(t)=|-2t^3-at^2|=t^2|2t+a|$

$$=\begin{cases}2t^3+at^2 & \left(t\geq -\dfrac{a}{2}\right)\\ -2t^3-at^2 & \left(t<-\dfrac{a}{2}\right)\end{cases}$$

조건 (가)에서 $f(1)=1+a+b=2$

$\therefore a+b=1$ $\quad\cdots\cdots$ ㉠

함수 $y=g(t)$가 실수 전체의 집합에서 미분가능해야 하므로

$t=-\dfrac{a}{2}$에서도 미분가능해야 한다.

$$g'(t)=\begin{cases} 6t^2+2at & \left(t>-\frac{a}{2}\right) \\ -6t^2-2at & \left(t<-\frac{a}{2}\right) \end{cases}$$

이므로 $\lim_{t\to -\frac{a}{2}+} g'(t)=\lim_{t\to -\frac{a}{2}-} g'(t)$에서

$6\left(-\frac{a}{2}\right)^2+2a\left(-\frac{a}{2}\right)=-6\left(-\frac{a}{2}\right)^2-2a\left(-\frac{a}{2}\right)$

$\frac{1}{2}a^2=-\frac{1}{2}a^2$, $a^2=0$ $\quad\therefore a=0$

$a=0$을 ㉠에 대입하면 $b=1$

$\therefore f(3)=3^3+1\times3=30$ 답 30

06 증가·감소와 극대·극소

본책 061~070쪽

01 $f(x)=x^3-6x^2+9x-1$에서

$f'(x)=3x^2-12x+9=3(x^2-4x+3)$

$=3(x-1)(x-3)$

함수 $y=f(x)$가 감소하는 구간은

$f'(x)\le0$에서 $3(x-1)(x-3)\le0$

$\therefore 1\le x\le3$

따라서 $\alpha=1$, $\beta=3$이므로

$\alpha^2+\beta^2=1+9=10$ 답 ②

02 $f(x)=\frac{1}{3}x^3+ax^2+4x+5$에서

$f'(x)=x^2+2ax+4$

함수 $y=f(x)$가 실수 전체의 집합에서 증가하려면 모든 실수 x에 대하여 $f'(x)\ge0$이어야 하므로

이차방정식 $f'(x)=0$의 판별식을 D라 하면

$\frac{D}{4}=a^2-4\le0$, $(a+2)(a-2)\le0$

$\therefore -2\le a\le2$

따라서 정수 a의 개수는 -2, -1, 0, 1, 2의 5이다. 답 5

03 $f(x)=2x^3-9x^2+12x+2$에서

$f'(x)=6x^2-18x+12=6(x^2-3x+2)$

$=6(x-1)(x-2)$

$f'(x)=0$에서 $x=1$ 또는 $x=2$

함수 $y=f(x)$의 증가, 감소를 표로 나타내면 다음과 같다.

x	$\cdots$	1	$\cdots$	2	$\cdots$
$f'(x)$	$+$	0	$-$	0	$+$
$f(x)$	↗	7	↘	6	↗

따라서 함수 $y=f(x)$는 $x=1$에서 극댓값 7, $x=2$에서 극솟값 6을 갖는다.

즉, $M=7$, $m=6$이므로

$M+m=7+6=13$ 답 13

04 $f(x)=x^3+ax^2+bx+1$에서

$f'(x)=3x^2+2ax+b$

함수 $y=f(x)$가 $x=1$, $x=3$에서 극값을 가지므로

$f'(1)=0$에서 $3+2a+b=0$

$\therefore 2a+b=-3$ ⋯⋯ ㉠

$f'(3)=0$에서 $27+6a+b=0$

$\therefore 6a+b=-27$ ⋯⋯ ㉡

㉠, ㉡을 연립하여 풀면

$a=-6$, $b=9$

$\therefore f(x)=x^3-6x^2+9x+1$

함수 $y=f(x)$의 증가, 감소를 표로 나타내면 다음과 같다.

x	$\cdots$	1	$\cdots$	3	$\cdots$
$f'(x)$	$+$	0	$-$	0	$+$
$f(x)$	↗	극대	↘	극소	↗

따라서 함수 $y=f(x)$는 $x=1$에서 극대이고 극댓값은

$f(1)=1-6+9+1=5$ 답 5

05 $f(x)=x^3+6kx^2+24x+32$에서
$f'(x)=3x^2+12kx+24$
$=3(x^2+4kx+8)$
함수 $y=f(x)$가 극댓값과 극솟값을 갖기 위해서는 방정식 $f'(x)=0$이 서로 다른 두 실근을 가져야 한다.
이차방정식 $x^2+4kx+8=0$의 판별식을 D라 하면
$\frac{D}{4}=4k^2-8>0$, $(k+\sqrt{2})(k-\sqrt{2})>0$
$\therefore k<-\sqrt{2}$ 또는 $k>\sqrt{2}$ 답 ④

06 주어진 그래프에서 $f'(-1)=0$, $f'(1)=0$이므로
함수 $y=f(x)$의 증가, 감소를 표로 나타내면 다음과 같다.

x	$\cdots$	-1	$\cdots$	1	$\cdots$
$f'(x)$	$+$	0	$-$	0	$+$
$f(x)$	↗	극대	↘	극소	↗

즉, 함수 $y=f(x)$는 $x<-1$ 또는 $x>1$에서 증가하고,
$-1<x<1$에서 감소하며,
$x=-1$에서 극댓값, $x=1$에서 극솟값을 갖는다.
따라서 옳은 것은 ④이다. 답 ④

07 $f(x)=x^3-6x^2-1$에서
$f'(x)=3x^2-12x$
$=3x(x-4)$
$f'(x)=0$에서 $x=0$ 또는 $x=4$
구간 $[-1, 1]$에서 함수 $y=f(x)$의 증가, 감소를 표로 나타내면 다음과 같다.

x	-1	$\cdots$	0	$\cdots$	1
$f'(x)$		$+$	0	$-$	
$f(x)$	-8	↗	-1	↘	-6

따라서 함수 $y=f(x)$는 $x=0$에서 최댓값 $M=-1$,
$x=-1$에서 최솟값 $m=-8$을 가지므로
$Mm=(-1)\times(-8)=8$ 답 8

08 $f(x)=x^3+ax^2+bx+c$에서 $f'(x)=3x^2+2ax+b$
$f'(-1)=3-2a+b=-3$
$\therefore -2a+b=-6$ ……㉠
$f'(1)=3+2a+b=9$
$\therefore 2a+b=6$ ……㉡
㉠, ㉡을 연립하여 풀면 $a=3$, $b=0$
즉, $f(x)=x^3+3x^2+c$이고
$f'(x)=3x^2+6x=3x(x+2)$
$f'(x)=0$에서 $x=-2$ 또는 $x=0$
구간 $[0, 2]$에서 함수 $y=f(x)$의 증가, 감소를 표로 나타내면 다음과 같다.

x	0	$\cdots$	2
$f'(x)$	0	$+$	$+$
$f(x)$	c	↗	$20+c$

따라서 함수 $y=f(x)$는 $x=2$에서 최댓값 $20+c$를 가지므로
$20+c=24$ $\therefore c=4$
$\therefore a+b+c=3+0+4=7$ 답 7

09 $f(x)=-\frac{1}{3}x^3+\frac{1}{2}ax^2-bx-2$에서
$f'(x)=-x^2+ax-b$
함수 $y=f(x)$가 증가하는 구간이 $[3, 4]$이므로
$f'(x)\geq 0$, 즉 $x^2-ax+b\leq 0$의 해는 $3\leq x\leq 4$이다.
따라서 이차방정식 $x^2-ax+b=0$의 두 근이 3, 4이므로 근과 계수의 관계에 의하여
$a=3+4=7$, $b=3\times 4=12$
$\therefore ab=84$ 답 ②

10 임의의 두 실수 x_1, x_2에 대하여 $x_1\neq x_2$이면 $f(x_1)\neq f(x_2)$를 만족시키는 함수는 일대일함수이고, 함수 $y=f(x)$의 최고차항의 계수가 양수이므로 함수 $y=f(x)$는 실수 전체의 집합에서 증가한다.
즉, 모든 실수 x에 대하여 $f'(x)\geq 0$이어야 하므로
$f(x)=2x^3+x^2+kx+1$에서
$f'(x)=6x^2+2x+k\geq 0$
이차방정식 $f'(x)=0$의 판별식을 D라 하면
$\frac{D}{4}=1-6k\leq 0$ $\therefore k\geq\frac{1}{6}$
따라서 정수 k의 최솟값은 1이다. 답 1

11 함수 $y=f(x)$는 삼차함수이므로 역함수가 존재하기 위해서는 실수 전체의 집합에서 증가하거나 감소해야 한다.
함수 $y=f(x)$의 최고차항의 계수가 음수이므로 실수 전체의 집합에서 감소해야 한다.
즉, 모든 실수 x에 대하여 $f'(x)\leq 0$이어야 하므로
$f(x)=-\frac{2}{3}x^3+ax^2-(a+4)x+1$에서
$f'(x)=-2x^2+2ax-(a+4)\leq 0$
즉, $2x^2-2ax+a+4\geq 0$이므로
이차방정식 $f'(x)=0$의 판별식을 D라 하면
$\frac{D}{4}=a^2-2(a+4)\leq 0$
$a^2-2a-8\leq 0$, $(a+2)(a-4)\leq 0$
$\therefore -2\leq a\leq 4$
따라서 $\alpha=-2$, $\beta=4$이므로
$\alpha+\beta=2$ 답 2

12 $f(x)=x^3+6x^2+15|x-2a|+3$
$$=\begin{cases} x^3+6x^2+15x-30a+3 & (x\geq 2a) \\ x^3+6x^2-15x+30a+3 & (x<2a)\end{cases}$$
(i) $x\geq 2a$일 때,
$f'(x)=3x^2+12x+15=3(x+2)^2+3>0$이므로
함수 $y=f(x)$는 증가한다.
(ii) $x<2a$일 때,
$f'(x)=3x^2+12x-15=3(x^2+4x-5)$
$=3(x+5)(x-1)$
함수 $y=f(x)$가 증가하려면 $f'(x)\geq 0$이어야 하므로
$(x+5)(x-1)\geq 0$에서 $x\leq -5$ 또는 $x\geq 1$
따라서 $2a\leq -5$이어야 하므로 $a\leq -\frac{5}{2}$
(i), (ii)에서 $a\leq -\frac{5}{2}$
따라서 실수 a의 최댓값은 $-\frac{5}{2}$이다. 답 $-\frac{5}{2}$

13 $f(x)=x^3-ax^2+(a-5)x+1$에서

$f'(x)=3x^2-2ax+a-5$

구간 $[0, 1]$에 속하는 임의의 두 실수 x_1, x_2에 대하여 $x_1<x_2$이면 $f(x_1)>f(x_2)$가 성립하므로 함수 $y=f(x)$는 구간 $[0, 1]$에서 감소한다.

즉, 함수 $y=f(x)$는 $0\le x\le 1$에서 $f'(x)\le 0$이므로 함수 $y=f'(x)$의 그래프는 그림과 같아야 한다.

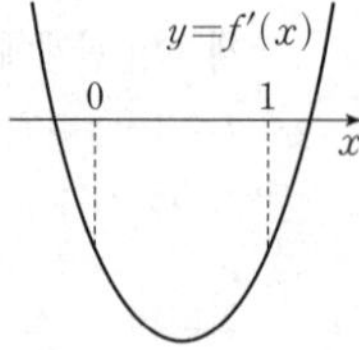

(i) $f'(0)=a-5\le 0$에서 $a\le 5$

(ii) $f'(1)=3-2a+a-5\le 0$에서 $a\ge -2$

(i), (ii)에서 $-2\le a\le 5$

답 ②

14 $f(x)=-x^3+kx^2-2$에서

$f'(x)=-3x^2+2kx$

함수 $y=f(x)$가 $1\le x\le 2$에서 증가하므로 이 구간에서 $f'(x)\ge 0$이고, $x\ge 3$에서 감소하므로 이 구간에서 $f'(x)\le 0$이다. 즉, 함수 $y=f'(x)$의 그래프는 그림과 같다.

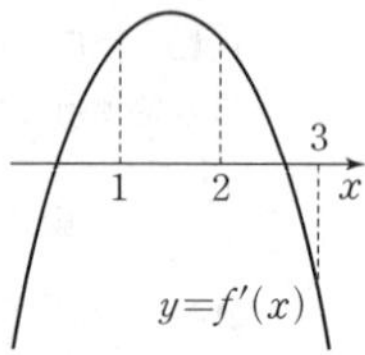

(i) $f'(1)=-3+2k\ge 0$에서 $k\ge \frac{3}{2}$

(ii) $f'(2)=-12+4k\ge 0$에서 $k\ge 3$

(iii) $f'(3)=-27+6k\le 0$에서 $k\le \frac{9}{2}$

(i), (ii), (iii)에서 $3\le k\le \frac{9}{2}$

답 ③

15 $f(x)=2x^3-9x^2+12x+a$에서

$f'(x)=6x^2-18x+12$

$=6(x^2-3x+2)$

$=6(x-1)(x-2)$

$f'(x)=0$에서 $x=1$ 또는 $x=2$

함수 $y=f(x)$의 증가, 감소를 표로 나타내면 다음과 같다.

x	$\cdots$	1	$\cdots$	2	$\cdots$
$f'(x)$	+	0	−	0	+
$f(x)$	↗	극대	↘	극소	↗

따라서 함수 $y=f(x)$는 $x=1$에서 극댓값 7을 가지므로

$f(1)=2-9+12+a=7$

$\therefore a=2$

답 ②

16 $f(x)=2x^3+ax^2-12x+b$에서

$f'(x)=6x^2+2ax-12$

함수 $y=f(x)$가 $x=1$에서 극솟값 0을 가지므로

$f(1)=0$에서 $2+a-12+b=0$

$\therefore a+b=10$ ······㉠

$f'(1)=0$에서 $6+2a-12=0$

$\therefore a=3$

$a=3$을 ㉠에 대입하면 $b=7$

즉, $f(x)=2x^3+3x^2-12x+7$에서

$f'(x)=6x^2+6x-12$

$=6(x^2+x-2)$

$=6(x+2)(x-1)$

$f'(x)=0$에서 $x=-2$ 또는 $x=1$

함수 $y=f(x)$의 증가, 감소를 표로 나타내면 다음과 같다.

x	$\cdots$	−2	$\cdots$	1	$\cdots$
$f'(x)$	+	0	−	0	+
$f(x)$	↗	극대	↘	극소	↗

따라서 함수 $y=f(x)$는 $x=-2$에서 극대이고 극댓값은

$f(-2)=-16+12+24+7=27$

답 27

17 $f(x)=x^3+ax^2+bx+c$에서

$f'(x)=3x^2+2ax+b$

주어진 그래프에서 $f'(0)=0$, $f'(2)=0$이므로

$b=0$, $12+4a+b=0$

$\therefore a=-3$, $b=0$

$\therefore f(x)=x^3-3x^2+c$

함수 $y=f(x)$의 증가, 감소를 표로 나타내면 다음과 같다.

x	$\cdots$	0	$\cdots$	2	$\cdots$
$f'(x)$	+	0	−	0	+
$f(x)$	↗	극대	↘	극소	↗

즉, 함수 $y=f(x)$는 $x=2$에서 극소이고 극솟값은

$f(2)=8-12+c=7$ $\therefore c=11$

따라서 구하는 극댓값은

$f(0)=c=11$

답 11

18 $f(x)=x^3+ax^2+bx+c$에서

$f'(x)=3x^2+2ax+b$

함수 $y=f(x)$가 $x=1$, $x=3$에서 극값을 가지므로

$f'(1)=3+2a+b=0$ ······㉠

$f'(3)=27+6a+b=0$ ······㉡

㉠, ㉡을 연립하여 풀면

$a=-6$, $b=9$

$\therefore f(x)=x^3-6x^2+9x+c$

극댓값이 극솟값의 3배이므로

$f(1)=3f(3)$에서 $4+c=3c$

$\therefore c=2$

$\therefore a^2+b^2+c^2=36+81+4=121$

답 121

19 $f(x)=ax^3+bx^2+cx+d\,(a\neq 0)$라 하면

$f'(x)=3ax^2+2bx+c$

함수 $y=f(x)$가 $x=1$에서 극솟값 -4를 가지므로

$f(1)=-4$에서 $a+b+c+d=-4$ ······㉠

$f'(1)=0$에서 $3a+2b+c=0$ ······㉡

함수 $y=f(x)$ 위의 $x=-1$인 점에서의 접선의 방정식이 $y=-12x$이므로

$f(-1)=12$에서 $-a+b-c+d=12$ ······㉢

$f'(-1)=-12$에서 $3a-2b+c=-12$ ······㉣

㉠, ㉡, ㉢, ㉣을 연립하여 풀면

$a=1$, $b=3$, $c=-9$, $d=1$

따라서 $f(x)=x^3+3x^2-9x+1$이므로

$f(3)=27+27-27+1=28$

답 28

20 $f(x)=ax^3+bx^2+cx+d\,(a\neq0)$라 하면

$f'(x)=3ax^2+2bx+c$

$\displaystyle\lim_{x\to0}\frac{f(x)}{x}=-6$에서 $x\to0$일 때, (분모)$\to0$이므로

(분자)$\to0$이어야 한다.

즉, $\displaystyle\lim_{x\to0}f(x)=0$에서 $f(0)=d=0$

$\displaystyle\therefore \lim_{x\to0}\frac{f(x)}{x}=\lim_{x\to0}\frac{f(x)-f(0)}{x-0}=f'(0)=-6$

$\therefore c=-6$

조건 (나)에서 함수 $y=f(x)$는 $x=1$에서 극솟값 $-\frac{7}{2}$을 가지므로

$f(1)=-\frac{7}{2}$에서 $a+b+c+d=-\frac{7}{2}$

$\therefore a+b=\frac{5}{2}$ ……㉠

$f'(1)=0$에서 $3a+2b+c=0$

$\therefore 3a+2b=6$ ……㉡

㉠, ㉡을 연립하여 풀면 $a=1,\ b=\frac{3}{2}$

$\therefore f(x)=x^3+\frac{3}{2}x^2-6x$

$f'(x)=3x^2+3x-6=3(x^2+x-2)$
$=3(x+2)(x-1)$

$f'(x)=0$에서 $x=-2$ 또는 $x=1$

따라서 함수 $y=f(x)$는 $x=-2$에서 극대이고 극댓값은

$f(-2)=-8+6+12=10$ 답 ②

21 $f(x)=x^3-ax^2+2ax+2$에서

$f'(x)=3x^2-2ax+2a$

함수 $y=f(x)$가 극값을 가지려면 방정식 $f'(x)=0$이 서로 다른 두 실근을 가져야 한다.

이차방정식 $f'(x)=0$의 판별식을 D라 하면

$\frac{D}{4}=a^2-6a>0,\ a(a-6)>0$

$\therefore a<0$ 또는 $a>6$

따라서 자연수 a의 최솟값은 7이다. 답 ②

22 $f(x)=x^3+3ax^2-3ax-2$에서

$f'(x)=3x^2+6ax-3a=3(x^2+2ax-a)$

함수 $y=f(x)$가 극값을 갖지 않기 위해서는 방정식 $f'(x)=0$이 중근 또는 허근을 가져야 한다.

이자방정식 $x^2+2ax-a=0$의 판별식을 D라 하면

$\frac{D}{4}=a^2+a\le0,\ a(a+1)\le0$

$\therefore -1\le a\le0$

따라서 정수 a의 개수는 -1, 0의 2이다. 답 2

23 $f(x)=ax^3-2ax^2-5x+3$에서

$f'(x)=3ax^2-4ax-5$

함수 $y=f(x)$가 $x>1$에서 극댓값을 갖고, $x<1$에서 극솟값을 가지려면 그림과 같이 함수 $y=f'(x)$의 그래프는 위로 볼록하고, 방정식 $f'(x)=0$의 두 근 사이에 1이 있어야 한다.

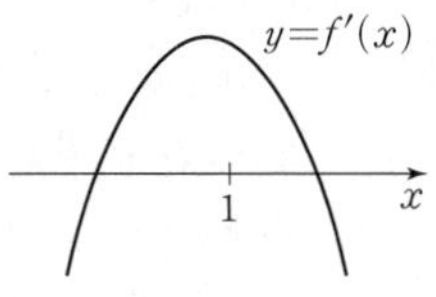

(i) $y=f'(x)$의 그래프가 위로 볼록하므로 $a<0$

(ii) $f'(1)=3a-4a-5>0$이므로

$-a-5>0$ $\therefore a<-5$

(i), (ii)에서 $a<-5$

따라서 정수 a의 최댓값은 -6이다. 답 -6

24 $f(x)=x^3-3x^2+ax-2$에서

$f'(x)=3x^2-6x+a$

함수 $y=f(x)$가 $0<x<2$에서 극댓값과 극솟값을 모두 가지려면 방정식 $f'(x)=0$이 $0<x<2$에서 서로 다른 두 실근을 가져야 한다.

(i) $f'(x)=0$의 판별식을 D라 하면

$\frac{D}{4}=9-3a>0$에서

$a<3$

(ii) $f'(0)=a>0,\ f'(2)=a>0$

(iii) 이차함수 $y=f'(x)$의 그래프의 축의 방정식이 $x=1$이고 $0<1<2$이다.

(i), (ii), (iii)에서 실수 a의 값의 범위는

$0<a<3$ 답 ②

25 $f(x)=x^4-4x^3+2ax^2+1$에서

$f'(x)=4x^3-12x^2+4ax$
$=4x(x^2-3x+a)$

사차함수 $y=f(x)$가 극댓값을 가지려면 방정식 $f'(x)=0$이 서로 다른 세 실근을 가져야 하므로 이차방정식 $x^2-3x+a=0$이 0이 아닌 서로 다른 두 실근을 가져야 한다.

이차방정식 $x^2-3x+a=0$의 판별식을 D라 하면

$a\neq0,\ D=9-4a>0$에서

$a<0$ 또는 $0<a<\frac{9}{4}$

따라서 자연수 a의 개수는 1, 2의 2이다. 답 2

26 $f(x)=3x^4+ax^3+6x^2$에서

$f'(x)=12x^3+3ax^2+12x$
$=3x(4x^2+ax+4)$

사차함수 $y=f(x)$는 최고차항의 계수가 양수이므로 극값을 하나만 가지려면 함수 $y=f(x)$는 극댓값을 갖지 않아야 한다.

즉, 방정식 $f'(x)=0$이 한 실근과 두 허근 또는 한 실근과 중근(또는 삼중근)을 가져야 하므로 이차방정식

$4x^2+ax+4-0$ ……㉠

이 중근 또는 허근을 갖거나 $x=0$을 근으로 가져야 한다.

(i) ㉠이 중근 또는 허근을 가질 때

㉠의 판별식을 D라 하면

$D=a^2-64\le0$

$(a+8)(a-8)\le0$

$\therefore -8\le a\le8$

(ii) ㉠이 $x=0$을 근으로 가질 때

$4\neq0$이므로 만족하는 x의 값은 없다.

(i), (ii)에서 실수 a의 값의 범위는 $-8\le a\le8$

따라서 실수 a의 최댓값은 8, 최솟값은 -8이므로 그 합은

$8+(-8)=0$ 답 0

27 함수 $f(x)=ax^3+bx^2+cx+d$의 그래프에서

(i) 삼차함수의 그래프의 개형에서 $a<0$

(ii) 주어진 그래프에서 $f(0)=d<0$

(iii) $f'(x)=3ax^2+2bx+c$에서 $f'(0)=c$

즉, c는 $x=0$에서의 접선의 기울기이므로 $c<0$

(iv) $f'(x)=0$, 즉 $3ax^2+2bx+c=0$의 두 근이 α, β이므로 이차방정식의 근과 계수의 관계에 의하여

$\alpha+\beta=-\dfrac{2b}{3a}>0$ ($\because$ $\alpha>0$, $\beta>0$)

$\therefore$ $b>0$ ($\because$ $a<0$)

ㄱ. $ab<0$ (거짓)

ㄴ. $cd>0$ (참)

ㄷ. 방정식 $f'(x)=0$이 서로 다른 두 실근을 가지므로 $3ax^2+2bx+c=0$의 판별식을 D라 하면

$\dfrac{D}{4}=b^2-3ac>0$ (참)

따라서 옳은 것은 ㄴ, ㄷ이다. 답 ④

28 주어진 그래프에서 $f'(0)=0$, $f'(2)=0$이므로 함수 $y=f(x)$의 증가, 감소를 표로 나타내면 다음과 같다.

x	$\cdots$	0	$\cdots$	2	$\cdots$
$f'(x)$	$-$	0	$+$	0	$-$
$f(x)$	↘	극소	↗	극대	↘

ㄱ. 함수 $y=f(x)$의 극솟값은 $f(0)=0$이다. (참)

ㄴ. 함수 $y=f(x)$는 $x=2$에서 극댓값을 갖는다. (거짓)

ㄷ. 함수 $y=f(x)$는 $x=0$에서 극소이고, 극솟값은 0이므로 x축에 접한다. (참)

따라서 옳은 것은 ㄱ, ㄷ이다. 답 ④

참고

미분가능한 함수 $y=f(x)$의 그래프가 $x=\alpha$에서 x축에 접하면 $f'(\alpha)=0$, $f(\alpha)=0$이다. (단, 역은 성립하지 않는다.)

29 주어진 도함수 $y=f'(x)$의 그래프를 이용하여 함수 $y=f(x)$의 증가, 감소를 표로 나타내면 다음과 같다.

x	$\cdots$	a	$\cdots$	b	$\cdots$	c	$\cdots$
$f'(x)$	$-$	0	$-$		$-$	0	$+$
$f(x)$	↘		↘		↘	극소	↗

ㄱ. $x=a$의 좌우에서 $f'(x)$의 부호가 바뀌지 않으므로 극대가 아니다. (거짓)

ㄴ. $x=b$의 좌우에서 $f'(x)$의 부호가 바뀌지 않으므로 극소가 아니다. (거짓)

ㄷ. $x=c$의 좌우에서 $f'(x)$의 부호가 음에서 양으로 바뀌므로 $x=c$에서 극소이다. (참)

따라서 옳은 것은 ㄷ뿐이다. 답 ②

30 주어진 그래프에서 $f'(-2)=0$, $f'(2)=0$, $f'(4)=0$이므로 함수 $y=f(x)$의 증가, 감소를 표로 나타내면 다음과 같다.

x	$\cdots$	-2	$\cdots$	2	$\cdots$	4	$\cdots$
$f'(x)$	$+$	0	$-$	0	$+$	0	$+$
$f(x)$	↗	극대	↘	극소	↗		↗

ㄱ. $x=2$의 좌우에서 $f'(x)$의 부호가 음에서 양으로 바뀌므로 $x=2$에서 극소이다. (참)

ㄴ. $x=3$의 좌우에서 $f'(x)$의 부호가 바뀌지 않으므로 극대가 아니다. (거짓)

ㄷ. 구간 $(-2, 2)$에서 $f'(x)<0$이므로 함수 $y=f(x)$는 감소한다. (참)

ㄹ. $x=4$의 좌우에서 $f'(x)$의 부호가 바뀌지 않으므로 극값을 갖지 않는다. 즉, $x=4$에서 x축에 접하지 않는다. (거짓)

따라서 옳은 것은 ㄱ, ㄷ이다. 답 ②

31 $h(x)=f(x)-g(x)$라 하면

$h'(x)=f'(x)-g'(x)$

$h'(x)=0$에서 $x=0$ 또는 $x=2$ 또는 $x=5$

함수 $y=h(x)$의 증가, 감소를 표로 나타내면 다음과 같다.

x	$\cdots$	0	$\cdots$	2	$\cdots$	5	$\cdots$
$h'(x)$	$-$	0	$+$	0	$-$	0	$+$
$h(x)$	↘	극소	↗	극대	↘	극소	↗

따라서 극댓값을 갖는 x의 값은 2이다. 답 ③

32

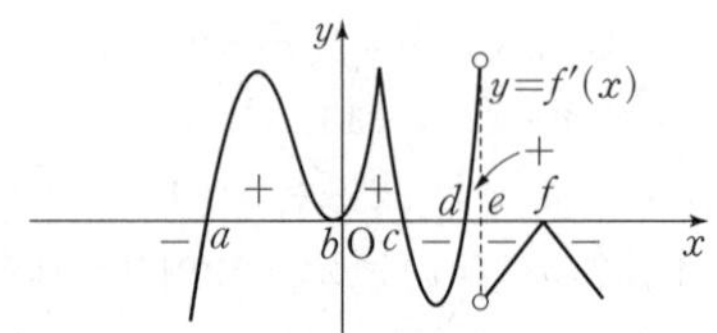

$f'(k)=0$이고, $x=k$의 좌우에서 $f'(x)$의 부호가 바뀔 때, 함수 $y=f(x)$는 $x=k$에서 극값을 갖는다.

즉, $x=a$, $x=d$의 좌우에서 $f'(x)$의 부호가 음에서 양으로 바뀌므로 극솟값을 갖고, $x=c$의 좌우에서 $f'(x)$의 부호가 양에서 음으로 바뀌므로 극댓값을 갖는다.

또 함수 $y=f(x)$가 연속일 때, $f'(k)$의 값이 존재하지 않으나 $x=k$의 좌우에서 $f'(x)$의 부호가 바뀌면 함수 $y=f(x)$는 $x=k$에서 극값을 갖는다. 즉, 함수 $y=f(x)$는 $x=e$의 좌우에서 $f'(x)$의 부호가 양에서 음으로 바뀌므로 극댓값을 갖는다.

따라서 $p=2$, $q=2$이므로

$p^2+q^2=8$ 답 8

33 $f(x)=2x^3-6x+4$에서

$f'(x)=6x^2-6=6(x+1)(x-1)$

$f'(x)=0$에서 $x=-1$ 또는 $x=1$

$f(0)=4$이고 최댓값은 8이므로 $a>1$

$0\le x\le a$에서 함수 $y=f(x)$의 증가, 감소를 표로 나타내면 다음과 같다.

x	0	$\cdots$	1	$\cdots$	a
$f'(x)$		$-$	0	$+$	
$f(x)$	4	↘	0	↗	8

따라서 함수 $y=f(x)$는 $x=a$일 때 최댓값이 8이어야 하므로

$f(a)=2a^3-6a+4=8$

$a^3-3a-2=0$, $(a+1)^2(a-2)=0$

$\therefore$ $a=2$ ($\because$ $a>1$)

$x=1$일 때 최솟값이 0이므로 $m=0$

$\therefore$ $a+m=2+0=2$ 답 2

34 $f(x)=x^4-4x^3-2x^2+12x-3$이라 하면
$f'(x)=4x^3-12x^2-4x+12$
$=4(x+1)(x-1)(x-3)$
$f'(x)=0$에서 $x=-1$ 또는 $x=1$ 또는 $x=3$
구간 $[0, 4]$에서 함수 $y=f(x)$의 증가, 감소를 표로 나타내면 다음과 같다.

x	0	$\cdots$	1	$\cdots$	3	$\cdots$	4
$f'(x)$		+	0	−	0	+	
$f(x)$	−3	↗	4	↘	−12	↗	13

즉, 함수 $y=f(x)$는 $x=4$에서 최댓값 13, $x=3$에서 최솟값 −12를 갖는다.
따라서 최댓값과 최솟값의 합은
$13+(-12)=1$

답 ④

35 주어진 도함수 $y=f'(x)$의 그래프를 이용하여 구간 $[-1, 2]$에서 함수 $y=f(x)$의 증가, 감소를 표로 나타내면 다음과 같다.

x	−1	$\cdots$	0	$\cdots$	2
$f'(x)$		+	0	−	0
$f(x)$		↗	극대	↘	

따라서 함수 $y=f(x)$는 $x=0$에서 최댓값 $f(0)$을 갖는다.

답 ②

36 $f(x)=ax^3-3ax^2+b\ (a>0)$에서
$f'(x)=3ax^2-6ax=3ax(x-2)$
$f'(x)=0$에서 $x=0$ 또는 $x=2$
구간 $[0, 3]$에서 함수 $y=f(x)$의 증가, 감소를 표로 나타내면 다음과 같다.

x	0	$\cdots$	2	$\cdots$	3
$f'(x)$	0	−	0	+	
$f(x)$	b	↘	$-4a+b$	↗	b

따라서 함수 $y=f(x)$는 $x=0$ 또는 $x=3$에서 최댓값 b, $x=2$에서 최솟값 $-4a+b$를 가지므로
$b=2$, $f(2)=-4a+b=-2$
$\therefore a=1$
$\therefore a+b=1+2=3$

답 ③

37 $y=\left(\frac{1}{2}x+3\right)^3-3\left(\frac{1}{2}x+3\right)^2+3$에서

$\frac{1}{2}x+3=t$라 하면 $-2\le x\le 0$이므로 $2\le t\le 3$이고,
$y=t^3-3t^2+3$
$f(t)=t^3-3t^2+3$이라 하면
$f'(t)=3t^2-6t=3t(t-2)$
$f'(t)=0$에서 $t=0$ 또는 $t=2$
$2\le t\le 3$에서 함수 $y=f(t)$의 증가, 감소를 표로 나타내면 다음과 같다.

t	2	$\cdots$	3
$f'(t)$	0	+	
$f(t)$	−1	↗	3

따라서 함수 $y=f(t)$는 $t=3$일 때 최댓값 $M=3$, $t=2$일 때 최솟값 $m=-1$을 가지므로
$M-m=3-(-1)=4$

답 4

38 $f(x)=x^3-3x^2+4$에서
$f'(x)=3x^2-6x=3x(x-2)$
$f'(x)=0$에서 $x=0$ 또는 $x=2$
$-1\le x\le 3$에서 함수 $y=f(x)$의 증가, 감소를 표로 나타내면 다음과 같다.

x	−1	$\cdots$	0	$\cdots$	2	$\cdots$	3
$f'(x)$		+	0	−	0	+	
$f(x)$	0	↗	4	↘	0	↗	4

함수 $y=f(x)$는 $x=-1$ 또는 $x=2$에서 최솟값 0, $x=0$ 또는 $x=3$에서 최댓값 4를 갖는다.
$f(x)=t$라 하면 $0\le t\le 4$이므로
$(f\circ f)(x)=f(f(x))$
$=f(t)=t^3-3t^2+4$
$g(t)=t^3-3t^2+4$라 하면
$g'(t)=3t^2-6t=3t(t-2)$
$g'(t)=0$에서 $t=0$ 또는 $t=2$
$0\le t\le 4$에서 함수 $y=g(t)$의 증가, 감소를 표로 나타내면 다음과 같다.

t	0	$\cdots$	2	$\cdots$	4
$g'(t)$	0	−	0	+	
$g(t)$	4	↘	0	↗	20

따라서 함수 $y=g(t)$는 $t=4$에서 최댓값 20을 갖는다.

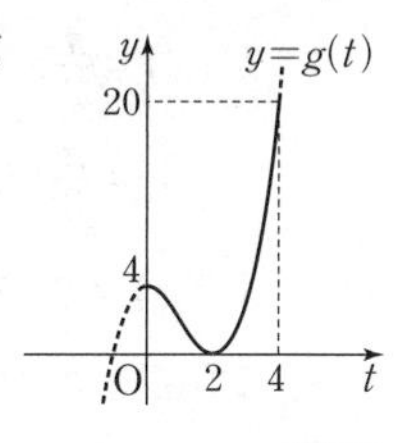

답 20

39 점 $A(x, x^2+1)$로 놓으면 두 점 $P(4, 0)$, $Q(6, 0)$에 대하여
$\overline{AP}^2+\overline{AQ}^2=(x-4)^2+(x-6)^2+2(x^2+1)^2$
$=2x^4+6x^2-20x+54$
$f(x)=2x^4+6x^2-20x+54$라 하면
$f'(x)=8x^3+12x-20$
$=4(2x^3+3x-5)$
$=4(x-1)(2x^2+2x+5)$
$f'(x)=0$에서 $2x^2+2x+5>0$이므로 $x=1$
함수 $y=f(x)$의 증가, 감소를 표로 나타내면 다음과 같다.

x	$\cdots$	1	$\cdots$
$f'(x)$	−	0	+
$f(x)$	↘	42	↗

따라서 함수 $y=f(x)$는 $x=1$일 때 최소이므로 $\overline{AP}^2+\overline{AQ}^2$의 최솟값은 42이다.

답 ②

40 곡선 $y=-x^2+4$와 x축의 교점의 x좌표가 $x=-2$, $x=2$이므로 점 A의 x좌표는 −2, 점 B의 x좌표는 2이다.
점 C의 좌표를 (x, y)라 하면 점 D의 좌표는 $(-x, y)$가 되므로 사다리꼴 ABCD의 넓이를 $S(x)$라 하면

$S(x)=\frac{1}{2}(\overline{AB}+\overline{CD})\times y$

$=\frac{1}{2}(4+2x)(-x^2+4)$

$=-x^3-2x^2+4x+8$

이므로

$S'(x)=-3x^2-4x+4$

$=-(x+2)(3x-2)$

$S'(x)=0$에서 $x=-2$ 또는 $x=\frac{2}{3}$

$0<x<2$에서 함수 $y=S(x)$의 증가, 감소를 표로 나타내면 다음과 같다.

x	(0)	$\cdots$	$\frac{2}{3}$	$\cdots$	(2)
$S'(x)$		+	0	−	
$S(x)$		↗	극대	↘	

따라서 사다리꼴 ABCD의 넓이는 $x=\frac{2}{3}$일 때 최대이므로 그 때의 높이는

$-\left(\frac{2}{3}\right)^2+4=\frac{32}{9}$ 답 $\frac{32}{9}$

41 그림에서 내접하는 원뿔의 밑면의 반지름의 길이를 x라 하면

$h : x=6 : 3$

$3h=6x$ $\therefore h=2x$

즉, 내접하는 원뿔의 높이는 $6-2x$이므로 그 부피를 $V(x)$라 하면

$V(x)=\frac{\pi}{3}x^2(6-2x)$

$=\frac{\pi}{3}(6x^2-2x^3)$ $(0<x<3)$

$V'(x)=\frac{\pi}{3}(12x-6x^2)=2\pi x(2-x)$

$V'(x)=0$에서 $x=0$ 또는 $x=2$

$0<x<3$에서 함수 $y=V(x)$의 증가, 감소를 표로 나타내면 다음과 같다.

x	(0)	$\cdots$	2	$\cdots$	(3)
$V'(x)$		+	0	−	
$V(x)$		↗	극대	↘	

따라서 원뿔의 부피 $V(x)$는 $x=2$에서 최대이므로 최댓값은

$\frac{\pi}{3}\times(24-16)=\frac{8}{3}\pi$ 답 $\frac{8}{3}\pi$

42 $y=f'(x)$의 그래프의 개형을 그려보면 그림과 같다.

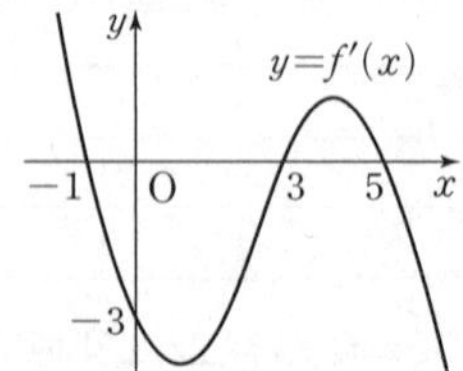

함수 $y=f(x)$가 증가하기 위해서는 $f'(x)\geq0$이어야 하므로

$k+1\leq-1$ 또는 $k\geq3$, $k+1\leq5$

$\therefore k\leq-2$ 또는 $3\leq k\leq4$

따라서 k의 최댓값은 4이다. 답 ④

43 $f(x)=x^3-(a+2)x^2+ax$에서

$f'(x)=3x^2-2(a+2)x+a$

점 $(t,\ f(t))$에서의 접선의 방정식은

$y-\{t^3-(a+2)t^2+at\}=\{3t^2-2(a+2)t+a\}(x-t)$

$\therefore y=\{3t^2-2(a+2)t+a\}x-2t^3+(a+2)t^2$

$\therefore g(t)=-2t^3+(a+2)t^2$

$g'(t)=-6t^2+2(a+2)t$이므로

함수 $y=g(t)$가 $0\leq t\leq7$에서 증가하려면 이 구간에서 $g'(t)\geq0$이어야 한다.

(i) $g'(0)=0$

(ii) $g'(7)=-294+14(a+2)\geq0$에서

$a\geq19$

(i), (ii)에서 $a\geq19$

따라서 실수 a의 최솟값은 19이다.

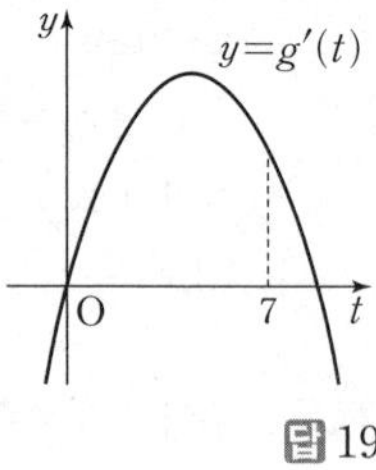

답 19

44 $f(x)=x^3+ax^2+bx+c$라 하면

$f'(x)=3x^2+2ax+b$

$f(0)=12$에서 $c=12$

$f(2)=0$에서 $8+4a+2b+12=0$

$\therefore 2a+b=-10$ ……㉠

$f'(2)=0$에서 $12+4a+b=0$

$\therefore 4a+b=-12$ ……㉡

㉠, ㉡을 연립하여 풀면 $a=-1$, $b=-8$

$\therefore f(x)=x^3-x^2-8x+12$

$f'(x)=3x^2-2x-8=(3x+4)(x-2)$

$f'(x)=0$에서 $x=-\frac{4}{3}$ 또는 $x=2$

함수 $y=f(x)$의 증가, 감소를 표로 나타내면 다음과 같다.

x	$\cdots$	$-\frac{4}{3}$	$\cdots$	2	$\cdots$
$f'(x)$	+	0	−	0	+
$f(x)$	↗	극대	↘	극소	↗

따라서 함수 $y=f(x)$는 $x=-\frac{4}{3}$일 때 극댓값을 가지므로

$f\left(-\frac{4}{3}\right)=\left(-\frac{4}{3}\right)^3-\left(-\frac{4}{3}\right)^2-8\left(-\frac{4}{3}\right)+12$

$=\frac{500}{27}=k$

$\therefore 27k=500$ 답 500

참고

$f(2)=f'(2)=0$이므로 $f(x)$는 $(x-2)^2$으로 나누어떨어진다.
즉, $f(x)=(x-2)^2(x-a)$ (a는 상수)로 놓고 문제를 해결할 수 있다.

45 $f(x)=x^4-2a^2x^2$에서

$f'(x)=4x^3-4a^2x=4x(x+a)(x-a)$

$f'(x)=0$에서 $x=-a$ 또는 $x=0$ 또는 $x=a$

함수 $y=f(x)$의 증가, 감소를 표로 나타내면 다음과 같다.

x	$\cdots$	$-a$	$\cdots$	0	$\cdots$	a	$\cdots$
$f'(x)$	−	0	+	0	−	0	+
$f(x)$	↘	$-a^4$	↗	0	↘	$-a^4$	↗

즉, 함수 $y=f(x)$는 $x=0$에서 극댓값, $x=-a$ 또는 $x=a$에서 극솟값을 갖는다.
극대인 점을 $O(0, 0)$, 극소인 점을 $P(-a, -a^4)$, $Q(a, -a^4)$이라 하면 $\angle QOP$는 직각이어야 하므로 직선 OP와 직선 OQ의 기울기의 곱이 -1이다.

$\frac{-a^4}{-a} \times \frac{-a^4}{a} = -1$에서 $a^6=1$

$\therefore a=1$ ($\because a>0$)

즉, $P(-1, -1)$, $Q(1, -1)$
이므로
구하는 삼각형의 넓이는

$\frac{1}{2} \times 2 \times 1 = 1$

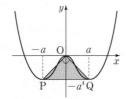

답 1

46 원점을 지나고 최고차항의 계수가 1인 사차함수
$f(x)=x^4+ax^3+bx^2+cx$라 하면
$f(4-x)=f(x)$이므로 $x=2$에 대하여 대칭이고,
$x=3$에서 극소이므로 $x=1$에서 극소이고, $x=2$에서 극대이다.

$$f'(x)=4x^3+3ax^2+2bx+c$$
$$=4(x-1)(x-2)(x-3)$$
$$=4x^3-24x^2+44x-24$$

$a=-8$, $b=22$, $c=-24$이므로
$f(x)=x^4-8x^3+22x^2-24x$
따라서 함수 $y=f(x)$는 $x=2$일 때 극대이고 극댓값은
$f(2)=16-8\times 8+22\times 4-24\times 2=-8$

답 ③

47 $g(1)=g'(1)$이고 $x=1$에서 극솟값을 가지므로
$g(1)=g'(1)=0$ ……㉠
㉠에서 $f(1)=f'(1)=0$, 함수 $y=g(x)$는 $x=-1$, $x=0$, $x=1$에서 극솟값을 가지므로 그래프를 그리면 다음과 같다.

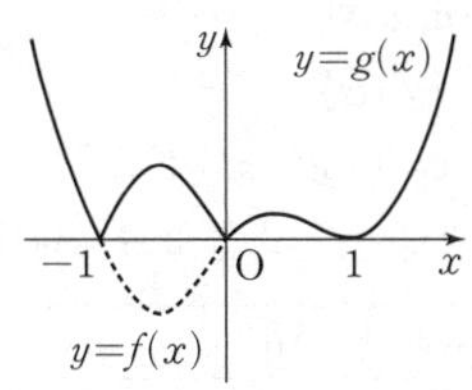

따라서 $f(x)=x(x+1)(x-1)^2$이므로
$g(x)=|x(x+1)(x-1)^2|$
$\therefore g(2)=6$

답 6

48 $A(t, t^4-4t^3+10t-30)$, $B(t, 2t+2)$이고
$f(t)=\overline{AB}$이므로

$$f(t)=\sqrt{(t-t)^2+(t^4-4t^3+10t-30-2t-2)^2}$$
$$=\sqrt{(t^4-4t^3+8t-32)^2}$$
$$=|t^4-4t^3+8t-32|$$

$g(t)=t^4-4t^3+8t-32$라 하면
$g'(t)=4t^3-12t^2+8=4(t-1)(t^2-2t-2)$
$g'(t)=0$에서 $t=1$ 또는 $t=1\pm\sqrt{3}$
함수 $y=g(t)$의 증가, 감소를 표로 나타내면 다음과 같다.

t	…	$1-\sqrt{3}$	…	1	…	$1+\sqrt{3}$	…
$g'(t)$	$-$	0	$+$	0	$-$	0	$+$
$g(t)$	↘	극소	↗	-27	↘	극소	↗

따라서 사차함수 $y=g(t)$는 $t=1$에서 극댓값 -27을 갖고, $t=1-\sqrt{3}$, $t=1+\sqrt{3}$에서 극솟값을 갖는다.

$$g(t)=t^4-4t^3+8t-32$$
$$=(t+2)(t-4)(t^2-2t+4)$$

이므로 함수 $y=g(t)$의 그래프의 개형은 다음과 같다.

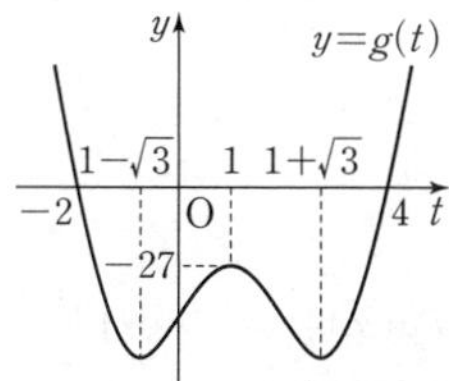

함수 $y=f(t)$의 그래프의 개형은 다음과 같다.

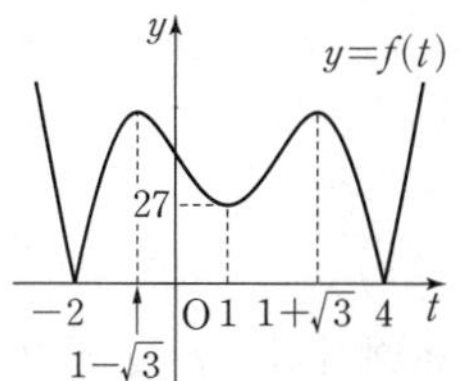

따라서

$$\lim_{h\to 0+}\frac{f(t+h)-f(t)}{h} \times \lim_{h\to 0-}\frac{f(t+h)-f(t)}{h} \le 0$$

을 만족시키는 모든 실수 t의 값의 합은
$-2+(1-\sqrt{3})+1+(1+\sqrt{3})+4=5$

답 5

49 $f(x)=x^4-6x^2-8x+13$에서
$f'(x)=4x^3-12x-8=4(x+1)^2(x-2)$
$f'(x)=0$에서 $x=-1$ 또는 $x=2$
함수 $y=f(x)$의 증가, 감소를 표로 나타내고 그 그래프를 그리면 다음과 같다.

x	…	-1	…	2	…
$f'(x)$	$-$	0	$-$	0	$+$
$f(x)$	↘	16	↘	-11 (극소)	↗

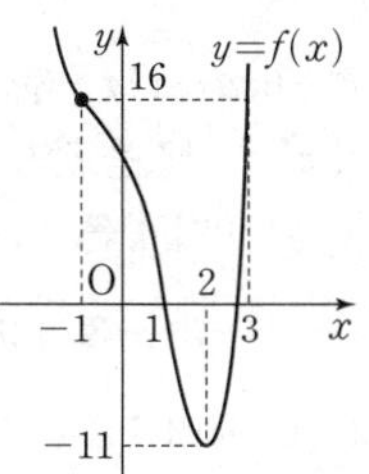

k의 값의 범위에 따라 함수 $g(x)=|f(x)-k|$의 그래프를 나타내면 다음과 같다.

(i) $k\le -11$
함수 $y=g(x)$는 모든 실수 x에 대하여 미분가능하다.

(ii) $-11<k<16$
함수 $y=g(x)$는 두 점에서 미분가능하지 않다.

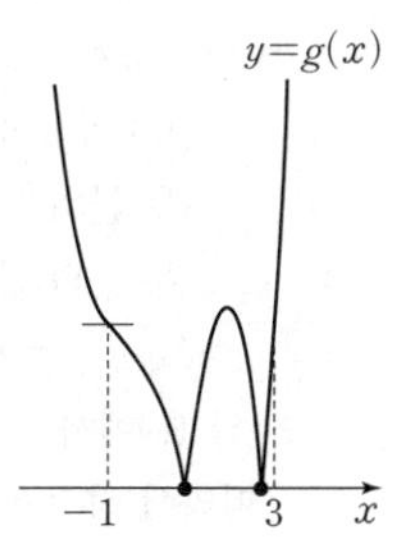

(iii) $k=16$

함수 $y=g(x)$는 오직 한 점에서 미분가능하지 않다.

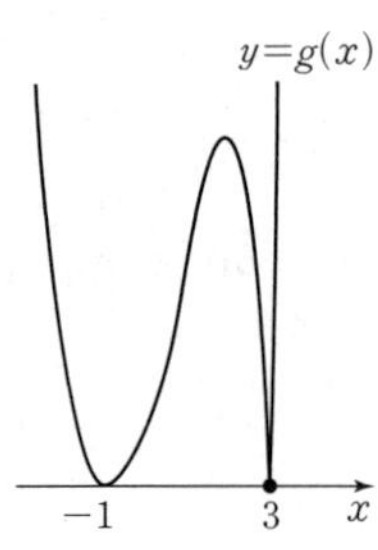

(iv) $k>16$

함수 $y=g(x)$는 두 점에서 미분가능하지 않다.

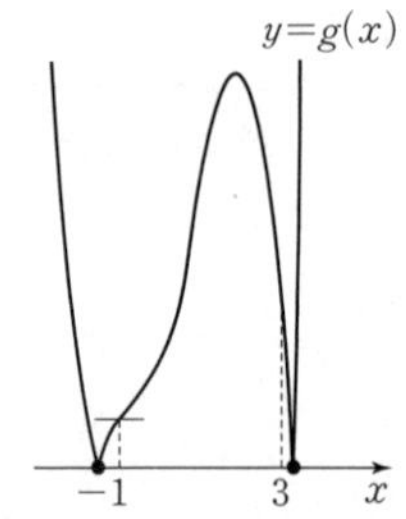

(i), (ii), (iii), (iv)에서 함수 $y=g(x)$가 오직 한 점에서만 미분가능하지 않으려면 함수 $y=f(x)$의 그래프를 y축의 방향으로 -16만큼 평행이동해야 하므로

$g(x)=|f(x)-16|$ $\quad\therefore a=16$

이때 미분가능하지 않은 점의 x좌표는 3이므로

$b=3$

$\therefore a+b=16+3=19$

답 19

참고

함수 $g(x)=|f(x)-k|$가 오직 한 점에서만 미분가능하지 않으려면 함수 $y=f(x)$가 극값을 갖지 않으면서 $f'(x)=0$이 되는 점이 x축을 지나도록 해야 한다.

50 $f(x)=x^3+3(a-1)x^2-3(a-3)x+5$에서

$f'(x)=3x^2+6(a-1)x-3a+9$

함수 $y=f(x)$가 $x\le 0$에서 극값을 갖지 않으려면

함수 $y=f(x)$가 극값을 갖지 않거나 $x>0$에서만 극값을 가져야 한다.

이차방정식 $3x^2+6(a-1)x-3a+9=0$의 판별식을 D라 하면

(i) 함수 $y=f(x)$가 극값을 갖지 않는 경우

방정식 $f'(x)=0$이 중근 또는 허근을 가져야 하므로

$\frac{D}{4}=9(a-1)^2-3(-3a+9)\le 0$

$a^2-a-2\le 0,\ (a+1)(a-2)\le 0$

$\therefore -1\le a\le 2$

(ii) 함수 $y=f(x)$가 $x>0$에서만 극값을 갖는 경우

방정식 $f'(x)=0$이 서로 다른 두 양의 실근을 가져야 하므로

$\frac{D}{4}=9(a-1)^2-3(-3a+9)>0$

$a^2-a-2>0,\ (a+1)(a-2)>0$

$\therefore a<-1$ 또는 $a>2$ ……㉠

이차방정식의 근과 계수의 관계에 의하여

(두 근의 합)$=-2(a-1)>0$ $\quad\therefore a<1$ ……㉡

(두 근의 곱)$=-a+3>0$ $\quad\therefore a<3$ ……㉢

㉠, ㉡, ㉢에서 $a<-1$

(i), (ii)에서 $a\le 2$

따라서 정수 a의 최댓값은 2이다.

답 ②

51 주어진 함수 $y=g(x)$의 그래프를 이용하여 함수 $y=f(x)$의 증가, 감소를 표로 나타내면 다음과 같다.

x	…	b	…	0	…	c	…	d	…
$g(x)$	+	0	−		+	0	−	0	+
$f'(x)$	−		+		+		−		+
$f(x)$	↘	극소	↗		↗	극대	↘	극소	↗

ㄱ. 함수 $y=f(x)$는 구간 $(b, 0)$에서 증가한다. (참)

ㄴ. 함수 $y=f(x)$는 $x=b$에서 극솟값을 갖는다. (참)

ㄷ. 함수 $y=f(x)$는 구간 $[a, e]$에서 $x=b, c, d$일 때 극값을 가지므로 3개의 극값을 갖는다. (거짓)

따라서 옳은 것은 ㄱ, ㄴ이다.

답 ③

52 ㄱ. $f'(a)=0$이므로 $f(a)=0$이면 $x=a$에서 곡선 $y=f(x)$는 x축과 접하므로 $f(x)=0$은 $x=a$에서 중근을 갖는다.

마찬가지로 $f'(b)=0$이므로 $f(b)=0$이면 $f(x)=0$은 $x=b$에서 중근을 갖는다. (참)

ㄴ. $g(x)=f(x)-x$라 하면

$g'(x)=f'(x)-1$이므로

$y=g'(x)$의 그래프는 그림과 같다.

구간 $(0, b)$에서 $g'(x)$의 부호가 양에서 음으로 바뀌므로 이 구간에서 극댓값을 갖는다. (참)

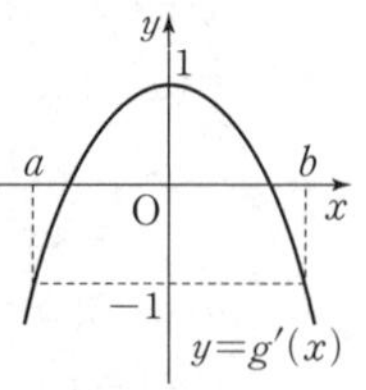

ㄷ. $g(x)=f(x)-2x$라 하면

$g'(x)=f'(x)-2\le 0$이므로 구간 $[a, b]$에서 감소하는 함수이다.

즉, 함수 $y=g(x)$는 구간 $[a, b]$에서 $x=a$일 때 최댓값을 갖는다. (참)

따라서 ㄱ, ㄴ, ㄷ 모두 옳다.

답 ⑤

53 $h(x)=f(x)-g(x)$에서

$h'(x)=f'(x)-g'(x)$

$h'(x)=0$에서 $x=0$ 또는 $x=2$

함수 $y=h(x)$의 증가, 감소를 표로 나타내면 다음과 같다.

x	…	0	…	2	…
$h'(x)$	+	0	−	0	+
$h(x)$	↗	극대	↘	극소	↗

ㄱ. $0<x<2$에서 함수 $y=h(x)$는 감소한다. (참)

ㄴ. 함수 $y=h(x)$는 $x=2$에서 극솟값을 갖는다. (참)

ㄷ. $x=0$에서 함수 $y=h(x)$의 극댓값은

$h(0)=f(0)-g(0)=0$

함수 $y=h(x)$의 그래프는 그림과 같으므로 방정식 $h(x)=0$은 서로 다른 두 실근을 갖는다. (거짓)

따라서 옳은 것은 ㄱ, ㄴ이다.

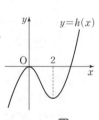

답 ㄱ, ㄴ

54 $f(x)=-\frac{1}{2}ax^4+3ax^2-4ax+b\ (a>0)$에서

$f'(x)=-2ax^3+6ax-4a=-2a(x^3-3x+2)$
$=-2a(x+2)(x-1)^2$

$f'(x)=0$에서 $x=-2$ 또는 $x=1$

$-3\le x\le 0$에서 함수 $y=f(x)$의 증가, 감소를 표로 나타내면 다음과 같다.

x	-3	$\cdots$	-2	$\cdots$	0
$f'(x)$		$+$	0	$-$	
$f(x)$	$-\frac{3}{2}a+b$	$\nearrow$	$12a+b$	$\searrow$	b

$a>0$이므로 함수 $y=f(x)$는 $x=-2$에서 최댓값 $12a+b$,

$x=-3$에서 최솟값 $-\frac{3}{2}a+b$를 갖는다.

즉, $12a+b=27$, $-\frac{3}{2}a+b=0$이므로

두 식을 연립하여 풀면 $a=2$, $b=3$

$\therefore ab=6$ 답 6

55 직선 PQ의 방정식은 기울기가 1이므로

$y-a^2=x-a$

$\therefore y=x+a^2-a$

이 직선과 곡선 $y=x^2$이 만나므로

$x^2=x+a^2-a$, $(x-a)(x+a-1)=0$

$\therefore x=a$ 또는 $x=1-a$

점 $\mathrm{Q}(1-a, (1-a)^2)$이므로

$\overline{\mathrm{PQ}}=\sqrt{\{a-(1-a)\}^2+\{a^2-(1-a)^2\}^2}$
$=\sqrt{2(2a-1)^2}=\sqrt{2}(2a-1)$

점 $\mathrm{A}(0, 6)$과 직선 $x-y+a^2-a=0$ 사이의 거리를 h라 하면

$h=\frac{|a^2-a-6|}{\sqrt{2}}=\frac{|(a-3)(a+2)|}{\sqrt{2}}$
$=\frac{-a^2+a+6}{\sqrt{2}}$ $(\because 1\le a<3)$

삼각형 AQP의 넓이를 $S(a)$라 하면

$S(a)=\frac{1}{2}\times\overline{\mathrm{PQ}}\times h=\frac{\sqrt{2}(2a-1)}{2}\times\frac{-a^2+a+6}{\sqrt{2}}$
$=\frac{1}{2}(-2a^3+3a^2+11a-6)$

$S'(a)=\frac{1}{2}(-6a^2+6a+11)$

$S'(a)=0$에서 $a=\frac{3+\sqrt{9+66}}{6}=\frac{3+5\sqrt{3}}{6}$ $(\because 1\le a<3)$

$1\le a<3$에서 함수 $y=S(a)$의 증가, 감소를 표로 나타내면 다음과 같다.

a	1	$\cdots$	$\frac{3+5\sqrt{3}}{6}$	$\cdots$	(3)
$S'(a)$		$+$	0	$-$	
$S(a)$		$\nearrow$	극대	$\searrow$	

따라서 $a=\frac{3+5\sqrt{3}}{6}$일 때, 삼각형 AQP의 넓이가 최대가 되므로 $p=6$, $q=5$

$\therefore p+q=11$ 답 11

56 조건 (가)에서 함수 $y=f(x)$는 $x-n$을 인수로 갖고 조건 (나)에서

$x+n>0$, 즉 $x>-n$일 때 $f(x)\ge 0$

$x+n<0$, 즉 $x<-n$일 때 $f(x)\le 0$

이므로 함수 $y=f(x)$의 그래프의 개형은 그림과 같다.

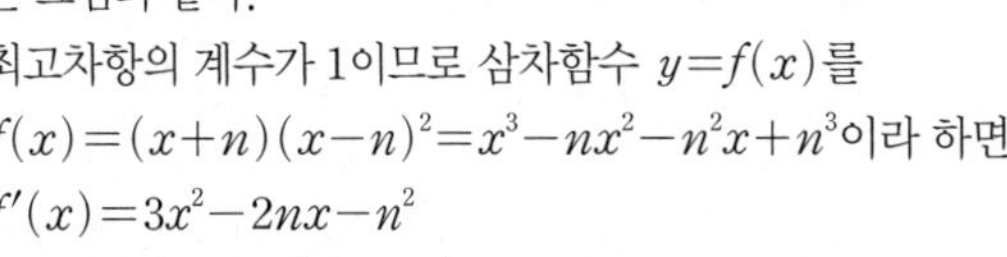

최고차항의 계수가 1이므로 삼차함수 $y=f(x)$를

$f(x)=(x+n)(x-n)^2=x^3-nx^2-n^2x+n^3$이라 하면

$f'(x)=3x^2-2nx-n^2$
$=(3x+n)(x-n)$

$f'(x)=0$에서 $x=-\frac{n}{3}$ 또는 $x=n$

함수 $y=f(x)$의 증가, 감소를 표로 나타내면 다음과 같다.

x	$\cdots$	$-\frac{n}{3}$	$\cdots$	n	$\cdots$
$f'(x)$	$+$	0	$-$	0	$+$
$f(x)$	$\nearrow$	$\frac{32}{27}n^3$	$\searrow$	0	$\nearrow$

따라서 함수 $y=f(x)$는 $x=-\frac{n}{3}$에서 극댓값 $\frac{32}{27}n^3$을 갖는다.

즉, $a_n=\frac{32}{27}n^3$이고 a_n이 자연수가 되도록 하는 자연수 n의 최솟값은 3이다. 답 3

57 $f(x)=-3x^4+4(a-1)x^3+6ax^2\ (a>0)$에서

$f'(x)=-12x^3+12(a-1)x^2+12ax$
$=-12x(x+1)(x-a)$

$f'(x)=0$에서 $x=-1$ 또는 $x=0$ 또는 $x=a$

함수 $y=f(x)$의 증가, 감소를 표로 나타내면 다음과 같다.

x	$\cdots$	-1	$\cdots$	0	$\cdots$	a	$\cdots$
$f'(x)$	$+$	0	$-$	0	$+$	0	$-$
$f(x)$	$\nearrow$	$2a+1$	$\searrow$	0	$\nearrow$	a^4+2a^3	$\searrow$

함수 $y=f(x)$는 $x=-1$, $x=a$에서 극대이고 $x=0$에서 극소이므로

(i) $f(-1)\ge f(a)$일 때,

$g(t)=\begin{cases} f(t) & (t<-1) \\ f(-1) & (t\ge -1)\end{cases}$

함수 $y=g(t)$가 실수 전체의 집합에서 미분가능하므로 $t=-1$에서 미분가능해야 한다. 즉,

$\lim_{t\to -1-}g'(t)=\lim_{t\to -1-}f'(t)$
$=\lim_{t\to -1-}\{-12t(t+1)(t-a)\}=0$

$\lim_{t\to -1+}g'(t)=\lim_{t\to -1+}0=0$

이므로 함수 $y=g(t)$는 실수 전체의 집합에서 미분가능하다.

(ii) $f(-1)<f(a)$일 때,

$0<x<a$에서 $f(-1)=f(x)$인 x의 값을 k라 하면

$g(t)=\begin{cases} f(t) & (t<-1) \\ f(-1) & (-1\le t<k) \\ f(t) & (k\le t<a) \\ f(a) & (t\ge a)\end{cases}$

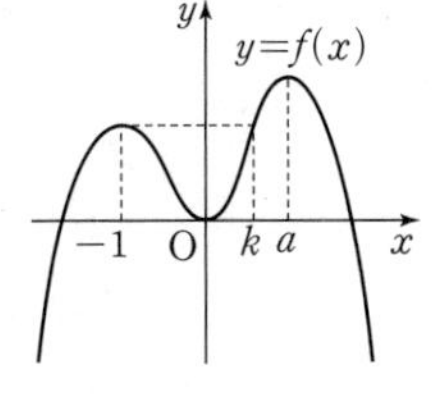

함수 $y=g(t)$가 실수 전체의 집합에서 미분가능하므로 $t=-1$, $t=k$, $t=a$에서 미분가능해야 한다.

그런데 (i)에서 함수 $y=g(t)$는 $t=-1$에서 미분가능하므로 $t=k$, $t=a$에서 미분가능성을 조사하면

$\lim_{t \to k-} g'(t) = \lim_{t \to k-} 0 = 0$

$\lim_{t \to k+} g'(t) = \lim_{t \to k+} f'(t)$
$= \lim_{t \to k+} \{-12t(t+1)(t-a)\}$
$= -12k(k+1)(k-a)$

이므로 함수 $y=g(t)$는 $t=k$에서 미분가능하지 않다.

$\lim_{t \to a-} g'(t) = \lim_{t \to a-} f'(t)$
$= \lim_{t \to a-} \{-12t(t+1)(t-a)\} = 0$

$\lim_{t \to a+} g'(t) = \lim_{t \to a+} 0 = 0$

이므로 함수 $y=g(t)$는 $t=a$에서 미분가능하다.

(i), (ii)에서 함수 $y=g(t)$가 모든 실수 t에서 미분가능하려면 $f(-1) \ge f(a)$이어야 한다.

즉, $2a+1 \ge a^4+2a^3$에서

$a^4+2a^3-2a-1 \le 0$, $(a+1)^3(a-1) \le 0$

$(a+1)(a-1) \le 0$ ($\because (a+1)^2 > 0$)

$\therefore 0 < a \le 1$ ($\because a > 0$)

따라서 구하는 실수 a의 최댓값은 1이다. 답 1

07 도함수의 활용

본책 073~082쪽

01 $2x^3-3x^2-12x+a=0$에서

$-2x^3+3x^2+12x=a$ ······ ㉠

$f(x)=-2x^3+3x^2+12x$라 하면

$f'(x)=-6x^2+6x+12$
$=-6(x^2-x-2)$
$=-6(x+1)(x-2)$

$f'(x)=0$에서 $x=-1$ 또는 $x=2$

함수 $y=f(x)$의 증가, 감소를 표로 나타내고 그 그래프를 그리면 다음과 같다.

x	⋯	-1	⋯	2	⋯
$f'(x)$	$-$	0	$+$	0	$-$
$f(x)$	↘	-7	↗	20	↘

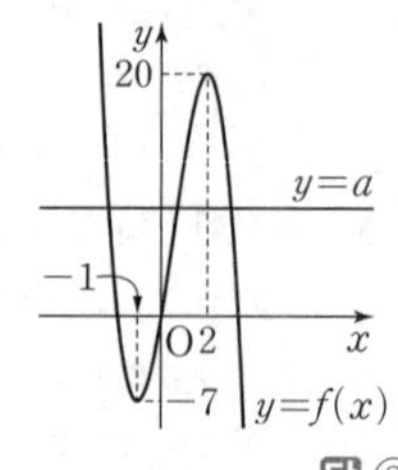

즉, 방정식 ㉠의 서로 다른 실근의 개수는 곡선 $y=-2x^3+3x^2+12x$와 직선 $y=a$의 교점의 개수와 같으므로 서로 다른 세 실근을 가질 때 실수 a의 값의 범위는

$-7 < a < 20$

답 ②

02 주어진 두 곡선이 서로 다른 두 점에서 만나려면 삼차방정식 $x^3-4x^2+2x=2x^2-7x+a$가 서로 다른 두 실근을 가져야 한다.

$f(x)=x^3-4x^2+2x-(2x^2-7x+a)=x^3-6x^2+9x-a$

라 하면

$f'(x)=3x^2-12x+9=3(x-1)(x-3)$

$f'(x)=0$에서 $x=1$ 또는 $x=3$

함수 $y=f(x)$의 증가, 감소를 표로 나타내면 다음과 같다.

x	⋯	1	⋯	3	⋯
$f'(x)$	$+$	0	$-$	0	$+$
$f(x)$	↗	$4-a$	↘	$-a$	↗

삼차방정식 $f(x)=0$이 서로 다른 두 실근을 가지려면 (극댓값)×(극솟값)=0이어야 하므로

$f(1)f(3)=-a(4-a)=0$

$\therefore a=4$ ($\because a>0$) 답 4

03 주어진 도함수 $y=f'(x)$의 그래프를 이용하여 함수 $y=f(x)$의 증가, 감소를 표로 나타내고 그 그래프를 그리면 다음과 같다.

x	⋯	-1	⋯	2	⋯
$f'(x)$	$+$	0	$-$	0	$+$
$f(x)$	↗	6	↘	2	↗

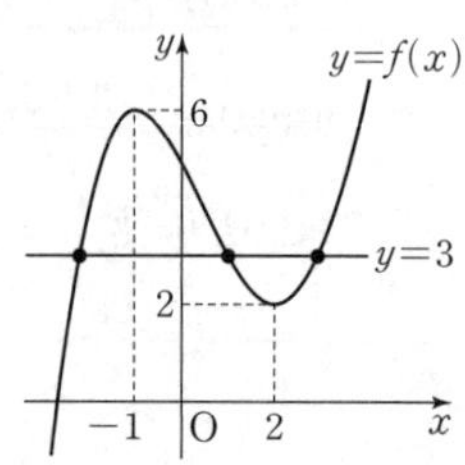

방정식 $f(x)=3$의 실근의 개수는 곡선 $y=f(x)$와 직선 $y=3$의 교점의 개수와 같으므로 방정식 $f(x)=3$을 만족시키는 서로 다른 실근의 개수는 3이다.

답 3

04 $x^3-12x+8+k=0$에서
$x^3-12x+8=-k$
$f(x)=x^3-12x+8$이라 하면
$f'(x)=3x^2-12=3(x+2)(x-2)$
$f'(x)=0$에서 $x=-2$ 또는 $x=2$
함수 $y=f(x)$의 증가, 감소를 표로 나타내고 그 그래프를 그리면 다음과 같다.

x	$\cdots$	-2	$\cdots$	2	$\cdots$
$f'(x)$	$+$	0	$-$	0	$+$
$f(x)$	↗	24	↘	-8	↗

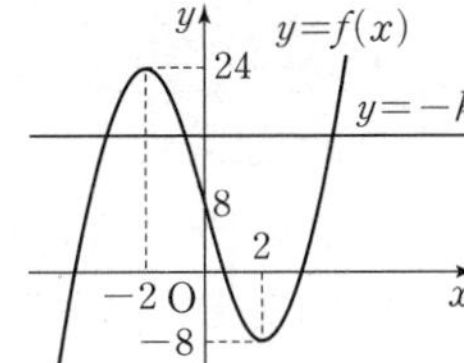

따라서 함수 $y=f(x)$의 그래프와 직선 $y=-k$의 교점의 x좌표가 두 개는 음수이고, 한 개는 양수가 되는 $-k$의 값의 범위는
$8<-k<24$
$\therefore -24<k<-8$
따라서 $\alpha=-24$, $\beta=-8$이므로
$\alpha\beta=192$ 답 192

05 $f(x)=x^4-4x^3+a+3$이라 하면
$f'(x)=4x^3-12x^2=4x^2(x-3)$
$f'(x)=0$에서 $x=0$ 또는 $x=3$
함수 $y=f(x)$의 증가, 감소를 표로 나타내면 다음과 같다.

x	$\cdots$	0	$\cdots$	3	$\cdots$
$f'(x)$	$-$	0	$-$	0	$+$
$f(x)$	↘	$a+3$	↘	$a-24$	↗

함수 $y=f(x)$는 $x=3$에서 최솟값을 가지므로 모든 실수 x에 대하여 $f(x)>0$이려면
$f(3)=a-24>0$ $\quad\therefore a>24$ 답 ⑤

06 $f(x)=2x^3+3x^2+k$라 하면
$f'(x)=6x^2+6x=6x(x+1)$
$x<-1$일 때, $f'(x)>0$이므로 함수 $y=f(x)$는 구간 $(-\infty, -1)$에서 증가한다.
즉, $x<-1$일 때, $f(x)<0$이려면 $f(-1)\le 0$이어야 하므로
$f(-1)=-2+3+k=1+k\le 0$
$\therefore k\le -1$
따라서 실수 k의 최댓값은 -1이다. 답 -1

07 점 P의 시각 t에서의 속도를 v, 가속도를 a라 하면
$v=\dfrac{dx}{dt}=9t^2-18t$
$a=\dfrac{dv}{dt}=18t-18$
점 P가 운동 방향을 바꿀 때의 속도는 0이므로
$9t^2-18t=0$, $9t(t-2)=0$
$\therefore t=2$ ($\because t>0$)
따라서 $t=2$일 때 운동 방향을 바꾸므로 구하는 가속도는
$18\times 2-18=18$ 답 ④

08 $h(t)=30t-5t^2$에서 t초 후의 공의 속도를 $v(t)$라 하면
$v(t)=h'(t)=30-10t$
공이 최고 높이에 도달할 때의 속도는 0이므로
$30-10t=0$ $\quad\therefore t=3$
따라서 공이 도달할 수 있는 최고 높이는
$h(3)=30\times 3-5\times 3^2=45$ (m) 답 45 m

09 $2x^3-6x^2+a+6=0$에서
$-2x^3+6x^2-6=a$ $\quad\cdots\cdots$ ㉠
$f(x)=-2x^3+6x^2-6$이라 하면
$f'(x)=-6x^2+12x$
$=-6x(x-2)$
$f'(x)=0$에서 $x=0$ 또는 $x=2$
함수 $y=f(x)$의 증가, 감소를 표로 나타내고 그 그래프를 그리면 다음과 같다.

x	$\cdots$	0	$\cdots$	2	$\cdots$
$f'(x)$	$-$	0	$+$	0	$-$
$f(x)$	↘	-6	↗	2	↘

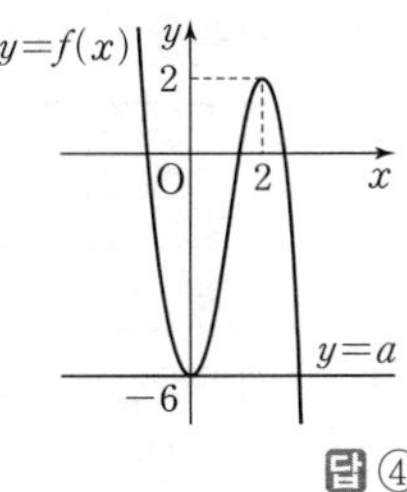

즉, 방정식 ㉠이 한 실근과 중근을 갖기 위해서는
$a=-6$ 또는 $a=2$
따라서 모든 실수 a의 값의 합은
$(-6)+2=-4$ 답 ④

다른 풀이
$f(x)=2x^3-6x^2+a+6$이라 하면
$f'(x)=6x^2-12x$
$=6x(x-2)$
$f'(x)=0$에서 $x=0$ 또는 $x=2$
함수 $y=f(x)$의 증가, 감소를 표로 나타내면 다음과 같다.

x	$\cdots$	0	$\cdots$	2	$\cdots$
$f'(x)$	$+$	0	$-$	0	$+$
$f(x)$	↗	$a+6$	↘	$a-2$	↗

삼차방정식 $f(x)=0$이 한 실근과 중근을 가지려면
(극댓값)$\times$(극솟값)$=0$이어야 하므로
$f(0)f(2)=(a+6)(a-2)=0$
$\therefore a=-6$ 또는 $a=2$
따라서 모든 실수 a의 값의 합은
$(-6)+2=-4$

10 $g(x)=2x^3-3x^2-12x-10+a=0$에서
$-2x^3+3x^2+12x+10=a$ $\quad\cdots\cdots$ ㉠
$h(x)=-2x^3+3x^2+12x+10$이라 하면
$h'(x)=-6x^2+6x+12$
$=-6(x^2-x-2)$
$=-6(x+1)(x-2)$
$h'(x)=0$에서 $x=-1$ 또는 $x=2$
함수 $y=h(x)$의 증가, 감소를 표로 나타내고 그 그래프를 그리면 다음과 같다.

x	$\cdots$	-1	$\cdots$	2	$\cdots$
$h'(x)$	$-$	0	$+$	0	$-$
$h(x)$	↘	3	↗	30	↘

즉, 방정식 ㉠이 서로 다른 두 실근을 갖기 위해서는

$a=3$ 또는 $a=30$

따라서 모든 실수 a의 값의 합은

$3+30=33$

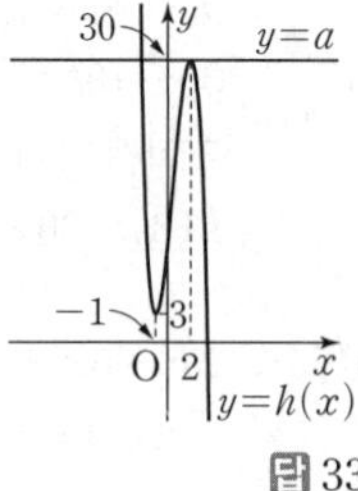

답 33

다른 풀이

$f(x)=2x^3-3x^2-12x-10$이라 하면 함수 $y=f(x)$의 그래프를 y축의 방향으로 a만큼 평행이동하였으므로

$g(x)=f(x)+a$

$=2x^3-3x^2-12x-10+a$

$g'(x)=6x^2-6x-12$

$=6(x^2-x-2)$

$=6(x+1)(x-2)$

$g'(x)=0$에서 $x=-1$ 또는 $x=2$

함수 $y=g(x)$의 증가, 감소를 표로 나타내면 다음과 같다.

x	$\cdots$	-1	$\cdots$	2	$\cdots$
$g'(x)$	$+$	0	$-$	0	$+$
$g(x)$	$\nearrow$	$a-3$	$\searrow$	$a-30$	$\nearrow$

삼차방정식 $g(x)=0$이 서로 다른 두 실근을 가지려면

(극댓값)×(극솟값)$=0$이어야 하므로

$g(-1)g(2)=(a-3)(a-30)=0$

$\therefore a=3$ 또는 $a=30$

따라서 모든 실수 a의 값의 합은

$3+30=33$

11 $3x^4-4x^3-8x^2=4x^2-a$에서

$3x^4-4x^3-12x^2=-a$ ……㉠

$f(x)=3x^4-4x^3-12x^2$이라 하면

$f'(x)=12x^3-12x^2-24x$

$=12x(x^2-x-2)$

$=12x(x+1)(x-2)$

$f'(x)=0$에서 $x=-1$ 또는 $x=0$ 또는 $x=2$

함수 $y=f(x)$의 증가, 감소를 표로 나타내고 그 그래프를 그리면 다음과 같다.

x	$\cdots$	-1	$\cdots$	0	$\cdots$	2	$\cdots$
$f'(x)$	$-$	0	$+$	0	$-$	0	$+$
$f(x)$	$\searrow$	-5	$\nearrow$	0	$\searrow$	-32	$\nearrow$

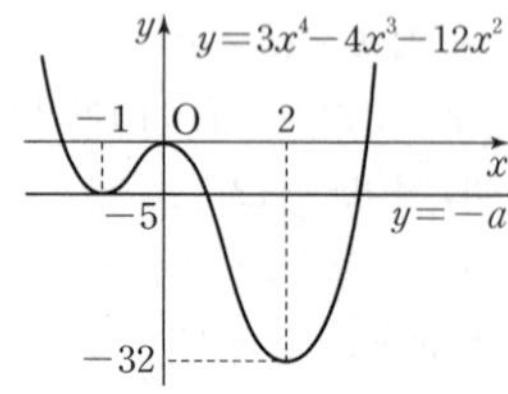

따라서 방정식 ㉠의 서로 다른 실근의 개수는 곡선 $y=3x^4-4x^3-12x^2$과 직선 $y=-a$의 교점의 개수와 같으므로 서로 다른 세 실근을 가지려면

$-a=0$ 또는 $-a=-5$

$\therefore a=0$ 또는 $a=5$

답 $a=0$ 또는 $a=5$

12 곡선과 직선이 오직 한 점에서 만나려면 방정식 $2x^3-3x^2=12x+k$가 오직 하나의 실근을 가져야 한다.

$f(x)=2x^3-3x^2-(12x+k)$

$=2x^3-3x^2-12x-k$

라 하면

$f'(x)=6x^2-6x-12$

$=6(x^2-x-2)$

$=6(x+1)(x-2)$

$f'(x)=0$에서 $x=-1$ 또는 $x=2$

함수 $y=f(x)$의 증가, 감소를 표로 나타내면 다음과 같다.

x	$\cdots$	-1	$\cdots$	2	$\cdots$
$f'(x)$	$+$	0	$-$	0	$+$
$f(x)$	$\nearrow$	$7-k$	$\searrow$	$-20-k$	$\nearrow$

삼차방정식 $f(x)=0$이 오직 하나의 실근을 가지려면

(극댓값)×(극솟값)>0이어야 하므로

$f(-1)f(2)=(7-k)(-20-k)>0$

$\therefore k<-20$ 또는 $k>7$

따라서 자연수 k의 최솟값은 8이다.

답 8

13 주어진 두 곡선이 오직 한 점에서 만나려면 $x^4-4x+a=-x^2+2x-a$가 오직 하나의 실근을 가져야 한다.

$f(x)=x^4-4x+a-(-x^2+2x-a)$

$=x^4+x^2-6x+2a$

라 하면 사차방정식 $f(x)=0$의 실근이 오직 하나이어야 한다.

$f'(x)=4x^3+2x-6$

$=(x-1)(4x^2+4x+6)$

$4x^2+4x+6=4\left(x+\frac{1}{2}\right)^2+5>0$이므로

$f'(x)=0$에서 $x=1$

함수 $y=f(x)$의 증가, 감소를 표로 나타내면 다음과 같다.

x	$\cdots$	1	$\cdots$
$f'(x)$	$-$	0	$+$
$f(x)$	$\searrow$	$f(1)$	$\nearrow$

따라서 함수 $y=f(x)$는 $x=1$에서 최솟값 $f(1)$을 갖고 사차방정식 $f(x)=0$이 오직 하나의 실근을 가지려면 최솟값이 0이어야 하므로

$f(1)=1+1-6+2a=0$

$\therefore a=2$

답 2

14 $f(x)=x^3+x^2$이라 하면

$f'(x)=3x^2+2x$

곡선 $y=x^3+x^2$ 위의 점 (t, t^3+t^2)에서의 접선의 방정식은

$y-(t^3+t^2)=(3t^2+2t)(x-t)$

이 직선이 점 $(0, a)$를 지나므로

$a-(t^3+t^2)=(3t^2+2t)(0-t)$

$\therefore 2t^3+t^2+a=0$ ……㉠

점 $\mathrm{A}(0, a)$에서 곡선 $y=f(x)$에 서로 다른 세 개의 접선을 그을 수 있으려면 방정식 ㉠이 서로 다른 세 실근을 가져야 한다.

$g(t)=2t^3+t^2+a$라 하면

$g'(t)=6t^2+2t=2t(3t+1)$

$g'(t)=0$에서 $t=-\frac{1}{3}$ 또는 $t=0$

함수 $y=g(t)$의 증가, 감소를 표로 나타내면 다음과 같다.

t	$\cdots$	$-\frac{1}{3}$	$\cdots$	0	$\cdots$
$g'(t)$	$+$	0	$-$	0	$+$
$g(t)$	↗	$a+\frac{1}{27}$	↘	a	↗

삼차방정식 $g(t)=0$이 서로 다른 세 실근을 가지려면

(극댓값)×(극솟값)<0이어야 하므로

$g\left(-\frac{1}{3}\right)g(0)=a\left(a+\frac{1}{27}\right)<0$

$\therefore -\frac{1}{27}<a<0$ 답 ③

15 주어진 그래프에서 $f'(a)=f'(b)=f'(c)=0$이므로 함수 $y=f(x)$의 증가, 감소를 표로 나타내고 그 그래프를 그리면 다음과 같다.

x	$\cdots$	a	$\cdots$	b	$\cdots$	c	$\cdots$
$f'(x)$	$-$	0	$+$	0	$-$	0	$+$
$f(x)$	↘	-5	↗	4	↘	1	↗

방정식 $f(x)+3=0$의 서로 다른 실근의 개수는 함수 $y=f(x)$의 그래프와 직선 $y=-3$의 교점의 개수와 같으므로 그림에서 서로 다른 실근의 개수는 2이다.

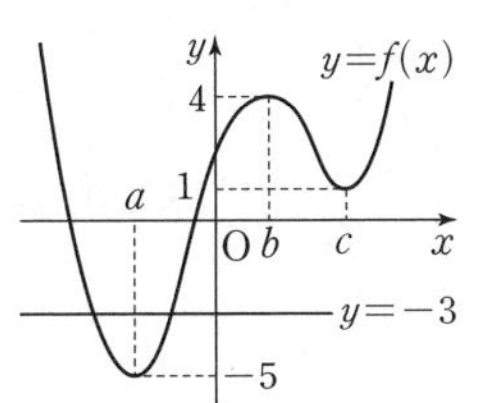

답 2

16 함수 $y=f'(x)$의 그래프에서 $f'(x)=0$이 되는 x의 값은 0, 2이므로 함수 $y=f(x)$의 증가, 감소를 표로 나타내면 다음과 같다.

x	$\cdots$	0	$\cdots$	2	$\cdots$
$f'(x)$	$+$	0	$-$	0	$+$
$f(x)$	↗	극대	↘	극소	↗

$f(x)=x^3+ax^2+bx+c$에서

$f'(x)=3x^2+2ax+b$

$f'(0)=0,\ f'(2)=0$이므로

$f'(0)=b=0$ $\cdots\cdots$ ㉠

$f'(2)=12+4a+b=0$ $\cdots\cdots$ ㉡

㉠, ㉡을 연립하여 풀면

$a=-3,\ b=0$

또 함수 $y=f(x)$는 $x=2$에서 극솟값 1을 가지므로

$f(2)=8+4a+2b+c=1$

$-4+c=1$ $\quad\therefore c=5$

$\therefore f(x)=x^3-3x^2+5$

극댓값이 $f(0)=5$이고,

함수 $y=f(x)$의 그래프는 그림과 같다.

따라서 방정식 $f(x)=k$가 서로 다른 두 실근을 갖게 하는 실수 k의 값은 5이다. ($\because k>1$)

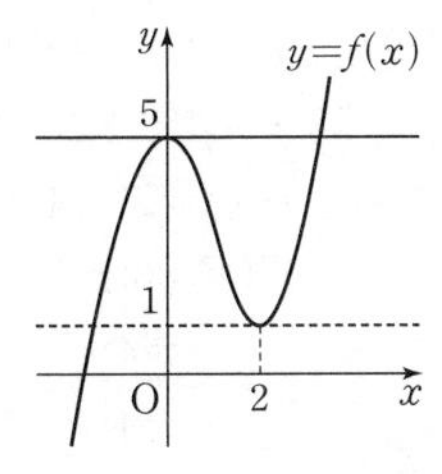

답 5

17 $f'(-2)=f'(2)=0$이므로

$f'(x)=a(x+2)(x-2)\ (a<0)$라 하면

함수 $y=f(x)$는 $x=-2$에서 극솟값 $f(-2)$, $x=2$에서 극댓값 $f(2)$를 갖고, 도함수 $y=f'(x)$의 그래프에서 함수 $y=f(x)$의 그래프의 개형을 추론하면 다음과 같다.

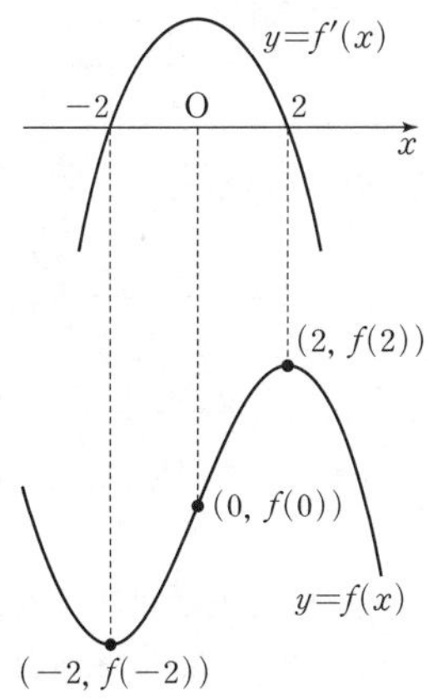

즉, 두 점 $(-2,\ f(-2))$, $(2,\ f(2))$는 점 $(0,\ f(0))$에 대하여 대칭이고, $f(2)=4$, $f(0)=1$이므로

$f(0)=\frac{f(-2)+f(2)}{2}$에서

$f(-2)=-2$

따라서 방정식 $f(x)=k$가 서로 다른 세 실근을 갖도록 하는 정수 k의 값은 $-1, 0, 1, 2, 3$이다.

$\therefore (-1)+0+1+2+3=5$ 답 5

참고

삼차함수 $y=f(x)$에 대하여 그 도함수 $y=f'(x)$(이차함수)가 $x=a$에서 극소(극대)이면 삼차함수 $y=f(x)$의 그래프는 점 $(a,\ f(a))$에 대하여 대칭이다.

(i) $y=f'(x)$가 $x=a$에서 극소인 경우

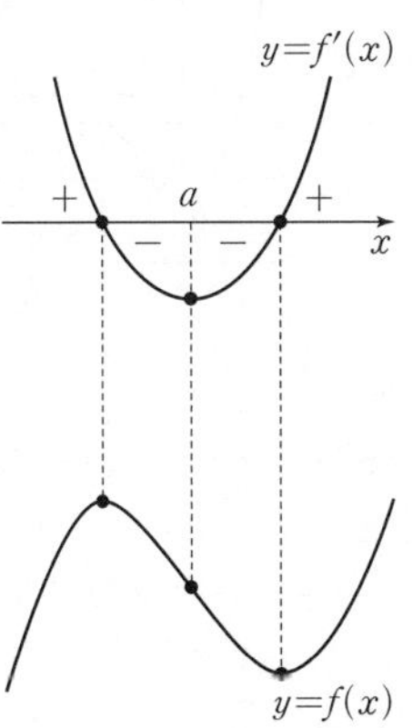

(ii) $y=f'(x)$가 $x=a$에서 극대인 경우

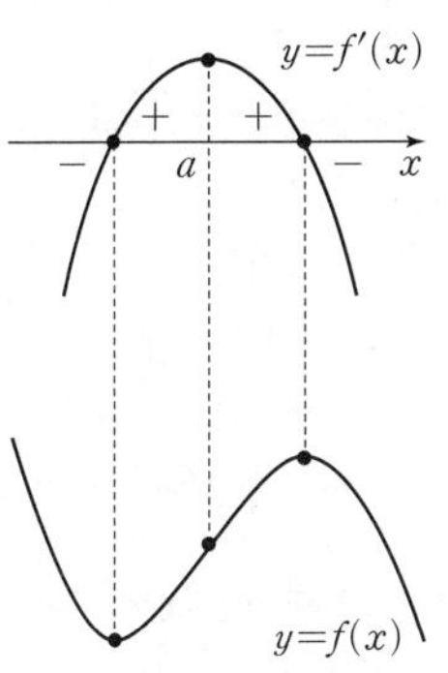

18 $f(x)=x^3-3x-1$이므로

$f'(x)=3x^2-3=3(x+1)(x-1)$

$f'(x)=0$에서 $x=-1$ 또는 $x=1$

함수 $y=f(x)$의 증가, 감소를 표로 나타내면 다음과 같다.

x	$\cdots$	-1	$\cdots$	1	$\cdots$
$f'(x)$	$+$	0	$-$	0	$+$
$f(x)$	↗	1	↘	-3	↗

따라서 함수 $y=|f(x)|$의 그래프는 다음과 같다.

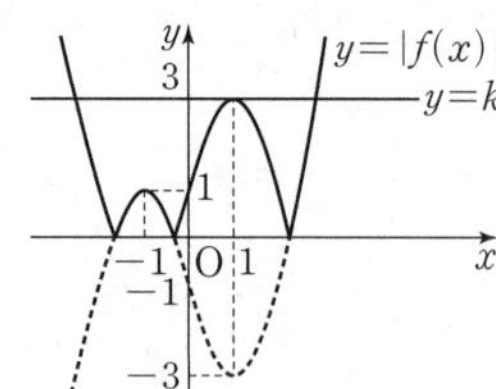

방정식 $|f(x)|=k$가 서로 다른 세 실근을 가지려면 곡선 $y=|f(x)|$와 직선 $y=k$의 교점의 개수가 3이어야 하므로

$k=3$

답 ③

19 도함수 $y=f'(x)$의 그래프에서 $f'(x)=0$이 되는 x의 값은 0, 3이므로 함수 $y=f(x)$의 증가, 감소를 표로 나타내면 다음과 같다.

x	$\cdots$	0	$\cdots$	3	$\cdots$
$f'(x)$	$-$	0	$+$	0	$-$
$f(x)$	↘	2	↗	5	↘

함수 $y=|f(x)|$의 그래프는 다음과 같고,

방정식 $|f(x)|=k$의 서로 다른 실근의 개수는

곡선 $y=|f(x)|$와 직선 $y=k$의 교점의 개수와 같다.

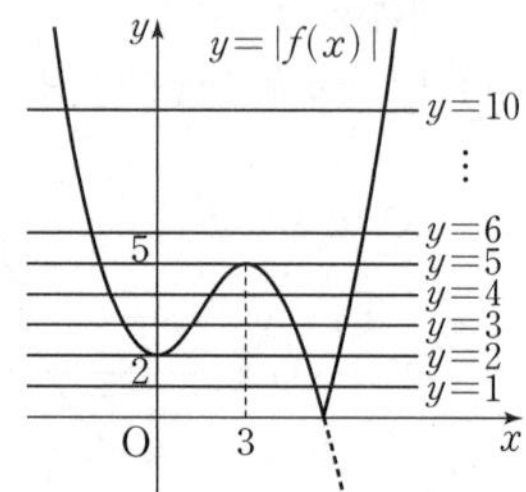

(i) $k=1$일 때

교점의 개수는 2이므로 $p(1)=2$

(ii) $k=2$일 때

교점의 개수는 3이므로 $p(2)=3$

(iii) $k=3$ 또는 $k=4$일 때

교점의 개수는 4이므로

$p(3)=p(4)=4$

(iv) $k=5$일 때

교점의 개수는 3이므로 $p(5)=3$

(v) $k=6, 7, 8, 9, 10$일 때

교점의 개수는 2이므로

$p(6)=p(7)=p(8)=p(9)=p(10)=2$

$\therefore p(1)+p(2)+p(3)+\cdots+p(10)$

$=2+3+4\times2+3+2\times5=26$

답 26

20 $f(0)=4$이고 y축에 대하여 대칭인 사차함수 $y=f(x)$를 $f(x)=ax^4+bx^2+4$라 하면

$f'(x)=4ax^3+2bx$

함수 $y=f(x)$가 $x=1$에서 극솟값 -2를 가지므로

$f(1)=-2,\ f'(1)=0$

$f(1)=a+b+4=-2$

$\therefore a+b=-6$ ……㉠

$f'(1)=4a+2b=0$

$\therefore 2a+b=0$ ……㉡

㉠, ㉡을 연립하여 풀면

$a=6,\ b=-12$

$\therefore f(x)=6x^4-12x^2+4$

함수 $y=|f(x)|$의 그래프는 다음과 같고 방정식 $|f(x)|=2$의 서로 다른 실근의 개수는 곡선 $y=|f(x)|$와 직선 $y=2$의 교점의 개수와 같다.

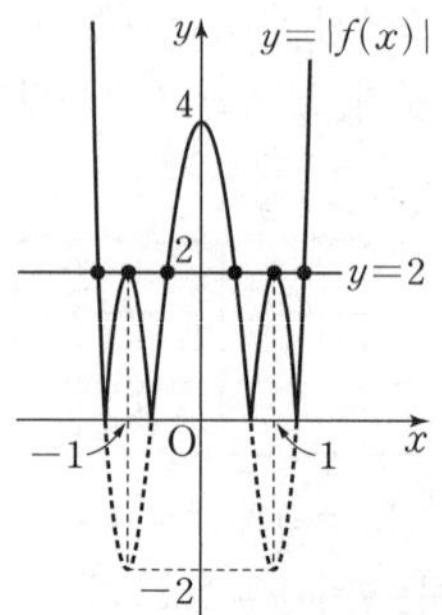

따라서 방정식 $|f(x)|=2$의 서로 다른 실근의 개수는 6이다.

답 6

21 $2x^3-3x^2-12x+a=0$에서

$2x^3-3x^2-12x=-a$

$f(x)=2x^3-3x^2-12x$라 하면

$f'(x)=6x^2-6x-12$

$=6(x^2-x-2)$

$=6(x+1)(x-2)$

$f'(x)=0$에서 $x=-1$ 또는 $x=2$

함수 $y=f(x)$의 증가, 감소를 표로 나타내고 그 그래프를 그리면 다음과 같다.

x	$\cdots$	-1	$\cdots$	2	$\cdots$
$f'(x)$	$+$	0	$-$	0	$+$
$f(x)$	↗	7	↘	-20	↗

따라서 함수 $y=f(x)$의 그래프와 직선 $y=-a$의 교점의 x좌표가 두 개는 양수이고, 한 개는 음수가 되는 $-a$의 값의 범위는

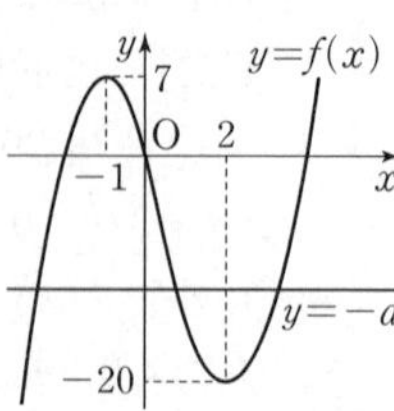

$-20<-a<0$

$\therefore 0<a<20$

따라서 정수 a의 개수는 1, 2, 3, $\cdots$, 19의 19이다.

답 19

22 $x^4-4x^3-2x^2+12x+6-a=0$에서

$x^4-4x^3-2x^2+12x+6=a$

$f(x)=x^4-4x^3-2x^2+12x+6$이라 하면

$f'(x)=4x^3-12x^2-4x+12$

$=4(x^3-3x^2-x+3)$

$=4(x+1)(x-1)(x-3)$

$f'(x)=0$에서 $x=-1$ 또는 $x=1$ 또는 $x=3$

함수 $y=f(x)$의 증가, 감소를 표로 나타내고 그 그래프를 그리면 다음과 같다.

x	$\cdots$	-1	$\cdots$	1	$\cdots$	3	$\cdots$
$f'(x)$	$-$	0	$+$	0	$-$	0	$+$
$f(x)$	↘	-3	↗	13	↘	-3	↗

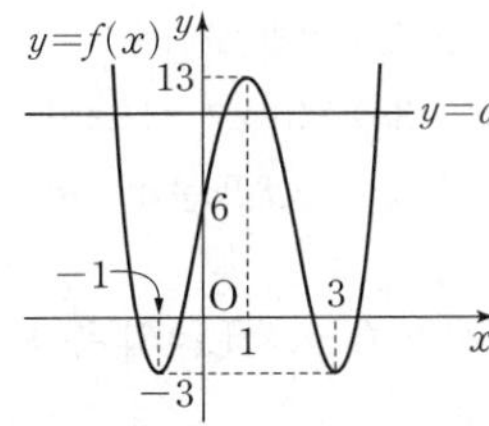

따라서 함수 $y=f(x)$의 그래프와 직선 $y=a$의 교점의 x좌표가 세 개는 양수이고, 한 개는 음수가 되는 a의 값의 범위는
$6<a<13$ 답 ④

23 $f(x)=g(x)$에서 $3x^3-x^2-3x=x^3-4x^2+9x+a$이므로
$2x^3+3x^2-12x=a$
$h(x)=2x^3+3x^2-12x$라 하면
$h'(x)=6x^2+6x-12=6(x+2)(x-1)$
$h'(x)=0$에서 $x=-2$ 또는 $x=1$
함수 $y=h(x)$의 증가, 감소를 표로 나타내고 그 그래프를 그리면 다음과 같다.

x	$\cdots$	-2	$\cdots$	1	$\cdots$
$h'(x)$	$+$	0	$-$	0	$+$
$h(x)$	↗	20	↘	-7	↗

따라서 함수 $y=h(x)$의 그래프와 직선 $y=a$의 교점의 x좌표가 두 개는 양수이고, 한 개는 음수가 되는 a의 값의 범위는 $-7<a<0$이므로 정수 a의 개수는 $-6, -5, -4, -3, -2, -1$의 6이다.

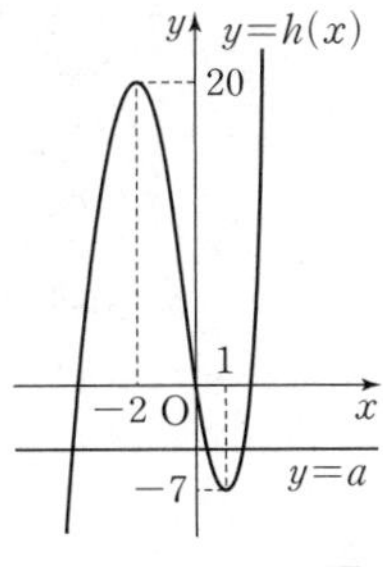

답 6

24 $f(x)=x^4-32x+50$이라 하면
$f'(x)=4x^3-32$
$=4(x^3-8)$
$=4(x-2)(x^2+2x+4)$
그런데 $x^2+2x+4=(x+1)^2+3>0$이므로
$x>2$에서 $f'(x)\boxed{>}0$
즉, 구간 $(2, \infty)$에서 함수 $y=f(x)$는 $\boxed{\text{증가}}$한다.
$f(2)=\boxed{2}$이므로 $x>2$에서 $f(x)>0$
$\therefore x^4-32x+50>0$
따라서 구간 $(2, \infty)$에서 부등식 $x^4-32x+50>0$이 성립한다.
답 ③

25 $f(x)=3x^4-4x^3+1$이라 하면
$f'(x)=12x^3-12x^2=12x^2(x-1)$
$f'(x)=0$에서 $x=0$ 또는 $x=1$
함수 $y=f(x)$의 증가, 감소를 표로 나타내고 그 그래프를 그리면 다음과 같다.

x	$\cdots$	0	$\cdots$	1	$\cdots$
$f'(x)$	$-$	0	$-$	0	$+$
$f(x)$	↘	1	↘	0	↗

함수 $y=f(x)$는 $x=1$에서 최솟값 0을 가지므로 모든 실수 x에 대하여 $f(x)\geq 0$
따라서 모든 실수 x에 대하여 부등식 $3x^4-4x^3+1\geq 0$이 성립한다.

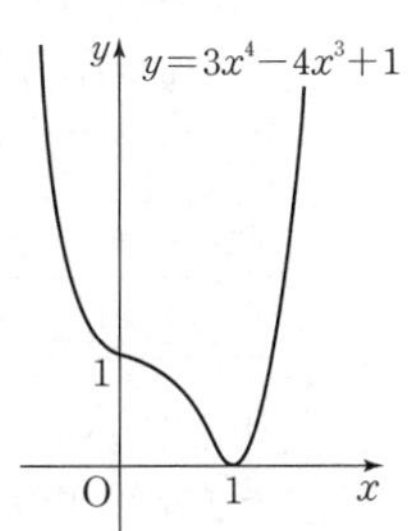

답 풀이 참조

26 $f(x)=x^3-x^2-x+1$이라 하면
$f'(x)=3x^2-2x-1$
$=(3x+1)(x-1)$
$f'(x)=0$에서 $x=-\frac{1}{3}$ 또는 $x=1$
$x\geq 0$에서 함수 $y=f(x)$의 증가, 감소를 표로 나타내고 그 그래프를 그리면 다음과 같다.

x	0	$\cdots$	1	$\cdots$
$f'(x)$		$-$	0	$+$
$f(x)$	1	↘	0	↗

$x\geq 0$에서 함수 $y=f(x)$의 최솟값은 $f(1)=0$이므로 $x\geq 0$일 때 $f(x)\geq 0$
따라서 $x\geq 0$일 때, 부등식 $x^3-x^2\geq x-1$이 성립한다.

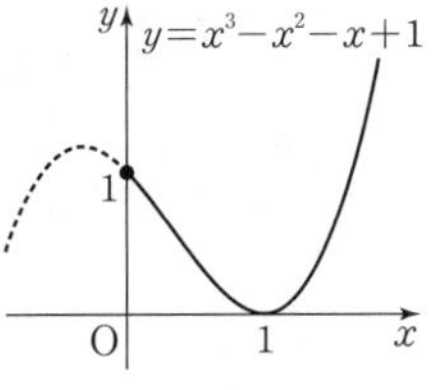

답 풀이 참조

27 $x^4+3x^2+10x-a\geq 0$에서
$f(x)=x^4+3x^2+10x-a$라 하면
$f'(x)=4x^3+6x+10$
$=2(x+1)(2x^2-2x+5)$
$2x^2-2x+5=2\left(x-\frac{1}{2}\right)^2+\frac{9}{2}>0$이므로
$f'(x)=0$에서 $x=-1$
함수 $y=f(x)$의 증가, 감소를 표로 나타내면 다음과 같다.

x	$\cdots$	-1	$\cdots$
$f'(x)$	$-$	0	$+$
$f(x)$	↘	$-6-a$	↗

함수 $y=f(x)$는 $x=-1$에서 최솟값을 가지므로
모든 실수 x에 대하여 $f(x)\geq 0$이려면
$f(-1)=-6-a\geq 0$
$\therefore a\leq -6$ 답 ①

28 모든 실수 x에 대하여 $x^4+2ax^2-4ax>4x-a^2$이므로
$x^4+2ax^2-4(a+1)x+a^2>0$
$f(x)=x^4+2ax^2-4(a+1)x+a^2$이라 하면

$f'(x)=4x^3+4ax-4(a+1)$
$=4\{x^3+ax-(a+1)\}$
$=4(x-1)(x^2+x+a+1)$

$x^2+x+a+1=\left(x+\frac{1}{2}\right)^2+a+\frac{3}{4}>0$ ($\because a>0$)이므로

$f'(x)=0$에서 $x=1$

함수 $y=f(x)$의 증가, 감소를 표로 나타내면 다음과 같다.

x	$\cdots$	1	$\cdots$
$f'(x)$	$-$	0	$+$
$f(x)$	↘	a^2-2a-3	↗

함수 $y=f(x)$는 $x=1$에서 최솟값을 갖고 모든 실수 x에 대하여 $f(x)>0$이려면 최솟값이 0보다 커야 하므로

$f(1)=a^2-2a-3>0$

$(a+1)(a-3)>0$ $\quad\therefore a<-1$ 또는 $a>3$

따라서 양의 정수 a의 최솟값은 4이다. 답 4

29 $f(x)=x^3-3x+2$라 하면

$f'(x)=3x^2-3=3(x+1)(x-1)$

$f'(x)=0$에서 $x=-1$ 또는 $x=1$

함수 $y=f(x)$의 증가, 감소를 표로 나타내고 그 그래프를 그리면 다음과 같다.

x	$\cdots$	-1	$\cdots$	1	$\cdots$
$f'(x)$	$+$	0	$-$	0	$+$
$f(x)$	↗	4	↘	0	↗

즉, $x>1$일 때 부등식 $f(x)>0$이 항상 성립하므로

$a\geq1$

따라서 정수 a의 최솟값은 1이다.

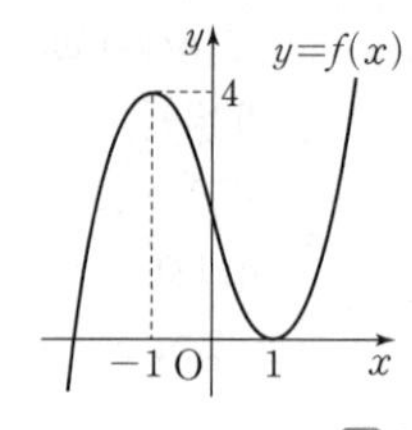

답 1

30 $h(x)=f(x)-g(x)$라 하면

$h(x)=2x^3-x^2-5x-(2x^2+7x+k)$
$=2x^3-3x^2-12x-k$

$h'(x)=6x^2-6x-12=6(x+1)(x-2)$

$h'(x)=0$에서 $x=-1$ 또는 $x=2$

$1<x<3$에서 함수 $y=h(x)$의 증가, 감소를 표로 나타내면 다음과 같다.

x	(1)	$\cdots$	2	$\cdots$	(3)
$h'(x)$		$-$	0	$+$	
$h(x)$		↘	$-20-k$	↗	

$1<x<3$에서 함수 $y=h(x)$의 최솟값은

$h(2)=-20-k$이므로 $-20-k\geq0$

$\therefore k\leq-20$

따라서 k의 최댓값은 -20이다. 답 -20

31 $-1<x<1$에서 $x^3-10x>2x+k$이므로

$x^3-12x-k>0$이어야 한다.

$f(x)=x^3-12x-k$라 하면

$f'(x)=3x^2-12=3(x+2)(x-2)$

$-1<x<1$일 때, $f'(x)<0$이므로 함수 $y=f(x)$는 구간 $(-1, 1)$에서 감소한다.

즉, $-1<x<1$일 때, $f(x)>0$이려면 $f(1)\geq0$이어야 하므로

$f(1)=1-12-k\geq0$

$\therefore k\leq-11$

따라서 정수 k의 최댓값은 -11이다. 답 -11

32 $f(x)=x^3-3a^2x+2$라 하면

$f'(x)=3x^2-3a^2=3(x+a)(x-a)$

$f'(x)=0$에서 $x=-a$ 또는 $x=a$

(i) $a>0$인 경우

$x\geq0$에서 함수 $y=f(x)$의 증가, 감소를 표로 나타내면 다음과 같다.

x	0	$\cdots$	a	$\cdots$
$f'(x)$		$-$	0	$+$
$f(x)$		↘	a^3-3a^3+2	↗

$x\geq0$에서 함수 $y=f(x)$는 $x=a$에서 최솟값을 가지므로

$f(a)=a^3-3a^3+2$
$=-2a^3+2$
$=-2(a^3-1)\geq0$

$(a-1)(a^2+a+1)\leq0$

$\therefore 0<a\leq1$ ($\because a^2+a+1>0$)

(ii) $a=0$인 경우

$f(x)=x^3+2$이므로 $x\geq0$에서 $f(x)\geq0$이 성립한다.

(iii) $a<0$인 경우

$x\geq0$에서 함수 $y=f(x)$의 증가, 감소를 표로 나타내면 다음과 같다.

x	0	$\cdots$	$-a$	$\cdots$
$f'(x)$		$-$	0	$+$
$f(x)$		↘	$-a^3+3a^3+2$	↗

$x\geq0$에서 함수 $y=f(x)$는 $x=-a$에서 최솟값을 가지므로

$f(-a)=-a^3+3a^3+2$
$=2a^3+2$
$=2(a^3+1)\geq0$

$(a+1)(a^2-a+1)\geq0$

$\therefore -1\leq a<0$ ($\because a^2-a+1>0$)

(i), (ii), (iii)에서 $-1\leq a\leq1$ 답 ②

33 점 P가 출발한 후 다시 원점을 지날 때의 위치는 0이므로

$t^3-2t^2+t=0$, $t(t-1)^2=0$

$\therefore t=1$ ($\because t>0$)

점 P의 시각 t에서의 속도를 v, 가속도를 a라 하면

$v=\frac{dx}{dt}=3t^2-4t+1$

$a=\frac{dv}{dt}=6t-4$

따라서 $t=1$일 때의 속도와 가속도는 각각

$m=3-4+1=0$, $n=6-4=2$

$\therefore m+n=2$ 답 ②

34 기차가 제동을 건 지 t초 후의 속도를 v라 하면

$v=\frac{dx}{dt}=24-0.8t$

기차가 정지할 때의 속도는 0이므로

$24-0.8t=0 \quad \therefore t=30$

기차가 정지할 때까지 움직인 거리는

$24\times30-0.4\times30^2=360\,(\mathrm{m})$

따라서 목적지로부터 전방 360 m 지점에서 제동을 걸어야 하므로

$a=360$ 답 360

35 $f(t)=t^3+at^2+bt-1$이라 하면

점 P의 시각 t에서의 속도 v는

$v=f'(t)=3t^2+2at+b$

$t=3$일 때, 점 P의 위치는 -1이므로

$f(3)=27+9a+3b-1=-1$

$\therefore 3a+b=-9 \quad \cdots\cdots ㉠$

$t=3$일 때, 점 P의 속도는 0이므로

$v=f'(3)=27+6a+b=0$

$\therefore 6a+b=-27 \quad \cdots\cdots ㉡$

㉠, ㉡을 연립하여 풀면

$a=-6,\ b=9$

즉, $f(t)=t^3-6t^2+9t-1$이므로

$f'(t)=3t^2-12t+9=3(t-1)(t-3)$

$f'(t)=0$에서 $t=1$ 또는 $t=3$

따라서 점 P가 $t=3$ 이외에 운동 방향을 바꾸는 시각은 $t=1$이고 그때의 위치는

$f(1)=1-6+9-1=3$ 답 3

36 두 점 P, Q의 시각 t에서의 위치는 각각

$f(t)=2t^2-2t,\ g(t)=t^2-8t$이므로 속도는 각각

$f'(t)=4t-2,\ g'(t)=2t-8$

두 점 P, Q가 서로 반대 방향으로 움직이려면 속도의 부호가 달라야 하므로 $f'(t)g'(t)<0$이어야 한다.

$(4t-2)(2t-8)=4(2t-1)(t-4)<0$

$\therefore \frac{1}{2}<t<4$ 답 ①

37 $x=35+at+bt^2$에서 t초 후의 물체의 속도를 v라 하면

$v=\frac{dx}{dt}=a+2bt$

물체가 최고 높이에 도달할 때의 속도는 0이므로

$t=3$일 때, $a+6b=0 \quad \cdots\cdots ㉠$

또 $t=3$일 때, $x=80$이므로

$35+3a+9b=80$

$\therefore a+3b=15 \quad \cdots\cdots ㉡$

㉠, ㉡을 연립하여 풀면 $a=30,\ b=-5$

$\therefore a+b=25$ 답 25

38 $h=40t-4t^2$에서 t초 후의 돌의 속도를 v라 하면

$v=\frac{dh}{dt}=40-8t$

ㄱ. $t=2$일 때 속도는

$40-8\times2=24\,(\mathrm{m/s})$ (참)

ㄴ. 돌이 최고 높이에 도달할 때의 속도는 0이므로

$40-8t=0 \quad \therefore t=5$ (참)

ㄷ. 지면에 떨어지는 순간의 높이는 0이므로

$40t-4t^2=0,\ t^2-10t=0$

$t(t-10)=0 \quad \therefore t=10\ (\because t>0)$

즉, $t=10$일 때 속도는

$40-8\times10=-40\,(\mathrm{m/s})$ (참)

따라서 ㄱ, ㄴ, ㄷ 모두 옳다. 답 ㄱ, ㄴ, ㄷ

39 ㄱ. 점 P는 출발 후 2초와 5초에서 속도의 부호가 바뀌므로 운동 방향을 바꾼다. (참)

ㄴ. 원점을 출발한 후 2초까지 속도가 음수이므로 계속 음의 방향으로 움직인다. 즉, 출발 후 2초에서 점 P의 위치는 음수이다. (거짓)

ㄷ. $3<t<4$에서 $v(t)=2$이므로 $v'(t)=0$, 즉 가속도가 0이다. (참)

따라서 옳은 것은 ㄱ, ㄷ이다. 답 ㄱ, ㄷ

40 ① $t=1$일 때 접선의 기울기가 0이므로 속도는 0이다.

② 8초 동안 t의 값이 1, 2, 3, 5, 6, 7일 때의 6번 운동 방향이 바뀐다.

③ 출발 후 5초 후의 위치와 7초 후의 위치는 -3으로 같다.

④ 출발 후 양의 방향으로 움직이다가 4초까지는 1초, 2초, 3초에서 운동 방향을 바꾼다.

⑤ 출발 후 2초 후의 속도는 0이고, 출발 후 4초 후의 속도는 음수이다. 즉, 속도의 절댓값인 속력은 양수이므로 출발 후 4초 후의 속력이 출발 후 2초 후의 속력보다 크다.

따라서 옳지 않은 것은 ④이다. 답 ④

41 ㄱ. $t=a$와 $t=c$의 좌, 우에서 $f'(t)$의 부호가 바뀌므로 점 P는 움직이는 동안 방향을 두 번 바꾼다. (참)

ㄴ. 원점을 통과할 때의 위치는 0이므로 $f(t)=0$에서

$t=b$ 또는 $t=d$

최초로 원점을 통과할 때의 속도는 $f'(b)$이다. (거짓)

ㄷ. $0<t<a$일 때와 $c<t<d$일 때 $f'(t)>0$이므로 점 P는 두 구간에서 양의 방향으로 움직인다. (참)

따라서 옳은 것은 ㄱ, ㄷ이다. 답 ㄱ, ㄷ

42 육상 선수가 달리는 속도는 10 (m/s)이므로 t초 동안의 이동 거리를 x라 하면

$x=10t$

그림에서 △AOB∽△PQB이므로

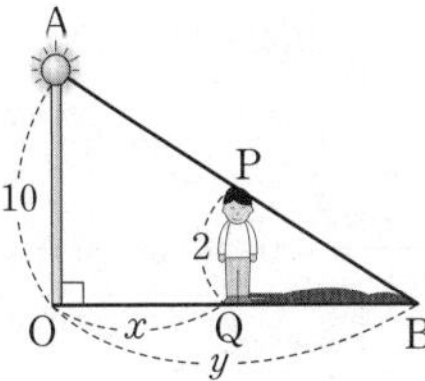

$10:2=y:(y-10t)$

$2y=10(y-10t)$

$\therefore y=\frac{25}{2}t$

t초 후의 그림자의 길이를 l이라 하면

$l=y-x$

$=\frac{25}{2}t-10t=\frac{5}{2}t$

따라서 그림자의 길이의 변화율은

$\frac{dl}{dt}=\frac{5}{2}$ (m/s) 답 $\frac{5}{2}$ m/s

43 돌을 던진 지 t초 후의 가장 바깥쪽 파문의 반지름의 길이는 $10t$ cm이므로 가장 바깥쪽 파문의 넓이를 S cm^{2}라 하면

$S=\pi(10t)^2=100\pi t^2$

위의 식의 양변을 t에 대하여 미분하면

$\frac{dS}{dt}=200\pi t$

따라서 돌을 던진 지 3초 후의 가장 바깥쪽 파문의 넓이의 변화율은

$200\pi\times 3=600\pi$ (cm^2/s) 답 600π cm^2/s

44 그림과 같이 물탱크의 물이 빠져 나가기 시작하여 t초 후의 물의 높이를 h cm, 수면의 반지름의 길이를 r cm라 하면

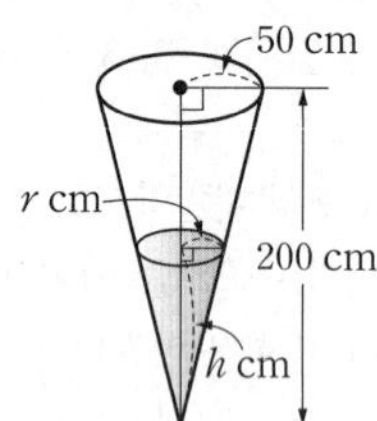

$h : r=200 : 50$에서

$r=\frac{1}{4}h$ ······㉠

수면의 높이가 매초 10 cm씩 낮아지므로

$h=200-10t$ ······㉡

물탱크에 남아 있는 물의 부피를 V cm^{3}라 하면

$V=\frac{1}{3}\pi r^2h=\frac{1}{48}\pi h^3$

$=\frac{1}{48}\pi(200-10t)^3$ ($\because$ ㉠, ㉡)

위의 식의 양변을 t에 대하여 미분하면

$\frac{dV}{dt}=\frac{1}{16}\pi(200-10t)^2\times(-10)$

$=-\frac{5}{8}\pi(200-10t)^2$

따라서 수면의 높이가 20 cm일 때의 시각은

$200-10t=20$에서 $t=18$이므로

남아 있는 물의 부피의 변화율은

$-\frac{5}{8}\pi\times 20^2=-250\pi$ (cm^3/s) 답 ②

45 $\lim_{x\to -1}\frac{f(x)+a}{x+1}=0$에서 $x\to -1$일 때, (분모)$\to 0$이므로 (분자)$\to 0$이어야 한다.

즉, $\lim_{x\to -1}\{f(x)+a\}=0$이므로

$f(-1)+a=0$

$\therefore f(-1)=-a$

$\lim_{x\to -1}\frac{f(x)+a}{x+1}=\lim_{x\to -1}\frac{f(x)-f(-1)}{x-(-1)}$

$=f'(-1)=0$

또 $\lim_{x\to 3}\frac{f(x)-a+1}{x-3}=0$에서 $x\to 3$일 때, (분모)$\to 0$이므로 (분자)$\to 0$이어야 한다.

즉, $\lim_{x\to 3}\{f(x)-a+1\}=0$이므로

$f(3)-a+1=0$

$\therefore f(3)=a-1$

$\lim_{x\to 3}\frac{f(x)-a+1}{x-3}=\lim_{x\to 3}\frac{f(x)-f(3)}{x-3}$

$=f'(3)=0$

즉, 함수 $y=f(x)$는 $x=-1$과 $x=3$에서 극값을 갖는다.

삼차방정식 $f(x)=0$이 서로 다른 세 실근을 가지려면

(극댓값)$\times$(극솟값)<0이어야 하므로

$f(-1)f(3)=-a(a-1)<0$

$\therefore a<0$ 또는 $a>1$

따라서 자연수 a의 최솟값은 2이다. 답 2

46 도함수 $y=f'(x)$의 그래프에서 $f'(x)=0$을 만족시키는 x는

$x=-1$ 또는 $x=3$ 또는 $x=5$

함수 $y=f(x)$의 증가, 감소를 표로 나타내고 그 그래프를 그리면 다음과 같다.

x	$\cdots$	-1	$\cdots$	3	$\cdots$	5	$\cdots$
$f'(x)$	$-$	0	$+$	0	$-$	0	$+$
$f(x)$	↘	-2	↗	극대	↘	1	↗

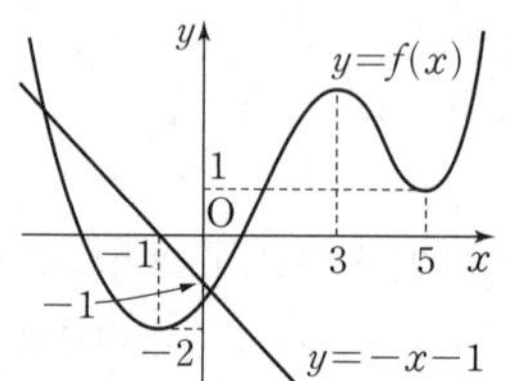

따라서 방정식 $f(x)=-x-1$의 실근은 곡선 $y=f(x)$와 직선 $y=-x-1$의 두 교점의 x좌표와 같으므로 음의 실근 한 개, 양의 실근 한 개이다.

따라서 $a=1$, $b=1$이므로

$2a-b=1$ 답 1

47 두 점 A$(0, -3)$, B$(3, 0)$을 지나는 직선의 방정식은

$y=\frac{0-(-3)}{3-0}x-3$

$\therefore y=x-3$

곡선 $y=x^3-3x^2+x-k$가 선분 AB와 서로 다른 두 점에서 만나려면 방정식 $x^3-3x^2+x-k=x-3$이 구간 $[0, 3]$에서 서로 다른 두 실근을 가져야 한다.

$x^3-3x^2+x-k=x-3$에서

$x^3-3x^2+3=k$

$f(x)=x^3-3x^2+3$이라 하면

$f'(x)=3x^2-6x=3x(x-2)$

$f'(x)=0$에서 $x=0$ 또는 $x=2$

함수 $y=f(x)$의 증가, 감소를 표로 나타내고 그 그래프를 그리면 다음과 같다.

x	$\cdots$	0	$\cdots$	2	$\cdots$
$f'(x)$	$+$	0	$-$	0	$+$
$f(x)$	↗	3	↘	-1	↗

즉, $0\le x\le 3$에서 곡선 $y=f(x)$가 직선 $y=k$와 서로 다른 두 점에서 만나야 하므로 $-1<k\le 3$

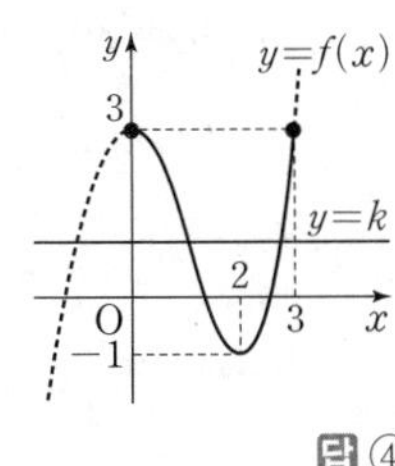

답 ④

48 $f(x)=2x^3+3x^2+4x+k$라 하면

$f'(x)=6x^2+6x+4$

곡선 $y=2x^3+3x^2+4x+k$ 위의 점 $(t,\ 2t^3+3t^2+4t+k)$에서의 접선의 방정식은

$y-(2t^3+3t^2+4t+k)=(6t^2+6t+4)(x-t)$

이 직선이 점 $(0,\ 0)$을 지나므로

$0-(2t^3+3t^2+4t+k)=(6t^2+6t+4)(0-t)$

$\therefore 4t^3+3t^2-k=0$ ……㉠

점 $(0,\ 0)$에서 곡선 $y=f(x)$에 서로 다른 두 개의 접선을 그을 수 있으려면 방정식 ㉠이 서로 다른 두 실근을 가져야 한다.

$g(t)=4t^3+3t^2-k$라 하면

$g'(t)=12t^2+6t=6t(2t+1)$

$g'(t)=0$에서 $t=-\frac{1}{2}$ 또는 $t=0$

함수 $y=g(t)$의 증가, 감소를 표로 나타내면 다음과 같다.

t	…	$-\frac{1}{2}$	…	0	…
$g'(t)$	+	0	−	0	+
$g(t)$	↗	$-k+\frac{1}{4}$	↘	$-k$	↗

삼차방정식 $g(t)=0$이 서로 다른 두 실근, 즉 중근과 다른 한 실근을 가지려면 (극댓값)×(극솟값)$=0$이어야 하므로

$g\left(-\frac{1}{2}\right)g(0)=-k\left(-k+\frac{1}{4}\right)=0$

$\therefore k=0$ 또는 $k=\frac{1}{4}$

따라서 모든 실수 k의 값의 합은

$0+\frac{1}{4}=\frac{1}{4}$

답 $\frac{1}{4}$

49 ㄱ. 함수 $y=f(x)$는 최고차항의 계수가 양수인 사차함수이므로 도함수 $y=f'(x)$는 최고차항의 계수가 양수인 삼차함수이다. 조건 (가)에서 $f'(x)=0$은 서로 다른 세 실근 $\alpha,\ \beta,\ \gamma$ $(\alpha<\beta<\gamma)$를 가지므로 함수 $y=f'(x)$의 그래프의 개형은 그림과 같다.

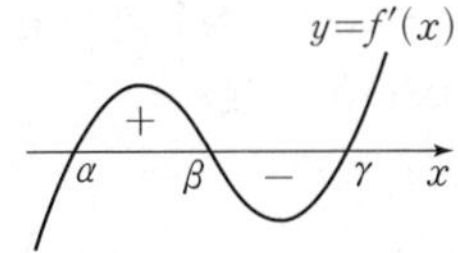

$x=\beta$의 좌우에서 $f'(x)$의 부호가 양에서 음으로 바뀌므로 함수 $y=f(x)$는 $x=\beta$에서 극댓값을 갖는다. (참)

ㄴ. 함수 $y=f'(x)$의 그래프에서 함수 $y=f(x)$는 $x=\alpha$, $x=\gamma$에서 극소, $x=\beta$에서 극대이므로 사차함수 $y=f(x)$의 그래프의 개형은 그림과 같다.

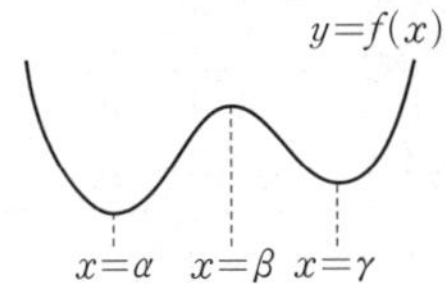

$f(\alpha)f(\beta)f(\gamma)<0$을 만족시키는 경우에 따라 함수 $y=f(x)$의 그래프의 개형은 다음과 같다.

(i) $f(\alpha)<0,\ f(\beta)<0,\ f(\gamma)<0$일 때,

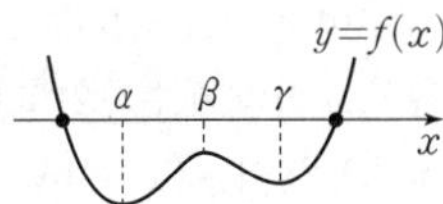

(ii) $f(\alpha)<0,\ f(\beta)>0,\ f(\gamma)>0$일 때,

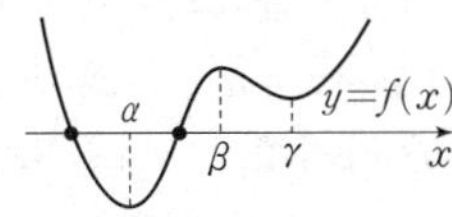

(iii) $f(\alpha)>0,\ f(\beta)>0,\ f(\gamma)<0$일 때,

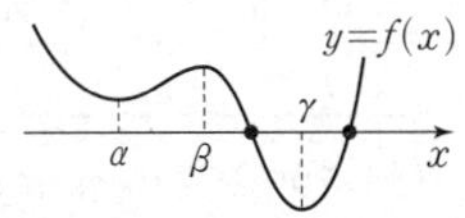

즉, 방정식 $f(x)=0$은 서로 다른 두 실근을 갖는다. (참)

ㄷ. ㄴ의 (iii)에서 $f(\alpha)>0$이면 방정식 $f(x)=0$의 두 실근은 모두 β보다 크다. (거짓)

따라서 옳은 것은 ㄱ, ㄴ이다.

답 ㄱ, ㄴ

50 ㄱ. $a=b=c$이면 $f'(x)=(x-a)^3$이므로

$f'(x)=0$에서 $x=a$

함수 $y=f(x)$의 증가, 감소를 표로 나타내면 다음과 같다.

x	…	a	…
$f'(x)$	−	0	+
$f(x)$	↘	극소	↗

(극솟값)>0이면 방정식 $f(x)=0$은 실근을 갖지 않는다. (거짓)

ㄴ. $a=b\neq c$이면 $f'(x)=(x-a)^2(x-c)$이므로

$f'(x)=0$에서 $x=a$ 또는 $x=c$

(i) $a<c$일 때,

함수 $y=f(x)$의 증가, 감소를 표로 나타내고 그 그래프를 그리면 다음과 같다.

x	…	a	…	c	…
$f'(x)$	−	0	−	0	+
$f(x)$	↘	$f(a)$	↘	극소	↗

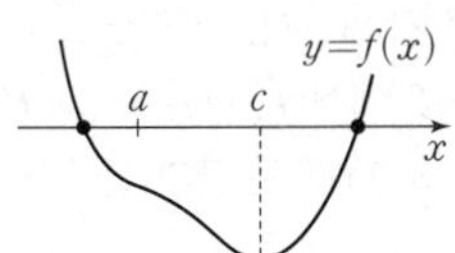

$f(a)<0$이면 $f(c)<0$이므로 함수 $y=f(x)$의 그래프와 x축의 교점의 개수가 2이다.

(ii) $a>c$일 때,

함수 $y=f(x)$의 증가, 감소를 표로 나타내고 그 그래프를 그리면 다음과 같다.

x	$\cdots$	c	$\cdots$	a	$\cdots$
$f'(x)$	$-$	0	$+$	0	$+$
$f(x)$	↘	극소	↗	$f(a)$	↗

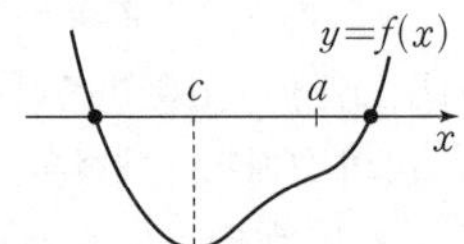

$f(a)<0$이면 $f(c)<0$이므로 함수 $y=f(x)$의 그래프와 x축의 교점의 개수가 2이다.

(ⅰ), (ⅱ)에서 방정식 $f(x)=0$은 서로 다른 두 실근을 가진다. (참)

ㄷ. $a<b<c$이면 $f'(x)=(x-a)(x-b)(x-c)$이므로
$f'(x)=0$에서 $x=a$ 또는 $x=b$ 또는 $x=c$
함수 $y=f(x)$의 증가, 감소를 표로 나타내면 다음과 같다.

x	$\cdots$	a	$\cdots$	b	$\cdots$	c	$\cdots$
$f'(x)$	$-$	0	$+$	0	$-$	0	$+$
$f(x)$	↘	극소	↗	극대	↘	극소	↗

극댓값 $f(b)<0$이므로 방정식 $f(x)=0$은 서로 다른 두 실근을 갖는다. (참)

따라서 옳은 것은 ㄴ, ㄷ이다. 답 ⑤

51 $f(x)=x^4+ax^3+bx^2-b$에서
$f'(x)=4x^3+3ax^2+2bx$
$=x(4x^2+3ax+2b)$
방정식 $f'(x)=0$이 서로 다른 세 실근 α, β, γ를 가지므로
방정식 $4x^2+3ax+2b=0$은 0이 아닌 서로 다른 두 실근을 갖고,
근과 계수의 관계에 의하여 두 근의 곱 $\frac{b}{2}<0$ ($\because b<0$)이므로
두 근의 부호가 서로 다르다.
즉, $\alpha<0$, $\beta=0$, $\gamma>0$이고 $f(0)=-b>0$이다.

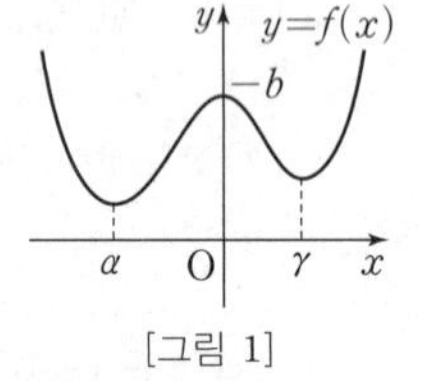

[그림 1]

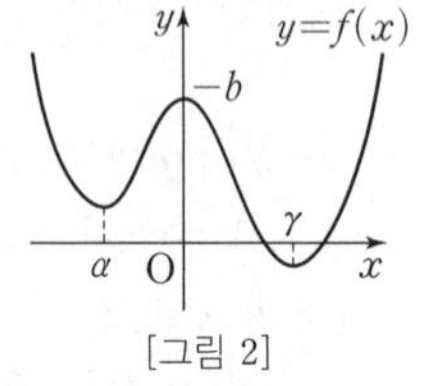

[그림 2]

ㄱ. $f(\alpha)<f(0)=-b$이고 $f(\gamma)<f(0)=-b$이므로
$f(\alpha)+f(\gamma)<-2b$
$\therefore \frac{f(\alpha)+f(\gamma)}{2}<-b$ (참)

ㄴ. [그림1]에서 $f(\alpha)f(\gamma)>0$이지만 방정식 $f(x)=0$은 실근을 갖지 않는다. (거짓)

ㄷ. [그림2]에서 $f(\alpha)>0$이고 $f(\gamma)<0$이면 방정식 $f(x)=0$은 서로 다른 두 양의 실근과 서로 다른 두 허근을 갖는다. (참)

따라서 옳은 것은 ㄱ, ㄷ이다. 답 ④

52 $f(0)=0$이므로
$f(x)=ax^3+bx^2+cx$ (a, b, c는 상수)라 하면
$f'(x)=3ax^2+2bx+c$ ……㉠
도함수 $y=f'(x)$의 그래프에서
$f'(x)=3a(x+2)(x-2)=3ax^2-12a$
$f'(0)=3$이므로
$-12a=3 \quad \therefore a=-\frac{1}{4}$
$\therefore f'(x)=-\frac{3}{4}x^2+3$
㉠에서 $b=0$, $c=3$
$\therefore f(x)=-\frac{1}{4}x^3+3x$
따라서 삼차방정식 $-\frac{1}{4}x^3+3x=kx$, 즉 $x\{x^2+4(k-3)\}=0$이 서로 다른 세 실근을 가지려면 이차방정식 $x^2+4(k-3)=0$이 0이 아닌 서로 다른 두 실근을 가져야 한다. 이 이차방정식의 판별식을 D라 하면
$k\neq3$이고 $\frac{D}{4}=0-4(k-3)>0$이어야 하므로
$k<3$ 답 $k<3$

다른 풀이
도함수 $y=f'(x)$의 그래프가 y축 대칭이고 $f(0)=0$이므로 함수 $y=f(x)$의 그래프는 원점 대칭이다.
원점에서의 접선의 기울기는 $f'(0)=3$이므로 곡선 $y=f(x)$와 직선 $y=kx$가 서로 다른 세 점에서 만나려면 $k<3$이어야 한다.

53 최고차항의 계수가 1이고 모든 실수 x에 대하여 $f(-x)=-f(x)$를 만족시키는 삼차함수 $y=f(x)$의 그래프는 다음과 같이 두 가지 경우가 있다.

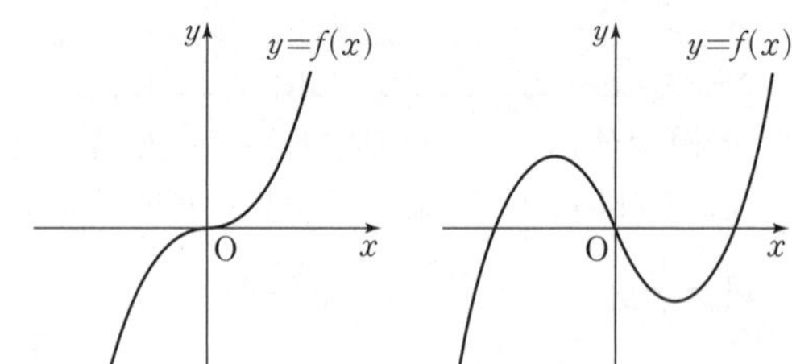

방정식 $|f(x)|=2$의 서로 다른 실근의 개수가 4인 경우는 그림과 같다.

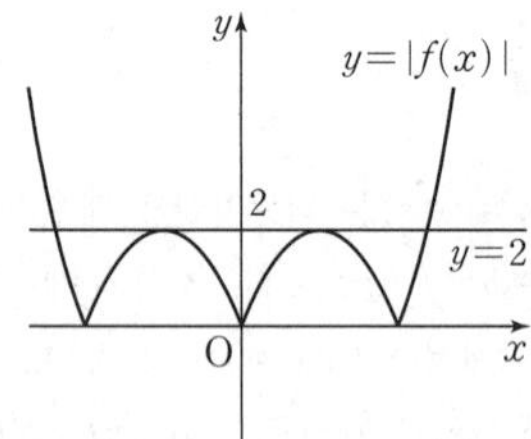

즉, $y=f(x)$의 극솟값은 -2, 극댓값은 2이므로
$f(x)=x^3-bx$ (b는 상수)라 하면
$f'(x)=3x^2-b=0$에서
$x=\pm\sqrt{\frac{b}{3}}$
$f\left(\sqrt{\frac{b}{3}}\right)=-2$이므로
$\left(\sqrt{\frac{b}{3}}\right)^3-b\times\sqrt{\frac{b}{3}}=-2$
$b^3=27 \quad \therefore b=3$
따라서 $f(x)=x^3-3x$이므로
$f(3)=3^3-3\times3=18$ 답 18

54 사차함수 $y=f(x)$는 최고차항의 계수가 1이고 함수 $y=f(x)$의 그래프가 직선 $x=2$에 대하여 대칭이므로
$f(x)=(x-2)^4+a(x-2)^2+b$ (a, b는 상수)라 하자.
$f(0)<f(2)$이고 방정식 $f(|x|)=1$의 서로 다른 실근의 개수가 3이려면 함수 $y=f(x)$가 $x=0$, 4에서 극솟값 1을 갖고 $x=2$에서 극댓값을 가져야 한다.
따라서 사차함수 $y=f(x)$의 $x>0$인 부분을 y축 대칭시킨 함수 $y=f(|x|)$의 그래프는 다음과 같다.

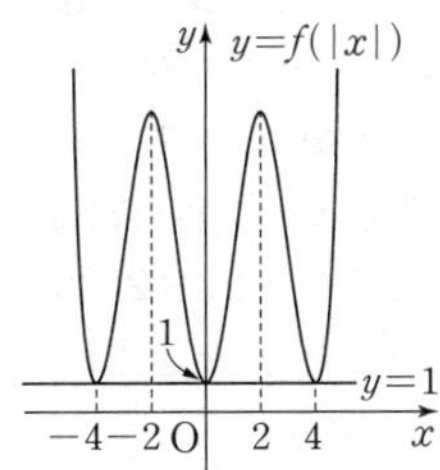

$f(0)=f(4)=1$에서 $16+4a+b=1$ ······㉠
$f'(x)=4(x-2)^3+2a(x-2)$에서
$f'(0)=f'(4)=0$이므로
$-32-4a=0$ $\quad\therefore a=-8$
이것을 ㉠에 대입하면
$b=17$
$\therefore f(x)=(x-2)^4-8(x-2)^2+17$
따라서 함수 $y=f(x)$의 극댓값은
$f(2)=17$

답 ④

참고
$f(x)=f(-x)$를 만족시키는 사차함수는 y축 대칭이므로
$f(x)=ax^4+bx^2+c$ $(a\neq 0)$로 놓을 수 있고,
$f(p+x)=f(p-x)$를 만족시키는 사차함수는 직선 $x=p$에 대하여 대칭이므로
$f(x)=a(x-p)^4+b(x-p)^2+c$ $(a\neq 0)$로 놓을 수 있다.

55 부등식 $2x^{n+2}-n(n-7)>(n+2)x^2$에서
$2x^{n+2}-(n+2)x^2-n(n-7)>0$
$f(x)=2x^{n+2}-(n+2)x^2-n(n-7)$이라 하면
$f'(x)=2(n+2)x^{n+1}-2(n+2)x=2(n+2)x(x^n-1)$
$f'(x)=0$에서 $x=1$ ($\because x>0$)
$x>0$에서 함수 $y=f(x)$의 증가, 감소를 표로 나타내면 다음과 같다.

x	(0)	$\cdots$	1	$\cdots$
$f'(x)$		$-$	0	$+$
$f(x)$		↘	극소	↗

$x>0$에서 함수 $y=f(x)$는 $x=1$에서 최솟값을 가지므로
$f(1)=2-(n+2)-n(n-7)$
$\quad=-n^2+6n$
$-n^2+6n>0$, $n(n-6)<0$
$\therefore 0<n<6$
따라서 구하는 자연수 n의 개수는 1, 2, 3, 4, 5의 5이다.

답 5

56 두 점 A, B가 만나려면 $x_A=x_B$에서
$2t^2+7t=t^3-\frac{11}{2}t^2+19t-3$
$t^3-\frac{15}{2}t^2+12t-3=0$
$f(t)=t^3-\frac{15}{2}t^2+12t-3$이라 하면
$f'(t)=3t^2-15t+12=3(t-1)(t-4)$
$f'(t)=0$에서 $t=1$ 또는 $t=4$
함수 $y=f(t)$의 증가, 감소를 표로 나타내면 다음과 같다.

t	$\cdots$	1	$\cdots$	4	$\cdots$
$f'(t)$	$+$	0	$-$	0	$+$
$f(t)$	↗	$\frac{5}{2}$	↘	-11	↗

즉, $f(1)>0$, $f(4)<0$, $f(5)<0$이므로 함수 $y=f(t)$의 그래프는 다음과 같다.
따라서 $0\le t\le 5$에서 $f(t)=0$인 t의 값이 2개 존재하므로 두 점 A, B가 처음 5초 동안 만나는 횟수는 2이다.

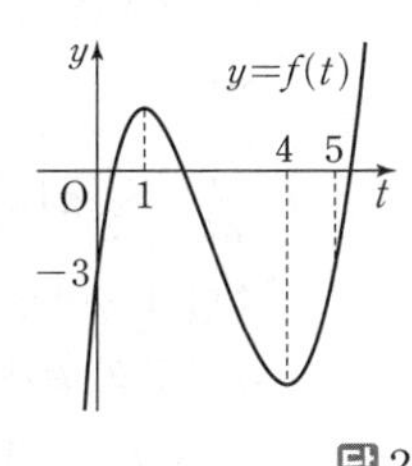

답 2

57 $f(t)=\frac{1}{3}t^3$, $g(t)=4t^2-at$이고, 두 점이 6초 후에 다시 만나므로
$f(6)=g(6)$에서 $72=144-6a$
$\therefore a=12$
$h(t)=f(t)-g(t)$라 하면
$h(t)=\frac{1}{3}t^3-(4t^2-12t)=\frac{1}{3}t^3-4t^2+12t$
$h'(t)=t^2-8t+12=(t-2)(t-6)$
$h'(t)=0$에서 $t=2$ 또는 $t=6$
$0\le t\le 6$에서 함수 $y=h(t)$의 증가, 감소를 표로 나타내고 그 그래프를 그리면 다음과 같다.

t	0	$\cdots$	2	$\cdots$	6
$h'(t)$		$+$	0	$-$	0
$h(t)$	0	↗	$\frac{32}{3}$	↘	0

따라서 $0\le t\le 6$에서 함수 $y=h(t)$의 최댓값은 $t=2$일 때이므로 두 점 사이의 거리의 최댓값은
$h(2)=\frac{32}{3}$

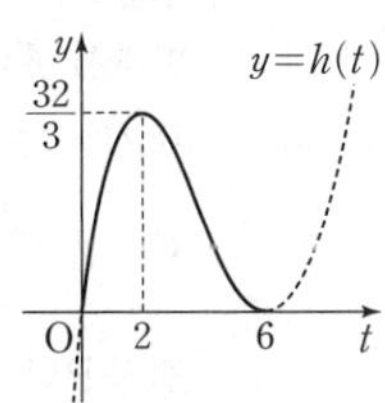

즉, $p=3$, $q=32$이므로
$p+q=3+32=35$

답 35

58

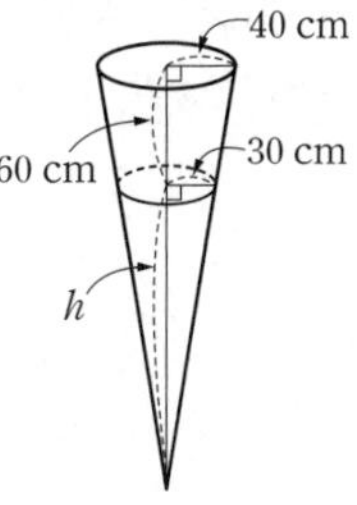

[그림1]

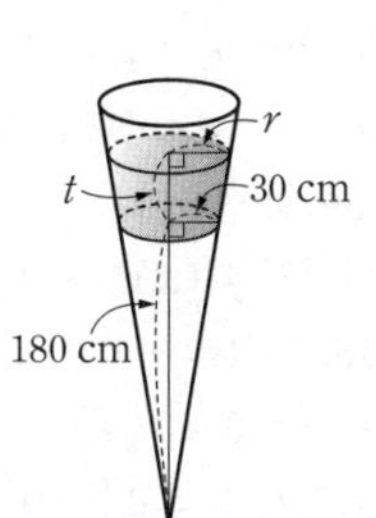

[그림2]

[그림1]과 같이 그릇을 연장하여 원뿔을 만들고, 원뿔의 꼭짓점에서 그릇의 아랫면까지의 높이를 h라 하면

$h:30=(h+60):40$

$\therefore h=180\,(\text{cm})$

수면의 높이가 매초 1 cm씩 증가하므로 t초 후의 수면의 높이는 t cm이다.

[그림2]에서 수면의 반지름의 길이를 r라 하면

$180:30=(180+t):r$

$180r=5400+30t$

$\therefore r=30+\dfrac{t}{6}\,(\text{cm})$

즉, t초 후의 물의 부피 V는

$V=\dfrac{1}{3}\pi\left(30+\dfrac{t}{6}\right)^2(180+t)-\dfrac{1}{3}\pi\times30^2\times180$

이므로

$\dfrac{dV}{dt}=\dfrac{1}{3}\pi\left\{2\left(30+\dfrac{t}{6}\right)\times\dfrac{1}{6}\times(180+t)+\left(30+\dfrac{t}{6}\right)^2\right\}$

수면의 높이가 12 cm가 되는 순간은 $t=12$일 때이므로 이때의 부피 V의 증가율은

$\dfrac{1}{3}\pi\left\{2\left(30+\dfrac{12}{6}\right)\times\dfrac{1}{6}\times(180+12)+\left(30+\dfrac{12}{6}\right)^2\right\}$

$=\dfrac{1}{3}\pi(2\times32\times32+32^2)$

$=1024\pi\,(\text{cm}^3/\text{s})$

답 ④

59 두 함수 $f(x)=6x^3-x$와 $g(x)=|x-a|$의 그래프가 서로 다른 두 점에서 만나는 경우는 [그림1], [그림2]와 같이 두 가지가 있다.

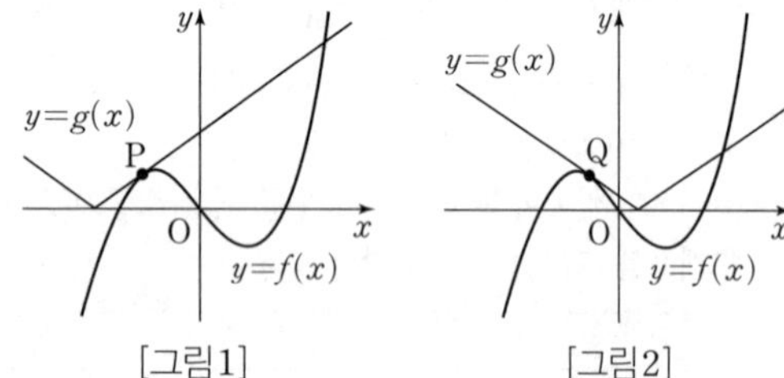

[그림1] [그림2]

(i) [그림1]에서 함수 $g(x)=|x-a|$가 $x>a$일 때 $y=x-a$이므로 함수 $f(x)=6x^3-x$의 그래프와 점 P에서 접한다.

따라서 $f'(x)=1$이므로

$18x^2-1=1$

$x^2=\dfrac{1}{9}\qquad\therefore x=-\dfrac{1}{3}\ (\because x<0)$

접점 P의 좌표는 $\left(-\dfrac{1}{3}, \dfrac{1}{9}\right)$이므로

$\dfrac{1}{9}=-\dfrac{1}{3}-a\qquad\therefore a=-\dfrac{4}{9}$

(ii) [그림2]에서 함수 $g(x)=|x-a|$가 $x\le a$일 때 $y=-x+a$이므로 함수 $f(x)=6x^3-x$의 그래프와 점 Q에서 접한다.

따라서 $f'(x)=-1$이므로

$18x^2-1=-1$

$18x^2=0\qquad\therefore x=0$

접점 Q의 좌표는 $(0, 0)$이므로

$0=0+a\qquad\therefore a=0$

(i), (ii)에서 구하는 모든 실수 a의 값의 합은

$\left(-\dfrac{4}{9}\right)+0=-\dfrac{4}{9}$

답 $-\dfrac{4}{9}$

60 $f'(x)=3x^2-6x+6$이므로

$4f'(x)+12x-18=f'(g(x))$에서

좌변은 $4(3x^2-6x+6)+12x-18=12x^2-12x+6$

우변은 $3\{g(x)\}^2-6g(x)+6$이므로

$12x^2-12x+6=3\{g(x)\}^2-6g(x)+6$

$\{g(x)\}^2-2g(x)=4x^2-4x$

$\{g(x)\}^2-4x^2-2g(x)+4x=0$

$\{g(x)-2x\}\{g(x)+2x\}-2\{g(x)-2x\}=0$

$\{g(x)-2x\}\{g(x)+2x-2\}=0$

$g(x)-2x=0$ 또는 $g(x)+2x-2=0$

(i) $g(x)-2x=0$일 때,

즉 $g(x)=2x$이면 $f(2x)=x$이므로

$8x^3-12x^2+12x+k=x$

$k=-8x^3+12x^2-11x$ ······ ㉠

$h_1(x)=-8x^3+12x^2-11x$라 하면

$h_1'(x)=-24x^2+24x-11$

$=-24\left(x-\dfrac{1}{2}\right)^2-5<0$

이므로 구간 $[0, 1]$에서

$-7\le h_1(x)\le 0$

즉, 방정식 ㉠이 구간 $[0, 1]$에서 실근을 갖기 위해서는

$-7\le k\le 0$

(ii) $g(x)+2x-2=0$일 때,

즉 $g(x)=-2x+2$이면 $f(-2x+2)=x$이므로

$(-2x+2)^3-3(-2x+2)^2+6(-2x+2)+k=x$

$-8x^3+12x^2-13x+8+k=0$

$k=8x^3-12x^2+13x-8$ ······ ㉡

$h_2(x)=8x^3-12x^2+13x-8$이라 하면

$h_2'(x)=24x^2-24x+13$

$=24\left(x-\dfrac{1}{2}\right)^2+7>0$

이므로 구간 $[0, 1]$에서

$-8\le h_2(x)\le 1$

즉, 방정식 ㉡이 구간 $[0, 1]$에서 실근을 갖기 위해서는

$-8\le k\le 1$

(i), (ii)에서 $-8\le k\le 1$이므로

$m=-8,\ M=1$

$\therefore m^2+M^2=(-8)^2+1^2=65$

답 65

08 부정적분

본책 085~092쪽

01 $F(x)=x^3+2x^2+3$이라 하면

$f(x)=F'(x)=3x^2+4x$

$\therefore f(1)=7$

답 7

02 $F(x)=\int\left\{\frac{d}{dx}(x^3-2x)\right\}dx=x^3-2x+C$

$F(1)=1$이므로 $1-2+C=1$

$\therefore C=2$

따라서 $F(x)=x^3-2x+2$이므로

$F(-1)=(-1)+2+2=3$

답 3

03 $f(x)=\int(x+1)^2dx-\int(x-1)^2dx$

$=\int\{(x+1)^2-(x-1)^2\}dx$

$=\int 4x\,dx=2x^2+C$

$f(2)=8$이므로 $8+C=8$

$\therefore C=0$

따라서 $f(x)=2x^2$이므로

$f(1)=2$

답 2

04 $f'(x)=6x^2-4x+1$이므로

$f(x)=\int(6x^2-4x+1)dx$

$=2x^3-2x^2+x+C$

$f(1)=2$이므로 $2-2+1+C=2$

$\therefore C=1$

따라서 $f(x)=2x^3-2x^2+x+1$이므로

$f(2)=16-8+2+1=11$

답 ③

05 곡선 $y=f(x)$ 위의 점 (x, y)에서의 접선의 기울기가 $4x-1$이므로

$f'(x)=4x-1$

$\therefore f(x)=\int f'(x)dx=\int(4x-1)\,dx$

$=2x^2-x+C$

곡선 $y=f(x)$가 점 $(0, 3)$을 지나므로 $f(0)=C=3$

따라서 $f(x)=2x^2-x+3$이므로

$f(1)=2-1+3=4$

답 4

06 $f(x)=\int f'(x)dx=\int(3x^2+6x-9)\,dx$

$=x^3+3x^2-9x+C$

$f'(x)=3x^2+6x-9$

$=3(x+3)(x-1)$

$f'(x)=0$에서 $x=-3$ 또는 $x=1$

함수 $y=f(x)$의 증가, 감소를 표로 나타내면 다음과 같다.

x	$\cdots$	-3	$\cdots$	1	$\cdots$
$f'(x)$	$+$	0	$-$	0	$+$
$f(x)$	↗	극대	↘	극소	↗

$y=f(x)$는 $x=-3$에서 극댓값 24를 가지므로

$f(-3)=-27+27+27+C=24$

$\therefore C=-3$

즉, $f(x)=x^3+3x^2-9x-3$이고, $x=1$에서 극솟값을 가지므로

$a=1$

$b=f(1)=1+3-9-3=-8$

$\therefore a+b=1+(-8)=-7$

답 -7

07 $\int g(x)dx=x^3f(x)+C$의 양변을 x에 대하여 미분하면

$\frac{d}{dx}\left\{\int g(x)dx\right\}=\frac{d}{dx}\{x^3f(x)+C\}$

$g(x)=3x^2f(x)+x^3f'(x)$

$\therefore g(1)=3f(1)+f'(1)$

$=9+2=11$

답 ①

08 $f'(x)=\begin{cases}3x^2 & (x\le1)\\ 2x-1 & (x>1)\end{cases}$에서

$f(x)=\int f'(x)\,dx$

$=\begin{cases}x^3+C_1 & (x\le1)\\ x^2-x+C_2 & (x>1)\end{cases}$

함수 $y=f(x)$가 모든 실수 x에 대하여 연속이므로 $x=1$에서도 연속이다.

즉, $f(1)=\lim_{x\to1-}f(x)=\lim_{x\to1+}f(x)$이므로

$1+C_1=1-1+C_2$

$\therefore C_2=C_1+1$ ······㉠

또 $f(0)=3$이므로 $C_1=3$

$C_1=3$을 ㉠에 대입하면

$C_2=4$

$\therefore f(x)=\begin{cases}x^3+3 & (x\le1)\\ x^2-x+4 & (x>1)\end{cases}$

$\therefore f(3)=9-3+4=10$

답 10

09 $\int f(x)dx=\frac{2}{3}x^3+x^2+3$에서

양변을 x에 대하여 미분하면

$\frac{d}{dx}\left\{\int f(x)dx\right\}=\frac{d}{dx}\left(\frac{2}{3}x^3+x^2+3\right)$

$f(x)=2x^2+2x=ax^2+bx+c$이므로

$a=2,\ b=2,\ c=0$

$\therefore a+b+c=4$

답 ④

10 $\int(x-3)f(x)\,dx=x^3-27x$에서

양변을 x에 대하여 미분하면

$\frac{d}{dx}\left\{\int(x-3)f(x)\,dx\right\}=\frac{d}{dx}(x^3-27x)$

$(x-3)f(x)=3x^2-27$

$=3(x+3)(x-3)$

따라서 $f(x)=3(x+3)$이므로

$f(3)=3\times6=18$

답 18

11 $\lim_{h\to0}\frac{f(1+h)-f(1-h)}{h}$

$=\lim_{h\to0}\frac{f(1+h)-f(1)-\{f(1-h)-f(1)\}}{h}$

$=\lim_{h\to0}\frac{f(1+h)-f(1)}{h}+\lim_{h\to0}\frac{f(1-h)-f(1)}{-h}$

$=f'(1)+f'(1)=2f'(1)$

$f(x)=\int(x^3+2x^2+4)\,dx$의 양변을 x에 대하여 미분하면

$f'(x)=\frac{d}{dx}\left\{\int(x^3+2x^2+4)\,dx\right\}$

$=x^3+2x^2+4$

$\therefore f'(1)=7$

따라서 구하는 값은 $2f'(1)=2\times7=14$ 답 14

12 $\int\left\{\frac{d}{dx}f(x)\right\}dx=\int f'(x)\,dx=f(x)+C$이므로

$g(x)=\log_2(x^2+7)+C$

$g(1)=5$이므로 $\log_2 8+C=5$ $\therefore C=2$

따라서 $g(x)=\log_2(x^2+7)+2$이므로

$g(3)=\log_2 16+2=6$ 답 ②

13 $\int\left\{\frac{d}{dx}f(x)\right\}dx=f(x)+C$이므로

$F(x)=\int\left[\frac{d}{dx}\int\left\{\frac{d}{dx}f(x)\right\}dx\right]dx$

$=\int\left[\frac{d}{dx}\{f(x)+C_1\}\right]dx$

$=\{f(x)+C_1\}+C_2$

$=f(x)+C$ (단, $C=C_1+C_2$)

$\therefore F(x)=10x^{10}+9x^9+\cdots+2x^2+x+C$

$F(0)=2$이므로 $C=2$

따라서 $F(x)=10x^{10}+9x^9+\cdots+2x^2+x+2$이므로

$F(1)=10+9+\cdots+2+1+2$

$=\frac{10\times11}{2}+2=57$ 답 57

14 함수 $y=f(x)$는 이차함수이므로 $f(x)=ax^2+bx+c$ $(a\neq0)$라 하면

$f'(x)=2ax+b$

$f'(x)+\int f(x)\,dx=x^3+x^2-6x-1$에서

$\int f(x)\,dx=x^3+x^2-6x-1-f'(x)$

$=x^3+x^2-6x-1-2ax-b$

$=x^3+x^2-(6+2a)x-1-b$ ⋯⋯ ㉠

㉠의 양변을 x에 대하여 미분하면

$\frac{d}{dx}\left\{\int f(x)\,dx\right\}=\frac{d}{dx}\{x^3+x^2-(6+2a)x-1-b\}$

$\therefore f(x)=3x^2+2x-6-2a$

즉, $ax^2+bx+c=3x^2+2x-6-2a$이므로

$a=3,\ b=2,\ c=-12$

따라서 $f(x)=3x^2+2x-12$이므로

$f(2)=12+4-12=4$ 답 4

15 $\int\frac{t^2}{t+1}dt-\int\frac{1}{t+1}dt=\int\left(\frac{t^2}{t+1}-\frac{1}{t+1}\right)dt$

$=\int\frac{t^2-1}{t+1}dt$

$=\int(t-1)\,dt$

$=\frac{1}{2}t^2-t+C$ 답 ④

16 $f(x)=\int(1+2x+3x^2+\cdots+nx^{n-1})\,dx$

$=x+x^2+x^3+\cdots+x^n+C$

$f(0)=2$이므로 $C=2$

따라서 $f(x)=x+x^2+x^3+\cdots+x^n+2$이므로

$f(2)=2+2^2+2^3+\cdots+2^n+2$

$=\frac{2\times(2^n-1)}{2-1}+2$

$=2^{n+1}-2+2=2^{n+1}$ 답 ③

17 $\int(2x+1)f'(x)\,dx=2x^3+\frac{1}{2}x^2-x$의 양변을 x에 대하여 미분하면

$\frac{d}{dx}\left\{\int(2x+1)f'(x)\,dx\right\}=\frac{d}{dx}\left(2x^3+\frac{1}{2}x^2-x\right)$

$(2x+1)f'(x)=6x^2+x-1=(3x-1)(2x+1)$

$\therefore f'(x)=3x-1$

$\therefore f(x)=\int(3x-1)\,dx=\frac{3}{2}x^2-x+C$

$f(0)=2$이므로 $C=2$

따라서 $f(x)=\frac{3}{2}x^2-x+2$이므로

$f(1)=\frac{3}{2}-1+2=\frac{5}{2}$ 답 $\frac{5}{2}$

18 $f'(x)=ax-4$ $(a\neq0)$이므로

$f(x)=\int(ax-4)\,dx$

$=\frac{a}{2}x^2-4x+C$

$f(0)=3$이므로 $C=3$

$f(1)=-4$이므로 $\frac{a}{2}-4+3=-4$

$\therefore a=-6$

따라서 $f(x)=-3x^2-4x+3$이므로

$f(2)=-12-8+3=-17$ 답 ①

19 곡선 $y=f(x)$ 위의 임의의 점 (x,y)에서의 접선의 기울기는 $f'(x)$이므로 $f'(x)=2x-4$

$\therefore f(x)=\int(2x-4)\,dx$

$=x^2-4x+C$

$=(x-2)^2-4+C$

함수 $y=f(x)$의 최솟값이 7이므로

$-4+C=7$ $\therefore C=11$

따라서 $f(x)=x^2-4x+11$이므로

$f(3)=9-12+11=8$ 답 8

20 $f'(x)=6x-8$이므로

$f(x)=\int(6x-8)\,dx=3x^2-8x+C_1$

$f(1)=1$이므로 $3-8+C_1=1$

$\therefore C_1=6$

즉, $f(x)=3x^2-8x+6$이므로

$F(x)=\int f(x)\,dx$

$=\int(3x^2-8x+6)\,dx$

$=x^3-4x^2+6x+C_2$

$F(0)=3$이므로 $C_2=3$

따라서 $F(x)=x^3-4x^2+6x+3$이므로

$F(-1)=-1-4-6+3=-8$ 답 -8

21 $y=f(x)$가 삼차함수이므로 $y=f'(x)$는 이차함수이다.

$y=f'(x)$의 그래프와 x축의 교점의 x좌표가 -2, 2이므로

$f'(x)=a(x+2)(x-2)$ $(a<0)$

라 하면 $y=f'(x)$의 그래프는 점 $(0, 3)$을 지나므로

$f'(0)=3$에서 $-4a=3$

$\therefore a=-\frac{3}{4}$

즉, $f'(x)=-\frac{3}{4}(x+2)(x-2)=-\frac{3}{4}x^2+3$이므로

$f(x)=\int f'(x)dx=\int\left(-\frac{3}{4}x^2+3\right)dx$

$=-\frac{1}{4}x^3+3x+C$

또한, $f(0)=0$이므로 $C=0$

$\therefore f(x)=-\frac{1}{4}x^3+3x$

방정식 $f(x)=kx$에서 $-\frac{1}{4}x^3+3x=kx$

$\frac{1}{4}x^3+(k-3)x=0$

$\therefore x\{x^2+4(k-3)\}=0$

즉, 방정식 $x\{x^2+4(k-3)\}=0$이 서로 다른 세 실근을 가지려면 이차방정식 $x^2+4(k-3)=0$이 0이 아닌 서로 다른 두 실근을 가져야 하므로 이차방정식 $x^2+4(k-3)=0$의 판별식을 D라 하면

$D=-16(k-3)>0$ $\quad\therefore k<3$ 답 ①

22 $f'(x)=ax(x-2)$ $(a>0)$라 하면

$f'(1)=-6$이므로 $a=6$

$\therefore f'(x)=6x^2-12x$

$\therefore f(x)=\int(6x^2-12x)\,dx=2x^3-6x^2+C$

$f(1)=1$이므로 $2-6+C=1$

$\therefore C=5$

따라서 $f(x)=2x^3-6x^2+5$이므로

$f(2)=16-24+5=-3$ 답 -3

23 $f(x+y)=f(x)+f(y)+xy(x+y)$에 $x=0$, $y=0$을 대입하면

$f(0+0)=f(0)+f(0)+0$

$\therefore f(0)=0$

$f'(x)=\lim_{h\to0}\frac{f(x+h)-f(x)}{h}$

$=\lim_{h\to0}\frac{f(x)+f(h)+xh(x+h)-f(x)}{h}$

$=\lim_{h\to0}\frac{f(h)}{h}+\lim_{h\to0}x(x+h)$

$=\lim_{h\to0}\frac{f(h)-f(0)}{h}+x^2$

$=f'(0)+x^2$

$=x^2+1$

$\therefore f(x)=\int(x^2+1)\,dx=\frac{1}{3}x^3+x+C$

$f(0)=0$이므로 $C=0$

따라서 $f(x)=\frac{1}{3}x^3+x$이므로

$f(3)=9+3=12$ 답 12

24 도함수 $y=f'(x)$는 이차함수이고, $f'(x)=0$의 해가 $x=0$ 또는 $x=2$이므로

$f'(x)=ax(x-2)$ $(a>0)$라 하면

$f(x)=\int ax(x-2)\,dx$

$=\int(ax^2-2ax)\,dx$

$=\frac{a}{3}x^3-ax^2+C$

함수 $y=f(x)$의 증가, 감소를 표로 나타내면 다음과 같다.

x	$\cdots$	0	$\cdots$	2	$\cdots$
$f'(x)$	+	0	−	0	+
$f(x)$	↗	극대	↘	극소	↗

함수 $y=f(x)$는 $x=0$에서 극대, $x=2$에서 극소이므로

$f(0)=4$에서 $C=4$

$f(2)=0$에서 $\frac{8}{3}a-4a+C=0$

$\therefore -\frac{4}{3}a+C=0$ $\quad\cdots\cdots$ ㉠

$C=4$를 ㉠에 대입하면 $a=3$

따라서 $f(x)=x^3-3x^2+4$이므로

$f(1)=1-3+4=2$ 답 ②

25 $x=-1$에서 극솟값을 갖고, $x=2$에서 극댓값을 가지므로

$f'(x)=a(x+1)(x-2)$ $(a<0)$라 하면

$f(x)=\int f'(x)\,dx$

$=\int a(x+1)(x-2)\,dx$

$=\int a(x^2-x-2)\,dx$

$=a\left(\frac{1}{3}x^3-\frac{1}{2}x^2-2x\right)+C$

함수 $y=f(x)$의 그래프는 두 점 A$(1, 1)$, B$(3, 0)$을 지나므로

$f(1)=-\frac{13}{6}a+C=1$ $\quad\cdots\cdots$ ㉠

$f(3)=-\frac{3}{2}a+C=0$ $\quad\cdots\cdots$ ㉡

㉠, ㉡을 연립하여 풀면 $a=-\frac{3}{2}$, $C=-\frac{9}{4}$

$\therefore f(x)=-\frac{1}{2}x^3+\frac{3}{4}x^2+3x-\frac{9}{4}$

따라서 극솟값은

$f(-1)=\frac{1}{2}+\frac{3}{4}-3-\frac{9}{4}=-4$ 답 -4

26 도함수 $y=f'(x)$는 삼차함수이고, $f'(x)=0$의 해가 $x=-2$ 또는 $x=0$ 또는 $x=2$이므로

$f'(x)=ax(x-2)(x+2)=a(x^3-4x)$ $(a>0)$라 하면

$f(x)=\int a(x^3-4x)\,dx$

$=\frac{1}{4}ax^4-2ax^2+C$

함수 $y=f(x)$의 증가, 감소를 표로 나타내면 다음과 같다.

x	$\cdots$	-2	$\cdots$	0	$\cdots$	2	$\cdots$
$f'(x)$	$-$	0	$+$	0	$-$	0	$+$
$f(x)$	↘	극소	↗	극대	↘	극소	↗

함수 $y=f(x)$는 $x=-2$, $x=2$에서 극소, $x=0$에서 극대이므로

$f(0)=0$에서 $C=0$

$f(-2)=f(2)=-16$에서 $-4a+C=-16$ ······㉠

$C=0$을 ㉠에 대입하면 $a=4$

따라서 $f(x)=x^4-8x^2$이므로

$f(-1)=1-8=-7$ 답 -7

27 $F(x)+\int xf(x)\,dx=2x^3+2x^2-2x+C$의 양변을 x에 대하여 미분하면

$f(x)+xf(x)=6x^2+4x-2$

$(1+x)f(x)=(x+1)(6x-2)$

따라서 $f(x)=6x-2$이므로

$f(5)=30-2=28$ 답 ④

28 $xf(x)=F(x)-3x^3(x-2)$의 양변을 x에 대하여 미분하면

$f(x)+xf'(x)=F'(x)-9x^2(x-2)-3x^3$

$f(x)+xf'(x)=f(x)-12x^3+18x^2$

$xf'(x)=-12x^3+18x^2$

즉, $f'(x)=-12x^2+18x$이므로

$f(x)=\int(-12x^2+18x)\,dx=-4x^3+9x^2+C$

$f(0)=2$이므로 $C=2$

따라서 $f(x)=-4x^3+9x^2+2$이므로

$f(1)=7$, $f'(1)=6$

$\therefore f'(1)+f(1)=13$ 답 13

29 $(x-1)f(x)-F(x)=x^3-x^2-x$의 양변을 x에 대하여 미분하면

$f(x)+(x-1)f'(x)-f(x)=3x^2-2x-1$

$(x-1)f'(x)=(3x+1)(x-1)$

즉, $f'(x)=3x+1$이므로

$f(x)=\int(3x+1)\,dx=\frac{3}{2}x^2+x+C$

$f(1)=3$이므로 $\frac{3}{2}+1+C=3$에서 $C=\frac{1}{2}$

따라서 $f(x)=\frac{3}{2}x^2+x+\frac{1}{2}$이므로

$f(3)=\frac{27}{2}+3+\frac{1}{2}=17$ 답 17

30 $f'(x)=\begin{cases}4x-1 & (x\ge1)\\ k & (x<1)\end{cases}$에서

$f(x)=\int f'(x)\,dx=\begin{cases}2x^2-x+C_1 & (x\ge1)\\ kx+C_2 & (x<1)\end{cases}$

$f(2)=4$이므로 $8-2+C_1=4$ $\quad\therefore C_1=-2$

$f(0)=2$이므로 $C_2=2$

함수 $y=f(x)$가 $x=1$에서 연속이므로

$f(1)=\lim_{x\to1+}f(x)=\lim_{x\to1-}f(x)$

즉, $2-1-2=k+2$이므로 $k=-3$

따라서 $f(x)=\begin{cases}2x^2-x-2 & (x\ge1)\\ -3x+2 & (x<1)\end{cases}$이므로

$f(-2)=6+2=8$ 답 ③

31 $f'(x)=x+|x+1|$에서

$f'(x)=\begin{cases}-1 & (x<-1)\\ 2x+1 & (x\ge-1)\end{cases}$이므로

$f(x)=\int f'(x)\,dx=\begin{cases}-x+C_1 & (x<-1)\\ x^2+x+C_2 & (x\ge-1)\end{cases}$

함수 $y=f(x)$가 모든 실수 x에서 연속이므로 $x=-1$에서도 연속이다.

즉, $f(-1)=\lim_{x\to-1+}f(x)=\lim_{x\to-1-}f(x)$이므로

$1+C_1=1-1+C_2$

$\therefore C_1=C_2-1$ ······㉠

또 $f(1)=3$이므로 $1+1+C_2=3$ $\quad\therefore C_2=1$

$C_2=1$을 ㉠에 대입하면 $C_1=0$

따라서 $f(x)=\begin{cases}-x & (x<-1)\\ x^2+x+1 & (x\ge-1)\end{cases}$이므로

$f(-10)=10$ 답 10

32 $f'(x)=\begin{cases}4 & (x<2)\\ 2 & (2<x<4)\\ -2 & (x>4)\end{cases}$이므로

$f(x)=\int f'(x)\,dx=\begin{cases}4x+C_1 & (x<2)\\ 2x+C_2 & (2<x<4)\\ -2x+C_3 & (x>4)\end{cases}$

$f(0)=-2$이므로 $C_1=-2$

함수 $y=f(x)$가 $x=2$에서 연속이므로

$f(2)=\lim_{x\to2-}(4x-2)=\lim_{x\to2+}(2x+C_2)$

즉, $6=4+C_2$이므로 $C_2=2$

또 함수 $y=f(x)$가 $x=4$에서 연속이므로

$f(4)=\lim_{x\to4-}(2x+2)=\lim_{x\to4+}(-2x+C_3)$

즉, $10=-8+C_3$이므로 $C_3=18$

따라서 $f(x)=\begin{cases}4x-2 & (x<2)\\ 2x+2 & (2\le x<4)\\ -2x+18 & (x\ge4)\end{cases}$이므로

$f(1)+f(3)+f(5)=2+8+8=18$ 답 18

33 $f(x)=\int\left\{\frac{d}{dx}(x^2-4x)\right\}dx$

$=x^2-4x+C$

$=(x-2)^2+C'$

$0\le x\le 5$에서 $y=f(x)$는 $x=5$일 때 최대이므로 $y=f(x)$의 최댓값은 $f(5)=9+C'$

즉, $\log_2(9+C')=4$에서

$9+C'=2^4=16$ $\quad\therefore C'=7$

따라서 $f(x)=(x-2)^2+7$이므로

$f(0)=11$ 답 11

34 $f'(x)=xg(x)$, $f'(x)-g'(x)=4x^3+2x$이므로

$xg(x)-g'(x)=4x^3+2x$

함수 $y=g(x)$가 다항함수이면서 이를 만족시키려면 최고차항의 계수가 4인 이차함수이어야 한다.

$g(x)=4x^2+ax+b$ (a, b는 상수)라 하면

$g'(x)=8x+a$이므로

$x(4x^2+ax+b)-(8x+a)=4x^3+2x$

$4x^3+ax^2+(b-8)x-a=4x^3+2x$에서

$a=0$, $b=10$이므로 $g(x)=4x^2+10$

$\therefore g(1)=4+10=14$ 답 14

35 함수 $y=f(x)+g(x)$가 함수 $y=f(x)-g(x)$의 부정적분이므로

$f(x)+g(x)=\int\{f(x)-g(x)\}dx$ $\quad\cdots\cdots$㉠

㉠의 양변을 x에 대하여 미분하면

$f'(x)+g'(x)=f(x)-g(x)$ $\quad\cdots\cdots$㉡

$g(x)=x^2+x+1$에서 $g'(x)=2x+1$이므로 ㉡에 대입하면

$f'(x)+2x+1=f(x)-(x^2+x+1)$

즉, $f(x)$는 이차항의 계수가 1인 이차식이 되어야 한다.

$f(x)=x^2+ax+b$ (a, b는 상수)라 하면 $f'(x)=2x+a$

㉡에서

$(2x+a)+(2x+1)=(x^2+ax+b)-(x^2+x+1)$

$4x+a+1=(a-1)x+b-1$

즉, $4=a-1$, $a+1=b-1$이므로 $a=5$, $b=7$

따라서 $f(x)=x^2+5x+7$이므로

$f(1)=1+5+7=13$ 답 ③

36 $\int\{f(x)+g(x)\}dx=\frac{1}{3}x^3+2x^2+4x+C$의 양변을 x에 대하여 미분하면

$f(x)+g(x)=x^2+4x+4$ $\quad\cdots\cdots$㉠

$g(1)=6$이므로 ㉠에서

$f(1)+6=9$ $\quad\therefore f(1)=3$

$\frac{d}{dx}\{f(x)g(x)\}=f'(x)g(x)+f(x)g'(x)$이므로

$f(x)g(x)=\int\{f'(x)g(x)+f(x)g'(x)\}dx$

$=\int(6x^2+10x+8)dx$

$=2x^3+5x^2+8x+C_1$

위의 식에 $x=1$을 대입하면

$f(1)g(1)=2+5+8+C_1$

$3\times 6=15+C_1$ $\quad\therefore C_1=3$

$\therefore f(x)g(x)=2x^3+5x^2+8x+3$ $\quad\cdots\cdots$㉡

㉠, ㉡에 $x=2$를 대입하면

$f(2)+g(2)=16$

$f(2)g(2)=55$

두 식을 연립하여 풀면

$\begin{cases}f(2)=11\\g(2)=5\end{cases}$ 또는 $\begin{cases}f(2)=5\\g(2)=11\end{cases}$

$\therefore |f(2)-g(2)|=6$ 답 6

37 $f(x)=\int(x-2)(x+2)(x^2+4)dx$

$=\int(x^4-16)dx$

$=\frac{1}{5}x^5-16x+C$

$f(0)=\frac{4}{5}$이므로 $C=\frac{4}{5}$

$\therefore f(x)=\frac{1}{5}x^5-16x+\frac{4}{5}$, $f'(x)=x^4-16$

$\therefore \lim_{x\to 1}\frac{xf(x)-f(1)}{x^2-1}$

$=\lim_{x\to 1}\left\{\frac{xf(x)-xf(1)+xf(1)-f(1)}{x-1}\times\frac{1}{x+1}\right\}$

$=\lim_{x\to 1}\left[\frac{x\{f(x)-f(1)\}+f(1)(x-1)}{x-1}\times\frac{1}{x+1}\right]$

$=\lim_{x\to 1}\left[\left\{x\times\frac{f(x)-f(1)}{x-1}+f(1)\right\}\times\frac{1}{x+1}\right]$

$=\frac{1}{2}\{f'(1)+f(1)\}$

$f(1)=\frac{1}{5}-16+\frac{4}{5}=-15$, $f'(1)=1-16=-15$

따라서 구하는 값은

$\frac{1}{2}\{(-15)+(-15)\}=-15$ 답 ④

38 $f_n(x)=\int\left(\sum_{k=1}^{n}kx^{k-1}\right)dx$

$=\sum_{k=1}^{n}\int kx^{k-1}dx$

$=\sum_{k=1}^{n}x^k+C$

$f_n(0)=0$이므로 $C=0$

$\therefore f_n(x)=\sum_{k=1}^{n}x^k$

$\therefore f_{10}\left(\frac{1}{2}\right)=\sum_{k=1}^{10}\left(\frac{1}{2}\right)^k$

$=\frac{\frac{1}{2}\left\{1-\left(\frac{1}{2}\right)^{10}\right\}}{1-\frac{1}{2}}$

$=1-\left(\frac{1}{2}\right)^{10}$

$=\frac{1023}{1024}$ 답 $\frac{1023}{1024}$

39 $g(x)=x^3-3x+a$이므로

(i) $f'(x)=g(x)$에서

$$f(x)=\int g(x)\,dx=\int (x^3-3x+a)\,dx$$
$$=\frac{1}{4}x^4-\frac{3}{2}x^2+ax+C$$

(ii) $\int h(x)\,dx=g(x)$에서

$$h(x)=g'(x)=3x^2-3$$

$f(x)$가 $h(x)$로 나누어떨어지므로 몫을 $Q(x)$라 하면

$f(x)=h(x)Q(x)$

$$\frac{1}{4}x^4-\frac{3}{2}x^2+ax+C=(3x^2-3)Q(x)$$
$$=3(x-1)(x+1)Q(x)$$

위의 식의 양변에 $x=1$, $x=-1$을 각각 대입하면

$\frac{1}{4}-\frac{3}{2}+a+C=0$, $\frac{1}{4}-\frac{3}{2}-a+C=0$

$\therefore a+C=\frac{5}{4}$, $-a+C=\frac{5}{4}$

두 식을 연립하여 풀면 $a=0$, $C=\frac{5}{4}$

따라서 $f(x)=\frac{1}{4}x^4-\frac{3}{2}x^2+\frac{5}{4}$이므로

$f(0)=\frac{5}{4}$ 답 ④

40 $f(t+h)=f(t)+mt^2h+3th^2+h^3$에서

$$\frac{f(t+h)-f(t)}{h}=mt^2+3th+h^2$$

$$\therefore f'(x)=\lim_{h\to 0}\frac{f(x+h)-f(x)}{h}$$
$$=\lim_{h\to 0}(mx^2+3xh+h^2)=mx^2$$

$$\therefore f(x)=\int mx^2\,dx=\frac{m}{3}x^3+C$$

$f(-1)=0$, $f(1)=2$이므로

$-\frac{m}{3}+C=0$, $\frac{m}{3}+C=2$

두 식을 연립하여 풀면 $m=3$, $C=1$

따라서 $f(x)=x^3+1$이므로

$f(2)=8+1=9$ 답 ④

41 조건 (가)에서 $P(x)+2$를 $(x-1)^2$으로 나눈 몫을 $Q(x)$라 하면

$P(x)+2=(x-1)^2Q(x)$ ……㉠

양변을 x에 대하여 미분하면

$P'(x)=2(x-1)Q(x)+(x-1)^2Q'(x)$

조건 (나)에서 $P(x)-3$을 $(x+1)^2$으로 나눈 몫을 $A(x)$라 하면

$P(x)-3=(x+1)^2A(x)$ ……㉡

양변을 x에 대하여 미분하면

$P'(x)=2(x+1)A(x)+(x+1)^2A'(x)$

즉, $P'(x)$는 $x-1$과 $x+1$을 인수로 가지므로

$P'(x)=a(x+1)(x-1)=a(x^2-1)$이라 할 수 있다.

$\therefore P(x)=\int a(x^2-1)\,dx=a\left(\frac{1}{3}x^3-x\right)+C$ ……㉢

㉠, ㉡의 양변에 $x=1$, $x=-1$을 각각 대입하면

$P(1)+2=0$, $P(-1)-3=0$

즉, ㉢에서 $-\frac{2}{3}a+C+2=0$, $\frac{2}{3}a+C-3=0$이므로

$\frac{4}{3}a=5$에서 $a=\frac{15}{4}$

따라서 $P(x)$의 삼차항의 계수는

$\frac{15}{4}\times\frac{1}{3}=\frac{5}{4}$ 답 $\frac{5}{4}$

42 함수 $y=f'(x)$는 삼차함수이고

$f'(0)=f'(\sqrt{2})=f'(-\sqrt{2})=0$이므로

$$f'(x)=kx(x+\sqrt{2})(x-\sqrt{2})$$
$$=kx(x^2-2)=kx^3-2kx\ (k>0)$$

라 하면

$$f(x)=\int f'(x)\,dx=\int (kx^3-2kx)\,dx$$
$$=\frac{k}{4}x^4-kx^2+C$$

$f(0)=C=1$

$f(\sqrt{2})=k-2k+C=-k+1=-3$이므로 $k=4$

$\therefore f(x)=x^4-4x^2+1$

함수 $y=f(x)$의 그래프는 그림과 같다.

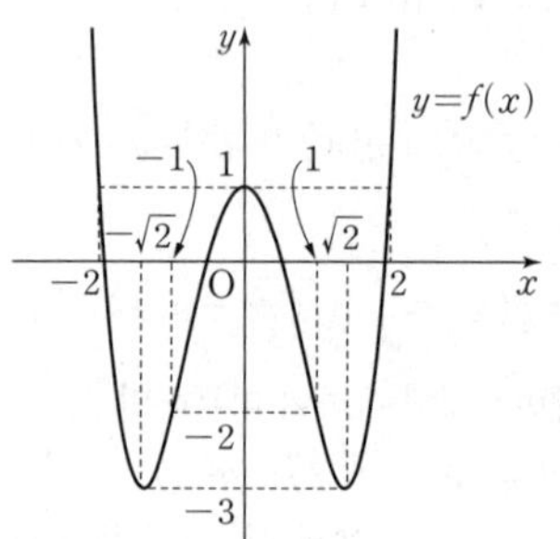

$f(-2)=f(2)=1>0$,

$f(-1)=f(1)=-2<0$이므로

$f(m)f(m+1)<0$을 만족시키는 정수는 $-2, -1, 0, 1$이다.

따라서 $f(m)f(m+1)<0$을 만족시키는 모든 정수 m의 값의 합은 -2 답 -2

43 $$f(x)=\int f'(x)\,dx$$
$$=\int \{x^2-(a+1)x+a\}\,dx$$
$$=\frac{1}{3}x^3-\frac{(a+1)}{2}x^2+ax+C$$

$f(0)=0$이므로 $C=0$

$\therefore f(x)=\frac{1}{3}x^3-\frac{(a+1)}{2}x^2+ax$

$f'(x)=x^2-(a+1)x+a$
$=(x-1)(x-a)$

$f'(x)=0$에서 $x=1$ 또는 $x=a\ (a>1)$

함수 $y=f(x)$의 증가, 감소를 표로 나타내면 다음과 같다.

x	…	1	…	a	…
$f'(x)$	+	0	−	0	+
$f(x)$	↗	극대	↘	극소	↗

함수 $y=f(x)$는 $x=1$에서 극댓값 $\frac{4}{3}$를 가지므로

$f(1)=\frac{1}{3}-\frac{(a+1)}{2}+a=\frac{4}{3}$ $\therefore a=3$

즉, $f(x)=\frac{1}{3}x^3-2x^2+3x$이고 $x=3$에서 극솟값을 가지므로

$f(3)=9-18+9=0$ 답 0

44 $f'(x)=|x|+|x-1|$에서

$$f'(x)=\begin{cases}-2x+1 & (x<0)\\ 1 & (0\le x<1)\\ 2x-1 & (x\ge 1)\end{cases}$$ 이므로

$$f(x)=\int f'(x)\,dx=\begin{cases}-x^2+x+C_1 & (x<0)\\ x+C_2 & (0\le x<1)\\ x^2-x+C_3 & (x\ge 1)\end{cases}$$

함수 $y=f(x)$가 $x=0$, $x=1$에서 미분가능하므로

$x=0$, $x=1$에서 연속이다.

즉, $f(0)=\lim_{x\to 0+}f(x)=\lim_{x\to 0-}f(x)$이므로

$C_2=C_1$ ……㉠

$f(1)=\lim_{x\to 1+}f(x)=\lim_{x\to 1-}f(x)$이므로

$C_3=1+C_2$ ……㉡

㉠을 ㉡에 대입하면 $C_3-C_1=1$

$\therefore f(2)-f(-1)=(4-2+C_3)-\{(-1)+(-1)+C_1\}$

$=4+(C_3-C_1)=5$ 답 5

45 $f(-3+2h)-f(-3)=2h^2-2h$에서

$\frac{f(-3+2h)-f(-3)}{2h}=h-1$

$\therefore f'(-3)=\lim_{h\to 0}\frac{f(-3+2h)-f(-3)}{2h}$

$=\lim_{h\to 0}(h-1)=-1$

즉, $x<-1$에서 두 점 $(-1, 1)$, $(-3, -1)$을 지나는 직선의 방정식은 $y=x+2$이고, 주어진 그림에서 $y=f'(x)$의 그래프는 두 점 $(-1, 1)$, $(1, 1)$을 지나므로

$$f'(x)=\begin{cases}x+2 & (x<-1)\\ x^2 & (-1\le x<1)\\ 1 & (x\ge 1)\end{cases}$$

$$\therefore f(x)=\int f'(x)\,dx=\begin{cases}\frac{1}{2}x^2+2x+C_1 & (x<-1)\\ \frac{1}{3}x^3+C_2 & (-1\le x<1)\\ x+C_3 & (x\ge 1)\end{cases}$$

$f(-2)=-1$이므로 $2-4+C_1=-1$ $\therefore C_1=1$

$x=-1$에서 함수 $y=f(x)$가 연속이므로

$\frac{1}{2}-2+1=-\frac{1}{3}+C_2$ $\therefore C_2=-\frac{1}{6}$

$x=1$에서 함수 $y=f(x)$가 연속이므로

$\frac{1}{3}-\frac{1}{6}=1+C_3$ $\therefore C_3=-\frac{5}{6}$

$$\therefore f(x)=\begin{cases}\frac{1}{2}x^2+2x+1 & (x<-1)\\ \frac{1}{3}x^3-\frac{1}{6} & (-1\le x<1)\\ x-\frac{5}{6} & (x\ge 1)\end{cases}$$

$\therefore f(2)=2-\frac{5}{6}=\frac{7}{6}$ 답 $\frac{7}{6}$

46 $$f(x)=\begin{cases}-x+C_1 & (x<-2)\\ x^3+C_2 & (-2\le x<2)\\ -x+C_3 & (x\ge 2)\end{cases}$$

이므로 함수 $y=f(x)$의 그래프의 개형은 그림과 같다.

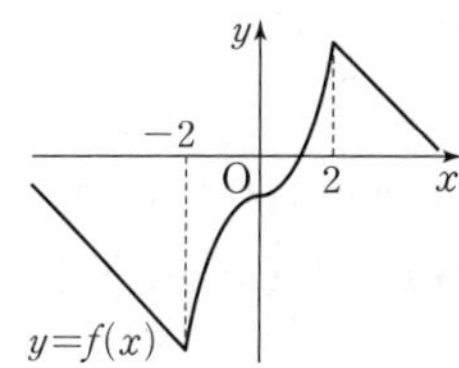

ㄱ. 그림에서 함수 $y=f(x)$는 $x=-2$와 $x=2$에서 극값을 갖는다. (거짓)

ㄴ. 함수 $y=f(x)$의 그래프에서 $f(0)=-1$이면

$f(x)=x^3+C_2$ $(-2\le x<2)$에서

$f(0)=C_2=-1$

한편, $x=2$에서 함수 $y=f(x)$는 연속이어야 하므로

$8+C_2=-2+C_3$ $\therefore C_3=9$

즉, $f(x)=-x+9$ $(x\ge 2)$에서

$f(3)=-3+9=6$ (참)

ㄷ. 함수 $y=f(x)$의 그래프는 $f(0)=0$일 때만 원점에 대하여 대칭이므로 모든 실수 x에 대하여 $f(x)=-f(-x)$라 할 수 없다. (거짓)

따라서 옳은 것은 ㄴ뿐이다. 답 ②

47 $f(x)=x(x-\alpha)^2$이고

$g'(x)=\{xf(x)\}'$이므로

$g(x)=xf(x)+C=x^2(x-\alpha)^2+C$

$g'(x)=2x(x-\alpha)^2+2x^2(x-\alpha)$

$=2x(x-\alpha)(2x-\alpha)$

함수 $y=g(x)$는 $x=0$, $x=\alpha$에서 극솟값,

$x=\frac{\alpha}{2}$에서 극댓값을 갖는다.

$g\left(\frac{\alpha}{2}\right)=81$, $g(0)=g(\alpha)=0$이므로 $C=0$

$g(x)=x^2(x-\alpha)^2$에서 $x=\frac{\alpha}{2}$를 대입하면

$g\left(\frac{\alpha}{2}\right)=\left(\frac{\alpha}{2}\right)^4=81$

$\frac{\alpha}{2}=3$ $\therefore \alpha=6$ $(\because \alpha>0)$

따라서 $g(x)=x^2(x-6)^2$이므로

$g\left(\frac{\alpha}{3}\right)=g(2)=64$ 답 64

다른 풀이

함수 $y=f(x)$를 구하면

$f(x)=x(x-\alpha)^2$이므로

$f'(x)=(x-\alpha)^2+2x(x-\alpha)$

$g'(x)=f(x)+xf'(x)$이므로

$g'(x)=x(x-\alpha)^2+x\{(x-\alpha)^2+2x(x-\alpha)\}$

$=2x(x-\alpha)(2x-\alpha)$

함수 $y=g(x)$는 $x=0$, $x=\alpha$에서 극솟값,

$x=\frac{\alpha}{2}$에서 극댓값을 갖는다.

$g\left(\frac{a}{2}\right)=81,\ g(0)=g(a)=0$

이를 이용하여 a와 $g(x)$를 구하면

$a=6,\ g(x)=x^2(x-6)^2$

$\therefore g\left(\frac{a}{3}\right)=g(2)=64$

48 함수 $y=f(x)$가 이차함수이므로

$f(x)=ax^2+bx+c\ (a\neq 0)$라 하면

$$g(x)=\int\{x^2+f(x)\}dx$$
$$=\int(x^2+ax^2+bx+c)\,dx$$
$$=\int\{(1+a)x^2+bx+c\}dx$$
$$=\frac{1}{3}(1+a)x^3+\frac{b}{2}x^2+cx+C \quad \cdots\cdots ㉠$$

$$f(x)g(x)=(ax^2+bx+c)g(x)$$
$$=-2x^4+8x^3 \quad \cdots\cdots ㉡$$

이므로 함수 $y=g(x)$는 이차함수이다.

$\therefore a=-1$

㉠, ㉡에서

$(-x^2+bx+c)\left(\frac{b}{2}x^2+cx+C\right)=-2x^4+8x^3$

$-\frac{b}{2}x^4+\left(\frac{b^2}{2}-c\right)x^3+\left(-C+\frac{3bc}{2}\right)x^2+(bC+c^2)x+cC$

$=-2x^4+8x^3$에서

$-\frac{b}{2}=-2,\ \frac{b^2}{2}-c=8,\ -C+\frac{3bc}{2}=0,\ cC=0$

$\therefore b=4,\ c=0,\ C=0$

따라서 $g(x)=2x^2$이므로

$g(1)=2$ 답 2

09 정적분

본책 095~102쪽

01 $\int_0^1 18(x^2-1)(x^2+1)(x^4+1)\,dx$

$$=\int_0^1 18(x^4-1)(x^4+1)\,dx$$
$$=\int_0^1 18(x^8-1)\,dx$$
$$=\int_0^1 (18x^8-18)\,dx$$
$$=\Big[2x^9-18x\Big]_0^1$$
$$=-16$$

답 ①

02 $\int_{-3}^1 (x^2+1)\,dx=\left[\frac{1}{3}x^3+x\right]_{-3}^1$

$$=\left(\frac{1}{3}+1\right)-\{(-9)+(-3)\}$$
$$=\frac{40}{3}$$

답 $\frac{40}{3}$

03 $\int_0^x f(t)\,dt=x^3+3x$의 양변을 x에 대하여 미분하면

$f(x)=3x^2+3$이므로 $f'(x)=6x$

$\therefore f'(2)=12$ 답 12

04 $\int_3^x f(t)\,dt=x^2-2x+a$의 양변에 $x=3$을 대입하면

$0=9-6+a$

$\therefore a=-3$

주어진 식의 양변을 x에 대하여 미분하면

$f(x)=2x-2$

$\therefore f(4)=8-2=6$

$\therefore a+f(4)=(-3)+6=3$ 답 3

05 $\int_0^2 (2x^2+1)\,dx-2\int_0^2 (x-1)^2\,dx$

$$=\int_0^2 (2x^2+1)\,dx-\int_0^2 (2x^2-4x+2)\,dx$$
$$=\int_0^2 (2x^2+1-2x^2+4x-2)\,dx$$
$$=\int_0^2 (4x-1)\,dx$$
$$=\Big[2x^2-x\Big]_0^2=6$$

답 6

06 $\int_{-1}^0 (3x^2-2)\,dx+\int_0^2 (3t^2-2)\,dt$

$$=\int_{-1}^0 (3x^2-2)\,dx+\int_0^2 (3x^2-2)\,dx$$
$$=\int_{-1}^2 (3x^2-2)\,dx$$
$$=\Big[x^3-2x\Big]_{-1}^2$$
$$=4-1=3$$

답 ③

07 $\int_2^4 f(x)dx-\int_3^4 f(x)dx+\int_1^2 f(x)dx$

$=\int_1^2 f(x)dx+\int_2^4 f(x)dx-\int_3^4 f(x)dx$

$=\int_1^4 f(x)dx+\int_4^3 f(x)dx$

$=\int_1^3 f(x)dx$

$=\int_1^3 (6x^2+2x+1)\,dx$

$=\Big[2x^3+x^2+x\Big]_1^3$

$=66-4=62$

답 62

08 $x^2-2x=x(x-2)$이므로

$|x^2-2x|=\begin{cases} x^2-2x & (x\le 0 \text{ 또는 } x\ge 2) \\ -x^2+2x & (0<x<2)\end{cases}$

$\therefore \int_{-2}^2 |x^2-2x|\,dx$

$=\int_{-2}^0 (x^2-2x)\,dx+\int_0^2 (-x^2+2x)\,dx$

$=\Big[\frac{1}{3}x^3-x^2\Big]_{-2}^0+\Big[-\frac{1}{3}x^3+x^2\Big]_0^2$

$=-\Big\{\Big(-\frac{8}{3}\Big)-4\Big\}+\Big\{\Big(-\frac{8}{3}\Big)+4\Big\}=8$

답 8

09 $\int_1^3 \frac{y^3-1}{y-1}\,dy=\int_1^3 \frac{(y-1)(y^2+y+1)}{y-1}\,dy$

$=\int_1^3 (y^2+y+1)\,dy$

$=\Big[\frac{1}{3}y^3+\frac{1}{2}y^2+y\Big]_1^3$

$=\frac{33}{2}-\frac{11}{6}=\frac{44}{3}$

답 ③

10 $\int_1^a (2x+a)\,dx=\Big[x^2+ax\Big]_1^a$

$=(a^2+a^2)-(1+a)$

$=2a^2-a-1=14$

$2a^2-a-15=0,\ (2a+5)(a-3)=0$

$\therefore a=3\ (\because a>0)$

답 3

11 $x^2-4x+3=(x-1)(x-3)$이므로 구하는 넓이는

$-\int_1^3 (x^2-4x+3)\,dx+\int_3^4 (x^2-4x+3)\,dx$

$=-\Big[\frac{1}{3}x^3-2x^2+3x\Big]_1^3+\Big[\frac{1}{3}x^3-2x^2+3x\Big]_3^4$

$=\frac{4}{3}+\frac{4}{3}=\frac{8}{3}$

답 $\frac{8}{3}$

12 $\int_a^x tf(t)\,dt=x^3-2x^2-3x$의 양변에 $x=a$를 대입하면

$0=a^3-2a^2-3a$

$a(a+1)(a-3)=0$

$\therefore a=3\ (\because a>0)$

답 3

13 $f'(x)=2x-1$이므로

$f(x)=\int (2x-1)\,dx=x^2-x+C$

$\therefore \int_0^2 f(x)dx=\int_0^2 (x^2-x+C)\,dx$

$=\Big[\frac{1}{3}x^3-\frac{1}{2}x^2+Cx\Big]_0^2$

$=\frac{2}{3}+2C$

즉, $\frac{2}{3}+2C=\frac{8}{3}$에서 $C=1$

따라서 $f(x)=x^2-x+1$이므로

$f(1)=1-1+1=1$

답 ③

14 조건 (가)에서

$\lim_{x\to 1}\frac{f(x)-f(1)}{x^2-1}=\lim_{x\to 1}\Big\{\frac{f(x)-f(1)}{x-1}\times\frac{1}{x+1}\Big\}$

$=\frac{1}{2}f'(1)=-5$

$\therefore f'(1)=-10$

$f'(x)=2ax+b$이므로

$f'(1)=2a+b=-10$ ……㉠

조건 (나)에서

$\int_0^1 f(x)dx=\int_0^1 (ax^2+bx)\,dx$

$=\Big[\frac{a}{3}x^3+\frac{b}{2}x^2\Big]_0^1$

$=\frac{a}{3}+\frac{b}{2}=-3$

$\therefore 2a+3b=-18$ ……㉡

㉠, ㉡을 연립하여 풀면

$a=-3,\ b=-4$

따라서 $f(x)=-3x^2-4x$이므로

$f(2)=(-12)-8=-20$

답 -20

15 주어진 식의 양변을 x에 대하여 미분하면

$f(x)=3x^2-12x+9$

$f(x)=0$에서 $3x^2-12x+9=0,\ 3(x-1)(x-3)=0$

$\therefore \alpha=1,\ \beta=3\ (\because \alpha<\beta)$

$\therefore \int_\beta^\alpha f(x)\,dx=\int_3^1 (3x^2-12x+9)\,dx$

$=-\int_1^3 (3x^2-12x+9)\,dx$

$=-\Big[x^3-6x^2+9x\Big]_1^3$

$=-(0-4)=4$

답 4

16 주어진 식의 양변에 $x=2$를 대입하면

$0=8-4+2a+b$

$\therefore 2a+b=-4$ ……㉠

주어진 식의 양변을 x에 대하여 미분하면

$f(x)=3x^2-2x+a$

$f(1)=3-2+a=2 \qquad \therefore a=1$

$a=1$을 ㉠에 대입하면 $b=-6$이므로

$a+b=1+(-6)=-5$

답 -5

17 $f(t)=\int_0^t (3x^2-4x-3)\,dx$

$=\Big[x^3-2x^2-3x\Big]_0^t$

$=t^3-2t^2-3t$

$g(x)=\dfrac{d}{dx}\int_a^x f(t)dt$

$=f(x)$

$h(x)=\int_a^x \left\{\dfrac{d}{dt}f(t)\right\}dt$

$=\Big[f(t)\Big]_a^x$

$=f(x)-f(a)$

$g(x)-h(x)=f(x)-\{f(x)-f(a)\}=f(a)=0$

이므로

$f(a)=a^3-2a^2-3a=a(a+1)(a-3)=0$

$\therefore a=3\ (\because a>0)$

답 ③

18 $\int_0^3 \dfrac{x^3}{x+1}dx-\int_3^0 \dfrac{1}{t+1}dt$

$=\int_0^3 \dfrac{x^3}{x+1}dx-\int_3^0 \dfrac{1}{x+1}dx$

$=\int_0^3 \dfrac{x^3}{x+1}dx+\int_0^3 \dfrac{1}{x+1}dx$

$=\int_0^3 \dfrac{x^3+1}{x+1}dx$

$=\int_0^3 \dfrac{(x+1)(x^2-x+1)}{x+1}dx$

$=\int_0^3 (x^2-x+1)\,dx$

$=\left[\dfrac{1}{3}x^3-\dfrac{1}{2}x^2+x\right]_0^3$

$=9-\dfrac{9}{2}+3=\dfrac{15}{2}$

답 $\dfrac{15}{2}$

19 $\int_1^n (x+1)^2dx+\int_n^1 (x-1)^2dx$

$=\int_1^n (x+1)^2dx-\int_1^n (x-1)^2dx$

$=\int_1^n \{(x+1)^2-(x-1)^2\}\,dx$

$=\int_1^n 4x\,dx$

$=\Big[2x^2\Big]_1^n=2n^2-2$

즉, $2n^2-2=16$에서 $2n^2-18=0$

$n^2-9=0,\ (n+3)(n-3)=0$

$\therefore n=3\ (\because n$은 자연수)

답 3

20 $\int_0^3 (6x+4)\,dx-\int_a^3 (6x+4)\,dx$

$=\int_0^3 (6x+4)\,dx+\int_3^a (6x+4)\,dx$

$=\int_0^a (6x+4)\,dx$

$=\Big[3x^2+4x\Big]_0^a=3a^2+4a$

즉, $3a^2+4a=20$이므로

$3a^2+4a-20=0,\ (3a+10)(a-2)=0$

$\therefore a=-\dfrac{10}{3}$ 또는 $a=2$

$0<a<3$이므로 $a=2$

답 ④

21 $\int_{-1}^3 f(x)\,dx=\int_{-1}^1 f(x)dx+\int_1^3 f(x)dx$

$=\int_{-1}^2 f(x)dx+\int_2^1 f(x)dx+\int_1^3 f(x)dx$

$=\int_{-1}^2 f(x)dx-\int_1^2 f(x)dx+\int_1^3 f(x)dx$

$=5-12+10=3$

답 3

22 $\sum_{n=0}^{a}\int_n^{n+1} f(x)dx$

$=\int_0^1 f(x)dx+\int_1^2 f(x)dx+\cdots+\int_a^{a+1} f(x)dx$

$=\int_0^{a+1} f(x)dx$

$=\int_0^{a+1} (2x-3)\,dx$

$=\Big[x^2-3x\Big]_0^{a+1}$

$=(a+1)^2-3(a+1)$

$=a^2-a-2$

즉, $a^2-a-2=10$에서 $a^2-a-12=0$

$(a+3)(a-4)=0$

$\therefore a=4\ (\because a>0)$

답 ②

23 $\int_a^b f(x)dx-\int_{-b}^{-a} f(x)dx=0$에서

$\int_{-b}^{-a} f(x)dx=\int_a^b f(x)dx$

즉, $\int_{-3}^{-2} f(x)dx=\int_2^3 f(x)dx=20$이므로

$\int_1^2 f(x)dx=\int_1^3 f(x)dx+\int_3^2 f(x)dx$

$=\int_1^3 f(x)dx-\int_2^3 f(x)dx$

$=10-20=-10$

답 -10

24 $\int_{-1}^1 f(x)dx=\int_{-1}^0 f(x)\,dx+\int_0^1 f(x)\,dx$

$=\int_{-1}^0 (x^2+2)\,dx+\int_0^1 (2-x)\,dx$

$=\left[\dfrac{1}{3}x^3+2x\right]_{-1}^0+\left[2x-\dfrac{1}{2}x^2\right]_0^1$

$=\dfrac{7}{3}+\dfrac{3}{2}=\dfrac{23}{6}$

답 ②

25 $f(x)=\begin{cases} 2x+a & (x<0) \\ 5 & (0\le x<1) \\ -3x^2+b & (x\ge 1)\end{cases}$ 가 모든 실수 x에 대하여

연속이므로

$f(0)=\lim_{x\to 0-}(2x+a)=\lim_{x\to 0+}5$에서 $a=5$

$f(1)=\lim_{x\to1-}5=\lim_{x\to1+}(-3x^2+b)$에서 $5=-3+b$

$\therefore b=8$

즉, $f(x)=\begin{cases}2x+5 & (x<0)\\ 5 & (0\le x<1)\\ -3x^2+8 & (x\ge1)\end{cases}$ 이므로

$\int_{-1}^{3}f(x)\,dx$

$=\int_{-1}^{0}f(x)\,dx+\int_{0}^{1}f(x)\,dx+\int_{1}^{3}f(x)\,dx$

$=\int_{-1}^{0}(2x+5)\,dx+\int_{0}^{1}5\,dx+\int_{1}^{3}(-3x^2+8)\,dx$

$=\Big[x^2+5x\Big]_{-1}^{0}+\Big[5x\Big]_{0}^{1}+\Big[-x^3+8x\Big]_{1}^{3}$

$=4+5+(-3-7)$

$=-1$

답 -1

26 $f(x)=\begin{cases}x^2 & (x\le1)\\ 2-x & (x>1)\end{cases}$에서

$f(x-1)=\begin{cases}(x-1)^2 & (x\le2)\\ 3-x & (x>2)\end{cases}$

$\therefore \int_{1}^{3}f(x-1)dx$

$=\int_{1}^{2}(x-1)^2\,dx+\int_{2}^{3}(3-x)\,dx$

$=\int_{1}^{2}(x^2-2x+1)\,dx+\int_{2}^{3}(3-x)\,dx$

$=\Big[\frac{1}{3}x^3-x^2+x\Big]_{1}^{2}+\Big[3x-\frac{1}{2}x^2\Big]_{2}^{3}$

$=\left(\frac{2}{3}-\frac{1}{3}\right)+\left(\frac{9}{2}-4\right)$

$=\frac{5}{6}$

답 $\frac{5}{6}$

다른 풀이

함수 $y=f(x-1)$의 그래프를 x축의 방향으로 -1만큼 평행이동하면 $y=f(x)$이므로

$\int_{1}^{3}f(x-1)dx=\int_{0}^{2}f(x)\,dx$

$=\int_{0}^{1}x^2\,dx+\int_{1}^{2}(2-x)\,dx$

$=\Big[\frac{1}{3}x^3\Big]_{0}^{1}+\Big[2x-\frac{1}{2}x^2\Big]_{1}^{2}$

$=\frac{1}{3}+\left(2-\frac{3}{2}\right)=\frac{5}{6}$

27 $f(x)=\begin{cases}6 & (x<0)\\ -3x+6 & (x\ge0)\end{cases}$이므로

$\int_{-1}^{2}f(x)dx=\int_{-1}^{0}6\,dx+\int_{0}^{2}(-3x+6)\,dx$

$=\Big[6x\Big]_{-1}^{0}+\Big[-\frac{3}{2}x^2+6x\Big]_{0}^{2}$

$=6+6$

$=12$

답 12

28 $f'(x)=\begin{cases}-\frac{1}{2}x+2 & (x\le2)\\ -x+3 & (x>2)\end{cases}$이므로

$f(x)=\int f'(x)dx=\begin{cases}-\frac{1}{4}x^2+2x+C_1 & (x\le2)\\ -\frac{1}{2}x^2+3x+C_2 & (x>2)\end{cases}$

$f(1)=1$에서 $-\frac{1}{4}+2+C_1=1$

$\therefore C_1=-\frac{3}{4}$

함수 $y=f(x)$가 $x=2$에서 연속이므로

$-1+4-\frac{3}{4}=-2+6+C_2$

$\therefore C_2=-\frac{7}{4}$

즉, $f(x)=\begin{cases}-\frac{1}{4}x^2+2x-\frac{3}{4} & (x\le2)\\ -\frac{1}{2}x^2+3x-\frac{7}{4} & (x>2)\end{cases}$이므로

$\int_{0}^{3}f(x)dx$

$=\int_{0}^{2}\left(-\frac{1}{4}x^2+2x-\frac{3}{4}\right)dx+\int_{2}^{3}\left(-\frac{1}{2}x^2+3x-\frac{7}{4}\right)dx$

$=\Big[-\frac{1}{12}x^3+x^2-\frac{3}{4}x\Big]_{0}^{2}+\Big[-\frac{1}{6}x^3+\frac{3}{2}x^2-\frac{7}{4}x\Big]_{2}^{3}$

$=\frac{11}{6}+\left(\frac{15}{4}-\frac{7}{6}\right)=\frac{53}{12}$

답 ⑤

29 $f(x)=\begin{cases}x & (x<1)\\ 2-x & (x\ge1)\end{cases}$이므로

$f(x-1)=\begin{cases}x-1 & (x<2)\\ 3-x & (x\ge2)\end{cases}$

$\therefore \int_{1}^{3}xf(x-1)\,dx$

$=\int_{1}^{2}x(x-1)\,dx+\int_{2}^{3}x(3-x)\,dx$

$=\int_{1}^{2}(x^2-x)\,dx+\int_{2}^{3}(3x-x^2)\,dx$

$=\Big[\frac{1}{3}x^3-\frac{1}{2}x^2\Big]_{1}^{2}+\Big[\frac{3}{2}x^2-\frac{1}{3}x^3\Big]_{2}^{3}$

$=\left\{\left(\frac{8}{3}-2\right)-\left(\frac{1}{3}-\frac{1}{2}\right)\right\}+\left\{\left(\frac{27}{2}-9\right)-\left(6-\frac{8}{3}\right)\right\}$

$=2$

답 2

30 $f(x)=\begin{cases}4x-1 & (x\ge1)\\ 2x+1 & (x<1)\end{cases}$이므로

$\int_{-2}^{2}f(x)dx=\int_{-2}^{1}(2x+1)\,dx+\int_{1}^{2}(4x-1)\,dx$

$=\Big[x^2+x\Big]_{-2}^{1}+\Big[2x^2-x\Big]_{1}^{2}$

$=(2-2)+(6-1)=5$

답 ⑤

31 $f'(x)=\begin{cases}2x-1 & (x\ge1)\\ 1 & (x<1)\end{cases}$이므로

$f(x)=\int f'(x)\,dx=\begin{cases}x^2-x+C_1 & (x\ge1)\\ x+C_2 & (x<1)\end{cases}$

$f(0)=0$이므로 $C_2=0$

함수 $y=f(x)$가 $x=1$에서 연속이므로 $C_1=1$

$f(x)=\begin{cases} x^2-x+1 & (x\ge1) \\ x & (x<1)\end{cases}$이므로

$\int_0^2 f(x)\,dx=\int_0^1 x\,dx+\int_1^2 (x^2-x+1)\,dx$

$=\left[\frac{1}{2}x^2\right]_0^1+\left[\frac{1}{3}x^3-\frac{1}{2}x^2+x\right]_1^2$

$=\frac{7}{3}$

답 ③

32 $|x^2-a^2|=\begin{cases} x^2-a^2 & (x\le -a \text{ 또는 } x\ge a) \\ -x^2+a^2 & (-a<x<a)\end{cases}$

이므로 함수 $y=|x^2-a^2|$의 그래프는 그림과 같다.

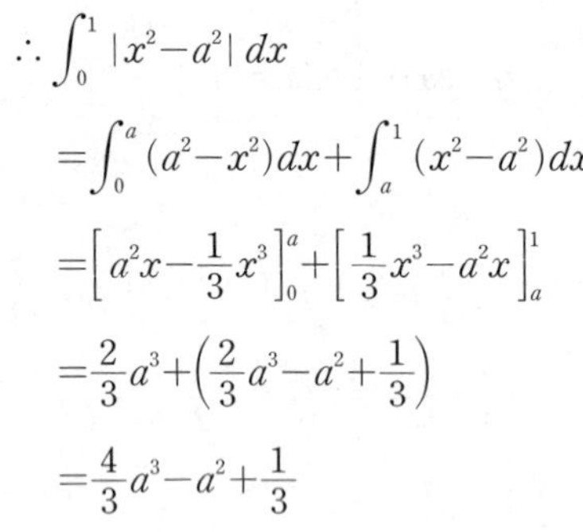

$\therefore \int_0^1 |x^2-a^2|\,dx$

$=\int_0^a (a^2-x^2)dx+\int_a^1 (x^2-a^2)dx$

$=\left[a^2x-\frac{1}{3}x^3\right]_0^a+\left[\frac{1}{3}x^3-a^2x\right]_a^1$

$=\frac{2}{3}a^3+\left(\frac{2}{3}a^3-a^2+\frac{1}{3}\right)$

$=\frac{4}{3}a^3-a^2+\frac{1}{3}$

즉, $\frac{4}{3}a^3-a^2+\frac{1}{3}=\frac{4}{3}a^3$이므로

$a^2=\frac{1}{3}$ $\quad\therefore a=-\frac{\sqrt{3}}{3}$ 또는 $a=\frac{\sqrt{3}}{3}$

그런데 $0<a<1$이므로 $a=\frac{\sqrt{3}}{3}$

답 $\frac{\sqrt{3}}{3}$

33 $\sum_{n=1}^{100}\int_0^1 (1-x)x^{n-1}\,dx$

$=\sum_{n=1}^{100}\int_0^1 (x^{n-1}-x^n)\,dx$

$=\sum_{n=1}^{100}\left[\frac{1}{n}x^n-\frac{1}{n+1}x^{n+1}\right]_0^1$

$=\sum_{n=1}^{100}\left(\frac{1}{n}-\frac{1}{n+1}\right)$

$=\left(1-\frac{1}{2}\right)+\left(\frac{1}{2}-\frac{1}{3}\right)+\cdots+\left(\frac{1}{100}-\frac{1}{101}\right)$

$=1-\frac{1}{101}=\frac{100}{101}$

답 ④

34 함수 $y=x^3$의 그래프를 x축의 방향으로 a만큼, y축의 방향으로 b만큼 평행이동하면

$y-b=(x-a)^3$에서 $y=(x-a)^3+b$

$\therefore g(x)=(x-a)^3+b$

$g(0)=0$에서 $(-a)^3+b=0$

$\therefore b=a^3$

$\therefore g(x)=(x-a)^3+a^3$

$\int_a^{3a} g(x)dx=\int_a^{3a}\{(x-a)^3+a^3\}\,dx$

$=\left[\frac{1}{4}(x-a)^4+a^3x\right]_a^{3a}$

$=(4a^4+3a^4)-(0+a^4)=6a^4$

$\int_0^{2a} f(x)dx=\int_0^{2a} x^3\,dx$

$=\left[\frac{1}{4}x^4\right]_0^{2a}=4a^4$

즉, $\int_a^{3a} g(x)dx=\int_a^{2a} f(x)dx+64$에서

$6a^4=4a^4+64,\ 2a^4=64$

$\therefore a^4=32$

답 32

35 도함수 $y=f'(x)$의 그래프로부터 함수 $y=f(x)$의 증가, 감소를 표로 나타내면 다음과 같다.

x	$\cdots$	0	$\cdots$	2	$\cdots$
$f'(x)$	$-$	0	$+$	0	$-$
$f(x)$	↘	극소	↗	극대	↘

$f(0)=f(3)=0$이므로 함수 $y=f(x)$의 그래프의 개형은 그림과 같다.

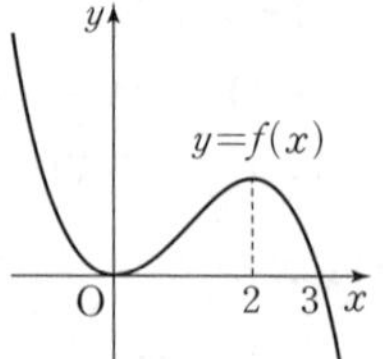

따라서 $n=3$일 때, $\int_0^n f(x)\,dx$의 값은 최대이다.

답 3

36 $f(x)=x^3+ax^2+bx+c$ (a, b, c는 상수)라 하면

조건 ㈎에서 $c=0$

$f'(x)=3x^2+2ax+b$

$=3\left(x+\frac{a}{3}\right)^2+b-\frac{a^2}{3}$

조건 ㈏에서 함수 $y=f'(x)$는 $x=2$에 대하여 대칭이므로

$-\frac{a}{3}=2$ $\quad\therefore a=-6$

$\therefore f'(x)=3x^2-12x+b$

$=3(x-2)^2+b-12$

$y=f'(x)$의 최솟값이 $b-12$이므로

조건 ㈐에서 $b\ge9$이고

$\int_0^3 f(x)dx=\int_0^3 (x^3-6x^2+bx)\,dx$

$=\left[\frac{1}{4}x^4-2x^3+\frac{b}{2}x^2\right]_0^3$

$=-\frac{135}{4}+\frac{9b}{2}\ge\frac{27}{4}$ ($\because b\ge9$)

$b=9$일 때, 최솟값 $m=\frac{27}{4}$이므로 $4m=27$

답 27

37 조건 ㈎에서

$f(x)g(x)=x^3+3x^2-x-3$

$=(x-1)(x+1)(x+3)$

조건 ㈏에서 $f'(x)=1$이므로 함수 $y=f(x)$는 최고차항의 계수가 1인 일차함수이다.

$\therefore f(x)=x+a$ (단, a는 상수이다.) $\quad\cdots\cdots$ ㉠

즉, 함수 $y=g(x)$는 최고차항의 계수가 1인 이차함수이고,

조건 ㈐에서 $g(x)=2\int_1^x f(t)dt$의 양변에 $x=1$을 대입하면

$g(1)=2\int_1^1 f(t)dt=0$

이므로 이차함수 $y=g(x)$는 $x-1$을 인수로 갖는다.

$\therefore g(x)=(x-1)(x+b)=x^2+(b-1)x-b$

(단, b는 상수이다.)

$\therefore g'(x)=2x+b-1$ ······ㄴ

또한, 조건 (다)에서 $g(x)=2\int_1^x f(t)dt$의 양변을 x에 대하여 미분하면

$g'(x)=2f(x)$ ······ㄷ

ㄱ, ㄴ을 ㄷ에 대입하면

$2x+b-1=2(x+a)$, $2x+b-1=2x+2a$

$b-1=2a$

$\therefore b=2a+1$

따라서 $f(x)=x+a$, $g(x)=(x-1)(x+2a+1)$이므로

$f(x)g(x)=(x-1)(x+a)(x+2a+1)$

$=(x-1)(x+1)(x+3)$

$a=1$, $2a+1=3$이므로

$a=1$, $b=3$

$\therefore g(x)=x^2+2x-3$

$\therefore \int_0^3 3g(x)dx=\int_0^3 3(x^2+2x-3)\,dx$

$=3\left[\frac{1}{3}x^3+x^2-3x\right]_0^3$

$=3(9+9-9)=27$

답 27

38 $F(x)=f(x)-g(x)$라 하면 함수 $y=F(x)$는 삼차함수이고, $F(-1)=F(1)=F(2)=0$이므로

$F(x)=f(x)-g(x)$

$=a(x+1)(x-1)(x-2)$ (단, $a\neq0$)

$f(3)=g(3)+2$에서

$f(3)-g(3)=2$이므로

$F(3)=f(3)-g(3)=8a=2$

$\therefore a=\frac{1}{4}$

즉, $f(x)-g(x)=\frac{1}{4}(x+1)(x-1)(x-2)$이므로

$\int_{-1}^0\{f(x)-g(x)\}\,dx-\int_1^0\{f(x)-g(x)\}\,dx$

$=\int_{-1}^0\{f(x)-g(x)\}\,dx+\int_0^1\{f(x)-g(x)\}\,dx$

$=\int_{-1}^1\{f(x)-g(x)\}\,dx$

$=\int_{-1}^1\frac{1}{4}(x+1)(x-1)(x-2)\,dx$

$=\frac{1}{4}\int_{-1}^1(x^3-2x^2-x+2)\,dx$

$=\frac{1}{4}\left[\frac{1}{4}x^4-\frac{2}{3}x^3-\frac{1}{2}x^2+2x\right]_{-1}^1$

$=\frac{1}{4}\left\{\left(\frac{1}{4}-\frac{2}{3}-\frac{1}{2}+2\right)-\left(\frac{1}{4}+\frac{2}{3}-\frac{1}{2}-2\right)\right\}$

$=\frac{1}{4}\left(-\frac{4}{3}+4\right)=\frac{2}{3}$

답 $\frac{2}{3}$

39 $0\le x\le1$일 때, $x\ge x^3$

$1<x\le2$일 때, $x<x^3$

$\therefore \int_0^2(x*x^3)\,dx=\int_0^1\sqrt{x\times x^3}\,dx+\int_1^2\frac{x-x^3}{2}\,dx$

$=\int_0^1 x^2\,dx+\frac{1}{2}\int_1^2(x-x^3)\,dx$

$=\left[\frac{1}{3}x^3\right]_0^1+\frac{1}{2}\left[\frac{1}{2}x^2-\frac{1}{4}x^4\right]_1^2$

$=\frac{1}{3}+\frac{1}{2}\left(-2-\frac{1}{4}\right)$

$=-\frac{19}{24}$

답 $-\frac{19}{24}$

40 함수 $y=f(x)$가 $x=-1$에서 미분가능하므로 연속이다.

즉, $\lim_{x\to-1+}f(x)=\lim_{x\to-1-}f(x)=f(-1)$이므로

$\lim_{x\to-1+}(ax^3+2x^2-3)=\lim_{x\to-1-}(x^2+bx)$에서

$-a+2-3=1-b$ $\quad\therefore a-b=-2$ ······ㄱ

또한, $f'(x)=\begin{cases}3ax^2+4x & (x>-1)\\ 2x+b & (x<-1)\end{cases}$이고

함수 $y=f(x)$는 $x=-1$에서 미분가능하므로

$3a-4=-2+b$ $\quad\therefore 3a-b=2$ ······ㄴ

ㄱ, ㄴ을 연립하여 풀면 $a=2$, $b=4$

$\therefore f(x)=\begin{cases}2x^3+2x^2-3 & (x\ge-1)\\ x^2+4x & (x<-1)\end{cases}$

$\int_{-2}^2 f(x)dx=\int_{-2}^{-1}(x^2+4x)\,dx+\int_{-1}^2(2x^3+2x^2-3)\,dx$

$=\left[\frac{1}{3}x^3+2x^2\right]_{-2}^{-1}+\left[\frac{1}{2}x^4+\frac{2}{3}x^3-3x\right]_{-1}^2$

$=\left(-\frac{1}{3}+2\right)-\left(-\frac{8}{3}+8\right)$

$+\left(8+\frac{16}{3}-6\right)-\left(\frac{1}{2}-\frac{2}{3}+3\right)$

$=\frac{5}{6}$

따라서 $a=2$, $b=4$, $c=\frac{5}{6}$이므로

$abc=\frac{20}{3}$

답 $\frac{20}{3}$

41 ㄱ. $g(-1)=\int_{-1}^2 f(t)\,dt$

$=\int_{-1}^1 f(t)\,dt+\int_1^2 f(t)\,dt$

$=\int_{-1}^1 t\,dt+\int_1^2(-t+2)\,dt$

$=\left[\frac{1}{2}t^2\right]_{-1}^1+\left[-\frac{1}{2}t^2+2t\right]_1^2=\frac{1}{2}$ (참)

ㄴ. 함수 $y=g(x)$의 값이 최대가 되는 경우는

$f\left(\frac{x+(x+3)}{2}\right)$의 값이 함수 $y=f(x)$의 최댓값 1이 되는 경우이므로

$\frac{2x+3}{2}=1$ 또는 $\frac{2x+3}{2}=5$ 또는 $\frac{2x+3}{2}=9$

$\therefore x=-\frac{1}{2}$ 또는 $x=\frac{7}{2}$ ($\because -2\le x\le7$)

따라서 함수 $y=g(x)$가 최댓값을 갖게 되는 x의 값은 2개이다. (참)

ㄷ. 함수 $y=g(x)$의 최댓값은 $g\left(-\frac{1}{2}\right)=\int_{-\frac{1}{2}}^{\frac{5}{2}} f(t)\,dt$이므로

$$g\left(-\frac{1}{2}\right)=\int_{-\frac{1}{2}}^{1} t\,dt+\int_{1}^{\frac{5}{2}}(-t+2)\,dt$$
$$=\left[\frac{1}{2}t^2\right]_{-\frac{1}{2}}^{1}+\left[-\frac{1}{2}t^2+2t\right]_{1}^{\frac{5}{2}}$$
$$=\left(\frac{1}{2}-\frac{1}{8}\right)+\left\{\left(-\frac{25}{8}+5\right)-\left(-\frac{1}{2}+2\right)\right\}$$
$$=\frac{3}{4}$$

$\therefore g(x)\le\frac{3}{4}$ (거짓)

따라서 옳은 것은 ㄱ, ㄴ이다. 답 ㄱ, ㄴ

42 두 함수 $y=f(x)$, $y=f(x-b)$의 그래프는 그림과 같다.

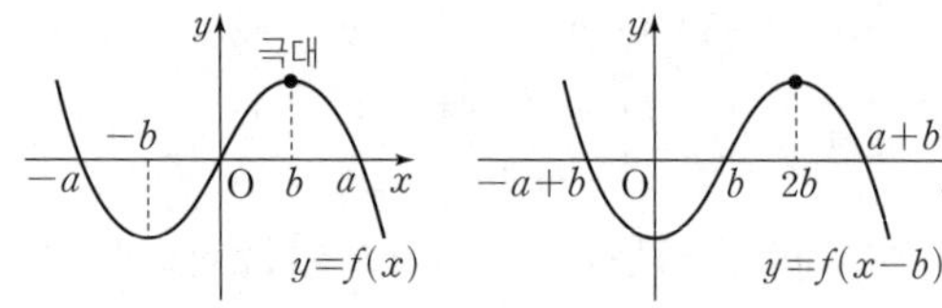

$\int_{-b}^{a} f(x)dx=\int_{-b}^{0} f(x)dx+\int_{0}^{a}f(x)dx$이고,

$\int_{0}^{a}f(x)dx=\int_{b}^{a+b} f(x-b)dx$이므로

$\int_{-b}^{0} f(x)dx=-5$

$$\left(\because \int_{-b}^{a} f(x)dx=4,\ \int_{b}^{a+b}f(x-b)dx=9\right)$$

$$\therefore \int_{-b}^{a} |f(x)|\,dx=\int_{-b}^{0}\{-f(x)\}\,dx+\int_{0}^{a}f(x)dx$$
$$=-\int_{-b}^{0} f(x)dx+\int_{0}^{a}f(x)dx$$
$$=-(-5)+9$$
$$=14$$

답 14

43 $0\le x\le1$일 때, 함수 $y=f(x)$는 증가하므로 $f'(x)\ge0$

$1\le x\le4$일 때, 함수 $y=f(x)$는 감소하므로 $f'(x)\le0$

$$\therefore \int_{0}^{4} |f'(x)|\,dx=\int_{0}^{1}f'(x)dx+\int_{1}^{4}\{-f'(x)\}dx$$
$$=\Big[f(x)\Big]_{0}^{1}-\Big[f(x)\Big]_{1}^{4}$$
$$=\{f(1)-f(0)\}-\{f(4)-f(1)\}$$
$$=2f(1)-f(0)-f(4)$$
$$=4+4+4=12$$

답 12

44 $f(x)=\begin{cases} -3x & (x\le-2) \\ -x+4 & (-2<x\le0) \\ x+4 & (0<x\le2) \\ 3x & (x>2)\end{cases}$

이므로 함수 $y=f(x)$의 그래프는 그림과 같다.

즉, 함수 $y=f(x)$는 $x=0$일 때 최솟값을 가지므로

$a=f(0)=4$

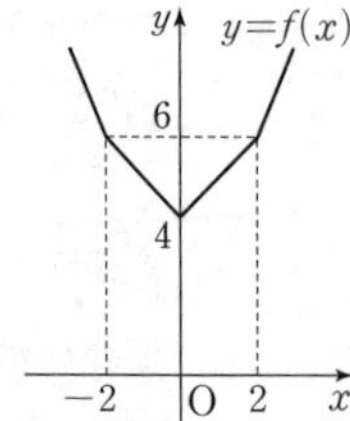

$$\therefore \int_{0}^{a}f(x)dx$$
$$=\int_{0}^{4}f(x)dx=\int_{0}^{2}f(x)dx+\int_{2}^{4}f(x)dx$$
$$=\int_{0}^{2}(x+4)\,dx+\int_{2}^{4}3x\,dx$$
$$=\left[\frac{1}{2}x^2+4x\right]_{0}^{2}+\left[\frac{3}{2}x^2\right]_{2}^{4}$$
$$=10+18=28$$

답 ⑤

45 $|x-n|=\begin{cases} x-n & (x\ge n) \\ -x+n & (x<n)\end{cases}$이므로

$$f(n)=\int_{0}^{2n}|x-n|dx$$
$$=\int_{0}^{n}(-x+n)\,dx+\int_{n}^{2n}(x-n)\,dx$$
$$=\left[-\frac{1}{2}x^2+nx\right]_{0}^{n}+\left[\frac{1}{2}x^2-nx\right]_{n}^{2n}$$
$$=\left(-\frac{n^2}{2}+n^2\right)+\left\{(2n^2-2n^2)-\left(\frac{n^2}{2}-n^2\right)\right\}$$
$$=n^2$$

$$\therefore \frac{f(1)+f(2)+f(3)+\cdots+f(9)}{9}$$
$$=\frac{1}{9}\sum_{k=1}^{9}f(k)=\frac{1}{9}\sum_{k=1}^{9}k^2$$
$$=\frac{1}{9}\times\frac{9\times10\times19}{6}=\frac{95}{3}$$

답 ④

46 조건 (가)에서 $\int_{1}^{4}|f(x)|dx=-\int_{1}^{4}f(x)dx$이므로

$1\le x\le4$에서 $f(x)\le0$

조건 (나)에서 $\int_{4}^{6}|f(x)|dx=\int_{4}^{6}f(x)dx$이므로

$4\le x\le6$에서 $f(x)\ge0$

따라서 이차함수 $y=f(x)$의 그래프는 점 $(1, 0)$과 점 $(4, 0)$을 지나고 아래로 볼록한 그래프이므로

$f(x)=a(x-1)(x-4)=ax^2-5ax+4a\ (a>0)$

라 할 수 있다.

$$\therefore \int_{1}^{4}f(x)dx=\int_{1}^{4}(ax^2-5ax+4a)dx$$
$$=\left[\frac{a}{3}x^3-\frac{5a}{2}x^2+4ax\right]_{1}^{4}$$
$$=-\frac{8}{3}a-\frac{11}{6}a$$
$$=-\frac{9}{2}a$$

즉, $\frac{9}{2}a=9$이므로 $a=2$

따라서 $f(x)=2x^2-10x+8$이므로

$f(-1)=2+10+8=20$

답 20

47 $f(x)=\begin{cases} -x^2+9 & (x\le1) \\ ax^2+bx+c & (x>1)\end{cases}$

이므로 도함수 $y=f'(x)$는

$f'(x)=\begin{cases} -2x & (x<1) \\ 2ax+b & (x>1)\end{cases}$

함수 $y=f(x)$는 실수 전체의 집합에서 미분가능하므로
$x=1$에서 연속이어야 한다. 즉,

$$\lim_{x\to1-}f(x)=\lim_{x\to1+}f(x)=f(1)$$

$\therefore a+b+c=8$ ⋯⋯ ㉠

또 $x=1$에서의 미분계수가 존재해야 하므로

$$\lim_{x\to1-}f'(x)=\lim_{x\to1+}f'(x)$$

$\therefore 2a+b=-2$ ⋯⋯ ㉡

함수 $y=f'(x)$의 그래프는 그림과 같고 구간 $[-3, 3]$에서 $-2\le f'(x)\le 6$이므로

$-2< f'(3)\le 6$ ($\because a\ne0$)

$-2<6a+b\le6$ ⋯⋯ ㉢

㉡에서 $b=-2a-2$이므로 ㉢에 대입하면

$-2<4a-2\le6$, $0<4a\le8$

$\therefore 0<a\le2$

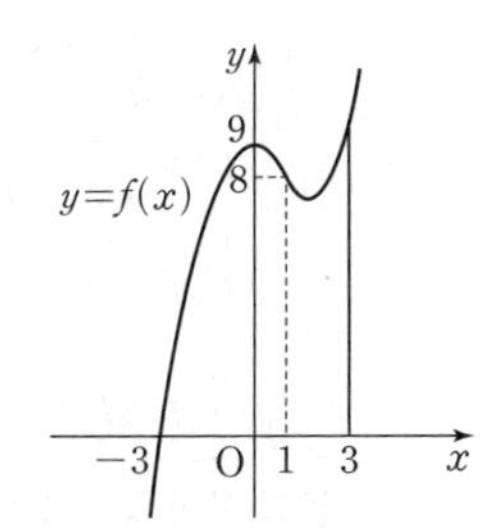

그림에서 $\int_0^3 f(x)\,dx$가 최댓값을 가지려면 $a=2$이어야 하므로

$b=-6$

㉠에 대입하면 $c=12$

따라서 $\int_0^3 f(x)\,dx$가 최댓값을 갖도록 하는 함수 $y=f(x)$는

$f(x)=\begin{cases}-x^2+9 & (x\le1)\\ 2x^2-6x+12 & (x>1)\end{cases}$이므로 구하는 최댓값은

$$\int_0^1(-x^2+9)\,dx+\int_1^3(2x^2-6x+12)\,dx$$

$$=\left[-\frac{1}{3}x^3+9x\right]_0^1+\left[\frac{2}{3}x^3-3x^2+12x\right]_1^3$$

$$=\frac{26}{3}+\frac{52}{3}=26$$

답 26

48 함수 $y=g(x)$는

$$g(x)=\begin{cases}f(x+1)-1 & (-1\le x<0)\\ f(x) & (0\le x<1)\\ f(x-1)+1 & (1\le x<2)\\ \vdots & \\ f(x-4)+4 & (4\le x<5)\end{cases}$$

이다. 함수 $y=g(x)$가 $x=1$에서 연속이므로

$$g(1)=\lim_{x\to1-}g(x)=\lim_{x\to1+}g(x)$$

$g(1)=f(0)+1$이고

$\lim_{x\to1-}g(x)=\lim_{x\to1-}f(x)=f(1)=1$이므로

$f(0)+1=1$ $\therefore f(0)=0$ ⋯⋯ ㉠

함수 $y=g(x)$가 $x=1$에서 미분가능하므로

$\lim_{x\to1+}\frac{g(x)-g(1)}{x-1}=\lim_{x\to1-}\frac{g(x)-g(1)}{x-1}$이다.

$$\lim_{x\to1+}\frac{g(x)-g(1)}{x-1}=\lim_{x\to1+}\frac{f(x-1)+1-g(1)}{x-1}$$

$$=\lim_{x\to1+}\frac{f(x-1)}{x-1}=\lim_{x\to0+}\frac{f(x)}{x}=f'(0)$$

$$\lim_{x\to1-}\frac{g(x)-g(1)}{x-1}=\lim_{x\to1-}\frac{f(x)-f(1)}{x-1}$$

$$=f'(1)=1$$

이므로 $f'(0)=1$ ⋯⋯ ㉡

조건 (가)에서 함수 $y=f(x)$는 최고차항의 계수가 1인 사차함수이므로

$f(x)=x^4+ax^3+bx^2+cx+d$ (a, b, c, d는 상수)라 하자.

$f'(x)=4x^3+3ax^2+2bx+c$이므로

㉠, ㉡에서 $c=1$, $d=0$

조건 (나)에서

$f(1)=1+a+b+1=1$ ⋯⋯ ㉢

$f'(1)=4+3a+2b+1=1$ ⋯⋯ ㉣

㉢, ㉣을 연립하여 풀면 $a=-2$, $b=1$

$\therefore f(x)=x^4-2x^3+x^2+x$

$$\int_0^4 g(x)dx$$

$$=\int_0^1 g(x)\,dx+\int_1^2 g(x)\,dx+\int_2^3 g(x)\,dx+\int_3^4 g(x)\,dx$$

$$=\int_0^1 f(x)\,dx+\int_1^2\{f(x-1)+1\}\,dx+\int_2^3\{f(x-2)+2\}\,dx+\int_3^4\{f(x-3)+3\}\,dx$$

$$=\int_0^1 f(x)\,dx+\int_0^1\{f(x)+1\}\,dx+\int_0^1\{f(x)+2\}\,dx+\int_0^1\{f(x)+3\}\,dx$$

$$=\int_0^1\{4f(x)+6\}\,dx$$

$$\int_0^1 f(x)\,dx=\int_0^1(x^4-2x^3+x^2+x)\,dx$$

$$=\left[\frac{1}{5}x^5-\frac{1}{2}x^4+\frac{1}{3}x^3+\frac{1}{2}x^2\right]_0^1$$

$$=\frac{8}{15}$$

$$\therefore \int_0^4 g(x)\,dx=\int_0^1\{4f(x)+6\}\,dx$$

$$=4\times\frac{8}{15}+6=\frac{122}{15}$$

따라서 $p=15$, $q=122$이므로

$p+q=137$

답 137

10 정적분의 응용

본책 105~112쪽

01 $\int_{-1}^{1}(1+2x+3x^2+\cdots+10x^9)\,dx$

$=\int_{-1}^{1}(1+3x^2+5x^4+7x^6+9x^8)\,dx$

$\quad+\int_{-1}^{1}(2x+4x^3+6x^5+8x^7+10x^9)\,dx$

$=2\int_{0}^{1}(1+3x^2+5x^4+7x^6+9x^8)\,dx+0$

$=2\Big[x+x^3+x^5+x^7+x^9\Big]_0^1$

$=2\times5=10$ 답 10

02 함수 $y=f(x)$는 $f(x+3)=f(x)$를 만족시키므로

$\int_1^4 f(x)\,dx=\int_4^7 f(x)\,dx=\int_7^{10} f(x)\,dx$

$=\int_{10}^{13} f(x)\,dx=\int_{13}^{16} f(x)\,dx=4$

$\therefore \int_1^{16} f(x)\,dx=\int_1^4 f(x)\,dx+\int_4^7 f(x)\,dx+\int_7^{10} f(x)\,dx$

$\quad+\int_{10}^{13} f(x)\,dx+\int_{13}^{16} f(x)\,dx$

$=5\times4=20$ 답 20

03 $\int_0^2 f(t)dt=k$ (k는 상수)로 놓으면

$f(x)=3x^2+4x+k$

$\therefore k=\int_0^2(3t^2+4t+k)\,dt=\Big[t^3+2t^2+kt\Big]_0^2=16+2k$

즉, $k=16+2k$이므로 $k=-16$

따라서 $f(x)=3x^2+4x-16$이므로

$f(3)=27+12-16=23$ 답 ④

04 주어진 식의 양변에 $x=1$을 대입하면

$0=3-2+a \quad \therefore a=-1$

즉, $\int_1^x f(t)dt=3x^2-2x-1$

이 식의 양변을 x에 대하여 미분하면

$f(x)=6x-2$

$\therefore f(0)=-2$

$\therefore a+f(0)=(-1)+(-2)=-3$ 답 -3

05 주어진 식의 양변을 x에 대하여 미분하면

$f'(x)=x^2+x-2=(x+2)(x-1)$

$f'(x)=0$에서 $x=-2$ 또는 $x=1$

함수 $y=f(x)$의 증가, 감소를 표로 나타내면 다음과 같다.

x	$\cdots$	-2	$\cdots$	1	$\cdots$
$f'(x)$	$+$	0	$-$	0	$+$
$f(x)$	↗	극대	↘	극소	↗

따라서 함수 $y=f(x)$는 $x=-2$에서 극댓값, $x=1$에서 극솟값을 가지므로 극값을 가질 때의 x의 값의 합은

$(-2)+1=-1$ 답 ②

06 $f(x)=\int_0^x t^2(t-2)\,dt$의 양변을 x에 대하여 미분하면

$f'(x)=x^2(x-2)$

$f'(x)=0$에서 $x=0$ 또는 $x=2$

$-3\le x\le 3$에서 함수 $y=f(x)$의 증가, 감소를 표로 나타내면 다음과 같다.

x	-3	$\cdots$	0	$\cdots$	2	$\cdots$	3
$f'(x)$		$-$	0	$-$	0	$+$	
$f(x)$		↘	0	↘	극소	↗	

함수 $y=f(x)$는 $-3\le x\le 3$에서 $x=2$일 때 극소이면서 최소이므로 최솟값은

$f(2)=\int_0^2 t^2(t-2)\,dt=\int_0^2(t^3-2t^2)\,dt$

$=\Big[\frac{1}{4}t^4-\frac{2}{3}t^3\Big]_0^2=-\frac{4}{3}$ 답 $-\frac{4}{3}$

07 $\int_1^x (x-t)f(t)dt=x^3-x^2-x+1$에서

$x\int_1^x f(t)dt-\int_1^x tf(t)dt=x^3-x^2-x+1$

위의 식의 양변을 x에 대하여 미분하면

$\int_1^x f(t)dt+xf(x)-xf(x)=3x^2-2x-1$

$\therefore \int_1^x f(t)dt=3x^2-2x-1$

위의 식의 양변을 다시 x에 대하여 미분하면

$f(x)=6x-2$

$\therefore f(1)=4$ 답 4

08 $y=f(x)$의 한 부정적분을 $y=F(x)$라 하면

$\lim_{h\to0}\frac{1}{h}\int_1^{1+3h} f(x)dx=\lim_{h\to0}\frac{F(1+3h)-F(1)}{h}$

$=\lim_{h\to0}\frac{F(1+3h)-F(1)}{3h}\times3$

$=3F'(1)=3f(1)$

$=3\times3$

$=9$ 답 9

09 $f(-x)=-f(x)$이면 $\int_{-a}^{a} f(x)dx=0$이고

$f(-x)=f(x)$이면 $\int_{-a}^{a} f(x)dx=2\int_0^a f(x)dx$이므로

$\int_{-2}^{2}(2x^3+3x^2+2|x|+1)\,dx=2\int_0^2(3x^2+2x+1)\,dx$

$=2\Big[x^3+x^2+x\Big]_0^2=28$

답 ②

다른 풀이

$\int_{-2}^{2}(2x^3+3x^2+2|x|+1)\,dx$

$=\int_{-2}^{0}(2x^3+3x^2-2x+1)\,dx+\int_0^2(2x^3+3x^2+2x+1)\,dx$

$=\Big[\frac{1}{2}x^4+x^3-x^2+x\Big]_{-2}^0+\Big[\frac{1}{2}x^4+x^3+x^2+x\Big]_0^2$

$=28$

10 $\int_{-a}^{1}(x^3+3x^2+2x)\,dx+\int_{1}^{a}(y^3+3y^2+2y)\,dy$

$=\int_{-a}^{1}(x^3+3x^2+2x)\,dx+\int_{1}^{a}(x^3+3x^2+2x)\,dx$

$=\int_{-a}^{a}(x^3+3x^2+2x)\,dx$

$=2\int_{0}^{a}3x^2\,dx=2\Big[x^3\Big]_0^a=2a^3=\frac{1}{4}$

따라서 $a^3=\frac{1}{8}$이므로 $a=\frac{1}{2}$

$\therefore 50a=25$

답 25

11 $f(-x)=-f(x)$에서 함수 $y=f(x)$는 기함수이므로 함수 $y=x^2f(x)$는 기함수, 함수 $y=xf(x)$는 우함수이다.

$\therefore \int_{-2}^{2}(x^2+2x-5)f(x)\,dx$

$=\int_{-2}^{2}x^2f(x)\,dx+2\int_{-2}^{2}xf(x)\,dx-5\int_{-2}^{2}f(x)\,dx$

$=2\int_{-2}^{2}xf(x)\,dx=4\int_{0}^{2}xf(x)\,dx$

$=4\times\frac{5}{2}=10$

답 10

12 함수 $y=f(x)$가 모든 실수 x에 대하여 $f(x+4)=f(x)$이므로

$\int_{-2}^{2}f(x)dx=\int_{2}^{6}f(x)dx=\int_{6}^{10}f(x)dx=4$

$\therefore \int_{0}^{12}f(x)dx$

$=\int_{0}^{2}f(x)dx+\int_{2}^{6}f(x)dx+\int_{6}^{10}f(x)dx+\int_{10}^{12}f(x)dx$

$=\int_{0}^{2}f(x)dx+\int_{-2}^{2}f(x)dx+\int_{-2}^{2}f(x)dx+\int_{-2}^{0}f(x)dx$

$=3\int_{-2}^{2}f(x)dx=3\times4=12$

답 12

13 $f(x-1)=f(x+1)$에서 x 대신 $x+1$을 대입하면 $f(x)=f(x+2)$이므로 $\int_{-6}^{7}f(x)\,dx=\int_{0}^{13}f(x)\,dx$

함수 $y=f(x)$의 그래프는 그림과 같다.

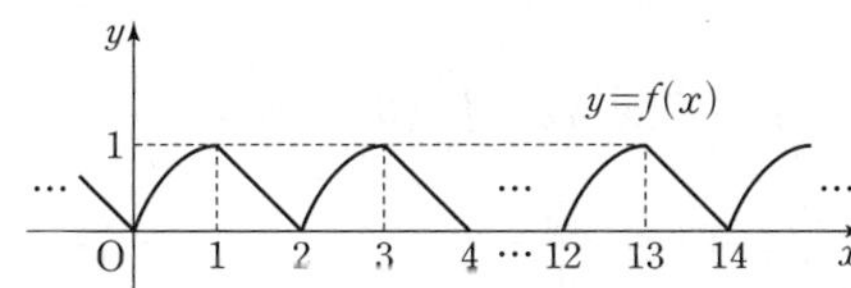

$\therefore \int_{-6}^{7}f(x)dx=\int_{0}^{13}f(x)dx$

$=6\int_{0}^{2}f(x)dx+\int_{0}^{1}f(x)dx$

$=6\left\{\int_{0}^{1}(-x^2+2x)\,dx+\int_{1}^{2}(-x+2)\,dx\right\}$

$+\int_{0}^{1}(-x^2+2x)\,dx$

$=7\int_{0}^{1}(-x^2+2x)\,dx+6\int_{1}^{2}(-x+2)\,dx$

$=7\Big[-\frac{1}{3}x^3+x^2\Big]_0^1+6\Big[-\frac{1}{2}x^2+2x\Big]_1^2$

$=\frac{23}{3}$

답 ④

14 조건 (가)에서 함수 $y=f(x)$의 그래프는 y축에 대하여 대칭이다.

조건 (다)에서

$\int_{-1}^{1}(2x+3)f(x)dx=\int_{-1}^{1}3f(x)dx=15$

$\left(\because \int_{-1}^{1}xf(x)\,dx=0\right)$

이므로 $\int_{-1}^{1}f(x)dx=5$

조건 (나)에서 함수 $y=f(x)$는 주기가 2인 주기함수이므로

$\int_{-6}^{10}f(x)dx=8\int_{-1}^{1}f(x)dx$

$=8\times5=40$

답 40

15 $f(3+x)=f(3-x)$에서 함수 $y=f(x)$의 그래프는 직선 $x=3$에 대하여 대칭이므로

$\int_{6}^{9}f(x)dx=\int_{-3}^{0}f(x)dx=3$

$\int_{3}^{6}f(x)dx=\int_{3}^{9}f(x)dx-\int_{6}^{9}f(x)dx$

$=10-3=7$

$\therefore \int_{0}^{6}f(x)dx=2\int_{3}^{6}f(x)dx$

$=2\times7=14$

답 ④

참고

조건을 만족시키는 함수 $y=f(x)$는

$\int_{6}^{9}f(x)dx=\int_{-3}^{0}f(x)dx$이다.

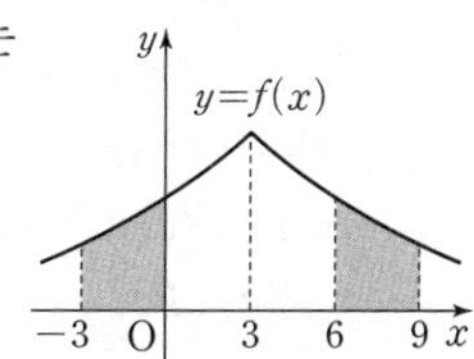

16 조건 (가)에서

$f(x)=x^2-6x+10=(x-3)^2+1$

이므로 $2\le x\le3$에서 함수 $y=f(x)$의 그래프는 그림과 같다.

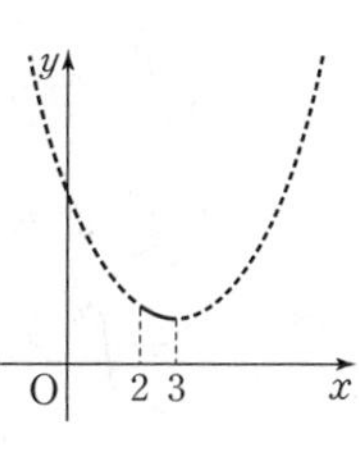

조건 (나)에서 $f(6-x)=f(x)$이므로 함수 $y=f(x)$의 그래프는 직선 $x=3$에 대하여 대칭이다.

조건 (다)에서 $f(x)=f(x+2)$이므로 함수 $y=f(x)$의 그래프는 그림과 같다.

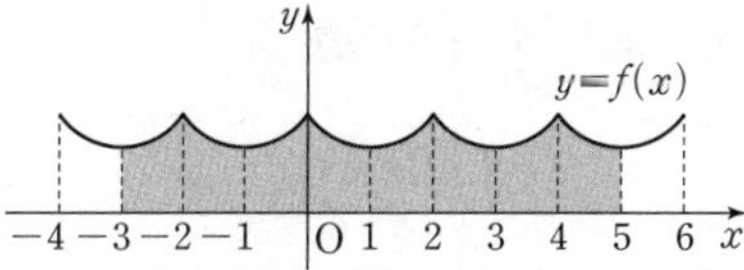

$\therefore \int_{-3}^{5}f(x)dx=8\int_{2}^{3}f(x)dx$

$=8\int_{2}^{3}(x^2-6x+10)\,dx$

$=8\Big[\frac{1}{3}x^3-3x^2+10x\Big]_2^3$

$=8\left(12-\frac{32}{3}\right)=\frac{32}{3}$

답 $\frac{32}{3}$

참고

$f(k+x)=f(k-x)$ 또는 $f(2k-x)=f(x)$이면 함수 $y=f(x)$는 직선 $x=k$에 대하여 대칭이다.

17 $f(2-x)=f(x)$에서 함수 $y=f(x)$의 그래프는 직선 $x=1$에 대하여 대칭이므로

$\int_0^1 f(x)\,dx=\int_1^2 f(x)\,dx=2$

$\therefore \int_0^2 f(x)\,dx=\int_0^1 f(x)\,dx+\int_1^2 f(x)\,dx=4$

$f(x)=f(-x)$에서 함수 $y=f(x)$의 그래프는 y축에 대하여 대칭이므로

$\int_0^2 f(x)\,dx=\int_{-2}^0 f(x)\,dx=4$

이와 같은 과정을 반복하면

$\int_{-2}^0 f(x)\,dx=\int_2^4 f(x)\,dx=4$ ($\because f(2-x)=f(x)$)

$\int_2^4 f(x)\,dx=\int_{-4}^{-2} f(x)\,dx=4$ ($\because f(x)=f(-x)$)

$\int_{-4}^{-2} f(x)\,dx=\int_4^6 f(x)\,dx=4$ ($\because f(2-x)=f(x)$)

$\therefore \int_0^2 f(x)\,dx=\int_2^4 f(x)\,dx=\int_4^6 f(x)\,dx=4$

$\therefore \int_0^6 \{x^2+f(x)\}\,dx=\int_0^6 x^2\,dx+\int_0^6 f(x)\,dx$

$=\left[\frac{1}{3}x^3\right]_0^6+3\int_0^2 f(x)\,dx$

$=72+3\times4=84$ 답 84

다른 풀이

$f(x)=f(2-x)=f(x-2)$ ($\because f(x)=f(-x)$)이므로

함수 $y=f(x)$는 주기함수이다.

$f(x)=f(-x)$에서 함수 $y=f(x)$의 그래프는 y축에 대하여 대칭이므로

$\int_{-1}^0 f(x)dx=\int_0^1 f(x)dx=2$

$\therefore \int_0^1 f(x)dx=\int_1^2 f(x)dx=\cdots=\int_5^6 f(x)dx=2$

$\therefore \int_0^6 \{x^2+f(x)\}\,dx$

$=\int_0^6 x^2\,dx+\int_0^6 f(x)dx$

$=\left[\frac{1}{3}x^3\right]_0^6+6\int_0^1 f(x)dx$

$=72+6\times2=84$

18 $f(x)=3x^2+\int_0^1 xf(t)dt$

$=3x^2+x\int_0^1 f(t)dt$

$\int_0^1 f(t)dt=k$ (k는 상수)로 놓으면

$f(x)=3x^2+kx$

$\therefore k=\int_0^1 (3t^2+kt)\,dt$

$=\left[t^3+\frac{1}{2}kt^2\right]_0^1=1+\frac{k}{2}$

즉, $1+\frac{k}{2}=k$이므로 $k=2$

따라서 $f(x)=3x^2+2x$이므로

$f(2)=12+4=16$ 답 16

19 $\int_{-1}^1 g(t)dt=a$ (a는 상수)로 놓으면

$f(x)=x^2+a$

$\int_{-1}^1 f(t)dt=b$ (b는 상수)로 놓으면

$g(x)=x+b$

$a=\int_{-1}^1 (t+b)\,dt=2\int_0^1 b\,dt$

$=2\left[bt\right]_0^1=2b$

$\therefore a=2b$ ⋯⋯ ㉠

$b=\int_{-1}^1 (t^2+a)\,dt=2\int_0^1 (t^2+a)\,dt$

$=2\left[\frac{1}{3}t^3+at\right]_0^1$

$=2\left(\frac{1}{3}+a\right)=\frac{2}{3}+2a$

$\therefore b=\frac{2}{3}+2a$ ⋯⋯ ㉡

㉠, ㉡을 연립하여 풀면 $a=-\frac{4}{9}$, $b=-\frac{2}{9}$

$\therefore f(x)=x^2-\frac{4}{9}$, $g(x)=x-\frac{2}{9}$

$\therefore \int_{-1}^1 f(x)dx-\int_{-1}^1 xg(x)dx$

$=\int_{-1}^1 \{f(x)-xg(x)\}\,dx$

$=\int_{-1}^1 \left(x^2-\frac{4}{9}-x^2+\frac{2}{9}x\right)dx$

$=\int_{-1}^1 \left(\frac{2}{9}x-\frac{4}{9}\right)dx$

$=2\int_0^1 \left(-\frac{4}{9}\right)dx$

$=2\left[-\frac{4}{9}x\right]_0^1=-\frac{8}{9}$ 답 ①

20 $\int_0^1 xf'(x)dx=k$ (k는 상수)로 놓으면

$f(x)=3x^2-x+k$

위의 식의 양변을 x에 대하여 미분하면

$f'(x)=6x-1$

$k=\int_0^1 xf'(x)dx=\int_0^1 (6x^2-x)dx$

$=\left[2x^3-\frac{1}{2}x^2\right]_0^1=\frac{3}{2}$

$\therefore f(x)=3x^2-x+\frac{3}{2}$

$\therefore \int_0^1 f(x)dx=\int_0^1 \left(3x^2-x+\frac{3}{2}\right)dx$

$=\left[x^3-\frac{1}{2}x^2+\frac{3}{2}x\right]_0^1=2$ 답 2

21 주어진 식의 양변에 $x=1$을 대입하면

$0=2+a-6$ $\therefore a=4$

즉, $\int_1^x f(t)dt=2x^3+4x^2-6x$

이 식의 양변을 x에 대하여 미분하면

$f(x)=6x^2+8x-6$

$\therefore f(2)=24+16-6=34$ 답 ④

22 $\int_1^x xf(t)\,dt=2x^3+ax^2+1+\int_1^x tf(t)\,dt$

즉, $x\int_1^x f(t)\,dt=2x^3+ax^2+1+\int_1^x tf(t)\,dt$ ······㉠

㉠의 양변에 $x=1$을 대입하면

$0=2+a+1+0$

$\therefore a=-3$

㉠의 양변을 x에 대하여 미분하면

$\int_1^x f(t)\,dt+xf(x)=6x^2+2ax+xf(x)$

$\int_1^x f(t)\,dt=6x^2+2ax$

위의 식의 양변을 다시 x에 대하여 미분하면

$f(x)=12x+2a=12x-6$

$\therefore f(2)+a=18+(-3)=15$ 답 15

23 $f(x)=\int_x^{x+2}(t^2-2t)\,dt$의 양변을 x에 대하여 미분하면

$f'(x)=\{(x+2)^2-2(x+2)\}-(x^2-2x)$

$=4x$

$\therefore \int_0^2 x^2f'(x)dx=\int_0^2 (x^2\times 4x)\,dx=\int_0^2 4x^3\,dx$

$=\Big[x^4\Big]_0^2=16$ 답 16

24 주어진 그림에서

$F(x)=a(x-1)(x-2)=a(x^2-3x+2)$ $(a>0)$라 하면

$\int_2^x f(t)\,dt=a(x^2-3x+2)$

위의 식의 양변을 x에 대하여 미분하면

$f(x)=a(2x-3)$

함수 $y=f(x)$의 그래프가 점 $(2, 3)$을 지나므로

$3=a(4-3)$

$\therefore a=3$

따라서 $f(x)=3(2x-3)$이므로

$f(0)=-9$ 답 ②

25 $f(x)=\int_{-3}^x (3t^2+at+b)\,dt$의 양변을 x에 대하여 미분하면

$f'(x)=3x^2+ax+b$

함수 $y=f(x)$는 $x=5$에서 극솟값 -64를 가지므로

$f'(5)=0$, $f(5)=-64$

$f'(5)=0$에서 $75+5a+b=0$

$\therefore 5a+b=-75$ ······㉠

$f(5)=\int_{-3}^5 (3t^2+at+b)\,dt$

$=\Big[t^3+\frac{a}{2}t^2+bt\Big]_{-3}^5$

$=\left(125+\frac{25}{2}a+5b\right)-\left(-27+\frac{9}{2}a-3b\right)$

$=152+8a+8b$

즉, $152+8a+8b=-64$

$8a+8b=-216$

$\therefore a+b=-27$ ······㉡

㉠, ㉡을 연립하여 풀면 $a=-12$, $b=-15$

$\therefore a-b=3$ 답 3

26 $f(x)=a(x-1)(x-4)$ $(a>0)$라 하면

$g'(x)=\frac{d}{dx}\int_x^{x+1} f(t)dt$

$=f(x+1)-f(x)$

$=ax(x-3)-a(x-1)(x-4)$

$=2a(x-2)$

$g'(x)=0$에서 $x=2$

$x<2$일 때 $g'(x)<0$, $x>2$일 때 $g'(x)>0$

즉, 함수 $y=g(x)$는 $x=2$에서 극소이면서 최소이므로

함수 $y=g(x)$의 최솟값은

$g(2)=\int_2^3 f(t)dt$

$=\int_2^3 a(t-1)(t-4)\,dt$

$=a\int_2^3 (t^2-5t+4)\,dt$

$=a\Big[\frac{1}{3}t^3-\frac{5}{2}t^2+4t\Big]_2^3$

$=a\left\{\left(21-\frac{45}{2}\right)-\left(\frac{8}{3}-2\right)\right\}=-\frac{13}{6}a$

즉, $-\frac{13}{6}a=-13$이므로 $a=6$

따라서 $f(x)=6(x-1)(x-4)$이므로

$f(0)=24$ 답 24

27 $\int_a^x (x-t)f(t)\,dt=x^4-3x^3+5x^2-4x+9$에서

$x\int_a^x f(t)\,dt-\int_a^x tf(t)\,dt=x^4-3x^3+5x^2-4x+9$

위의 식의 양변을 x에 대하여 미분하면

$\int_a^x f(t)\,dt+xf(x)-xf(x)=4x^3-9x^2+10x-4$

$\therefore \int_a^x f(t)\,dt=4x^3-9x^2+10x-4$

위의 식의 양변을 다시 x에 대하여 미분하면

$f(x)=12x^2-18x+10$

$\therefore f(1)=12-18+10=4$ 답 ②

28 $\int_1^x (x-t)f(t)\,dt=\int_0^x (t^2+at+b)\,dt$ ······㉠

㉠의 양변에 $x=1$을 대입하면

$0=\int_0^1 (t^2+at+b)\,dt=\Big[\frac{1}{3}t^3+\frac{1}{2}at^2+bt\Big]_0^1$

$=\frac{1}{3}+\frac{1}{2}a+b$

$\therefore 3a+6b=-2$ ······㉡

㉠에서

$x\int_1^x f(t)dt-\int_1^x tf(t)dt=\int_0^x (t^2+at+b)dt$

이므로 양변을 x에 대하여 미분하면

$\int_1^x f(t)dt+xf(x)-xf(x)=x^2+ax+b$

$\therefore \int_1^x f(t)dt=x^2+ax+b$ ······㉢

㉢의 양변에 $x=1$을 대입하면

$0=1+a+b$

$\therefore a+b=-1$ ······㉣

㉡, ㉣을 연립하여 풀면 $a=-\frac{4}{3}$, $b=\frac{1}{3}$

따라서 ㉢의 양변을 x에 대하여 미분하면

$f(x)=2x-\frac{4}{3}$

$\therefore f(3)=6-\frac{4}{3}=\frac{14}{3}$ 답 $\frac{14}{3}$

29 $\int_0^x (x-t)f(t)\,dt=\frac{1}{8}x^4+5x^2$에서

$x\int_0^x f(t)dt-\int_0^x tf(t)dt=\frac{1}{8}x^4+5x^2$

위의 식의 양변을 x에 대하여 미분하면

$\int_0^x f(t)dt+xf(x)-xf(x)=\frac{1}{2}x^3+10x$

$\therefore \int_0^x f(t)dt=\frac{1}{2}x^3+10x$

위의 식의 양변을 다시 x에 대하여 미분하면

$f(x)=\frac{3}{2}x^2+10$

따라서 함수 $y=f(x)$는 $x=0$일 때 최솟값 10을 갖는다.

답 10

30 $f(x)=x^2+3x-1$이라 하고 $y=f(x)$의 한 부정적분을 $y=F(x)$라 하면

$\lim_{h\to0}\frac{1}{h}\int_{2-h}^{2+3h}(x^2+3x-1)\,dx$

$=\lim_{h\to0}\frac{1}{h}\int_{2-h}^{2+3h}f(x)\,dx$

$=\lim_{h\to0}\frac{F(2+3h)-F(2-h)}{h}$

$=\lim_{h\to0}\frac{\{F(2+3h)-F(2)\}-\{F(2-h)-F(2)\}}{h}$

$=\lim_{h\to0}\frac{F(2+3h)-F(2)}{3h}\times3+\lim_{h\to0}\frac{F(2-h)-F(2)}{-h}$

$=3F'(2)+F'(2)=4F'(2)$

$=4f(2)=4\times9=36$ 답 ④

31 $y=f(t)$의 한 부정적분을 $y=F(t)$라 하면

$\lim_{x\to1}\frac{1}{x-1}\int_1^{x^3}f(t)dt$

$=\lim_{x\to1}\frac{F(x^3)-F(1)}{x-1}$

$=\lim_{x\to1}\left\{\frac{F(x^3)-F(1)}{x^3-1}\times(x^2+x+1)\right\}$

$=3F'(1)=3f(1)$

$=3(1+2-3+1)=3$ 답 3

32 $f(t)=2t^2+t+a$이고 $y=f(t)$의 한 부정적분을 $y=F(t)$라 하면

$\lim_{x\to0}\frac{1}{x}\int_{1-2x}^{1+x}f(t)dt$

$=\lim_{x\to0}\frac{F(1+x)-F(1-2x)}{x}$

$=\lim_{x\to0}\frac{\{F(1+x)-F(1)\}-\{F(1-2x)-F(1)\}}{x}$

$=\lim_{x\to0}\frac{F(1+x)-F(1)}{x}+2\lim_{x\to0}\frac{F(1-2x)-F(1)}{-2x}$

$=F'(1)+2F'(1)$

$=3F'(1)=3f(1)$

$=3(3+a)=9+3a$

$9+3a=3$이므로 $3a=-6$

$\therefore a=-2$ 답 -2

33 주어진 식을 정리하면

$\int_{-2}^2\{f(x)+g(x-2)\}\,dx=\int_{-2}^2 f(x)dx+\int_{-2}^2 g(x-2)dx$

조건 (가)에서 $f(-x)=f(x)$이므로

함수 $y=f(x)$의 그래프는 y축에 대하여 대칭이다.

$\int_{-2}^2 f(x)dx=2\int_0^2 f(x)dx=10\left(\because \int_0^2 f(x)dx=5\right)$

또 $y=g(x-2)$의 그래프는 $y=g(x)$의 그래프를 x축의 방향으로 2만큼 평행이동한 것이므로

$\int_{-2}^2 g(x-2)dx=\int_{-4}^0 g(x)dx$

조건 (가)에서 $g(-x)=-g(x)$이므로

함수 $y=g(x)$의 그래프는 원점에 대하여 대칭이다.

$\therefore \int_{-4}^0 g(x)dx=-\int_0^4 g(x)dx=-7\left(\because \int_0^4 g(x)dx=7\right)$

$\therefore \int_{-2}^2\{f(x)+g(x-2)\}\,dx=10+(-7)=3$ 답 ③

34 $f(x)+f(-x)=g(x)$, $f(x)-f(-x)=h(x)$라 하면

모든 실수 x에 대하여

$g(-x)=f(-x)+f(x)=g(x)$

$h(-x)=f(-x)-f(x)=-\{f(x)-f(-x)\}=-h(x)$

조건 (가)에서 $\int_{-1}^2 g(x)dx=22$이고,

함수 $y=g(x)$의 그래프는 y축에 대하여 대칭이므로

$\int_{-1}^2 g(x)dx=\int_{-2}^1 g(x)dx=22$

조건 (나)에서 $\int_1^2 h(x)dx=10$이고,

함수 $y=h(x)$의 그래프는 원점에 대하여 대칭이므로

$\int_1^2 h(x)dx=-\int_{-2}^{-1}h(x)dx$

$=-\left\{\int_{-2}^{-1}h(x)dx+\int_{-1}^1 h(x)dx\right\}$

$\left(\because \int_{-1}^1 h(x)dx=0\right)$

$=-\int_{-2}^1 h(x)dx=10$

$\therefore \int_{-2}^1 h(x)dx=-10$

따라서 $f(x)=\frac{1}{2}\{g(x)+h(x)\}$이므로

$\int_{-2}^1 f(x)dx=\frac{1}{2}\int_{-2}^1\{g(x)+h(x)\}dx$

$=\frac{1}{2}\left\{\int_{-2}^1 g(x)dx+\int_{-2}^1 h(x)dx\right\}$

$=\frac{1}{2}\{22+(-10)\}=6$ 답 6

다른 풀이

함수 $y=f(x)$에 대하여 함수 $y=f(-x)$의 그래프는 함수 $y=f(x)$의 그래프를 y축에 대하여 대칭이동한 것이다.

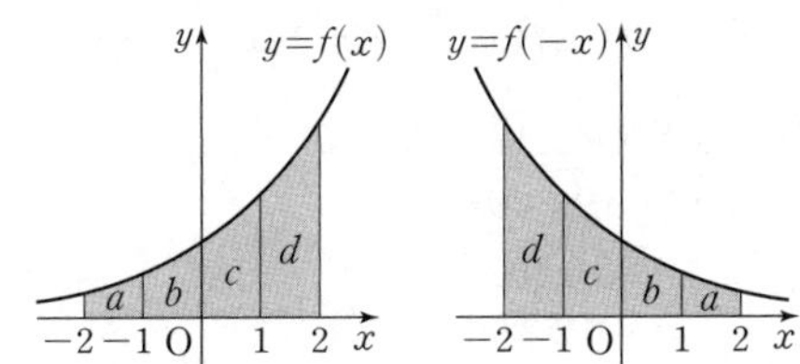

$\int_{-1}^{2} f(x)dx+\int_{-1}^{2} f(-x)dx$

$=(b+c+d)+(c+b+a)=22$

$\therefore 2(b+c)+d+a=22$ ……㉠

$\int_{1}^{2} f(x)dx-\int_{1}^{2} f(-x)dx=10$

$\therefore d-a=10$ ……㉡

$\int_{-2}^{1} f(x)dx=a+b+c$

㉡에서 $d=a+10$이므로 이를 ㉠에 대입하면

$2(a+b+c)+10=22$

$2(a+b+c)=12$

$\therefore a+b+c=6$

35 조건 (가)에서

$$\int_0^3 f(x)\,dx=\int_0^3 (3-2x)\,dx=\left[3x-x^2\right]_0^3=0$$

조건 (나)에서 $f(-x)=f(x)$이므로 함수 $y=f(x)$의 그래프는 y축에 대하여 대칭이다.

$\therefore \int_{-3}^{0} f(x)\,dx=\int_0^3 f(x)\,dx=0$

조건 (다)에서 $f(x+6)=f(x)$이므로

$\int_0^6 f(x)\,dx=\int_6^{12} f(x)\,dx=\cdots=\int_{294}^{300} f(x)\,dx$

또 $\int_{-3}^{0} f(x)\,dx=\int_3^6 f(x)\,dx=0$이므로

$\int_0^6 f(x)\,dx=\int_0^3 f(x)\,dx+\int_3^6 f(x)\,dx=0$

즉, $\int_0^6 f(x)\,dx=\int_0^{12} f(x)\,dx=\int_0^{18} f(x)\,dx$

$=\cdots=\int_0^{300} f(x)\,dx=0$

$$\therefore \sum_{n=0}^{300}\int_n^{n+1} f(x)\,dx$$
$$=\int_0^1 f(x)\,dx+\int_1^2 f(x)\,dx+\cdots+\int_{300}^{301} f(x)\,dx$$
$$=\int_0^{301} f(x)\,dx$$
$$=\int_0^{300} f(x)\,dx+\int_{300}^{301} f(x)\,dx$$
$$=\int_0^1 f(x)\,dx=\int_0^1 (3-2x)\,dx$$
$$=\left[3x-x^2\right]_0^1=2$$

답 2

36 함수 $y=f(x)$의 그래프와 함수 $y=f(6-x)$의 그래프는 직선 $x=3$에 대하여 대칭이므로

$$\int_0^6 f(x)dx=\int_0^3 f(x)dx+\int_3^6 f(x)dx$$
$$=\int_0^3 f(x)dx+\int_0^3 f(6-x)dx$$
$$=\int_0^3 \{f(x)+f(6-x)\}\,dx$$
$$=\int_0^3 (-3x^2+18x)\,dx$$
$$=\left[-x^3+9x^2\right]_0^3$$
$$=54$$

답 54

37 $\int_0^2 f(t)dt=k$ (k는 상수)로 놓으면

$f(x)=|x^2-1|+k$

$$\therefore k=\int_0^2 (|t^2-1|+k)\,dt$$
$$=\int_0^1 (1-t^2+k)\,dt+\int_1^2 (t^2-1+k)\,dt$$
$$=\left[t-\frac{1}{3}t^3+kt\right]_0^1+\left[\frac{1}{3}t^3-t+kt\right]_1^2$$
$$=1-\frac{1}{3}+k+\left(\frac{8}{3}-2+2k\right)-\left(\frac{1}{3}-1+k\right)$$
$$=2+2k$$

즉, $2+2k=k$이므로

$k=-2$

따라서 $f(x)=|x^2-1|-2$이므로

$f(3)=8-2=6$

답 ④

38 $F(x)=\int_0^x f(t)dt$의 양변을 x에 대하여 미분하면

$F'(x)=f(x)$

$=x^3-3x^2+a$

따라서 함수 $y=F(x)$는 최고차항의 계수가 양수인 사차함수이다.

사차함수 $y=F(x)$가 극댓값을 가지려면 삼차방정식 $F'(x)=0$이 서로 다른 세 실근을 가져야 하므로 함수 $y=F(x)$의 도함수인 삼차함수 $y=f(x)$에 대하여

(극댓값)×(극솟값)<0이어야 한다.

$f'(x)=3x^2-6x=3x(x-2)$

$f'(x)=0$에서 $x=0$ 또는 $x=2$

함수 $y=f(x)$의 증가, 감소를 표로 나타내면 다음과 같다.

x	…	0	…	2	…
$f'(x)$	+	0	−	0	+
$f(x)$	↗	극대	↘	극소	↗

즉, 함수 $y=f(x)$는 $x=0$에서 극댓값, $x=2$에서 극솟값을 가지므로

$f(0)f(2)<0$, $a(a-4)<0$

$\therefore 0<a<4$

따라서 구하는 정수 a의 개수는 1, 2, 3의 3이다.

답 3

39 $f(x)=\int_{-1}^{x}|t|(1-t)\,dt$의 양변을 x에 대하여 미분하면

$f'(x)=|x|(1-x)$

$x\le1$일 때 $f'(x)\ge0$, $x>1$일 때 $f'(x)<0$

이므로 함수 $y=f(x)$는 $x=1$에서 극대이면서 최대이므로 최댓값은

$$f(1)=\int_{-1}^{1}|t|(1-t)\,dt$$
$$=\int_{-1}^{0}(t^2-t)\,dt+\int_{0}^{1}(t-t^2)\,dt$$
$$=\left[\frac{1}{3}t^3-\frac{1}{2}t^2\right]_{-1}^{0}+\left[\frac{1}{2}t^2-\frac{1}{3}t^3\right]_{0}^{1}$$
$$=\left(\frac{1}{3}+\frac{1}{2}\right)+\left(\frac{1}{2}-\frac{1}{3}\right)=1$$

$y=|t|(1-t)$

답 1

40 $g(x)=f(x)+2x+\int_{2}^{x}f(t)\,dt$라 하고 양변을 x에 대하여 미분하면

$g'(x)=f'(x)+2+f(x)$

$g(x)$가 $(x-2)^2$으로 나누어떨어지기 위한 조건은

$g(2)=0$, $g'(2)=0$이므로

$g(2)=f(2)+4+0=0$

$\therefore f(2)=-4$ ……㉠

$g'(2)=f'(2)+2+f(2)=0$ ……㉡

㉠을 ㉡에 대입하면 $f'(2)=2$

따라서 $f'(x)$를 $x-2$로 나눈 나머지는 나머지정리에 의하여

$f'(2)=2$

답 2

41 $g(x)=\int_{0}^{x}f(t)dt$에서 $g'(x)=f(x)$이므로 주어진 그래프를 이용해 함수 $y=g(x)$의 증가, 감소를 표로 나타내면 다음과 같다.

x	0	…	1	…	2	…	3	…	4
$g'(x)$	0	−	0	+	0	−	0	+	0
$g(x)$		↘	극소	↗	극대	↘	극소	↗	

ㄱ. $g'(1)=f(1)=0$ (참)

ㄴ. 함수 $y=g(x)$는 $x=2$에서 극대이다. (참)

ㄷ. 함수 $y=g(x)$는 극소인 점 $x=1$ 또는 $x=3$에서 최소이다.

$g(1)=\int_{0}^{1}f(t)dt=-A$

$g(3)=\int_{0}^{3}f(t)dt=-A+B-C$

이고 $B-C<0$이므로 $g(1)>g(3)$

즉, 함수 $y=g(x)$는 $x=3$에서 최소이다. (참)

따라서 ㄱ, ㄴ, ㄷ 모두 옳다.

답 ⑤

42 $\int_{1}^{x}(x+t)f'(t)dt=2xf(x)-3x^3+2ax^2$의 양변에 $x=1$을 대입하면

$0=2f(1)-3+2a$

$\therefore f(1)=\dfrac{3-2a}{2}$ ……㉠

$\int_{1}^{x}(x+t)f'(t)dt=x\int_{1}^{x}f'(t)dt+\int_{1}^{x}tf'(t)dt$

이므로 주어진 식의 양변을 x에 대하여 미분하면

$\int_{1}^{x}f'(t)dt+xf'(x)+xf'(x)$

$=2f(x)+2xf'(x)-9x^2+4ax$

$\int_{1}^{x}f'(t)dt=2f(x)-9x^2+4ax$ ……㉡

㉡의 양변에 $x=1$을 대입하면

$0=2f(1)-9+4a$

$\therefore f(1)=\dfrac{9-4a}{2}$ ……㉢

㉠, ㉢을 연립하면 $a=3$

$\therefore f(1)=\dfrac{3-2\times3}{2}=-\dfrac{3}{2}$

㉡의 양변을 x에 대하여 미분하면

$f'(x)=2f'(x)-18x+12$이므로

$f'(x)=18x-12$

$\therefore f(x)=\int f'(x)\,dx=\int(18x-12)\,dx$

$=9x^2-12x+C$

$f(1)=9-12+C=-\dfrac{3}{2}$ $\quad\therefore C=\dfrac{3}{2}$

따라서 $f(x)=9x^2-12x+\dfrac{3}{2}$이므로

$f(a)=f(3)=81-36+\dfrac{3}{2}=\dfrac{93}{2}$

답 ②

43 $\int_{0}^{x}(x-t)f'(t)dt=\int_{x-1}^{x+1}(t^3+at)\,dt$에서

$x\int_{0}^{x}f'(t)dt-\int_{0}^{x}tf'(t)dt=\int_{x-1}^{x+1}(t^3+at)dt$

위의 식의 양변을 x에 대하여 미분하면

$\int_{0}^{x}f'(t)dt+xf'(x)-xf'(x)=\{(x+1)^3+a(x+1)\}$
$-\{(x-1)^3+a(x-1)\}$

$\therefore \int_{0}^{x}f'(t)dt=6x^2+2+2a$ ……㉠

㉠의 양변에 $x=0$을 대입하면

$0=2+2a$ $\quad\therefore a=-1$

$\int_{0}^{x}f'(t)dt=\Big[f(t)\Big]_{0}^{x}=f(x)-f(0)=6x^2$

$\therefore f(x)=6x^2+f(0)$

$f(1)=7$이므로 $6+f(0)=7$

$\therefore f(0)=1$

따라서 $f(x)=6x^2+1$이므로

$f(3)=6\times9+1=55$

답 55

44 $f(x)=2\left[\dfrac{1}{2}t^2-t\right]_{0}^{x}=2\left(\dfrac{1}{2}x^2-x\right)$

$=x^2-2x=(x-1)^2-1$

즉, 함수 $y=f(x)$는 $x=1$에서 최솟값 -1을 갖는다.

$\therefore a=1$

$f(t)=t^2-2t$이고 $y=f(t)$의 한 부정적분을 $y=F(t)$라 하면

$\lim_{x\to a}\dfrac{1}{x-a}\int_{a}^{x}f(t)dt=\lim_{x\to1}\dfrac{F(x)-F(1)}{x-1}$

$=F'(1)=f(1)=-1$

답 ②

45 $\int_{-1}^{1} f(t)dt=a$, $\int_{-1}^{1} tf(t)dt=b$ (a, b는 상수)로 놓으면

$f(x)=5x^4+4x^3+3ax^2-b$이므로

$$a=\int_{-1}^{1}(5t^4+4t^3+3at^2-b)\,dt$$
$$=2\int_{0}^{1}(5t^4+3at^2-b)\,dt$$
$$=2\Big[t^5+at^3-bt\Big]_0^1$$
$$=2+2a-2b$$

즉, $2+2a-2b=a$에서

$a-2b=-2$ ……㉠

$$b=\int_{-1}^{1}(5t^5+4t^4+3at^3-bt)\,dt$$
$$=2\int_{0}^{1}4t^4\,dt$$
$$=8\Big[\frac{1}{5}t^5\Big]_0^1=\frac{8}{5}$$

$\therefore b=\frac{8}{5}$

$b=\frac{8}{5}$을 ㉠에 대입하면 $a=\frac{6}{5}$

$\therefore f(x)=5x^4+4x^3+\frac{18}{5}x^2-\frac{8}{5}$

$f(t)=5t^4+4t^3+\frac{18}{5}t^2-\frac{8}{5}$이고 함수 $y=f(t)$의 한 부정적분을 함수 $y=F(t)$라 하면

$$\lim_{x\to1}\frac{1}{x-1}\int_{1}^{x}f(t)dt=\lim_{x\to1}\frac{F(x)-F(1)}{x-1}$$
$$=F'(1)=f(1)$$
$$=11$$

$\therefore g(2)=2+11=13$ 답 13

46 함수 $y=f(x)$는 최고차항의 계수가 1인 삼차함수이고

조건 (가)에서

$f(0)=f(6)=0$

이므로 $f(x)=x(x-p)(x-6)$ (단, $0<p<6$)

조건 (나)에서 k의 값에 관계없이 $\int_{a}^{7}\{f(x)+f(x-k)\}\,dx=0$

이므로 $k=0$일 때, 두 함수 $y=f(x)$, $y=-f(x)$의 그래프의 교점은 $(0, 0)$, $(p, 0)$, $(6, 0)$이다.

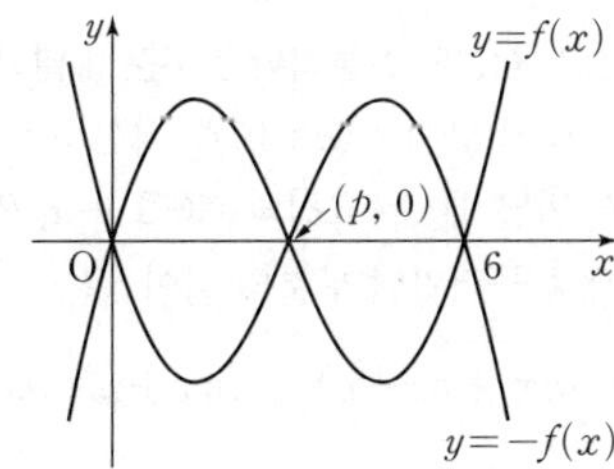

$\int_{0}^{6}\{f(x)+f(x)\}\,dx=2\int_{0}^{6}f(x)dx=0$이므로 함수

$y=x(x-p)(x-6)$의 그래프는 점 $(p, 0)$에 대하여 대칭이다.

$$x(x-p)(x-6)=-(2p-x)(2p-x-p)(2p-x-6)$$
$$=(x-2p+6)(x-p)(x-2p)$$

양변의 식을 비교하면

$-2p+6=0$, $2p=6$이므로 $p=3$

$\therefore f(x)=x(x-3)(x-6)$

문제에 주어진 그림에서 함수 $y=f(x)$의 그래프와 함수 $y=-f(x-k)$의 그래프의 가운데 교점의 x좌표의 값이 4이므로

$f(4)=-f(4-k)$

$4\times(4-3)\times(4-6)=-(4-k)(4-k-3)(4-k-6)$

$(k-4)(k-1)(k+2)=-8$, $k^3-3k^2-6k+16=0$

조립제법을 이용하여 풀면

2	1	−3	−6	16
		2	−2	−16
	1	−1	−8	0

$(k-2)(k^2-k-8)=0$

$\therefore k=2$

$$\therefore \int_{0}^{k}f(x)dx=\int_{0}^{2}x(x-3)(x-6)\,dx$$
$$=\int_{0}^{2}(x^3-9x^2+18x)\,dx$$
$$=\Big[\frac{x^4}{4}-3x^3+9x^2\Big]_0^2$$
$$=4-24+36$$
$$=16$$

답 16

참고

방정식 $(k-2)(k^2-k-8)=0$에서

$k=2$ 또는 $k=\frac{1\pm\sqrt{33}}{2}$

그런데 함수 $y=f(x)$의 그래프와 함수 $y=-f(x-k)$의 그래프가 문제의 그림과 같으려면 $k=\frac{1\pm\sqrt{33}}{2}$인 경우에는 성립하지 않는다.

함수 $y=-f(x-k)$의 그래프는 함수 $y=f(x)$의 그래프를 x축에 대하여 대칭이동한 함수 $y=-f(x)$의 그래프를 x축의 방향으로 k만큼 평행이동한 것이다.

함수 $y=-f(x)$의 그래프를 x축의 방향으로

$k=\frac{1+\sqrt{33}}{2}=3.\times\times\times$ 만큼 평행이동하면 그 그래프는 그림과 같이 가운데 교점의 x좌표의 값이 4가 될 수 없다.

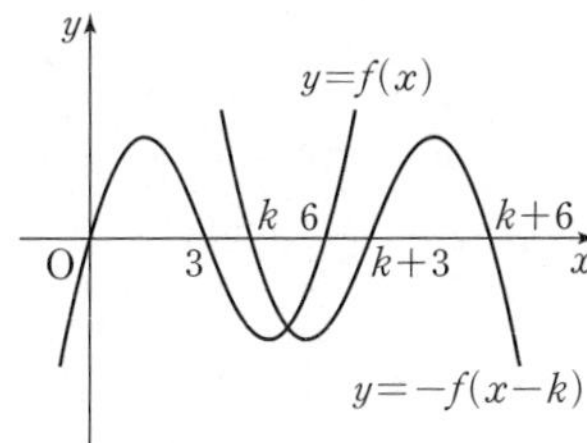

47 ㄱ. 조건 (가)에서 $f'(x)=ax(x-k)$ ($a>0$)라 하면

구간 $[0, k]$에서 $f'(x)\le0$이므로

$\int_{0}^{k}f'(x)dx<0$ (참)

ㄴ. 조건 (나)에서 $\int_{0}^{t}|f'(x)|dx=f(t)+f(0)$의 양변을 t에 대하여 미분하면

$|f'(t)|=f'(t)$ ……㉠

㉠은 $t>1$인 모든 실수 t에 대하여 성립하므로

$f'(t)\ge0$ ($t>1$)

따라서 조건 (가)에서 함수 $y=f(x)$는 $x=0$에서 극댓값, $x=k$에서 극솟값을 가지므로 $0<k\le1$이다. (참)

ㄷ. $f'(x)=ax(x-k)=ax^2-akx$에서

$$\int_0^t |f'(x)|dx$$

$$=-\int_0^k (ax^2-akx)\,dx+\int_k^t (ax^2-akx)\,dx$$

$$=-\left[\frac{a}{3}x^3-\frac{ak}{2}x^2\right]_0^k+\left[\frac{a}{3}x^3-\frac{ak}{2}x^2\right]_k^t$$

$$=-\left(\frac{ak^3}{3}-\frac{ak^3}{2}\right)+\left(\frac{at^3}{3}-\frac{akt^2}{2}-\frac{ak^3}{3}+\frac{ak^3}{2}\right)$$

$$=\frac{ak^3}{6}+\left(\frac{at^3}{3}-\frac{akt^2}{2}+\frac{ak^3}{6}\right)$$

$$=\frac{at^3}{3}-\frac{akt^2}{2}+\frac{ak^3}{3} \quad \cdots\cdots ㉠$$

또한,

$$f(x)=\int(ax^2-akx)dx=\frac{a}{3}x^3-\frac{ak}{2}x^2+C$$

이므로

$$f(t)+f(0)=\left(\frac{a}{3}t^3-\frac{ak}{2}t^2+C\right)+C$$

$$=\frac{a}{3}t^3-\frac{ak}{2}t^2+2C \quad \cdots\cdots ㉡$$

㉠, ㉡이 같아야 하므로

$$C=\frac{ak^3}{6}$$

즉, $f(x)=\frac{a}{3}x^3-\frac{ak}{2}x^2+\frac{ak^3}{6}$이므로 극솟값은

$$f(k)=\frac{ak^3}{3}-\frac{ak^3}{2}+\frac{ak^3}{6}=0 \text{ (참)}$$

따라서 ㄱ, ㄴ, ㄷ 모두 옳다. 답 ㄱ, ㄴ, ㄷ

11 정적분의 활용

본책 115~124쪽

01 구간 $[0, 1]$에서

$x^2-4x+3\ge 0$,

구간 $[1, 2]$에서

$x^2-4x+3\le 0$

이므로 구하는 넓이는

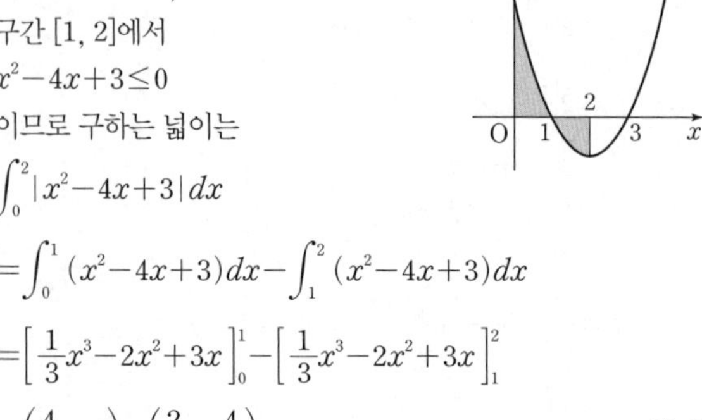

$$\int_0^2 |x^2-4x+3|dx$$

$$=\int_0^1 (x^2-4x+3)dx-\int_1^2 (x^2-4x+3)dx$$

$$=\left[\frac{1}{3}x^3-2x^2+3x\right]_0^1-\left[\frac{1}{3}x^3-2x^2+3x\right]_1^2$$

$$=\left(\frac{4}{3}-0\right)-\left(\frac{2}{3}-\frac{4}{3}\right)=2$$

답 ①

02 곡선 $y=x^2-x$와 직선 $y=2x$의 교점의 x좌표는

$x^2-x=2x$에서 $x^2-3x=0$

$x(x-3)=0$

$\therefore x=0$ 또는 $x=3$

따라서 구하는 넓이는

$$\int_0^3 \{2x-(x^2-x)\}dx$$

$$=\int_0^3 (-x^2+3x)dx$$

$$=\left[-\frac{1}{3}x^3+\frac{3}{2}x^2\right]_0^3$$

$$=-9+\frac{27}{2}$$

$$=\frac{9}{2}$$

답 $\frac{9}{2}$

다른 풀이

곡선과 직선의 교점의 x좌표는

$x^2-x=2x$에서 $x^2-3x=0$

$x(x-3)=0$

$\therefore x=0$ 또는 $x=3$

따라서 구하는 넓이는

$$\frac{|a|(\beta-\alpha)^3}{6}=\frac{1\times(3-0)^3}{6}=\frac{9}{2}$$

참고 **곡선과 직선으로 둘러싸인 부분의 넓이**

곡선 $y=ax^2+bx+c$ $(a\neq 0)$와 직선 $y=mx+n$이 서로 다른 두 점에서 만날 때, 두 교점의 x좌표를 α, β $(\alpha<\beta)$라 하면 곡선과 직선으로 둘러싸인 부분의 넓이 S는

$$S=\int_\alpha^\beta |(ax^2+bx+c)-(mx+n)|dx$$

$$=\frac{|a|}{6}(\beta-\alpha)^3$$

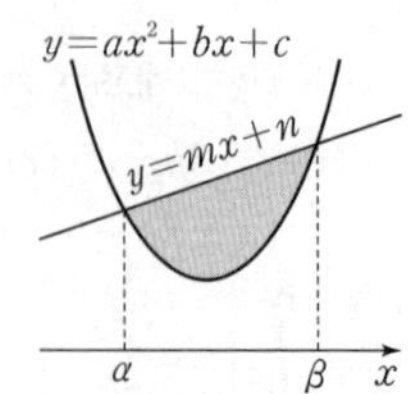

03 두 곡선 $y=x^3-3x$, $y=2x^2$의 교점의 x좌표는

$x^3-3x=2x^2$에서

$x^3-2x^2-3x=0$

$x(x^2-2x-3)=0$

$x(x+1)(x-3)=0$

$\therefore x=-1$ 또는 $x=0$ 또는 $x=3$

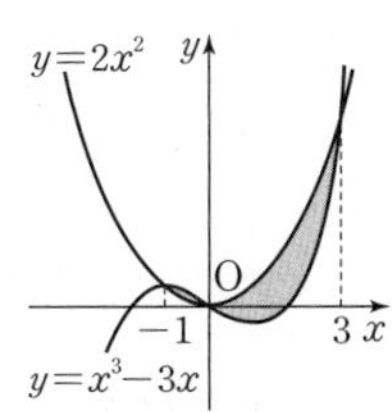

따라서 구하는 넓이는

$\int_{-1}^{0}\{(x^3-3x)-2x^2\}dx+\int_{0}^{3}\{2x^2-(x^3-3x)\}dx$

$=\int_{-1}^{0}(x^3-2x^2-3x)dx+\int_{0}^{3}(-x^3+2x^2+3x)dx$

$=\left[\frac{1}{4}x^4-\frac{2}{3}x^3-\frac{3}{2}x^2\right]_{-1}^{0}+\left[-\frac{1}{4}x^4+\frac{2}{3}x^3+\frac{3}{2}x^2\right]_{0}^{3}$

$=\frac{7}{12}+\frac{45}{4}$

$=\frac{71}{6}$

답 $\frac{71}{6}$

04 곡선 $y=\frac{1}{4}x^2+4$에서 $y'=\frac{1}{2}x$이므로 이 곡선 위의 점 $(4, 8)$에서의 접선의 방정식은

$y-8=2(x-4)$

$\therefore y=2x$

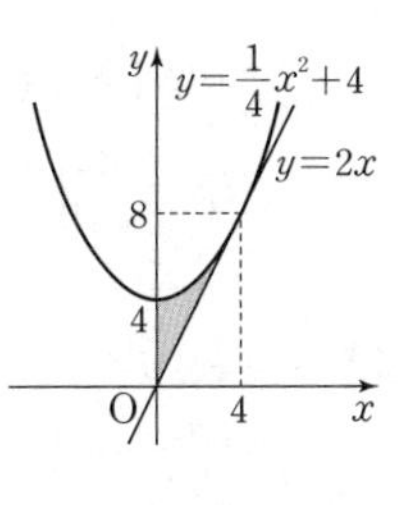

따라서 구하는 넓이는

$\int_{0}^{4}\left\{\left(\frac{1}{4}x^2+4\right)-2x\right\}dx$

$=\left[\frac{1}{12}x^3+4x-x^2\right]_{0}^{4}$

$=\frac{16}{3}$

답 $\frac{16}{3}$

05 곡선 $y=|x^2-9|$와 x축의 교점의 x좌표는

$x^2-9=0$에서 $(x+3)(x-3)=0$

$\therefore x=-3$ 또는 $x=3$

따라서 곡선 $y=|x^2-9|$와 x축으로 둘러싸인 부분은 그림의 어두운 부분과 같으므로 구하는 넓이는

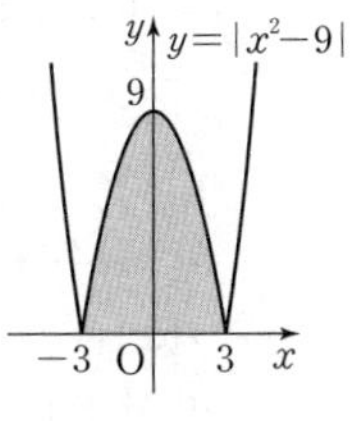

$-\int_{-3}^{3}(x^2-9)dx$

$=-2\int_{0}^{3}(x^2-9)dx$

$=-2\left[\frac{1}{3}x^3-9x\right]_{0}^{3}$

$=-2\times(-18)=36$

답 36

06 곡선 $y=x(x-4)(x-k)$와 x축의 교점의 x좌표는

$x(x-4)(x-k)=0$에서

$x=0$ 또는 $x=4$ 또는 $x=k$

$k>4$이므로 곡선 $y=x(x-4)(x-k)$는 그림과 같고 어두운 두 부분의 넓이가 서로 같으므로

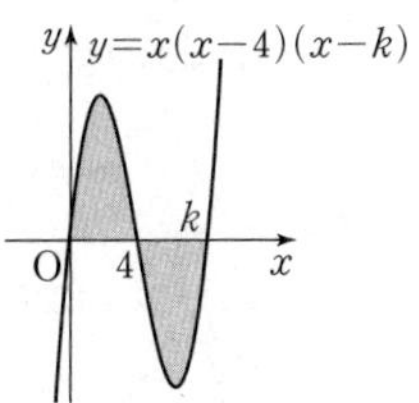

$\int_{0}^{k}x(x-4)(x-k)dx$

$=\int_{0}^{k}\{x^3-(4+k)x^2+4kx\}dx$

$=\left[\frac{1}{4}x^4-\frac{4+k}{3}x^3+2kx^2\right]_{0}^{k}=0$

$\frac{k^4}{4}-\frac{4k^3+k^4}{3}+2k^3=0$

$k^4-8k^3=0$, $k^3(k-8)=0$

$\therefore k=8\ (\because k>4)$

답 8

07 $t=0$에서의 점 P의 좌표가 5이므로 $t=4$에서의 점 P의 좌표는

$5+\int_{0}^{4}v(t)dt=5+\int_{0}^{4}(6-2t)dt$

$=5+\left[6t-t^2\right]_{0}^{4}$

$=5+8$

$=13$

답 ⑤

08 최고 높이에 도달할 때, 이 로켓의 속도는 0이므로

$v(t)=49-9.8t=0$

$\therefore t=5$

최고 높이에 도달할 때까지 로켓이 움직인 거리는

$\int_{0}^{5}(49-9.8t)\,dt=\left[49t-4.9t^2\right]_{0}^{5}=122.5\,(\text{m})$

따라서 로켓이 지면에 떨어질 때까지 움직인 거리는

$122.5+(122.5+50)=295\,(\text{m})$

답 ④

09 곡선 $y=x^3-7x+6$과 x축의 교점의 x좌표는

$x^3-7x+6=0$에서

$(x+3)(x-1)(x-2)=0$

$\therefore x=-3$ 또는 $x=1$ 또는 $x=2$

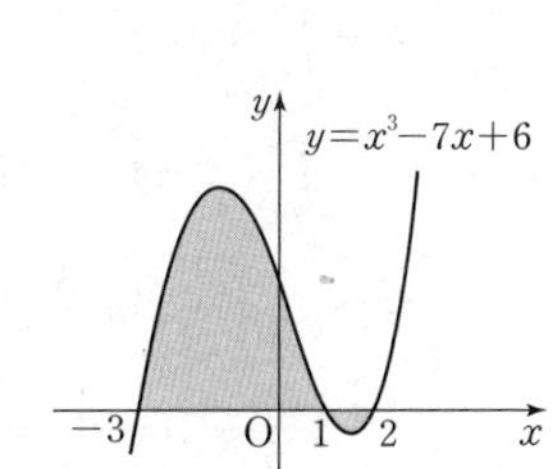

따라서 구하는 넓이는

$\int_{-3}^{1}(x^3-7x+6)\,dx-\int_{1}^{2}(x^3-7x+6)\,dx$

$=\left[\frac{1}{4}x^4-\frac{7}{2}x^2+6x\right]_{-3}^{1}-\left[\frac{1}{4}x^4-\frac{7}{2}x^2+6x\right]_{1}^{2}$

$=32-\left(-\frac{3}{4}\right)$

$=\frac{131}{4}$

답 ③

10 구간 $[0, 3]$에서 정의된 함수 $y=-x^2+ax$의 그래프와 x축 및 직선 $x=3$으로 둘러싸인 부분은 그림의 어두운 부분과 같으므로 구하는 넓이는

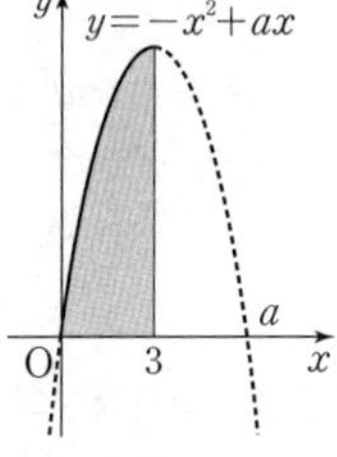

$\int_{0}^{3}(-x^2+ax)\,dx=\left[-\frac{1}{3}x^3+\frac{a}{2}x^2\right]_{0}^{3}$

$=-9+\frac{9}{2}a$

따라서 $-9+\frac{9}{2}a=18$이므로

$\frac{9}{2}a=27 \quad \therefore a=6$

답 6

11 곡선 $x=(y+1)(y-k)$와 y축으로 둘러싸인 부분의 넓이가 $\frac{9}{2}$이므로

$$-\int_{-1}^{k}(y+1)(y-k)dy$$
$$=-\int_{-1}^{k}\{y^2+(1-k)y-k\}\,dy$$
$$=-\left[\frac{1}{3}y^3+\frac{1-k}{2}y^2-ky\right]_{-1}^{k}$$
$$=\frac{1}{6}k^3+\frac{1}{2}k^2+\frac{1}{2}k+\frac{1}{6}=\frac{9}{2}$$
$$k^3+3k^2+3k-26=0$$
$$(k-2)(k^2+5k+13)=0$$
$\therefore k=2\ (\because k>0)$ 답 2

12 $f(x)=x^4-4x^3+5x^2+ax$에서

$f'(x)=4x^3-12x^2+10x+a$

$x=-1$인 점에서 접선의 기울기가 -28이므로

$f'(-1)=-4-12-10+a=-28$ $\quad\therefore a=-2$

$$\therefore f(x)=x^4-4x^3+5x^2-2x$$
$$=x(x^3-4x^2+5x-2)$$
$$=x(x-1)(x^2-3x+2)$$
$$=x(x-1)^2(x-2)$$

따라서 곡선 $y=f(x)$는 그림과 같으므로 구하는 넓이는

$$-\int_{0}^{1}f(x)dx-\int_{1}^{2}f(x)dx$$
$$=-\int_{0}^{2}f(x)dx$$
$$=-\int_{0}^{2}(x^4-4x^3+5x^2-2x)dx$$
$$=-\left[\frac{1}{5}x^5-x^4+\frac{5}{3}x^3-x^2\right]_{0}^{2}$$
$$=-\left(\frac{32}{5}-16+\frac{40}{3}-4\right)=\frac{4}{15}$$
답 $\frac{4}{15}$

13 $f(x)=ax^2(x-2)\ (a>0)$라 하면

$$S_1=-a\int_{-2}^{0}(x^3-2x^2)\,dx$$
$$=-a\left[\frac{1}{4}x^4-\frac{2}{3}x^3\right]_{-2}^{0}$$
$$=a\left(4+\frac{16}{3}\right)=\frac{28}{3}a$$
$$S_2=-a\int_{0}^{2}(x^3-2x^2)\,dx=-a\left[\frac{1}{4}x^4-\frac{2}{3}x^3\right]_{0}^{2}$$
$$=-a\left(4-\frac{16}{3}\right)=\frac{4}{3}a$$
$\therefore S_1:S_2=\frac{28}{3}a:\frac{4}{3}a=7:1$ 답 ①

14 직사각형의 넓이가 최대이면 어두운 부분의 넓이가 최소가 된다. 그림에서 점 C의 x좌표를 $a\ (0<a<2)$라 하면 직사각형 ABCD의 넓이는 $2a(-a^2+4)$

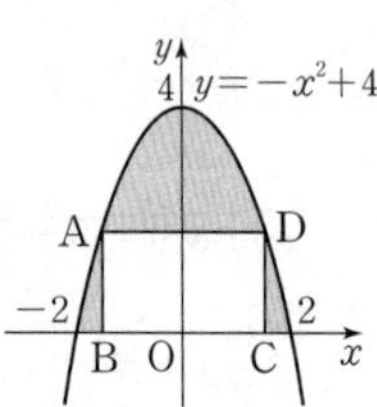

$f(a)=2a(-a^2+4)=-2a^3+8a$라 하면

$$f'(a)=-6a^2+8=-6\left(a+\frac{2}{\sqrt{3}}\right)\left(a-\frac{2}{\sqrt{3}}\right)$$

$f'(a)=0$에서 $a=\frac{2}{\sqrt{3}}\ (\because 0<a<2)$

$0<a<2$에서 함수 $y=f(a)$의 증가, 감소를 표로 나타내면 다음과 같다.

a	(0)	$\cdots$	$\frac{2}{\sqrt{3}}$	$\cdots$	(2)
$f'(a)$		$+$	0	$-$	
$f(a)$		↗	극대	↘	

즉, $f(a)$는 $a=\frac{2}{\sqrt{3}}$일 때, 극대이면서 최대이므로 직사각형의 넓이의 최댓값은

$$f\left(\frac{2}{\sqrt{3}}\right)=\frac{4}{\sqrt{3}}\left(-\frac{4}{3}+4\right)=\frac{32\sqrt{3}}{9}$$

곡선 $y=-x^2+4$와 x축으로 둘러싸인 부분의 넓이는

$$2\int_{0}^{2}(-x^2+4)dx=2\left[-\frac{1}{3}x^3+4x\right]_{0}^{2}$$
$$=2\left(-\frac{8}{3}+8\right)=\frac{32}{3}$$

따라서 어두운 부분의 넓이의 최솟값은

$$\frac{32}{3}-\frac{32\sqrt{3}}{9}=\frac{32}{9}(3-\sqrt{3})$$
답 ③

15 곡선 $y=-x^2+3x$와 직선 $y=-x$의 교점의 x좌표는 $-x^2+3x=-x$에서

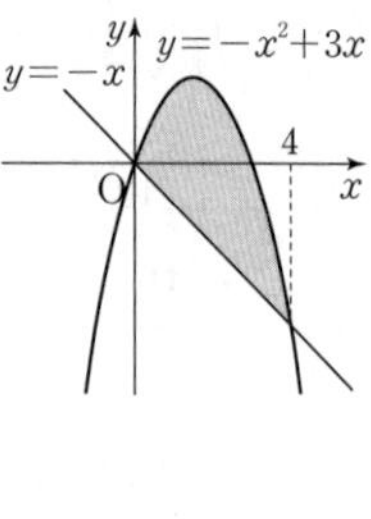

$x^2-4x=0,\ x(x-4)=0$

$\therefore x=0$ 또는 $x=4$

따라서 구하는 넓이 S는

$$S=\int_{0}^{4}\{(-x^2+3x)-(-x)\}\,dx$$
$$=\int_{0}^{4}(-x^2+4x)dx$$
$$=\left[-\frac{1}{3}x^3+2x^2\right]_{0}^{4}=\frac{32}{3}$$
$\therefore 3S=32$ 답 32

16 이차함수의 그래프가 두 점 $(-1,0)$, $(3,0)$을 지나므로

$f(x)=a(x+1)(x-3)$ (단, $a<0$)

이 이차함수의 그래프가 점 $(2,6)$을 지나므로

$6=a\times3\times(-1)$ $\quad\therefore a=-2$

$\therefore f(x)=-2(x+1)(x-3)=-2x^2+4x+6$

한편, 직선은 두 점 $(-1,0)$, $(2,6)$을 지나므로

$y=\frac{6}{3}(x+1)$ $\quad\therefore g(x)=2x+2$

따라서 구하는 넓이는

$$\int_{-1}^{2}\{-2x^2+4x+6-(2x+2)\}\,dx$$
$$=\int_{-1}^{2}(-2x^2+2x+4)dx$$
$$=\left[-\frac{2}{3}x^3+x^2+4x\right]_{-1}^{2}$$
$$=\left(-\frac{16}{3}+4+8\right)-\left(\frac{2}{3}+1-4\right)=9$$
답 ⑤

17 그림에서 곡선 $y=f(x)$와 직선 $y=g(x)$의 교점의 x좌표는 $x=0$ 또는 $x=3$ 또는 $x=4$이므로

$$f(x)-g(x)=ax(x-3)(x-4)$$
$$=a(x^3-7x^2+12x)\ (a>0)$$

라 할 수 있다.

색칠한 부분의 넓이가 $\frac{45}{8}$이므로

$$\int_0^3 \{f(x)-g(x)\}dx=\int_0^3 a(x^3-7x^2+12x)\,dx$$
$$=a\left[\frac{1}{4}x^4-\frac{7}{3}x^3+6x^2\right]_0^3$$
$$=a\left(\frac{81}{4}-63+54\right)$$
$$=\frac{45}{4}a=\frac{45}{8}$$

$\therefore a=\frac{1}{2}$

따라서 $f(x)-g(x)=\frac{1}{2}x(x-3)(x-4)$이므로

$$f(1)-g(1)=\frac{1}{2}\times(-2)\times(-3)$$
$$=3$$

답 3

18 $f(x)=x^4-2x^2+5$에서

$f'(x)=4x^3-4x$

$f'(x)=0$에서 $4x^3-4x=0$

$4x(x+1)(x-1)=0$

$\therefore x=-1$ 또는 $x=0$ 또는 $x=1$

함수 $y=f(x)$의 증가, 감소를 표로 나타내면 다음과 같다.

x	$\cdots$	-1	$\cdots$	0	$\cdots$	1	$\cdots$
$f'(x)$	$-$	0	$+$	0	$-$	0	$+$
$f(x)$	↘	극소	↗	극대	↘	극소	↗

따라서 극소인 두 점의 좌표는 각각 $(-1, 4)$, $(1, 4)$이므로 두 점 A, B를 이은 직선의 방정식은 $y=4$이고 곡선 $y=f(x)$와 두 점 A, B에서 접한다.

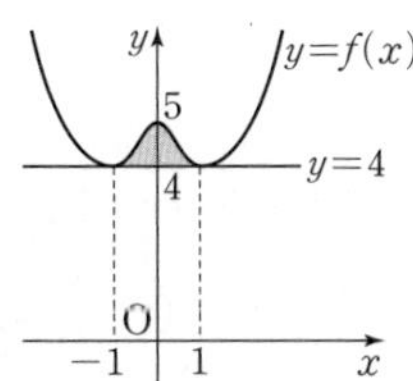

따라서 구하는 넓이는

$$\int_{-1}^1 (x^4-2x^2+5-4)\,dx=2\int_0^1(x^4-2x^2+1)\,dx$$
$$=2\left[\frac{1}{5}x^5-\frac{2}{3}x^3+x\right]_0^1$$
$$=\frac{16}{15}$$

답 $\frac{16}{15}$

19 $f(x)=x^3+ax+b$, $g(x)=ax^2+bx+1$이라 하면

$f'(x)=3x^2+a$, $g'(x)=2ax+b$

두 곡선이 $x=-1$인 점에서 접하므로

$f(-1)=g(-1)$에서

$-1-a+b=a-b+1$

$\therefore a-b=-1$ ⋯⋯ ㉠

$f'(-1)=g'(-1)$에서

$3+a=-2a+b$

$\therefore 3a-b=-3$ ⋯⋯ ㉡

㉠, ㉡을 연립하여 풀면 $a=-1$, $b=0$

$\therefore f(x)=x^3-x$, $g(x)=-x^2+1$

그림에서 곡선 $y=x^3-x$는 원점에 대하여 대칭이므로 두 곡선으로 둘러싸인 부분의 넓이는 곡선 $y=-x^2+1$과 x축으로 둘러싸인 부분의 넓이와 같다.

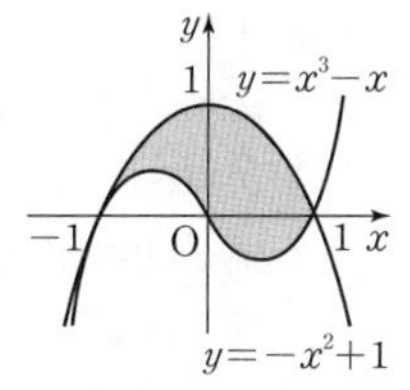

따라서 두 곡선으로 둘러싸인 부분의 넓이는

$$\int_{-1}^1(-x^2+1)dx=2\int_0^1(-x^2+1)dx$$
$$=2\left[-\frac{1}{3}x^3+x\right]_0^1$$
$$=2\times\frac{2}{3}=\frac{4}{3}$$

답 $\frac{4}{3}$

20 두 곡선 $y=x^n$, $y=x^{n+1}$의 교점의 x좌표는

$x^n=x^{n+1}$에서 $x^n(x-1)=0$

$\therefore x=0$ 또는 $x=1$

$$\therefore S_n=\int_0^1(x^n-x^{n+1})dx$$
$$=\left[\frac{1}{n+1}x^{n+1}-\frac{1}{n+2}x^{n+2}\right]_0^1$$
$$=\frac{1}{n+1}-\frac{1}{n+2}$$

$\therefore S_2+S_3+S_4+\cdots+S_{100}$

$$=\left(\frac{1}{3}-\frac{1}{4}\right)+\left(\frac{1}{4}-\frac{1}{5}\right)+\cdots+\left(\frac{1}{101}-\frac{1}{102}\right)$$
$$=\frac{1}{3}-\frac{1}{102}$$
$$=\frac{33}{102}=\frac{11}{34}$$

답 ④

21 $y=x^2-4x+7$에서 $y'=2x-4$이므로 곡선 $y=x^2-4x+7$ 위의 점 $(3, 4)$에서의 접선의 기울기는 2이다.

즉, 접선의 방정식은

$y-4=2(x-3)$

$\therefore y=2x-2$

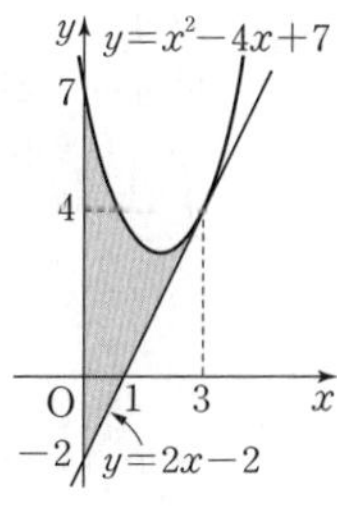

따라서 구하는 넓이는

$$\int_0^3\{(x^2-4x+7)-(2x-2)\}dx$$
$$=\int_0^3(x^2-6x+9)dx$$
$$=\left[\frac{1}{3}x^3-3x^2+9x\right]_0^3$$
$$=9$$

답 9

22 곡선 $y=x^3+ax+b$와 직선 $y=2x+c$가 점 $(1, 0)$에서 접하므로 곡선 $y=x^3+ax+b$는 $(1, 0)$을 지나고 이 점에서의 접선의 방정식이 $y=2x+c$가 된다.
$y=x^3+ax+b$에서 $y'=3x^2+a$이므로 점 $(1, 0)$에서의 접선의 기울기는
$3+a=2 \quad \therefore a=-1$
또 곡선과 직선에 $(1, 0)$을 대입하면
$0=1+a+b \qquad \therefore a+b=-1 \qquad \cdots\cdots ㉠$
$0=2+c \qquad \therefore c=-2$
$a=-1$을 ㉠에 대입하면
$b=0$

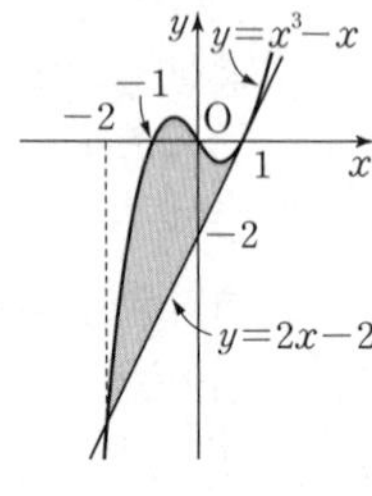

곡선 $y=x^3-x$와 직선 $y=2x-2$의 교점의 x좌표는
$x^3-x=2x-2$에서
$x^3-3x+2=0$, $(x+2)(x-1)^2=0$
$\therefore x=-2$ 또는 $x=1$
따라서 구하는 넓이는

$$\int_{-2}^{1}\{(x^3-x)-(2x-2)\}dx=\int_{-2}^{1}(x^3-3x+2)\,dx$$
$$=\left[\frac{1}{4}x^4-\frac{3}{2}x^2+2x\right]_{-2}^{1}$$
$$=\frac{27}{4}$$

답 $\frac{27}{4}$

23 $y=2x^2-10x+15$에서 $y'=4x-10$이므로
곡선 위의 점 $(a, 2a^2-10a+15)$에서의
접선의 기울기는 $4a-10$이고, 접선의 방정식은
$y-(2a^2-10a+15)=(4a-10)(x-a)$
이 직선이 $(3, 1)$을 지나므로
$1-(2a^2-10a+15)=(4a-10)(3-a)$
에서 $a^2-6a+8=0$
$(a-2)(a-4)=0$
$\therefore a=2$ 또는 $a=4$
따라서 두 접선의 방정식은
$y=-2x+7$, $y=6x-17$
두 접선의 교점은 $(3, 1)$이므로
구하는 넓이는 그림의 어두운 부분과 같다.

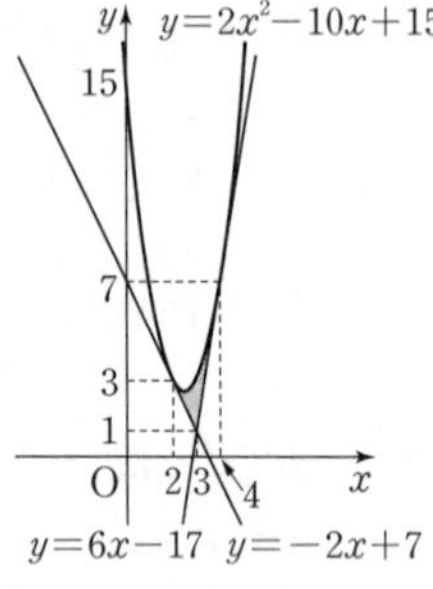

따라서 구하는 넓이는

$$\int_{2}^{3}\left\{(2x^2-10x+15)-(-2x+7)\right\}dx$$
$$+\int_{3}^{4}\left\{(2x^2-10x+15)-(6x-17)\right\}dx$$

$$=\int_{2}^{3}(2x^2-8x+8)dx+\int_{3}^{4}(2x^2-16x+32)dx$$
$$=\left[\frac{2}{3}x^3-4x^2+8x\right]_{2}^{3}+\left[\frac{2}{3}x^3-8x^2+32x\right]_{3}^{4}$$
$$=\frac{2}{3}+\frac{2}{3}$$
$$=\frac{4}{3}$$

답 ②

24 $y=|x^2-1|=\begin{cases} x^2-1 & (x\geq 1 \text{ 또는 } x\leq -1) \\ -x^2+1 & (-1<x<1) \end{cases}$
이므로
곡선 $y=|x^2-1|$과 직선 $y=3$의 교점의 x좌표는
$x^2-1=3$에서
$x^2=4$
$\therefore x=-2$ 또는 $x=2$
따라서 구하는 넓이는

$$2\left[\int_{0}^{1}\{3-(-x^2+1)\}dx+\int_{1}^{2}\{3-(x^2-1)\}dx\right]$$
$$=2\left\{\int_{0}^{1}(x^2+2)dx+\int_{1}^{2}(-x^2+4)dx\right\}$$
$$=2\left(\left[\frac{1}{3}x^3+2x\right]_{0}^{1}+\left[-\frac{1}{3}x^3+4x\right]_{1}^{2}\right)$$
$$=2\left(\frac{7}{3}+\frac{5}{3}\right)=8$$

답 8

25 $y=|x(x-1)|=\begin{cases} x(x-1) & (x\geq 1 \text{ 또는 } x\leq 0) \\ -x(x-1) & (0<x<1) \end{cases}$
이므로 곡선 $y=|x(x-1)|$과 직선 $y=2x+4$의 교점의 x좌표는
$x^2-x=2x+4$에서
$x^2-3x-4=0$
$(x+1)(x-4)=0$
$\therefore x=-1$ 또는 $x=4$
따라서 구하는 넓이는

$$\int_{-1}^{4}\{2x+4-x(x-1)\}dx-2\int_{0}^{1}\{-x(x-1)\}dx$$
$$=\int_{-1}^{4}(-x^2+3x+4)dx-2\int_{0}^{1}(-x^2+x)dx$$
$$=\left[-\frac{1}{3}x^3+\frac{3}{2}x^2+4x\right]_{-1}^{4}-2\left[-\frac{1}{3}x^3+\frac{1}{2}x^2\right]_{0}^{1}$$
$$=\frac{125}{6}-\frac{2}{6}$$
$$=\frac{41}{2}$$

답 $\frac{41}{2}$

다른 풀이

$$\int_{-1}^{4}\{2x+4-x(x-1)\}dx-2\int_{0}^{1}\{-x(x-1)\}dx$$
$$=\frac{(4+1)^3}{6}-2\times\frac{(1-0)^3}{6}=\frac{41}{2}$$

26 $y=|x^2-ax|=\begin{cases} x^2-ax & (x>a \text{ 또는 } x<0) \\ -x^2+ax & (0\leq x\leq a) \end{cases}$
이므로 곡선 $y=|x^2-ax|$와 직선 $y=ax$의 교점의 x좌표는
(i) $x<0$ 또는 $x>a$일 때,
$x^2-ax=ax$에서
$x^2-2ax=0$
$x(x-2a)=0$
$\therefore x=0$ 또는 $x=2a$

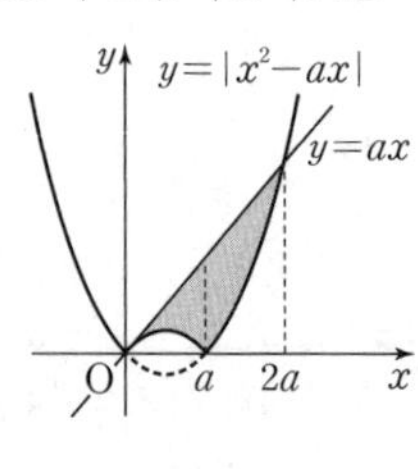

(ii) $0\leq x\leq a$일 때,
$-x^2+ax=ax$에서 $x^2=0$
$\therefore x=0$

따라서 구하는 넓이는

$$\int_0^a \{ax-(-x^2+ax)\}dx+\int_a^{2a}\{ax-(x^2-ax)\}dx$$

$$=\int_0^a x^2dx+\int_a^{2a}(-x^2+2ax)dx$$

$$=\left[\frac{1}{3}x^3\right]_0^a+\left[-\frac{1}{3}x^3+ax^2\right]_a^{2a}$$

$$=\frac{1}{3}a^3+\frac{2}{3}a^3=a^3$$

답 ⑤

27 곡선 $y=-x^2-2x$와 x축의 교점의 x좌표는 $-x^2-2x=0$에서

$x(x+2)=0$ $\quad\therefore x=-2$ 또는 $x=0$

이때 $k<-2$이므로

곡선 $y=-x^2-2x$와 직선 $x=k$는 그림과 같고 어두운 두 부분의 넓이가 같으므로

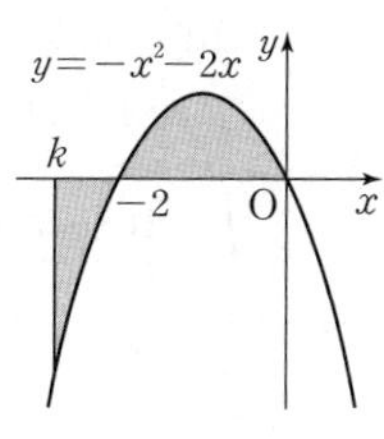

$$\int_k^0(-x^2-2x)dx=\left[-\frac{1}{3}x^3-x^2\right]_k^0$$

$$=\frac{1}{3}k^3+k^2=0$$

$k^3+3k^2=0$, $k^2(k+3)=0$

$\therefore k=-3$ ($\because k<-2$)

답 -3

28 $-x^3+x-k=0$의 근 중에서 가장 큰 값을 α라 하면

$-\alpha^3+\alpha-k=0$

$\therefore k=\alpha-\alpha^3$ $\quad\cdots\cdots$ ㉠

$A=B$이므로

$$\int_0^\alpha(-x^3+x-k)dx=\left[-\frac{1}{4}x^4+\frac{1}{2}x^2-kx\right]_0^\alpha$$

$$=-\frac{1}{4}\alpha^4+\frac{1}{2}\alpha^2-k\alpha=0$$

$\alpha>0$이므로 $\alpha^3-2\alpha+4k=0$ $\quad\cdots\cdots$ ㉡

㉠을 ㉡에 대입하여 정리하면

$3\alpha^3-2\alpha=0$, $\alpha(3\alpha^2-2)=0$

$\therefore \alpha=\sqrt{\frac{2}{3}}=\frac{\sqrt{6}}{3}$ ($\because \alpha>0$)

이것을 ㉠에 대입하면

$k=\frac{\sqrt{6}}{3}-\frac{6\sqrt{6}}{27}=\frac{\sqrt{6}}{9}$

$\therefore 81k^2=81\times\frac{6}{81}=6$

답 6

29 $y=-x^2+2x=-(x-1)^2+1$이므로 이 곡선은 직선 $x=1$에 대하여 대칭이다.

즉, S_1은 직선 $x=1$에 의하여 이등분되고, $\frac{1}{2}S_1=S_2$이므로

$$\int_1^k(-x^2+2x)\,dx=\left[-\frac{1}{3}x^3+x^2\right]_1^k$$

$$=-\frac{1}{3}k^3+k^2-\left(-\frac{1}{3}+1\right)$$

$$=-\frac{1}{3}k^3+k^2-\frac{2}{3}$$

$$=-\frac{1}{3}(k-1)(k^2-2k-2)=0$$

$\therefore k=1-\sqrt{3}$ 또는 $k=1$ 또는 $k=1+\sqrt{3}$

$k>2$이므로 $k=1+\sqrt{3}$

답 ②

30 함수 $y=f(x)$와 그 역함수 $y=g(x)$의 그래프는 직선 $y=x$에 대하여 대칭이므로

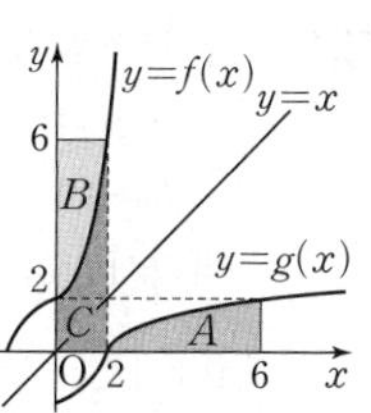

(A의 넓이)$=$(B의 넓이)

$$\therefore \int_0^2 f(x)dx+\int_2^6 g(x)dx$$

$=$(C의 넓이)$+$(A의 넓이)

$=$(C의 넓이)$+$(B의 넓이)

$=2\times6$

$=12$

답 ④

31 $y=x^2-x$에서 x 대신 y, y대신 x를 대입하면

$x=y^2-y$

즉, 두 곡선 $y=x^2-x$ $(x\ge0)$와 $x=y^2-y$ $(y\ge0)$는 직선 $y=x$에 대하여 대칭이다.

두 곡선의 교점은 곡선 $y=x^2-x$와 직선 $y=x$의 교점과 같으므로 교점의 x좌표는

$x^2-x=x$에서 $x(x-2)=0$

$\therefore x=0$ 또는 $x=2$

두 곡선 $y=x^2-x$, $x=y^2-y$로 둘러싸인 부분의 넓이는 곡선 $y=x^2-x$와 직선 $y=x$로 둘러싸인 부분의 넓이의 2배와 같다.

따라서 구하는 넓이는

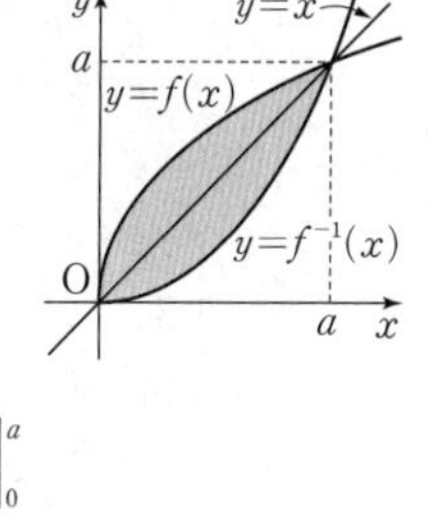

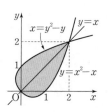

$$2\int_0^2\{x-(x^2-x)\}dx$$

$$=2\int_0^2(-x^2+2x)dx$$

$$=2\left[-\frac{1}{3}x^3+x^2\right]_0^2$$

$$=2\left(-\frac{8}{3}+4\right)=\frac{8}{3}$$

답 $\frac{8}{3}$

32 두 곡선 $y=f(x)$, $y=f^{-1}(x)$는 직선 $y=x$에 대하여 대칭이므로 두 곡선 $y=f(x)$, $y=f^{-1}(x)$로 둘러싸인 부분의 넓이는 곡선 $y=f^{-1}(x)$와 직선 $y=x$로 둘러싸인 부분의 넓이의 2배이다.

함수 $f(x)=\sqrt{ax}$의 역함수는 $f^{-1}(x)=\frac{1}{a}x^2$ $(x\ge0)$이고,

곡선 $y=\frac{1}{a}x^2$과 직선 $y=x$의 교점의 x좌표는

$\frac{1}{a}x^2=x$에서 $x^2-ax=0$

$x(x-a)=0$

$\therefore x=0$ 또는 $x=a$

두 곡선 $y=f(x)$, $y=f^{-1}(x)$로 둘러싸인 부분의 넓이는 $\frac{16}{3}$이므로

y $\quad y=x$ $\quad a$ $\quad y=f(x)$ $\quad y=f^{-1}(x)$ $\quad$ O $\quad a$ $\quad x$

$$2\int_0^a\left(x-\frac{1}{a}x^2\right)dx=2\left[\frac{1}{2}x^2-\frac{1}{3a}x^3\right]_0^a$$

$$=2\left(\frac{1}{2}a^2-\frac{1}{3}a^2\right)$$

$$=\frac{1}{3}a^2=\frac{16}{3}$$

즉, $a^2=16$이므로

$a=4$ ($\because a>0$)

답 4

33 점 P가 움직이는 방향을 바꿀 때 $v(t)=0$이므로
$12-4t=0$
$\therefore t=3$
따라서 $t=3$에서의 점 P의 위치는
$0+\int_0^3 (12-4t)dt=\Big[12t-2t^2\Big]_0^3=18$ 답 18

34 3초 후의 점 P의 위치는 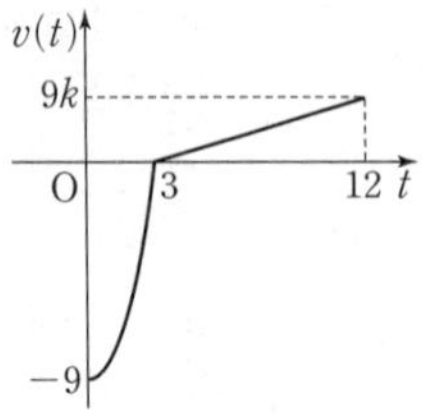
$$\int_0^3 (t^2-9)dt=\Big[\frac{1}{3}t^3-9t\Big]_0^3$$
$$=-18$$
12초 후에 점 P는 다시 원점에 돌아오므로 $k>0$이고,
$$\int_3^{12} k(t-3)dt=18$$
$\int_3^{12} k(t-3)dt$는 밑변의 길이가 9, 높이가 $9k$인 삼각형의 넓이와 같으므로
$$\frac{1}{2}\times 9\times 9k=18$$
$\therefore k=\frac{4}{9}$ 답 $\frac{4}{9}$

35 두 점 A, B의 t초 후의 좌표를 각각 $x_A(t)$, $x_B(t)$라 하면
$$x_A(t)=-28+\int_0^t (6t^2-12t+15)dt$$
$$=-28+\Big[2t^3-6t^2+15t\Big]_0^t$$
$$=2t^3-6t^2+15t-28$$
$$x_B(t)=0+\int_0^t (3t^2+12t-24)dt$$
$$=\Big[t^3+6t^2-24t\Big]_0^t$$
$$=t^3+6t^2-24t$$
$x_A(t)-x_B(t)=f(t)$라 하면
$f(t)=t^3-12t^2+39t-28$
$=(t-1)(t-4)(t-7)$

ㄱ. 두 점 A, B가 만날 때, $x_A(t)=x_B(t)$
즉, $f(t)=0$의 근은 $t=1$ 또는 $t=4$ 또는 $t=7$의 3개이므로 두 점 A와 B는 3번 만난다. (참)

ㄴ. $4<t<7$일 때, $f(t)<0$이므로 $x_A(t)<x_B(t)$ (참)

ㄷ. $1\le t\le 7$일 때, 두 점 사이의 거리의 최댓값은
$|x_A-x_B|=|f(t)|$의 최댓값이다.
$f'(t)=3t^2-24t+39=0$에서
$t=4-\sqrt{3}$ 또는 $t=4+\sqrt{3}$
즉, $t=4-\sqrt{3}$일 때 함수 $y=f(t)$는 극대이면서 최대이므로 $1\le t\le 7$일 때, 두 점 A, B 사이의 거리의 최댓값은 $f(4-\sqrt{3})=6\sqrt{3}$이다. (거짓)

따라서 옳은 것은 ㄱ, ㄴ이다. 답 ②

36 $v(t)=4t-t^2=0$에서 $t(4-t)=0$
$\therefore t=0$ 또는 $t=4$
따라서 점 P는 출발한지 4초 후에 운동 방향을 바꾸므로 구하는 거리는
$$\int_0^6 |4t-t^2|dt=\int_0^4 (4t-t^2)dt+\int_4^6 (t^2-4t)dt$$
$$=\Big[2t^2-\frac{1}{3}t^3\Big]_0^4+\Big[\frac{1}{3}t^3-2t^2\Big]_4^6$$
$$=\frac{32}{3}+\frac{32}{3}$$
$$=\frac{64}{3}$$
답 $\frac{64}{3}$

37 $v(t)=10-2t=0$에서 $t=5$
따라서 물체는 위로 쏘아 올린 지 5초 후에 운동 방향을 바꾸므로 구하는 거리는
$$\int_5^{10} |10-2t|dt=\int_5^{10} (2t-10)dt$$
$$=\Big[t^2-10t\Big]_5^{10}$$
$$=25\,(\text{m})$$
답 ①

38 점 P가 운동 방향을 바꿀 때의 속도 $v(t)=0$이므로
$-t^2+t+12=0$, $t^2-t-12=0$
$(t+3)(t-4)=0$
$\therefore t=4\ (\because t>0)$
따라서 점 P는 4초 후에 운동 방향을 바꾸므로 운동 방향을 바꾼 후 1초 동안 움직인 거리는
$$\int_4^5 |-t^2+t+12|dt=\int_4^5 (t^2-t-12)dt$$
$$=\Big[\frac{1}{3}t^3-\frac{1}{2}t^2-12t\Big]_4^5$$
$$=\Big(\frac{125}{3}-\frac{25}{2}-60\Big)-\Big(\frac{64}{3}-8-48\Big)$$
$$=-\frac{185}{6}+\frac{104}{3}$$
$$=\frac{23}{6}$$
즉, $a=23$, $b=6$이므로
$a+b=29$ 답 29

39 $v(t)=\begin{cases} 2t & (0\le t<1) \\ -2t+4 & (t\ge 1)\end{cases}$
이므로 $t=0$에서 $t=3$까지 점 P가 실제로 움직인 거리는
$$\int_0^3 |v(t)|dt=\int_0^1 2t\,dt+\int_1^2 (-2t+4)dt+\int_2^3 (2t-4)dt$$
$$=\Big[t^2\Big]_0^1+\Big[-t^2+4t\Big]_1^2+\Big[t^2-4t\Big]_2^3$$
$$=1+1+1=3$$
답 3

다른 풀이
구간 $[0, 3]$에서 점 P가 실제로 움직인 거리는 $v(t)$의 그래프와 직선 $t=3$ 및 t축으로 둘러싸인 부분의 넓이와 같으므로
$$\frac{1}{2}\times 2\times 2+\frac{1}{2}\times 1\times 2=2+1=3$$

40 $t=0$에서 $t=a\ (a>6)$까지의 위치의 변화량이 0이 되면 $t=a$일 때, 다시 P지점을 통과한다.
$v(t)=\begin{cases} -t & (0\le t<2) \\ -2 & (2\le t<5) \\ 2t-12 & (t\ge 5)\end{cases}$ 이므로

$$\int_0^a v(t)dt=\int_0^2(-t)dt+\int_2^5(-2)dt+\int_5^a(2t-12)dt$$
$$=\left[-\frac{1}{2}t^2\right]_0^2+\left[-2t\right]_2^5+\left[t^2-12t\right]_5^a$$
$$=(-2)+(-6)+(a^2-12a+35)=0$$

즉, $a^2-12a+27=0$

$(a-3)(a-9)=0 \qquad \therefore a=9\ (\because a>6)$ 답 9

41 ㄱ. $v(a)=0$이고 $t=a$의 좌우에서 $v(t)$의 부호가 바뀔 때 운동 방향이 바뀌므로 $t=3$, $t=6$일 때 운동 방향이 바뀐다. 즉, 물체는 움직이는 동안 운동 방향을 2번 바꾼다. (참)

ㄴ. $t=6$일 때만 $\int_0^6 v(t)dt=0$이므로 출발 후 원점을 한 번 통과한다. (거짓)

ㄷ. 물체가 출발 후 원점에서 가장 멀리 떨어져 있을 때는 $t=3$일 때이므로 그때의 위치는

$\int_0^3 v(t)dt=\frac{1}{2}\times3\times4=6$이다. (참)

따라서 옳은 것은 ㄱ, ㄷ이다. 답 ④

42

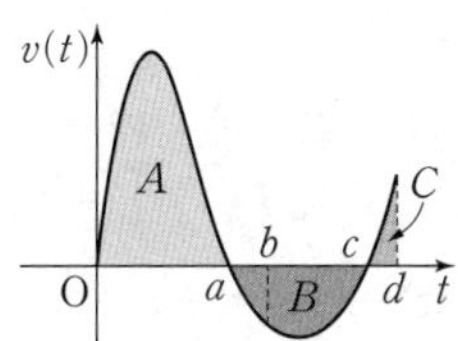

$\int_0^a |v(t)|dt=A$, $\int_a^c |v(t)|dt=B$, $\int_c^d |v(t)|dt=C$

라 하면

$$A=\int_0^a |v(t)|dt=\int_a^d |v(t)|dt$$
$$=\int_a^c |v(t)|dt+\int_c^d |v(t)|dt$$
$$=B+C$$

$\therefore A=B+C \quad \cdots\cdots ㉠$

ㄱ. 시각 $t=x$에서의 점 P의 위치 $\int_0^x v(t)dt$의 최솟값은

$\int_0^c v(t)dt=A-B=C>0$이므로

점 P는 원점을 다시 지나지 않는다. (거짓)

ㄴ. $\int_0^c v(t)dt=\int_0^a v(t)dt+\int_a^c v(t)dt$

$=\int_0^a |v(t)|dt-\int_a^c |v(t)|dt$

$=A-B=C\ (\because ㉠)$

$\therefore \int_0^c v(t)dt=\int_c^d |v(t)|dt=\int_c^d v(t)dt$ (참)

ㄷ. $\int_b^d |v(t)|dt=-\int_b^c v(t)dt+\int_c^d v(t)dt$

$=-\int_b^c v(t)dt+\int_0^c v(t)dt\ (\because ㄴ)$

$=\int_0^c v(t)dt+\int_c^b v(t)dt$

$=\int_0^b v(t)dt$ (참)

따라서 옳은 것은 ㄴ, ㄷ이다. 답 ④

43 물체 A의 속도는 $v_A(t)=3$이므로 원점을 출발하여 9초 후의 위치는

$\int_0^9 3dt=\left[3t\right]_0^9=27$

물체 B의 속도는 이차함수 꼴이므로 [그림 2]에서

$v_B(t)=-3t(t-4)$

a초 후의 위치는

$\int_0^a(-3t^2+12t)dt=\left[-t^3+6t^2\right]_0^a=-a^3+6a^2$

$-a^3+6a^2=27$이므로

$a^3-6a^2+27=0$, $(a-3)(a^2-3a-9)=0$

$\therefore a=3\ (\because a$는 자연수) 답 3

44 그림과 같이 어두운 부분의 넓이를 각각 S_1, S_2라 하면

$S_1=\square\text{OAPB}-\int_0^a x^2dx$

$=a^3-\left[\frac{1}{3}x^3\right]_0^a=\frac{2}{3}a^3$

$S_2=\int_a^2 x^2dx=\left[\frac{1}{3}x^3\right]_a^2=\frac{8}{3}-\frac{1}{3}a^3$

$S_1+S_2=4$이므로

$\frac{2}{3}a^3+\left(\frac{8}{3}-\frac{1}{3}a^3\right)=4$, $\frac{1}{3}a^3=\frac{4}{3}$

$\therefore a^3=4$ 답 4

45 $S_1+S_2+S_3=1$이고, S_2는 등차중항, 즉 $S_1+S_3=2S_2$이므로

$1-S_2=2S_2$

$\therefore S_2=\frac{1}{3}$

$S_1=\int_0^1 \frac{1}{2}x^2dx=\left[\frac{1}{6}x^3\right]_0^1=\frac{1}{6}$

이므로

$S_3=-S_1-S_2+1=-\frac{1}{6}-\frac{1}{3}+1=\frac{1}{2}$

$ax^2=1$에서 $x=\frac{1}{\sqrt{a}}\ (\because x>0)$이므로

$S_3=\frac{1}{\sqrt{a}}\times1-\int_0^{\frac{1}{\sqrt{a}}} ax^2\,dx$

$=\frac{1}{\sqrt{a}}-\left[\frac{a}{3}x^3\right]_0^{\frac{1}{\sqrt{a}}}$

$=\frac{2}{3\sqrt{a}}=\frac{1}{2}$

$\therefore a=\frac{16}{9}$ 답 $\frac{16}{9}$

46 $\lim_{x\to1}\frac{f(x)}{x-1}=-6$에서 $x\to1$일 때, (분모) $\to0$이므로 (분자) $\to0$, 즉 $f(1)=0$이어야 한다.

$\therefore \lim_{x\to1}\frac{f(x)}{x-1}=\lim_{x\to1}\frac{f(x)-f(1)}{x-1}=f'(1)=-6$

또 $\lim_{x\to\infty}\frac{f(x)}{x^2}=-1$에서 $f(x)=-x^2+ax+b$ (a, b는 상수)

이므로

$f'(x)=-2x+a$

$f'(1)=-2+a=-6 \qquad \therefore a=-4$

$f(1)=-1+a+b=0$

$\therefore b=5$

즉, $f(x)=-x^2-4x+5$이므로

$y=f(x)$의 그래프와 x축의 교점의 x좌표는

$f(x)=0$에서 $(x+5)(x-1)=0$

$\therefore x=-5$ 또는 $x=1$

따라서 구하는 넓이는

$\int_{-5}^{1}(-x^2-4x+5)dx$

$=\left[-\frac{1}{3}x^3-2x^2+5x\right]_{-5}^{1}$

$=\left(-\frac{1}{3}-2+5\right)-\left(\frac{125}{3}-50-25\right)$

$=\frac{8}{3}-\left(-\frac{100}{3}\right)$

$=\frac{108}{3}=36$

답 ③

47 조건 (나)에서 $x=\alpha$, $x=\beta$에서 극솟값 0을 가지므로

$f(x)=(x-\alpha)^2(x-\beta)^2$

조건 (가)에서 $f(x)=f(-x)$이므로 $\alpha=-\beta$

즉, $f(x)=(x-\alpha)^2(x+\alpha)^2$이므로

$f(x)=x^4-2\alpha^2x^2+\alpha^4$에서

$f'(x)=4x(x^2-\alpha^2)$

곡선 $y=f'(x)$와 x축의 교점의 x좌표는 $4x(x^2-\alpha^2)=0$에서 $x=-\alpha$ 또는 $x=0$ 또는 $x=\alpha$이고, $y=f'(x)$와 x축으로 둘러싸인 부분의 넓이가 32이므로 $\int_{-\alpha}^{\alpha}|f'(x)|\,dx=32$

$\int_{-\alpha}^{0}f'(x)\,dx=16$

즉, $f(0)-f(-\alpha)=16$, $\alpha^4-0=16$

$\therefore \alpha=2\ (\because \alpha>0)$

따라서 $f(x)=(x-2)^2(x+2)^2$이므로 곡선 $y=f(x)$와 x축으로 둘러싸인 부분의 넓이 S는

$S=\int_{-2}^{2}(x-2)^2(x+2)^2dx$

$=2\int_{0}^{2}(x^4-8x^2+16)\,dx$

$=2\left[\frac{1}{5}x^5-\frac{8}{3}x^3+16x\right]_{0}^{2}$

$=\frac{512}{15}$

$\therefore 15S=512$

답 512

48 두 함수 $y=f(x)$, $y=g(x)$는 서로 역함수 관계에 있으므로 두 곡선 $y=f(x)$, $y=g(x)$는 직선 $y=x$에 대하여 대칭이다. 즉, 두 곡선 $y=f(x)$, $y=g(x)$의 교점은 곡선 $y=f(x)$와 직선 $y=x$의 교점과 같으므로 두 곡선 $y=f(x)$, $y=g(x)$의 교점은 $(1, 1)$, $(2, 2)$이다.

즉, $f(1)=a+b=1$, $f(2)=4a+b=2$

두 식을 연립하여 풀면

$a=\frac{1}{3}$, $b=\frac{2}{3}$

$\therefore f(x)=\frac{1}{3}x^2+\frac{2}{3}$ (단, $x\geq0$)

한편, 위의 그림에서 A_1, A_2는 직선 $y=x$에 대하여 대칭이므로 그 넓이가 같고

$A_1+A_2=A$

$\therefore A=2A_1=2\int_{0}^{1}\{f(x)-x\}dx$

마찬가지로 $B_1=B_2$이고 $B_1+B_2=B$

$\therefore B=2B_1=2\int_{1}^{2}\{x-f(x)\}dx$

$\therefore A-B=2\int_{0}^{1}\{f(x)-x\}dx-2\int_{1}^{2}\{x-f(x)\}dx$

$=2\int_{0}^{2}\{f(x)-x\}dx$

$=2\int_{0}^{2}\left(\frac{1}{3}x^2-x+\frac{2}{3}\right)dx$

$=2\left[\frac{1}{9}x^3-\frac{1}{2}x^2+\frac{2}{3}x\right]_{0}^{2}$

$=2\left(\frac{8}{9}-2+\frac{4}{3}\right)=\frac{4}{9}$

$\therefore 27(A-B)=27\times\frac{4}{9}=12$

답 12

49 두 곡선 $y=x^4-x^3$, $y=-x^4+x$의 교점의 x좌표는

$x^4-x^3=-x^4+x$에서

$2x^4-x^3-x=0$

$x(x-1)(2x^2+x+1)=0$

$\therefore x=0$ 또는 $x=1$

두 곡선 $y=x^4-x^3$, $y=-x^4+x$로 둘러싸인 부분의 넓이는

$\int_{0}^{1}\{(-x^4+x)-(x^4-x^3)\}dx$

$=\int_{0}^{1}(-2x^4+x^3+x)dx$

$=\left[-\frac{2}{5}x^5+\frac{1}{4}x^4+\frac{1}{2}x^2\right]_{0}^{1}$

$=-\frac{2}{5}+\frac{1}{4}+\frac{1}{2}=\frac{7}{20}$

두 곡선 $y=-x^4+x$, $y=ax(1-x)$로 둘러싸인 부분의 넓이는 두 곡선 $y=x^4-x^3$, $y=-x^4+x$로 둘러싸인 부분의 넓이의 $\frac{1}{2}$이므로

$\int_{0}^{1}\{(-x^4+x)-(ax-ax^2)\}dx$

$=\int_{0}^{1}\{-x^4+ax^2+(1-a)x\}dx$

$=\left[-\frac{1}{5}x^5+\frac{a}{3}x^3+\frac{(1-a)}{2}x^2\right]_{0}^{1}$

$=-\frac{1}{5}+\frac{a}{3}+\frac{1-a}{2}$

$=\frac{3}{10}-\frac{a}{6}=\frac{7}{40}$

$\therefore a=\frac{3}{4}$

답 $\frac{3}{4}$

50 원의 방정식을 $x^2+(y-a)^2=1\ (a>0)$이라 하고 $y=x^2$과 연립하면

$y+(y-a)^2=1$

$y^2-(2a-1)y+a^2-1=0$ ……㉠

원과 곡선이 내접하므로 ㉠의 판별식을 D라 하면

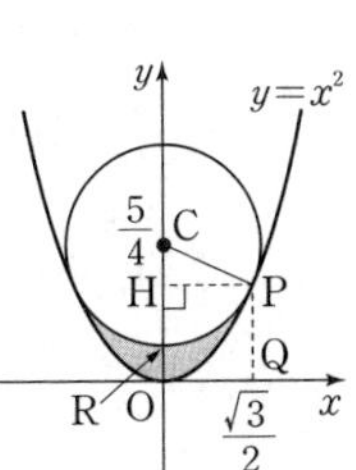

$D=(2a-1)^2-4(a^2-1)=0$

$4a^2-4a+1-4a^2+4=0$

$-4a=-5$

$\therefore a=\frac{5}{4}$

이것을 ㉠에 대입하면

$y^2-\frac{3}{2}y+\frac{9}{16}=0$

$\therefore (4y-3)^2=0$

즉, $y=\frac{3}{4}$이고 $y=x^2$에서

$x=\pm\frac{\sqrt{3}}{2}$

한편, 삼각형 CHP에서 $\overline{\text{CP}}=1$, $\overline{\text{CH}}=\frac{5}{4}-\frac{3}{4}=\frac{1}{2}$이므로

$\angle\text{PCR}=60°$

따라서 구하는 넓이는

$2\Big\{$(사다리꼴 OQPC의 넓이)$-$(부채꼴 CRP의 넓이)

$\displaystyle -\int_0^{\frac{\sqrt{3}}{2}} x^2dx\Big\}$

$=2\left\{\frac{1}{2}\times\left(\frac{5}{4}+\frac{3}{4}\right)\times\frac{\sqrt{3}}{2}-\pi\times1^2\times\frac{60°}{360°}-\left[\frac{1}{3}x^3\right]_0^{\frac{\sqrt{3}}{2}}\right\}$

$=2\left(\frac{\sqrt{3}}{2}-\frac{\pi}{6}-\frac{\sqrt{3}}{8}\right)$

$=\frac{3\sqrt{3}}{4}-\frac{\pi}{3}$

답 ⑤

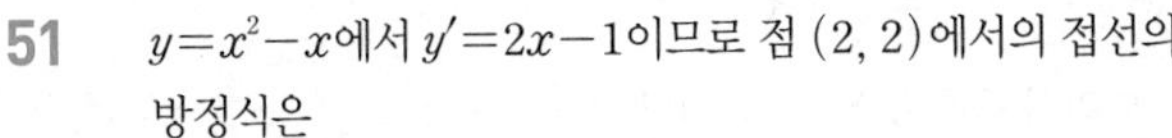

51 $y=x^2-x$에서 $y'=2x-1$이므로 점 $(2, 2)$에서의 접선의 방정식은

$y-2=3(x-2)$

$\therefore y=3x-4$

$y=x^2+3x+a$에서

$y'=2x+3$

직선 $y=3x-4$가 곡선 $y=x^2+3x+a$의 접선일 때 접점의 x좌표를 k라 하면

$2k+3=3$

$\therefore k=0$

곡선 $y=x^2+3x+a$의 접점의 좌표가 $(0, -4)$이므로

$a=-4$

두 곡선 $y=x^2-x$, $y=x^2+3x-4$의 교점의 x좌표는

$x^2-x=x^2+3x-4$에서

$4x=4$

$\therefore x=1$

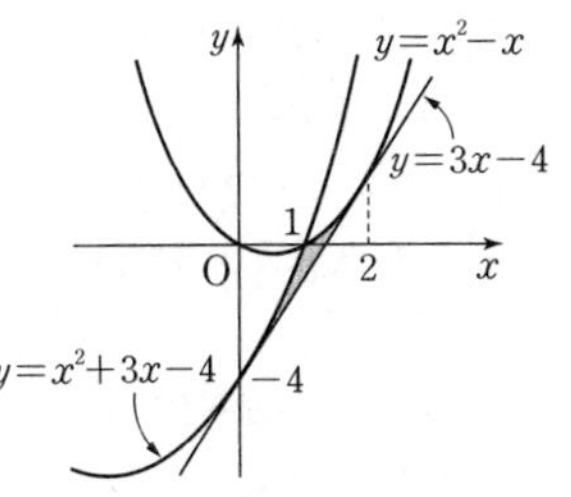

따라서 구하는 넓이는

$\displaystyle\int_0^1\{(x^2+3x-4)-(3x-4)\}dx$

$\displaystyle+\int_1^2\{(x^2-x)-(3x-4)\}dx$

$\displaystyle=\int_0^1 x^2dx+\int_1^2(x^2-4x+4)dx$

$=\left[\frac{1}{3}x^3\right]_0^1+\left[\frac{1}{3}x^3-2x^2+4x\right]_1^2$

$=\left(\frac{1}{3}-0\right)+\left\{\left(\frac{8}{3}-8+8\right)-\left(\frac{1}{3}-2+4\right)\right\}$

$=\frac{2}{3}$

답 $\frac{2}{3}$

52 곡선 $f(x)=x^3-6x^2$과 x축으로 둘러싸인 부분의 넓이는

$\displaystyle\int_0^6|f(x)|dx=-\int_0^6(x^3-6x^2)dx$

직선 l의 방정식을 $g(x)=mx+n$ (m, n은 상수)이라 하면 사다리꼴 OABC의 넓이는 구간 $[0, 6]$에서 직선 l과 x축으로 둘러싸인 부분의 넓이와 같으므로

(사다리꼴 OABC의 넓이)$\displaystyle=\int_0^6|g(x)|dx$

$\displaystyle=-\int_0^6(mx+n)dx$

사다리꼴 OABC의 넓이는 곡선 $f(x)=x^3-6x^2$과 x축으로 둘러싸인 부분의 넓이와 같으므로

$\displaystyle-\int_0^6(mx+n)dx=-\int_0^6(x^3-6x^2)dx$

$\displaystyle\int_0^6(x^3-6x^2)dx-\int_0^6(mx+n)dx$

$\displaystyle=\int_0^6(x^3-6x^2-mx-n)dx$

$=\left[\frac{1}{4}x^4-2x^3-\frac{1}{2}mx^2-nx\right]_0^6$

$=324-432-18m-6n$

$=-6(18+3m+n)=0$

$\therefore n=-3m-18$

$\therefore g(x)=mx-3m-18$

$=m(x-3)-18$

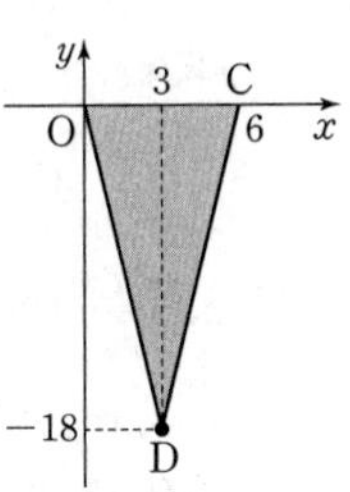

즉, 직선 l의 방정식 $g(x)=m(x-3)-18$은 m의 값에 관계없이 항상 점 $(3, -18)$을 지난다.

따라서 점 D의 좌표는 $(3, -18)$이므로

$\triangle\text{ODC}=\frac{1}{2}\times6\times18=54$

답 54

53 ㄱ. 그림과 같이 $S(1)$은 곡선 $y=x^2-3$과 직선 $y=1$로 둘러싸인 부분의 넓이이다.

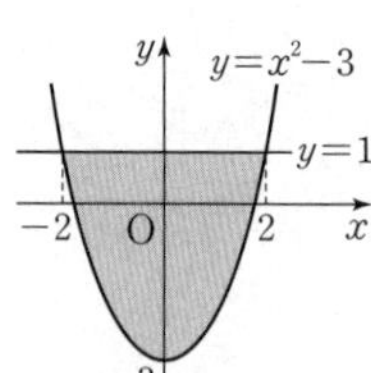

곡선과 직선의 교점의 x좌표는

$x^2-3=1$에서

$x^2-4=0$, $(x+2)(x-2)=0$

$\therefore x=-2$ 또는 $x=2$

$$\therefore S(1)=\int_{-2}^{2}\{1-(x^2-3)\}dx$$

$$=2\int_0^2(4-x^2)dx$$

$$=2\left[4x-\frac{1}{3}x^3\right]_0^2=\frac{32}{3}\text{ (참)}$$

ㄴ. 곡선 $y=x^2-\frac{3}{n^2}$과 직선 $y=\frac{1}{n^2}$의 교점의 x좌표는

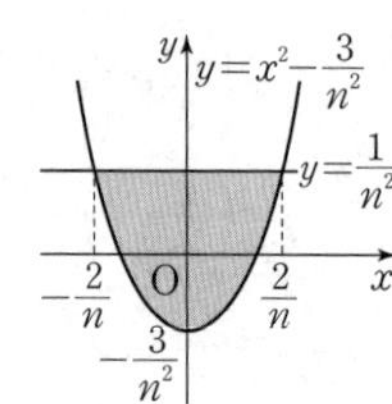

$x^2-\frac{3}{n^2}=\frac{1}{n^2}$에서

$\left(x+\frac{2}{n}\right)\left(x-\frac{2}{n}\right)=0$

$\therefore x=-\frac{2}{n}$ 또는 $x=\frac{2}{n}$

$$\therefore S(n)=\int_{-\frac{2}{n}}^{\frac{2}{n}}\left\{\frac{1}{n^2}-\left(x^2-\frac{3}{n^2}\right)\right\}dx$$

$$=2\int_0^{\frac{2}{n}}\left(\frac{4}{n^2}-x^2\right)dx=2\left[\frac{4}{n^2}x-\frac{1}{3}x^3\right]_0^{\frac{2}{n}}$$

$$=2\left(\frac{8}{n^3}-\frac{8}{3n^3}\right)=\frac{32}{3n^3}$$

$\frac{32}{3n^3}<\frac{1}{18}$에서 $n^3>192$이고, $5^3<192<6^3$이므로 자연수 n의 최솟값은 6이다. (참)

ㄷ. $S(n-1)>S(n)$이므로

$\sum_{n=2}^{10}|S(n)-S(n-1)|$

$=\sum_{n=2}^{10}\{S(n-1)-S(n)\}$

$=S(1)-S(2)+S(2)-S(3)+\cdots+S(9)-S(10)$

$=S(1)-S(10)$

$=\frac{32}{3}\left(1-\frac{1}{10^3}\right)$ ($\because$ ㄴ)$=\frac{1332}{125}$ (참)

따라서 ㄱ, ㄴ, ㄷ 모두 옳다.

답 ⑤

54 두 점 P, Q가 출발한 후 10초 동안 움직인 거리를 각각 s_1, s_2라 하면

$$s_1=\int_0^{10}(7t+3)dt=\left[\frac{7}{2}t^2+3t\right]_0^{10}=380\text{ (cm)}$$

$$s_2=\int_0^{10}(3t+2)dt=\left[\frac{3}{2}t^2+2t\right]_0^{10}=170\text{ (cm)}$$

$\therefore s_1+s_2=550$ (cm) ……㉠

정사각형의 둘레의 길이가 40 cm이므로 두 점 P, Q가 만날 때는 두 점이 움직인 거리의 합이 40의 배수일 때이다.

그런데 ㉠에서 10초 동안 두 점이 움직인 거리의 합이 550 cm이므로 $550=40\times13+30$에서 10초 동안 만난 횟수는 13이다.

답 13

55 ㄱ. $x(1)=-\frac{1}{3}$, $x(3)=\frac{16}{3}$이므로

$\int_0^1 v(t)dt=-\frac{1}{3}<0$, $\int_0^3 v(t)dt=\frac{16}{3}>0$

즉, $x(t)$는 $1<t<3$일 때 원점을 한 번 지난다. (참)

ㄴ. $\int_0^1 v(t)dt=-\frac{1}{3}$, $\int_0^3 v(t)dt=\frac{16}{3}$이므로

$$\int_1^3 v(t)dt=\int_1^0 v(t)dt+\int_0^3 v(t)dt$$

$$=\int_0^3 v(t)dt-\int_0^1 v(t)dt$$

$$=\frac{16}{3}-\left(-\frac{1}{3}\right)$$

$$=\frac{17}{3}\text{ (참)}$$

ㄷ. $v(4-t)=v(4+t)$이므로 함수 $y=v(t)$의 그래프는 직선 $t=4$에 대하여 대칭이다.

$4\le t\le 7$일 때, 점 P가 움직인 거리는

$$\int_4^7|v(t)|dt=\int_1^4|v(t)|dt\ (\because v(4-t)=v(4+t))$$

$$=\int_1^3|v(t)|dt+\int_3^4|v(t)|dt \quad\cdots\cdots㉠$$

그런데 $x(a)=\int_0^a v(t)dt$이므로

$$\int_1^3|v(t)|dt=x(3)-x(1)$$

$$=\frac{16}{3}-\left(-\frac{1}{3}\right)=\frac{17}{3} \quad\cdots\cdots㉡$$

$$\int_3^4|v(t)|dt=-\int_3^4 v(t)dt$$

$$=x(3)-x(4)$$

$$=\frac{16}{3}-\frac{10}{3}=2 \quad\cdots\cdots㉢$$

㉡, ㉢을 ㉠에 대입하면

$\frac{17}{3}+2=\frac{23}{3}$ (거짓)

따라서 옳은 것은 ㄱ, ㄴ이다.

답 ③

56 $f(x)=\begin{cases}0 & (x\le0)\\ x & (x>0)\end{cases}$이므로

$f(x-a)=\begin{cases}0 & (x\le a)\\ x-a & (x>a)\end{cases}$

$f(x-b)=\begin{cases}0 & (x\le b)\\ x-b & (x>b)\end{cases}$

$f(x-2)=\begin{cases}0 & (x\le 2)\\ x-2 & (x>2)\end{cases}$

이므로 $0\le x\le2$에서

$h(x)=\begin{cases}kx & (0\le x\le a)\\ ak & (a<x\le b)\\ k(-x+a+b) & (b<x\le 2)\end{cases}$

모든 실수 x에 대하여 $0\le h(x)\le g(x)$이고,

$\int_0^2\{g(x)-h(x)\}dx$의 값이 최소가 되기 위해서는

두 함수 $y=g(x)$, $y=h(x)$의 그래프가 그림과 같아야 한다.

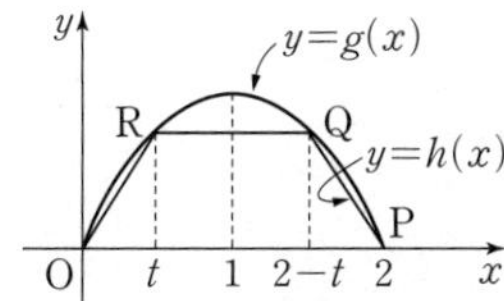

따라서 R$(t, t(2-t))$ $(0<t<1)$라 하면
Q$(2-t, t(2-t))$이고 사다리꼴 OPQR의 넓이 $S(t)$가 최대가 되어야 하므로

$$S(t)=\frac{1}{2}\times\{2+(2-2t)\}\times t(2-t)$$
$$=t^3-4t^2+4t$$

$S'(t)=3t^2-8t+4=(3t-2)(t-2)$

$S'(t)=0$에서 $t=\frac{2}{3}$ 또는 $t=2$

$0<t<1$에서 함수 $y=S(t)$의 증가, 감소를 표로 나타내면 다음과 같다.

t	(0)	$\cdots$	$\frac{2}{3}$	$\cdots$	(1)
$S'(t)$		$+$	0	$-$	
$S(t)$		↗	극대	↘	

$0<t<1$에서 함수 $y=S(t)$는 $t=\frac{2}{3}$에서 극대이면서

최댓값을 가지므로 $\int_0^2\{g(x)-h(x)\}dx$의 값은 최소이다.

따라서 구하는 k, a, b의 값은

$$k=\frac{\frac{2}{3}\times\frac{4}{3}}{\frac{2}{3}}=\frac{4}{3},\ a=\frac{2}{3},\ b=\frac{4}{3}$$

$\therefore 60(k+a+b)=60\times\frac{10}{3}=200$ 답 200

57 $0\le t\le 3$에서 함수 $y=f(t)$가 삼차함수이므로 $0\le t\le 3$에서 함수 $y=f'(t)$는 이차함수이다.
$t=0$에서 출발하므로 $\lim_{t\to 0+}f'(t)=0$이고 3초 후 일정 속도를 유지하므로 $t\ge 3$에서 $f'(t)=0$이다.
함수 $y=f(t)$가 $t>0$인 모든 실수 t에서 미분가능하므로
함수 $y=f'(t)$는 $t>0$인 모든 실수 t에서 연속이어야 한다.
$0\le t<3$에서 $y=f'(t)$는 이차함수이고 $t\ge 3$에서
$f'(t)=0$이므로 $\lim_{t\to 3-}f'(t)=0$이어야 한다.

$0\le t<3$에서 $f'(t)=at^2+bt$ (a, b는 상수)라 하면

$\lim_{t\to 3-}f'(t)=9a+3b=0$

$\therefore b=-3a$

$\therefore f'(t)=at(t-3)=a(t^2-3t)$

$0\le t<3$에서 $f(t)=\int_0^t f'(x)dx$
$$=\int_0^t a(x^2-3x)dx$$
$$=\left[a\left(\frac{1}{3}x^3-\frac{3}{2}x^2\right)\right]_0^t$$
$$=\frac{a}{3}t^3-\frac{3a}{2}t^2$$

이고, 3초 후 일정 속도를 유지하므로 $t\ge 3$에서
$f(t)=\lim_{t\to 3-}f(t)$이다.

따라서 레이싱카트의 최고 속도가 초속 27 m/s이고 10초 동안 최대로 많이 이동하려면 3초부터 최고 속도로 이동해야 하므로
$\lim_{t\to 3-}f(t)=27$이어야 한다.

$$\lim_{t\to 3-}f(t)=\lim_{t\to 3-}\left(\frac{a}{3}t^3-\frac{3a}{2}t^2\right)$$
$$=-\frac{9}{2}a=27$$

$\therefore a=-6$

$$\therefore f(t)=\begin{cases}-2t^3+9t^2 & (0\le t<3)\\ 27 & (t\ge 3)\end{cases}$$

따라서 출발 후 10초까지 레이싱카트의 최대 이동거리 S (m)는

$$S=\int_0^{10}f(t)dt$$
$$=\int_0^3(-2t^3+9t^2)dt+\int_3^{10}27dt$$
$$=\left[-\frac{1}{2}t^4+3t^3\right]_0^3+\left[27t\right]_3^{10}$$
$$=\frac{81}{2}+189=\frac{459}{2}\text{ (m)}$$

$\therefore 2S=459$ 답 459

memo

memo

memo

아름다운 샘 BOOK LIST

개념기본서 수학의 기본을 다지는 최고의 수학 개념기본서

❖ 수학의 샘

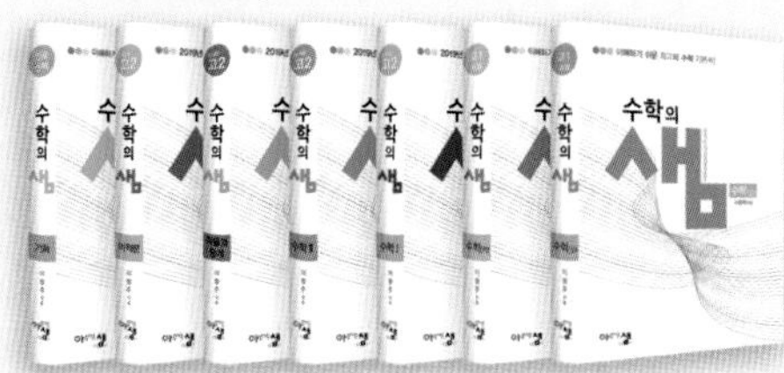

- 수학(상)
- 수학(하)
- 수학Ⅰ
- 수학Ⅱ
- 확률과 통계
- 미적분
- 기하

Total 내신문제집 한 권으로 끝내는 내신 대비 문제집

❖ Total 짱

- 수학(상)
- 수학(하)
- 수학Ⅰ
- 수학Ⅱ
- 확률과 통계
- 미적분

문제기본서 {기본, 유형}, {유형, 심화}로 구성된 수준별 문제기본서

❖ 아샘 Hi Math

- 수학(상)
- 수학(하)
- 수학Ⅰ
- 수학Ⅱ
- 확률과 통계
- 미적분
- 기하

❖ 아샘 Hi High

- 수학(상)
- 수학(하)
- 수학Ⅰ
- 수학Ⅱ
- 확률과 통계
- 미적분

수능 기출유형 문제집 수능 대비하는 수준별·유형별 문제집

❖ 짱 쉬운 유형 / 확장판

- 수학Ⅰ
- 수학Ⅱ
- 확률과 통계
- 미적분
- 기하

- 수학Ⅰ
- 수학Ⅱ
- 확률과 통계

❖ 짱 중요한 유형

- 수학Ⅰ
- 수학Ⅱ
- 확률과 통계
- 미적분
- 기하

❖ 짱 어려운 유형

- 수학Ⅰ
- 수학Ⅱ
- 확률과 통계
- 미적분

중간·기말고사 교재 학교 시험 대비 실전모의고사

❖ 아샘 내신 FINAL (고1 수학, 고2 수학Ⅰ, 고2 수학Ⅱ)

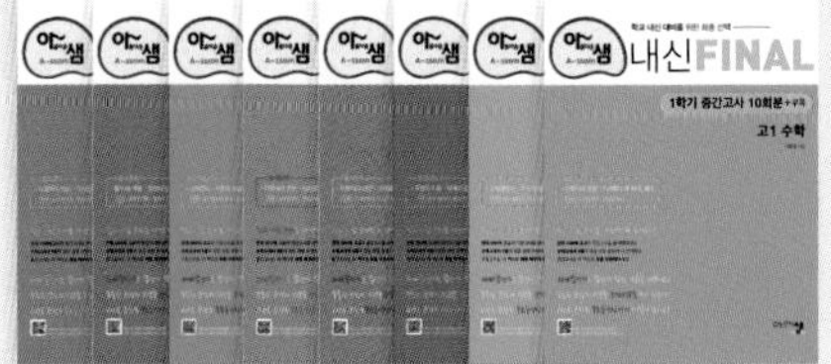

- 1학기 중간고사
- 1학기 기말고사
- 2학기 중간고사
- 2학기 기말고사

수능 실전모의고사 수능 대비 파이널 실전모의고사

❖ 짱 Final 실전모의고사

- 수학 영역

예비 고1 교재 고교 수학의 기본을 다지는 참 쉬운 기본서

❖ 그래 할 수 있어

- 수학(상)
- 수학(하)

내신 기출유형 문제집 내신 대비하는 수준별·유형별 문제집

❖ 짱 쉬운 내신

- 수학(상)
- 수학(하)

❖ 짱 중요한 내신

- 수학(상)
- 수학(하)

펴낸이 (주)아름다운샘
펴낸곳 (주)아름다운샘
등록번호 제324-2013-41호
주소 서울시 강동구 상암로 257, 진승빌딩 3F
전화 02-892-7878
팩스 02-892-7874

대한민국 대표 수학 개념기본서

수학의 샘

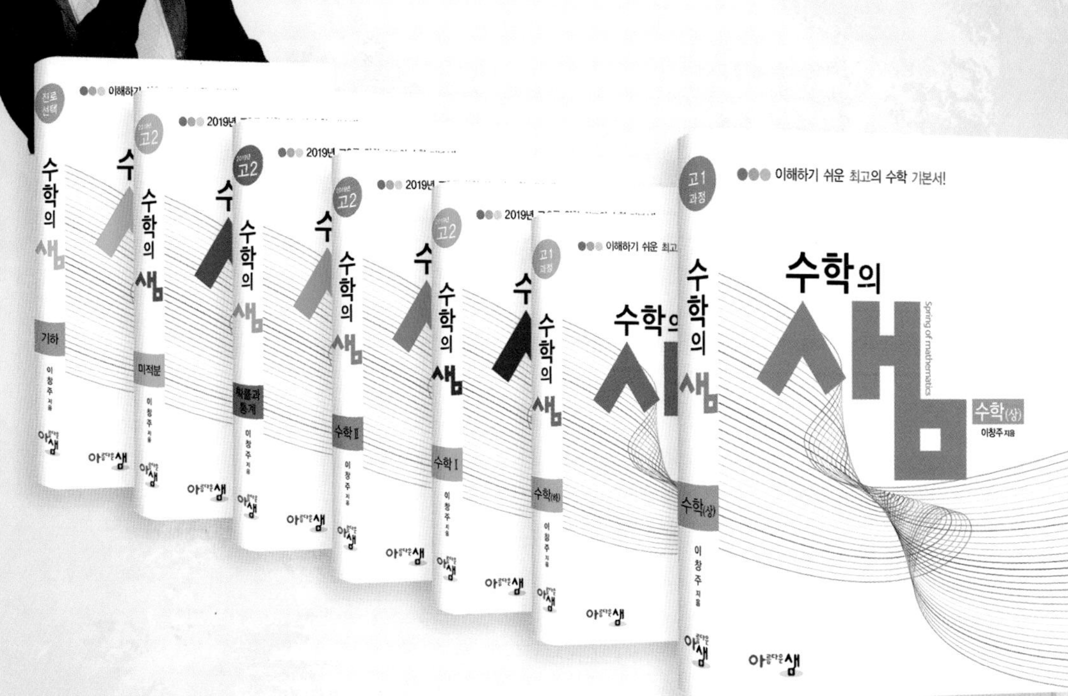

강남인강 동영상 강의

수학(상)	수학(하)	수학 I	수학 II
정준교 선생님	정현경 선생님	정준교 선생님	전준홍 선생님

확률과 통계	미적분	기하
정준교 선생님	서지나 선생님	정준교 선생님

샘으로 정복하는 수학 만점 비법!!

개념기본서
수학의 샘으로 기본기를 충실히 다진다.

기본 문제편
아샘 Hi Math로 학교 시험에 대한 자신감을 가진다.

심화 문제편
아샘 Hi High로 최고난도 문제에 대한 자신감을 가진다.

아름다운 샘에서 장학금을 드립니다.

수학의 샘 시리즈를 통하여 얻어지는 저자 수익금 중 10%를 열심히 공부하고자 하나
형편이 어려운 학생들을 위하여 장학금으로 지급하고자 합니다.

접수방법

하나. 주위에 열심히 공부하고자 하나 형편이 어려운 학생(고1, 고2 대상)을 찾습니다.

둘. 그 학생의 인적사항(성명, 학교, 전화번호)을 알아내어 학교 수학선생님께 달려가 추천서를 받습니다.

셋. 우편 또는 메일을 통해 인적사항과 추천 사유를 적고 추천서를 첨부하여 아름다운샘으로 보냅니다.

접수처

주소 (05272) 서울시 강동구 상암로 257, 진승빌딩 3F
수학의 샘 시리즈 담당자 앞

e-mail assam7878@hanmail.net

※소정의 심사를 거쳐 선정된 학생에게 장학금을 지급하고자 합니다.
※제출된 서류는 심사 후 폐기 처분합니다.